Photoshop CS

C'est simple

TOP 100 Trucs & Astuces

Denis Graham

maranGraphics®

FIRST > Interactive

Photoshop CS, C'est simple, Top 100 Trucs & Astuces

Publié par
Wiley Publishing, Inc.
111 River Street
Hoboken, NJ 07030
www.wiley.com

maranGraphics, Inc.
5755 Coopers Avenue
Mississauga, Ontario, Canada
L4Z 1R9

Édition française publiée en accord avec Wiley Publishing, Inc. par :
© Éditions First Interactive
27, rue Cassette
75006 PARIS – France
Tél. 01 45 49 60 00
Fax 01 45 49 60 01
E-mail : firstinfo@efirst.com
Internet : www.efirst.com

ISBN : 2-84427-598-2
Dépôt légal : 2e trimestre 2004

Imprimé en Espagne

ONT COLLABORÉ À CE LIVRE

Édition
Sarah Hellert
Jody Lefevere
Lindsay Sandman
Adrienne D. Porter
Marylouise Wiack
Dennis R. Cohen
Robyn Siesky
Dave Huss
Susan Moritz
Sherry Massey
Christine Pingleton

Écrans et illustrations
Jill A. Proll
Lindsey Osborn
Ronda David-Burroughs
David E. Gregory

Fabrication
Allan Conley
Linda Cook
Paul Gilchrist
Jennifer Guynn
Nancee Reeves
Erin Smith

Conception graphique
maranGraphics, Inc.

Mise en page
Beth Brooks
LeAndra Hosier

Direction éditoriale
Richard Swadley
Barry Pruett

ADAPTATION FRANÇAISE

Traduction
Riana Harintsoaniriana

Mise en page et adaptation graphique
Catherine Kédémos

maranGraphics est une entreprise familiale
installée près de Toronto, au Canada.

Chez **maranGraphics**, nous ne voulons produire que des livres d'informatique hors du commun : un livre à la fois, mais toujours un livre d'exception.

Chaque livre maranGraphics bénéficie du succès remporté par le processus de communication que nous ne cessons de perfectionner depuis 28 ans. C'est ainsi que nous pouvons vous présenter des pages dans lesquelles textes et écrans s'organisent harmonieusement pour faciliter la compréhension des nouveaux concepts et des différentes tâches.

Il nous a fallu des heures pour trouver la meilleure manière d'exécuter des tâches pratiques, et le résultat est là ! Grâce à nos écrans très lisibles et nos instructions faciles à suivre, vous mènerez chaque tâche à son terme sans encombres.

Nous vous remercions pour l'achat de ce livre, sans nul doute le meilleur ouvrage informatique qu'il fallait vous offrir. Nous espérons que vous prendrez autant de plaisir à l'utiliser que nous nous sommes régalés à le réaliser.

Bonne lecture !

La famille Maran

BIEN UTILISER CE LIVRE

Photoshop CS, C'est simple,Top 100 Trucs & Astuces propose les 100 tâches les plus intéressantes et les plus utiles, réalisables avec Photoshop CS. Il vous livre de précieux secrets et des astuces qui vous feront gagner du temps et vous rendront beaucoup plus efficace.

Ce que vous apporte vraiment ce livre

Vous possédez les connaissances de base sur Photoshop, mais vous voulez les améliorer et les compléter par le biais d'une méthode visuelle ? Passez au niveau supérieur grâce à ce « C'est simple ».

Conventions utilisées dans ce livre

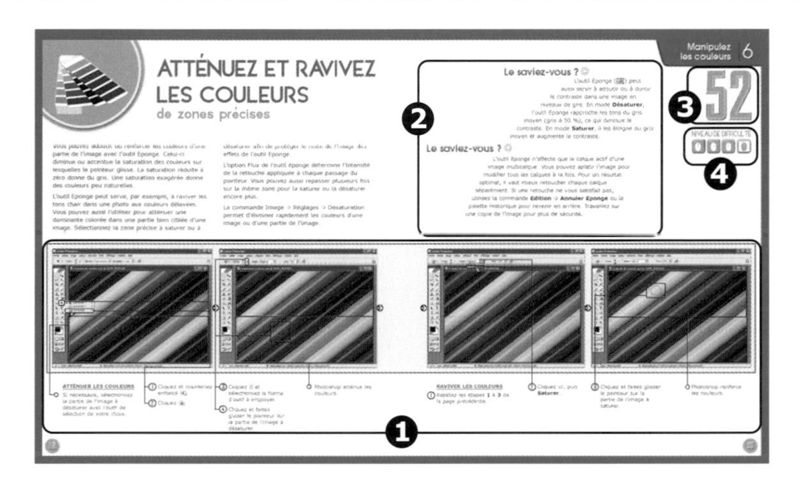

❶ Étapes

Chaque tâche est expliquée sous la forme d'une série d'étapes. Des lignes et des encadrés relient chaque instruction à l'élément correspondant dans l'écran, illustrant visuellement l'action à accomplir.

❷ Trucs et astuces

Des astuces pratiques et amusantes répondent aux questions que vous vous êtes toujours posées. C'est aussi dans cette rubrique que vous apprendrez à accomplir des tâches que vous croyiez irréalisables en photographie numérique.

❸ Numéros de tâches

Les numéros de tâches indiquent le numéro de la tâche en cours parmi les 100 proposées dans ce livre.

❹ Niveaux de difficulté

Des icônes de souris permettent d'identifier en un clin d'œil le niveau de difficulté de chaque tâche.

Donne un nouveau regard sur une tâche courante

Introduit une nouvelle compétence ou une tâche inédite

Exploite des compétences avec des connaissances poussées

Requiert des compétences multiples, impliquant parfois d'autres technologies

TABLE DES MATIÈRES

1 Manipulez les calques

2 Ajoutez du texte et dessinez

3 Créez des sélections, des masques et des tracés

4 Retouchez et peignez vos images

TABLE DES MATIÈRES

5 Améliorez vos photographies

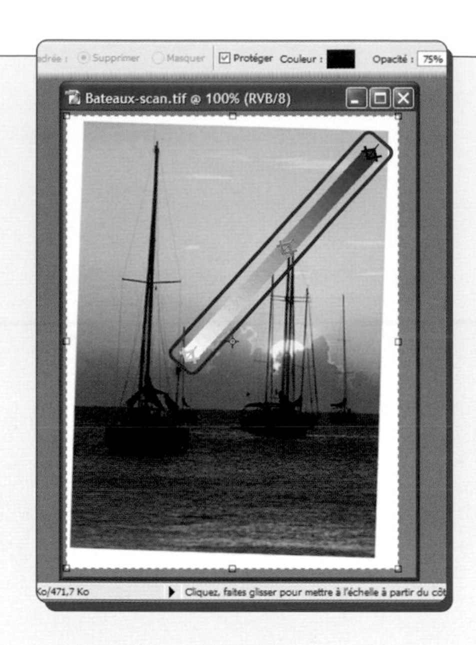

6 Manipulez les couleurs

7 Créez des effets avec les filtres

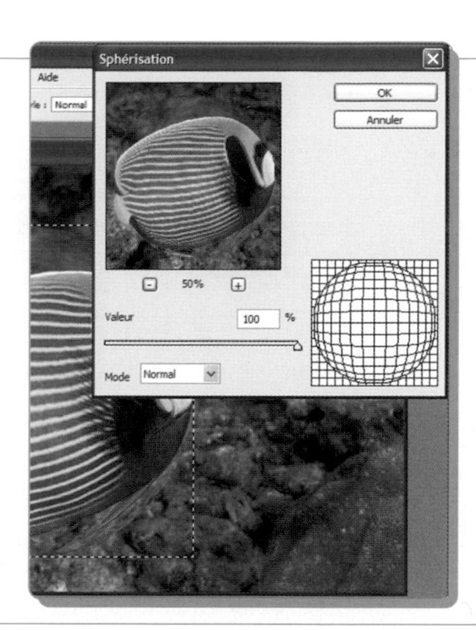

8 Préparez les images pour l'impression et le Web

9 Optimisez votre session de travail

10 Créez pour le Web avec ImageReady

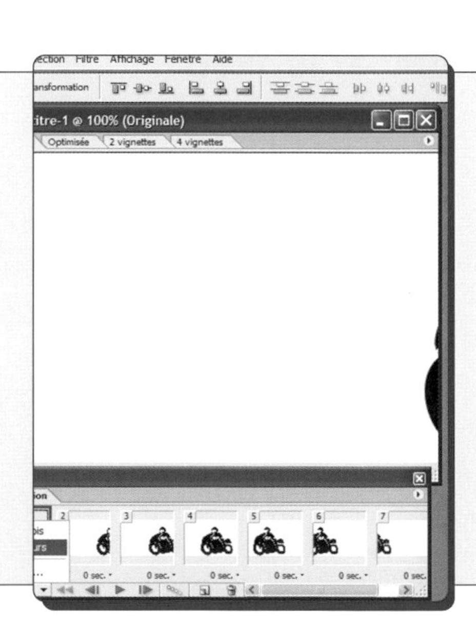

Manipulez les calques

Parmi les outils de création graphique que Photoshop CS propose, les calques font particulièrement preuve de souplesse d'utilisation. Ils facilitent la création d'images complexes en en décomposant les éléments sur des calques différents. Ainsi, l'arrière-plan d'une image peut se trouver sur un calque et le sujet principal sur un autre.

Si, à l'écran, rien ne trahit le caractère composé de l'image, les différents calques peuvent être manipulés indépendamment. Vous pouvez dessiner, colorier ou effacer le contenu d'un calque sans affecter les autres. Chaque calque possède ses propres effets spéciaux, son mode de fusion ou son degré d'opacité. Vous pouvez aussi associer les calques, les fusionner ou les masquer.

Photoshop CS propose plusieurs outils de manipulation, de modification et de gestion des calques. Ils permettent de réaliser facilement des éléments visuels spectaculaires. Photoshop CS ne décevra pas votre attente, même si elle est très grande.

TOP 100

EFFECTUEZ UN ZOOM

sur plusieurs images à la fois

Lorsque vous travaillez sur plusieurs images à la fois, certains outils présentent des fonctions complémentaires. C'est le cas, par exemple, de l'outil Zoom, qui grossit une partie de l'image pour permettre de mieux en voir les détails. Il suffit de cliquer l'outil Zoom dans la boîte à outils puis la partie de l'image à grossir. L'opération devient fastidieuse si vous devez la répéter plusieurs fois sur plusieurs images ouvertes.

Dans Photoshop CS, l'outil Zoom dispose d'une nouvelle fonction. Lorsqu'il est sélectionné, la barre d'options affiche une case à cocher Zoom fenêtres. Elle permet d'effectuer un zoom avant ou arrière sur toutes les images ouvertes en un seul clic.

Vous pouvez effectuer un zoom sur une seule image, même lorsque la case Zoom fenêtre est cochée. Pour cela, cliquez avec le bouton droit l'une des images. Choisissez l'option qui convient dans le menu contextuel. Les autres images ouvertes ne sont pas affectées.

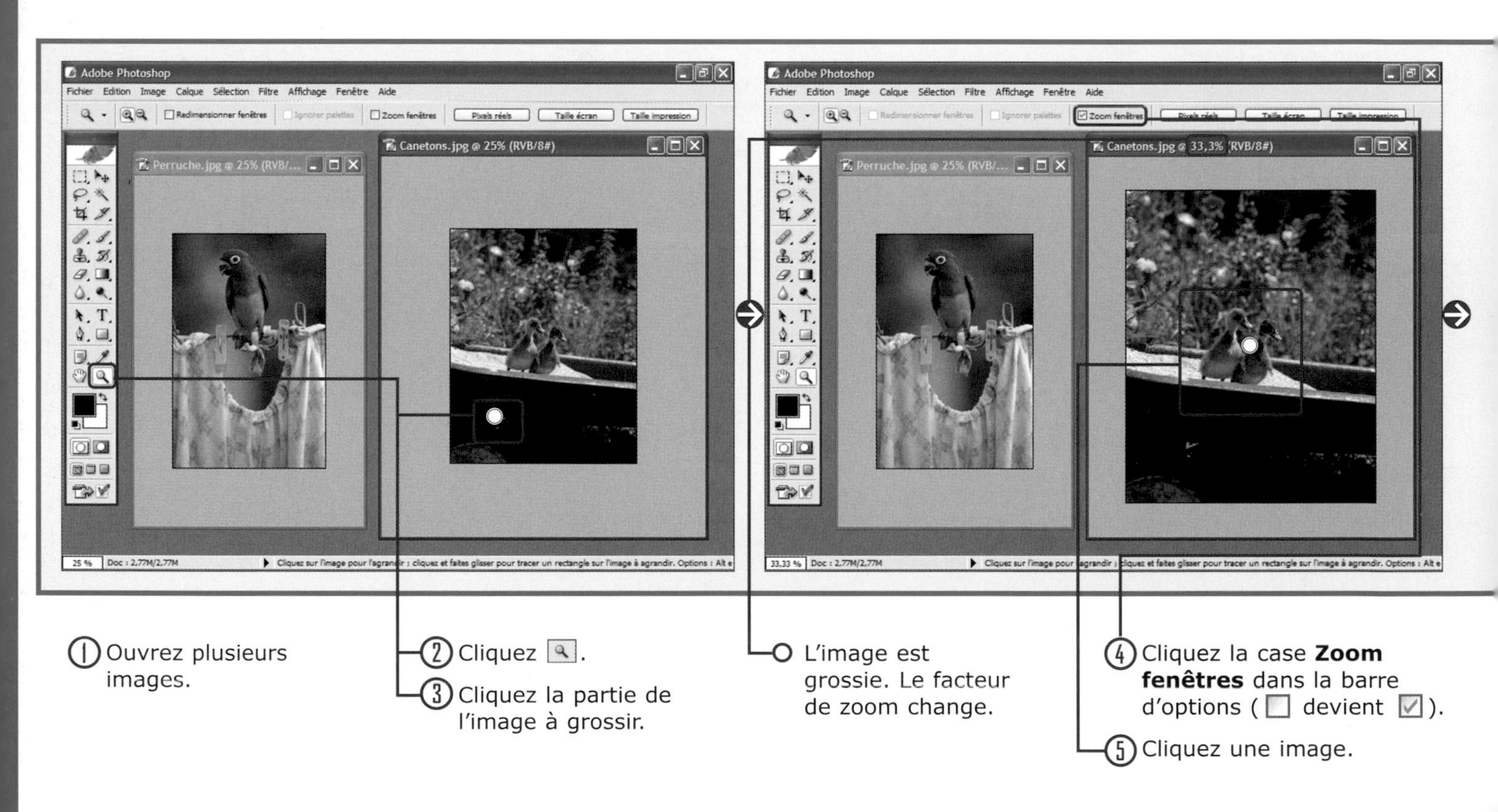

① Ouvrez plusieurs images.

② Cliquez 🔍.

③ Cliquez la partie de l'image à grossir.

○ L'image est grossie. Le facteur de zoom change.

④ Cliquez la case **Zoom fenêtres** dans la barre d'options (☐ devient ☑).

⑤ Cliquez une image.

NIVEAU DE DIFFICULTÉ

Le saviez-vous ?

Vous pouvez aussi modifier le taux de grossissement ou de réduction dans la zone prévue à cet effet, en bas à gauche de l'écran. Double-cliquez dans la zone de texte, tapez une nouvelle valeur et appuyez sur **Entrée**. La modification ne s'applique qu'à l'image active. Les autres images ouvertes ne sont pas affectées, même si la case **Zoom fenêtres** est cochée dans la barre d'options.

Le saviez-vous ?

Pour effectuer un zoom avant, lorsqu'un autre outil est sélectionné, maintenez enfoncée la touche **Ctrl** et la **Barre d'espace** puis cliquez l'image. Maintenez enfoncées les touches **Ctrl+Alt** et la **Barre d'espace** pour effectuer un zoom arrière. Le pointeur reflète votre choix en se transformant en (zoom avant) ou (zoom arrière).

Raccourcis

Double-cliquez () dans la boîte à outils pour afficher la taille réelle des pixels de l'image. Double-cliquez () pour adapter le grossissement de l'image à la taille de l'écran. Appuyez sur la touche **Z** pour sélectionner rapidement l'outil Zoom.

- Toutes les images ouvertes sont grossies.

6 Maintenez enfoncée **Alt**.

- Le pointeur (zoom avant) devient (zoom arrière).

7 Cliquez l'image.

- Cela effectue un zoom arrière sur toutes les images ouvertes.

Alignez les objets sur LA GRILLE ET LES RÈGLES

La grille est les règles s'avèrent particulièrement utiles pour placer, redimensionner et mesurer précisément les différents éléments d'une image multicalque. Les règles s'affichent le long des côtés supérieur et gauche de la fenêtre tandis que la grille se superpose à l'image.

La boîte de dialogue Préférences permet de paramétrer les règles et la grille. Spécifiez l'unité de mesure utilisée par les règles sous la rubrique Unités et règles. Choisissez la couleur et le quadrillage de la grille sous la rubrique Repères, grille et tranches.

Vous pouvez déplacer le point d'origine, c'est-à-dire le point zéro, des règles pour mesurer la distance entre des éléments de l'image. Cliquez à l'intersection des règles et faites glisser le pointeur dans l'image. Double-cliquez l'intersection des règles pour rétablir le coin supérieur gauche de l'image comme point d'origine.

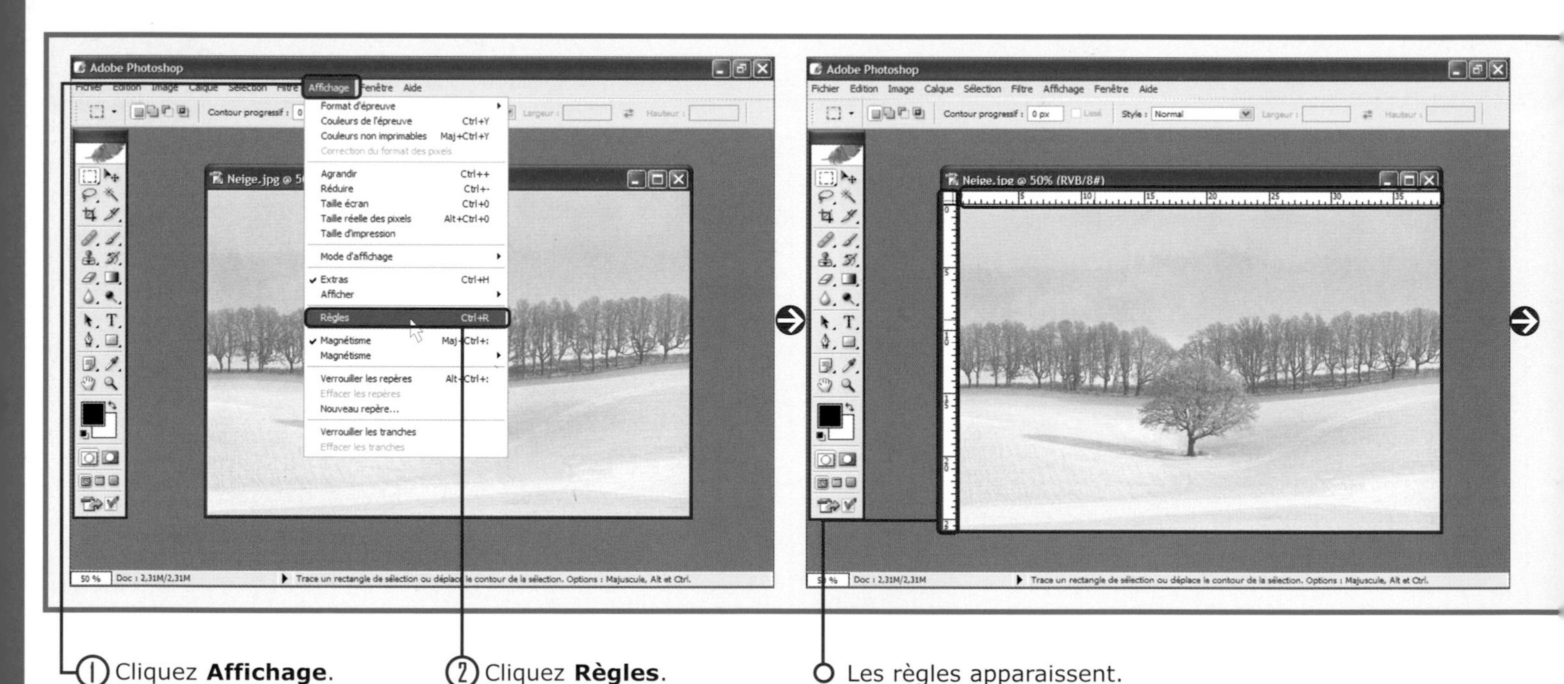

① Cliquez **Affichage**.

② Cliquez **Règles**.

- Les règles apparaissent.
- Répétez les étapes **1** et **2** pour masquer les règles.

Mise en pratique !

Double-cliquez une règle pour accéder rapidement aux options des règles dans la boîte de dialogue Préférence. Cliquez pour dérouler la liste **Règles** de la section **Unités** et sélectionnez l'unité de mesure à utiliser.

Mise en pratique !

La grille peut aussi servir de guide lorsque vous redressez une photo nnumérisée placée de travers sur la vitre du scanneur. Consultez la tâche n° 41 pour plus d'informations sur la manière de redresser une photo inclinée.

Le saviez-vous ?

La grille peut aussi servir de guide lorsque vous redressez une photo numérisée placée de travers sur la vitre du scanneur. Utilisez la commande **Edition ⇨ Transformation ⇨ Rotation** pour aligner les bords de l'image sur la grille, dont les lignes sont parfaitement horizontales et verticales.

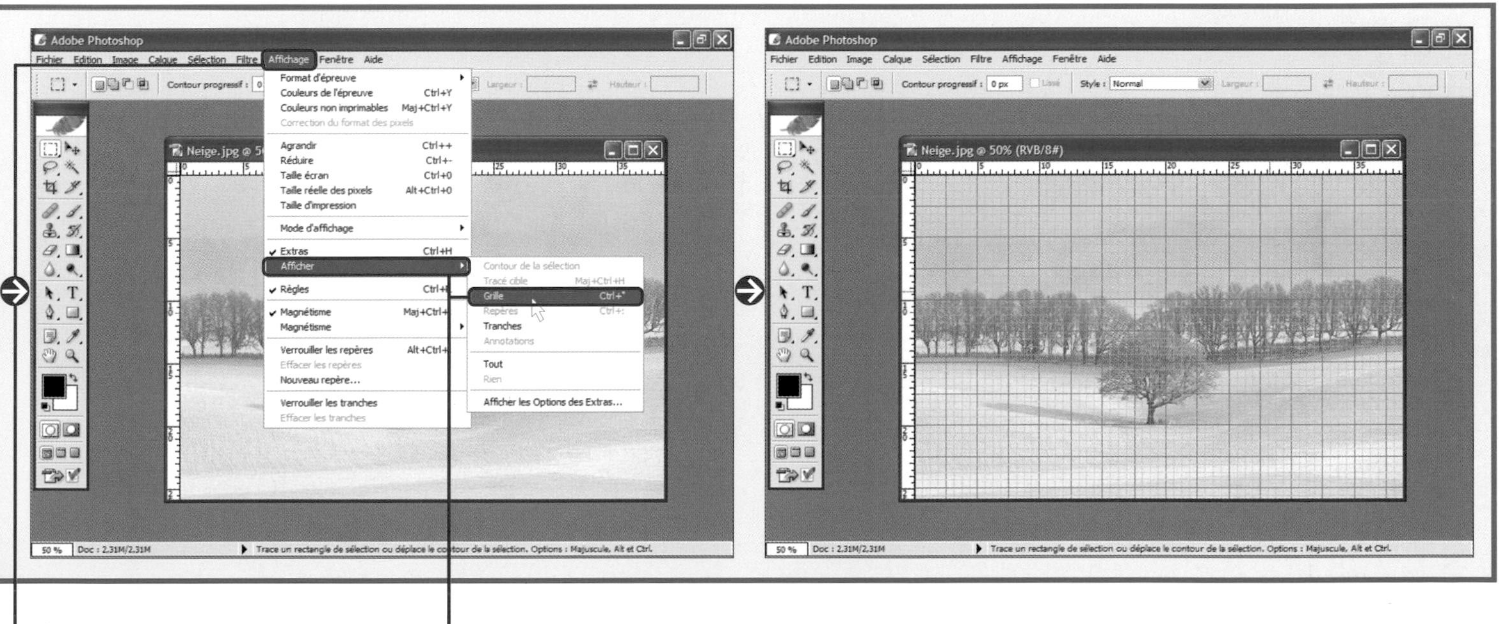

③ Cliquez **Affichage**.

④ Pointez **Afficher**.

⑤ Cliquez **Grille**.

○ Une grille se superpose à l'image.

○ Répétez les étapes **3** à **5** pour masquer la grille.

Organisez et renommez LES CALQUES

Au fil de l'élaboration d'un projet dans Photoshop CS, les calques finissent par s'accumuler. Réorganisez et renommez-les pour vous y retrouver.

Rapprocher les calques de même nature permet de les localiser plus rapidement. Une publicité, par exemple, peut contenir plusieurs calques de texte. S'ils sont éparpillés dans la palette Calques, modifier le texte prend beaucoup de temps. En les rassemblant, vous gagnez du temps.

Le calque Arrière-plan ne peut être ni déplacé ni renommé car il est verrouillé. Pour le modifier, vous devez le convertir en calque ordinaire. Double-cliquez le calque Arrière-plan dans la palette Calques. Dans la boîte de dialogue Nouveau calque, donnez-lui un nom et cliquez OK.

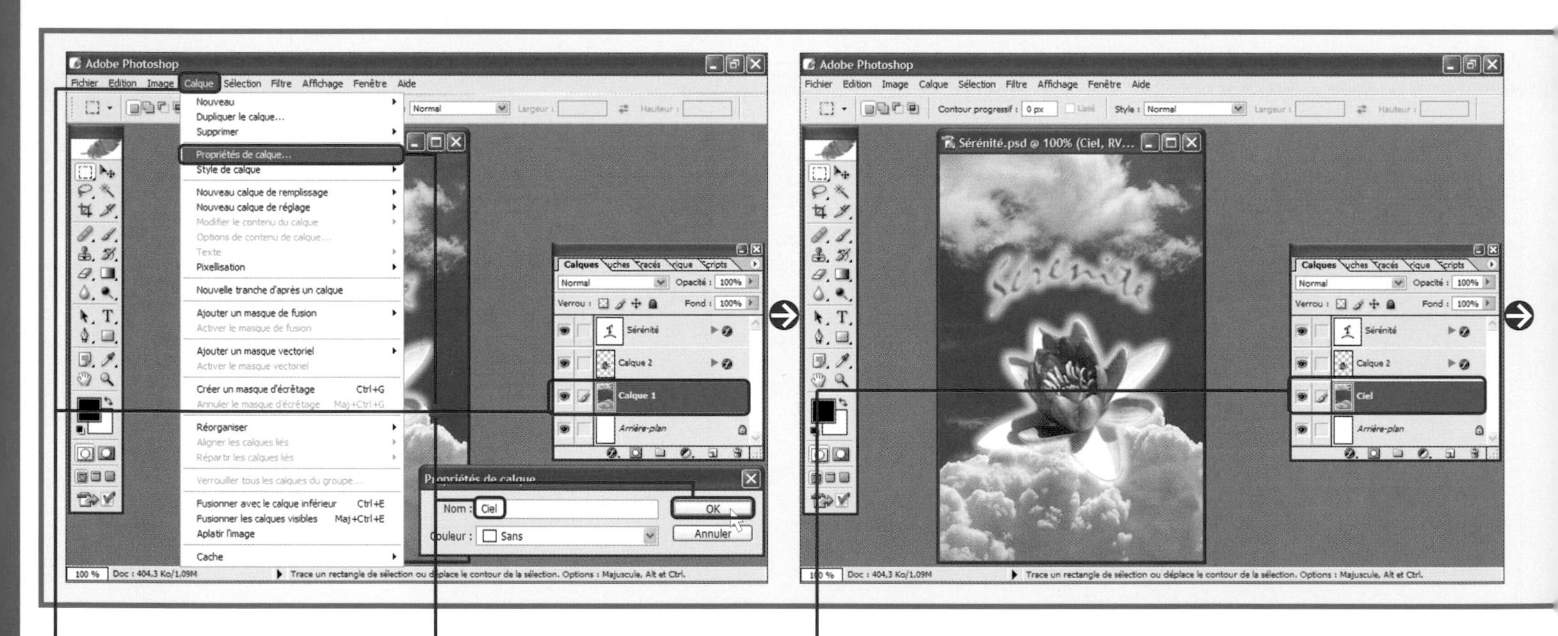

RENOMMER UN CALQUE

① Dans la palette Calques, cliquez le calque à renommer.

② Cliquez **Calque**.

③ Cliquez **Propriétés de calque**.

○ La boîte de dialogue Propriétés de calque s'ouvre.

④ Tapez le nouveau nom du calque.

⑤ Cliquez **OK**.

○ Le calque est renommé.

3

NIVEAU DE DIFFICULTÉ

Plus d'options !

Dans la boîte de dialogue Propriétés de calque, cliquez ▾ pour dérouler la liste **Couleur**. Cette option colorie le calque dans la palette Calques, ce qui le distingue des autres. Vous pouvez, par exemple, améliorer l'organisation des calques en appliquant la même couleur à ceux qui présentent le même thème.

Prudence !

Modifiez avec précaution la position des calques si vous utilisez des modes de fusion autres que Normal. Le mode de fusion détermine la manière dont les pixels d'un calque fusionnent avec ceux du calque sous-jacent. Si les calques sont dotés d'un mode de fusion, leur réorganisation peut modifier l'aspect global de l'image de manière inattendue.

Le saviez-vous ?

Double-cliquez le nom d'un calque, dans la palette Calques, pour le renommer rapidement. Le nom du calque mis en surbrillance, tapez le nouveau nom puis appuyez sur **Entrée**.

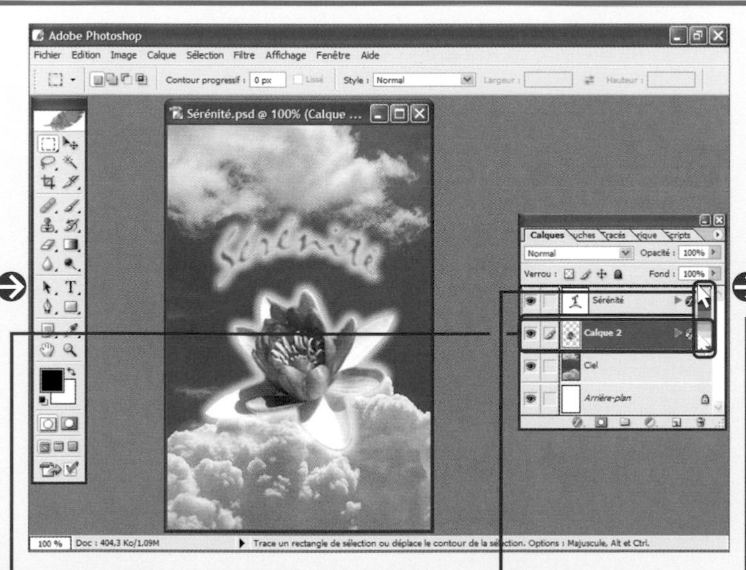

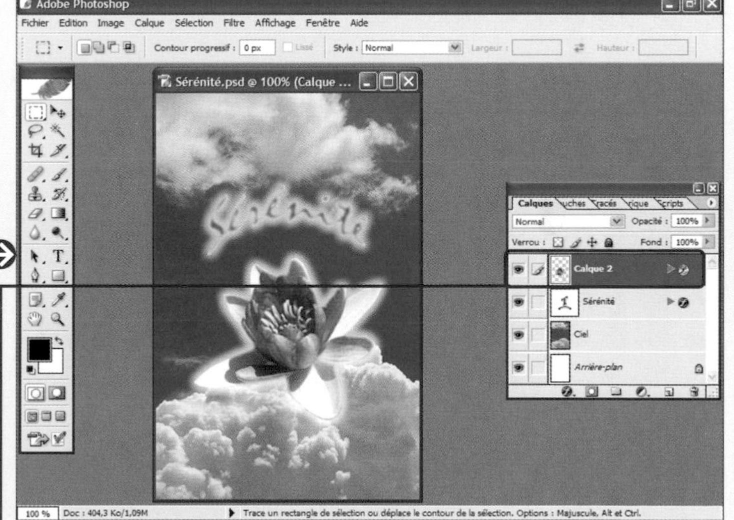

RÉORGANISER LES CALQUES

① Dans la palette Calques, cliquez le calque à déplacer dans la pile.

② Faites-le glisser vers son nouvel emplacement.

○ Le calque change de position dans la pile.

Rehaussez les images avec LES EFFETS ET LES STYLES DE CALQUE

Photoshop CS propose dix catégories d'effets de calque qui améliorent l'apparence de vos images. Certains effets ajoutent du relief au calque, d'autres de la couleur ou une texture. Chaque effet dispose de plusieurs options paramétrables ce qui offre un nombre illimité de réglages possibles. Appliqué à un calque, ces effets constituent un style personnalisé. Vous pouvez combiner plusieurs effets pour créer des styles de calque complexes.

Les effets de calque peuvent s'appliquer aux calques de texte et aux formes, contrairement à la majorité des filtres. Un texte doté d'un effet ou d'un style de calque reste modifiable. Le calque Arrière-plan ne peut recevoir d'effets de calque, à moins d'être converti au préalable en calque ordinaire.

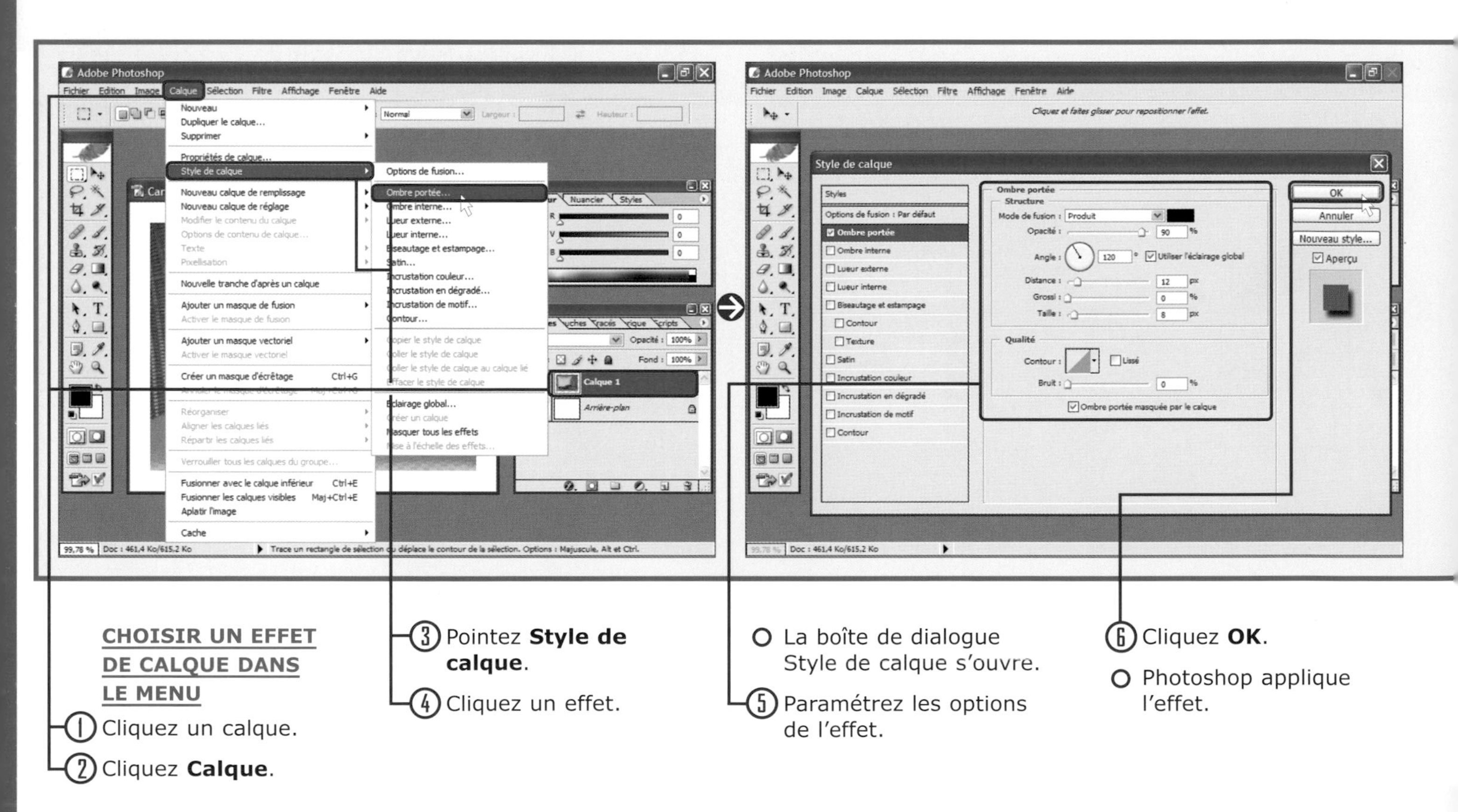

CHOISIR UN EFFET DE CALQUE DANS LE MENU

1. Cliquez un calque.
2. Cliquez **Calque**.
3. Pointez **Style de calque**.
4. Cliquez un effet.

- La boîte de dialogue Style de calque s'ouvre.

5. Paramétrez les options de l'effet.
6. Cliquez **OK**.

- Photoshop applique l'effet.

NIVEAU DE DIFFICULTÉ

Le saviez-vous ?

Les styles prédéfinis présentés dans la palette Styles appliquent un effet selon des réglages spécifiques ou combinent plusieurs effets de calque. Appliquer un style de calque remplace tous les effets existants du calque par les effets constituant le style. Pour ajouter d'autres effets à un style prédéfini, consultez la tâche n° 5.

Le saviez-vous ?

Vous disposez de deux méthodes pour appliquer rapidement le même style à plusieurs calques. Pour copier le style d'un calque et l'appliquer à un autre, cliquez avec le bouton droit le calque servant de modèle, puis cliquez **Copier le style de calque**. Cliquez ensuite avec le bouton droit le calque cible, puis cliquez **Coller le style de calque**. Vous pouvez aussi enregistrer le style d'un calque dans la palette Styles afin de le réutiliser. Cliquez le calque doté du style dans la palette Calques. Dans la palette Styles, cliquez [bouton]. Tapez le nom du style dans la boîte de dialogue Nouveau style et cliquez **OK**.

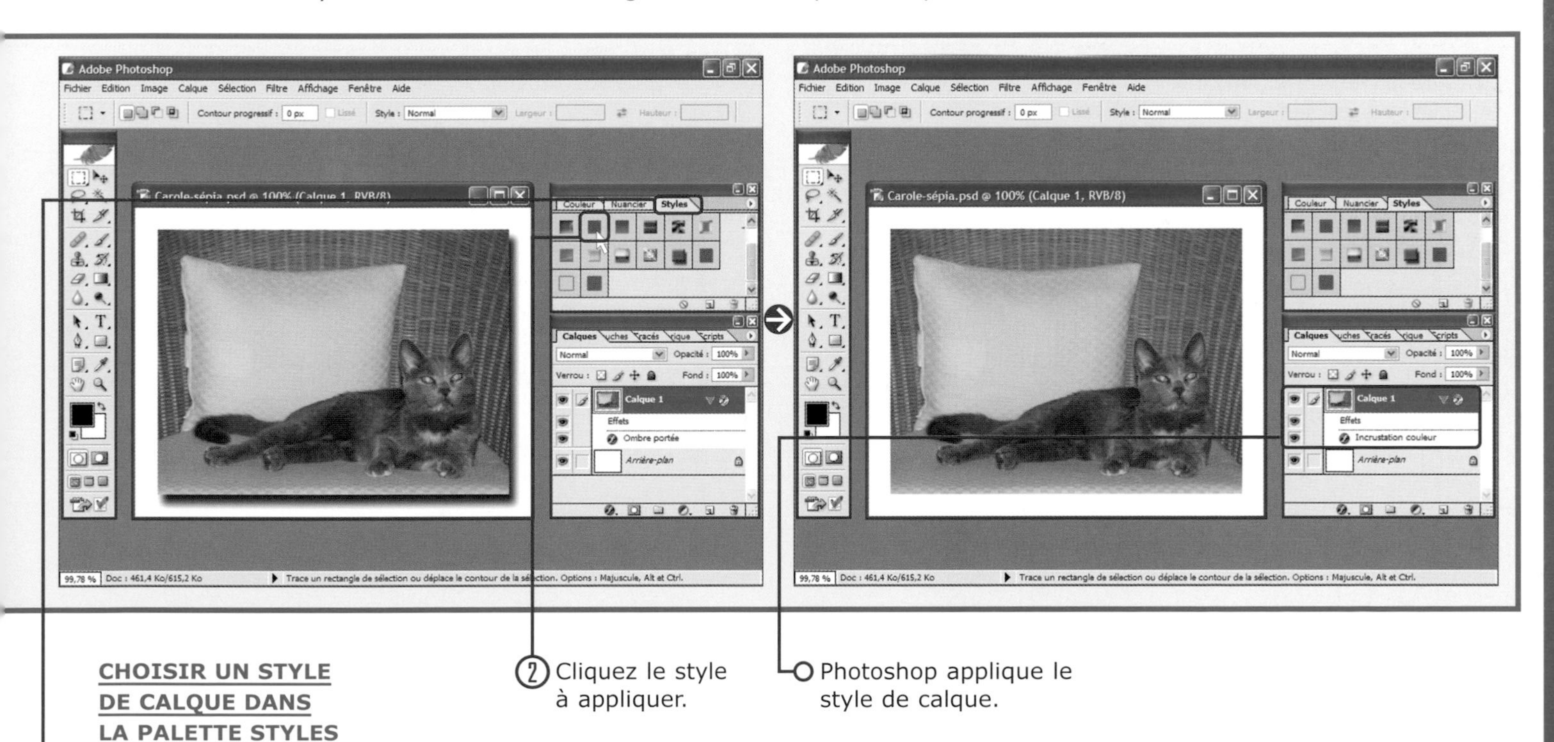

CHOISIR UN STYLE DE CALQUE DANS LA PALETTE STYLES

1. Cliquez l'onglet de la palette Styles.
2. Cliquez le style à appliquer.

- Photoshop applique le style de calque.

Modifiez rapidement un STYLE DE CALQUE

L'application d'un style à un calque n'est jamais définitive ni irréversible. Vous pouvez supprimer entièrement le style de calque, désactiver certains effets, en ajouter de nouveaux ou modifier leurs réglages. L'option Aperçu permet de voir l'effet des modifications avant de les appliquer.

Ces modifications se font dans la boîte de dialogue Style de calque. Elle permet d'accéder aux dix catégories d'effets de calque et à leurs options. La palette Calques permet aussi de masquer temporairement certains effets du style.

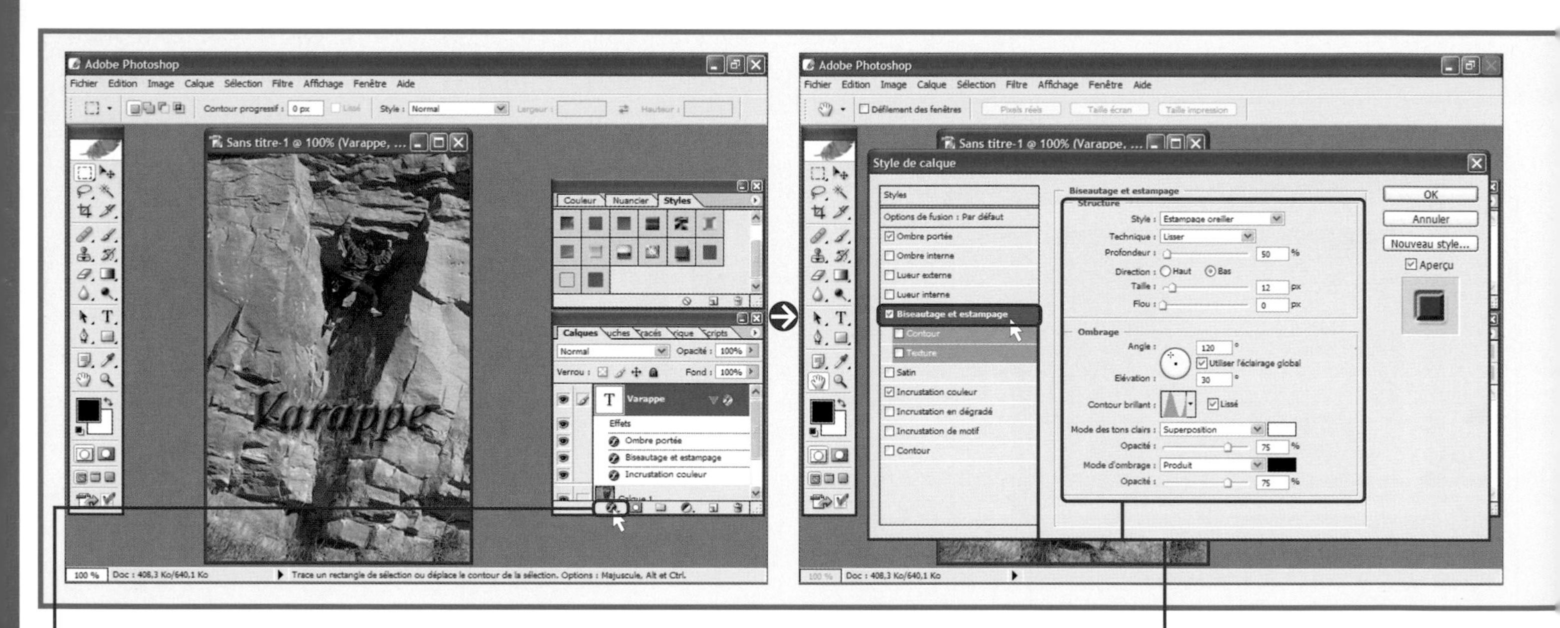

MODIFIER UN EFFET DE CALQUE

① Double-cliquez .

○ La boîte de dialogue Style de calque s'ouvre.

② Cliquez l'effet à modifier.

③ Modifiez les options de l'effet selon vos besoins.

NIVEAU DE DIFFICULTÉ

Le saviez-vous ?

Vous pouvez désactiver temporairement un effet de calque dans la boîte de dialogue Style de calque ou *via* la palette Calques. Dans la boîte de dialogue Style, cliquez la case à gauche de l'effet à désactiver (☑ devient ☐), puis cliquez **OK**. Vous obtenez le même résultat en cliquant 👁 à gauche de l'effet à désactiver, dans la palette Calques. La disparition de l'icône indique que l'effet est masqué. Cliquez la case vide à gauche de l'effet pour le réactiver.

Le saviez-vous ?

Vous pouvez aussi supprimer définitivement un effet de calque. Dans la palette Calques, cliquez l'effet à supprimer et faites-le glisser sur 🗑. Pour afficher les effets constituant un style de calque, cliquez ▶ à gauche de l'icône Ⓕ du calque.

Le saviez-vous ?

Pour supprimer entièrement le style, cliquez le calque avec le bouton droit. Dans le menu contextuel, cliquez **Effacer le style de calque**. Pour annuler l'opération immédiatement après l'avoir effectuée, cliquez **Edition** ⇨ **Annuler Effacer le style de calque**.

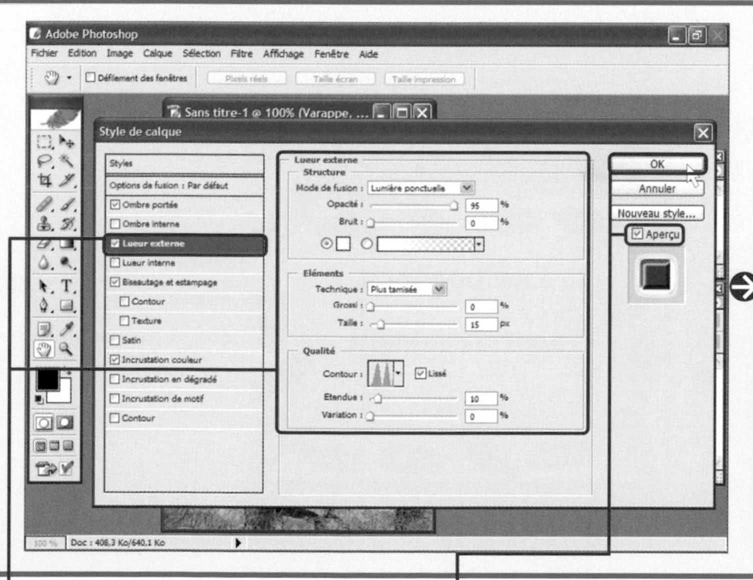

AJOUTER UN NOUVEL EFFET DE CALQUE

① Cliquez l'effet à ajouter (☐ devient ☑).

② Paramétrez les options de l'effet selon vos besoins.

● Cochez cette case pour voir le résultat dans la fenêtre d'image.

③ Cliquez **OK**.

● Photoshop applique les modifications apportées au style de calque.

IMPORTEZ DES STYLES DE CALQUE
dans Photoshop CS

Photoshop propose des bibliothèques contenant chacune plusieurs dizaines de styles prédéfinis. Associer les dix catégories d'effets de calques permet aussi de créer un nombre quasi illimité de styles personnalisés. Si cela ne vous suffit pas, vous pouvez télécharger des styles depuis l'Internet.

Le forum Adobe Studio Exchange permet d'échanger les styles de calque entre internautes. Des utilisateurs chevronnés de Photoshop proposent aussi des styles personnalisés sur leur site Web. Pour utiliser une bibliothèque de styles importée, copiez le fichier .ASL correspondant dans le dossier Styles de Photoshop. Au démarrage suivant de Photoshop, les styles se chargent dans la palette Styles.

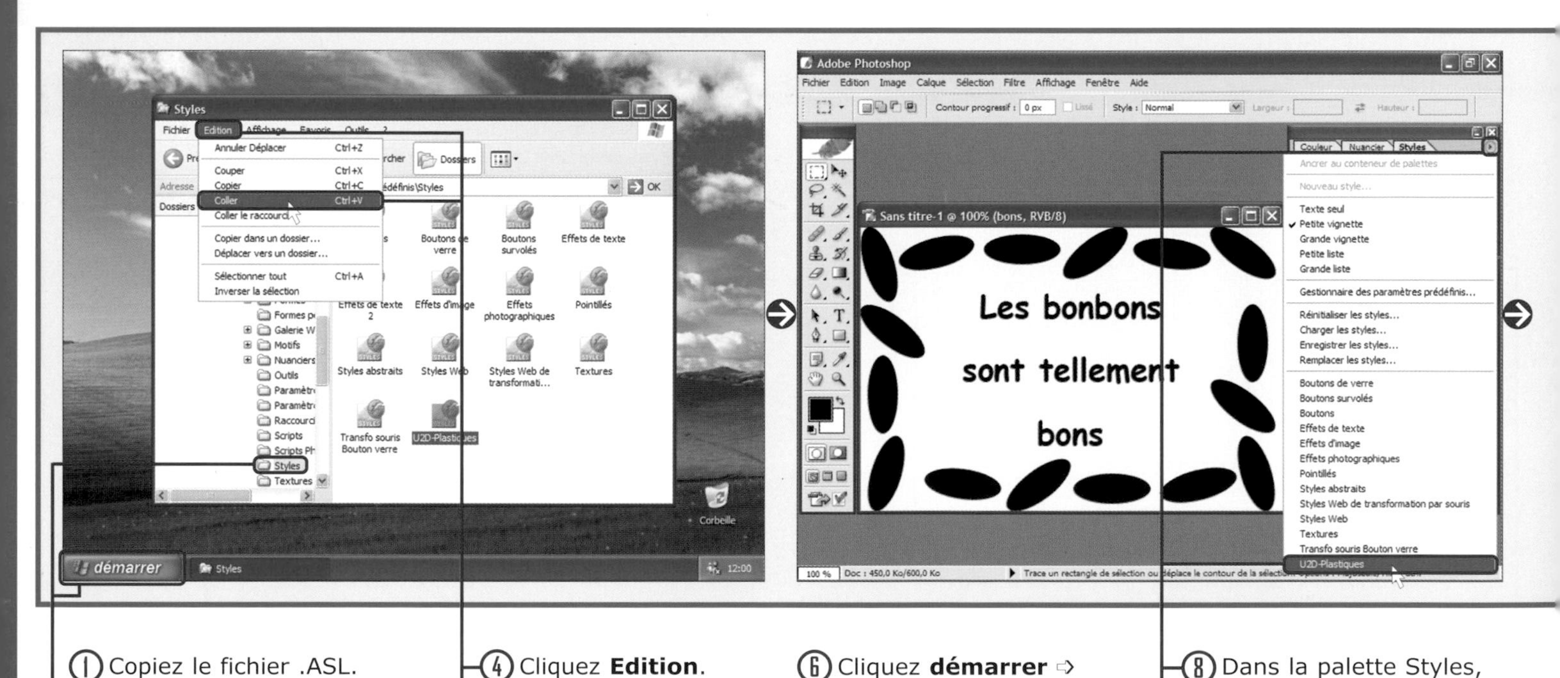

1. Copiez le fichier .ASL.
2. Cliquez **démarrer** ⇨ **Tous les programmes** ⇨ **Accessoires** ⇨ **Explorateur Windows**.
3. Ouvrez le dossier \Program Files\Adobe\Photoshop CS\Paramètres prédéfinis\Styles.
4. Cliquez **Edition**.
5. Cliquez **Coller**.

- Vous pouvez aussi appuyer sur **Ctrl+V** pour coller le fichier.

6. Cliquez **démarrer** ⇨ **Tous les programmes** ⇨ **Adobe Photoshop CS**.
7. Ouvrez ou créez une image.
8. Dans la palette Styles, cliquez ⊙.
9. Cliquez le nom de la bibliothèque de styles.

Mise en pratique !

Vous pouvez enregistrer dans un fichier .ASL les styles apparaissant dans la palette Styles. Cliquez ▶ dans la palette Styles, puis cliquez **Enregistrer les styles**. Dans la boîte de dialogue Enregistrer, tapez le nom du fichier, puis cliquez **Enregistrer**. Vous créez ainsi une bibliothèque personnalisée pour un projet spécifique ou pour l'échange avec d'autres utilisateurs.

NIVEAU DE DIFFICULTÉ

Profitez du Web !

Les sources de styles personnalisés ne manquent pas sur l'Internet. Commencez par le forum Adobe Studio Exchange (share.studio.adobe.com). D'autres sites, comme PSXtras (www.psxtras.com) et Univers 2D (universweb.free.fr) proposent aussi des styles téléchargeables. Vous pouvez trouver d'autres adresses grâce aux outils de recherche Internet. Tapez les mots-clés « **Photoshop styles** » ou « **styles Photoshop** ». Vous obtiendrez un nombre impressionnant de références, essentiellement en anglais mais quelques sites francophones peuvent se trouver dans le lot.

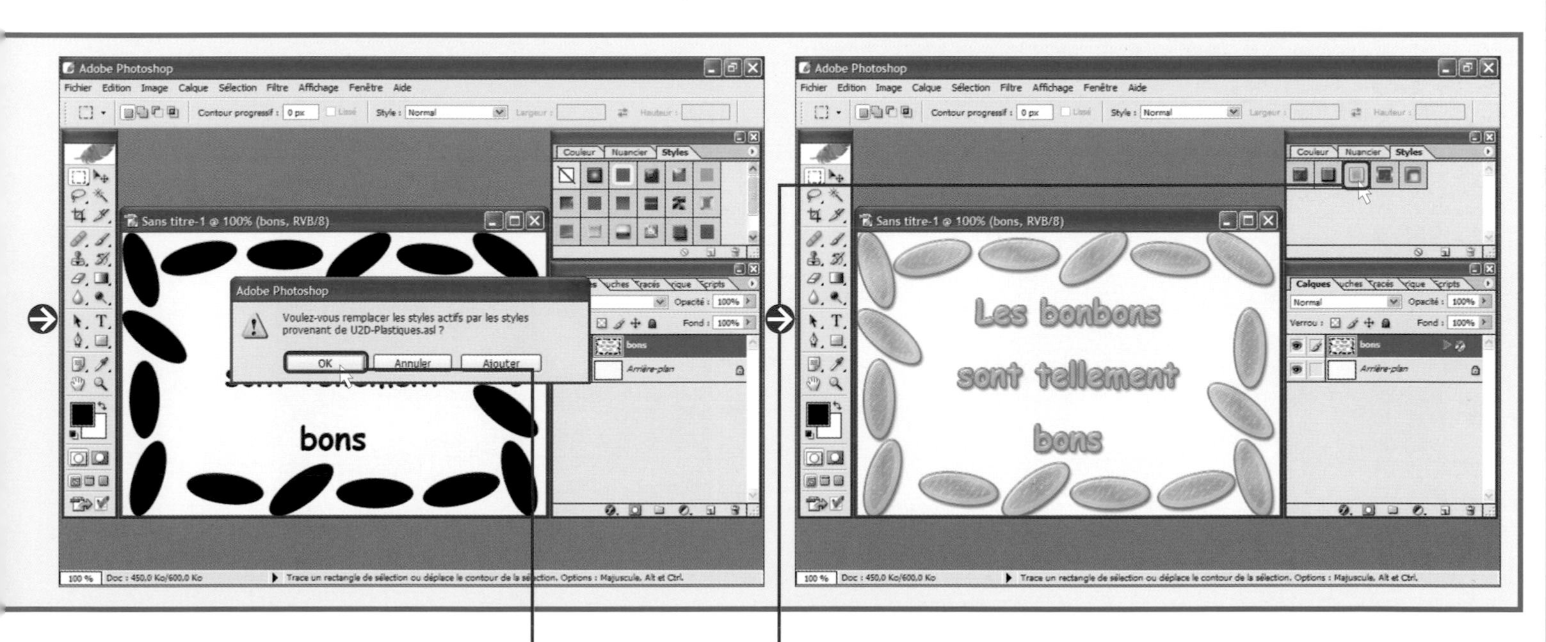

- Une boîte de dialogue s'ouvre, demandant si les styles actifs doivent être remplacés par les nouveaux styles.

10. Cliquez **OK**.

- Les styles importés apparaissent dans la palette Styles.

11. Cliquez un style pour l'appliquer.

- Le style est appliqué au calque sélectionné.

Note. L'exemple utilise un style trouvé sur universweb.free.fr.

Fusionnez les calques grâce à un MODE DE FUSION

Le mode de fusion d'un calque détermine la manière dont ses pixels fusionnent avec ceux du calque immédiatement inférieur. Les modes se subdivisent en catégories, chacune affectant un aspect particulier des calques. Certains modes de fusion n'affectent, par exemple, que les pixels les plus clairs du calque sous-jacent. D'autres modifient les tons moyens et les tons foncés. Une autre catégorie affecte la luminosité, la teinte ou la saturation des couleurs.

Chaque image présentant des caractéristiques de tons et de couleurs particulières, il est difficile de prévoir l'effet d'un mode de fusion. Effectuez des essais pour obtenir le résultat souhaité. Si vous appliquez différents modes de fusion à plusieurs calques, leurs effets se mélangent.

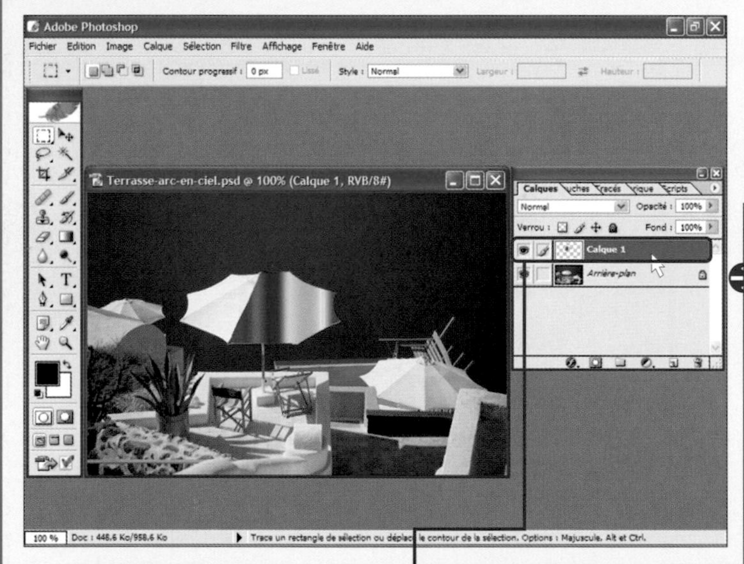

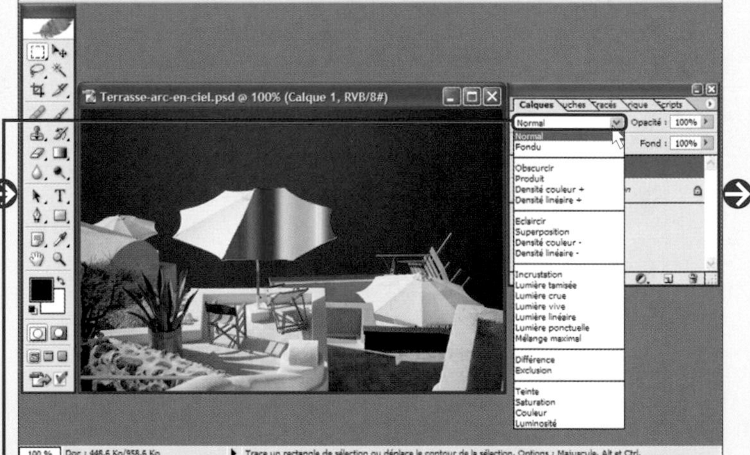

Note. Cet exemple utilise le dégradé Spectre pour mieux montrer l'effet du mode de fusion.

① Dans la palette Calques, cliquez le calque à fusionner.

② Cliquez ici pour dérouler la liste des modes de fusion.

NIVEAU DE DIFFICULTÉ

Le saviez-vous ?

Vous pouvez modifier à tout moment le mode de fusion d'un calque. Vous pouvez aussi en atténuer les effets en réduisant l'opacité du calque doté du mode de fusion. Ces modifications ont, bien entendu, un effet sur l'apparence du calque sous-jacent et, par conséquent, sur l'aspect global de l'image.

Le saviez-vous ?

Lorsque vous appliquez différents modes de fusion à plusieurs calques, leurs effets sont cumulés. Prenons l'exemple d'une image constituée de trois calques. Si le calque du dessus est doté d'un mode de fusion, celui-ci affecte le calque du milieu. Si vous appliquez aussi un mode de fusion au calque central, le calque inférieur est affecté par le mode de fusion du calque supérieur en plus de celui du calque central.

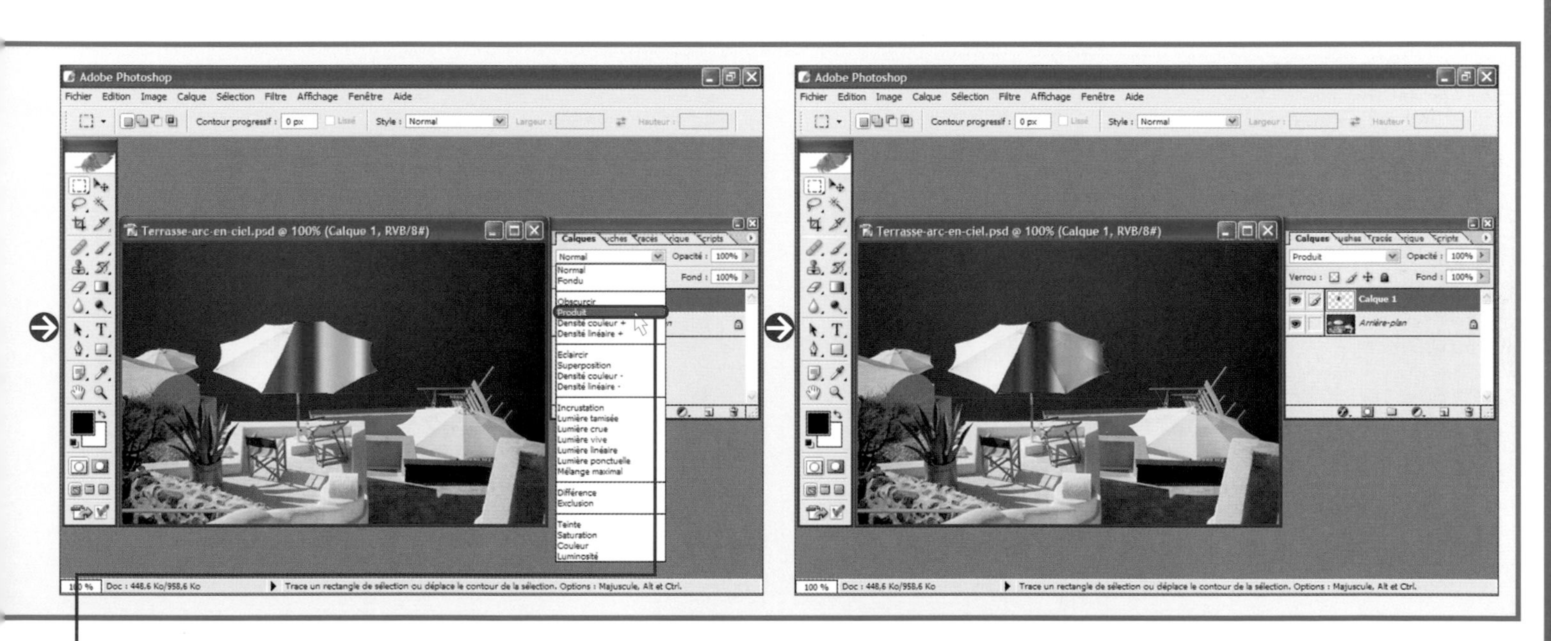

③ Cliquez un mode de fusion.

○ Photoshop fusionne les pixels du calque avec ceux du calque sous-jacent.

LIEZ LES CALQUES

pour associer des objets

Les documents comme les pages Web présentent souvent des ensembles d'objets associés, par exemple les boutons d'un menu de navigation. Un élément d'une image peut aussi se composer de plusieurs calques, lui donnant un aspect en relief. Les difficultés apparaissent lorsque vous souhaitez déplacer ces objets sans déranger leur alignement. Photoshop propose la liaison des calques pour résoudre ce problème.

Lorsque les calques sont liés, vous pouvez les déplacer et les redimensionner ensemble, comme si leurs contenus se trouvaient sur un même calque.

Cette fonction s'avère particulièrement utile lors de la création de pages Web, de photomontages ou de mises en page. En liant les calques dont les contenus doivent rester alignés, vous gagnez du temps et réduisez les risques d'erreurs. Vous pouvez même lier des objets au calque Arrière-plan, qui ne peut être ni déplacé ni redimensionné puisqu'il est verrouillé.

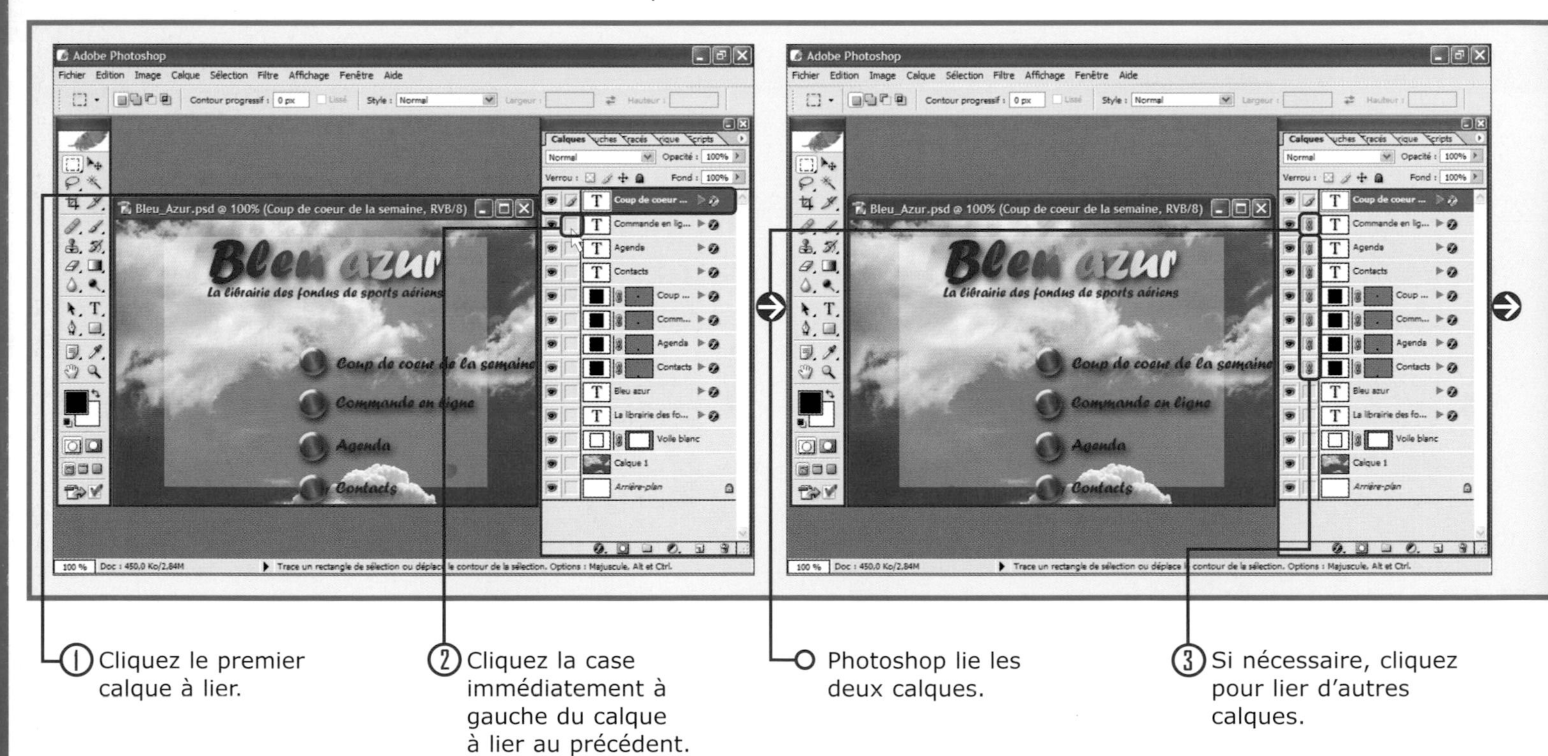

① Cliquez le premier calque à lier.

② Cliquez la case immédiatement à gauche du calque à lier au précédent.

○ Photoshop lie les deux calques.

③ Si nécessaire, cliquez pour lier d'autres calques.

Ajoutez une touche personnelle !

La liaison de calques permet d'aligner et de répartir les objets qu'ils contiennent. Une fois les calques liés, cliquez () dans la boîte à outils. Les boutons d'alignement et de répartition apparaissent dans la barre d'options (consultez le tableau ci-dessous). Cliquez-les pour aligner les bords ou les centres des contenus des calques. Le calque actif sert de référence.

NIVEAU DE DIFFICULTÉ

Boutons d'alignement	Boutons de répartition
Aligner les bords supérieurs	Répartir les bords supérieurs
Aligner les centres dans le sens vertical	Répartir les centres verticaux
Aligner les bords inférieurs	Répartir les bords inférieurs
Aligner les bords gauches	Répartir les bords gauches
Aligner les bords droits	Répartir les centres horizontaux
Aligner les centres dans le sens horizontal	Répartir les bords droits

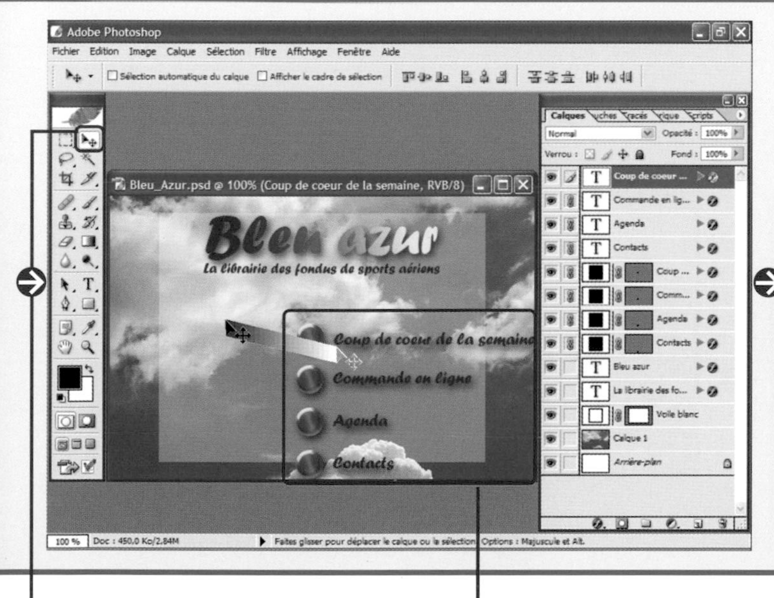

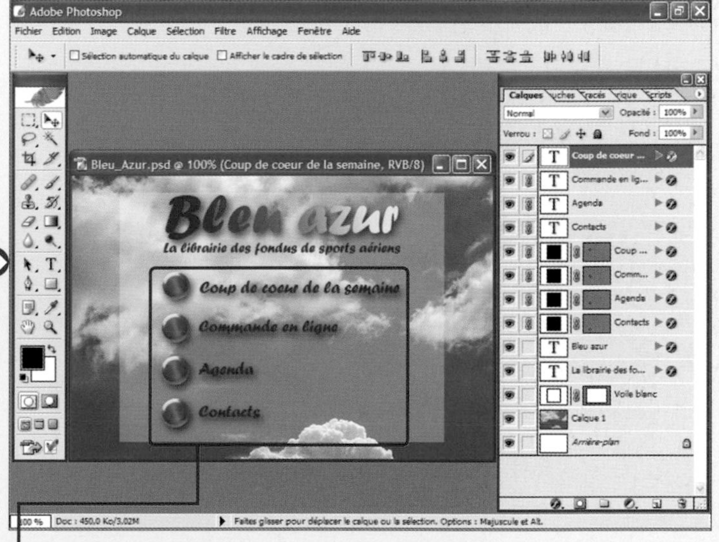

4 Cliquez dans la boîte à outils.

5 Cliquez le calque actif et faites-le glisser vers un nouvel emplacement.

○ Le calque actif et tous les calques liés se déplacent ensemble.

Organisez les calques en GROUPES DE CALQUES

La gestion des calques devient difficile à mesure que leur nombre augmente. Les groupes de calques facilitent le travail sur les images multicalques complexes.

Dans la palette Calques, les groupes de calques prennent la forme de dossiers dans lesquels vous rassemblez les calques apparentés. Lorsque vous concevez une page Web, par exemple, les boutons peuvent représenter plusieurs calques. Rangés dans un même groupe, ces calques deviennent facilement identifiables. Cela met également de l'ordre dans la palette Calques. Un groupe de calques peut contenir jusqu'à quatre niveaux de sous-groupes, ou sous-dossiers, imbriqués.

Comme les calques, les groupes de calques acceptent les modes de fusion, les réglages de l'opacité et d'autres attributs. Vous pouvez aussi les afficher ou les masquer. Dans un site Web, par exemple, les pages peuvent utiliser le même arrière-plan mais présenter des boutons et des objets différents. En rassemblant les calques spécifiques à chaque page dans un groupe distinct, vous pouvez rapidement les masquer ou les afficher selon vos besoins.

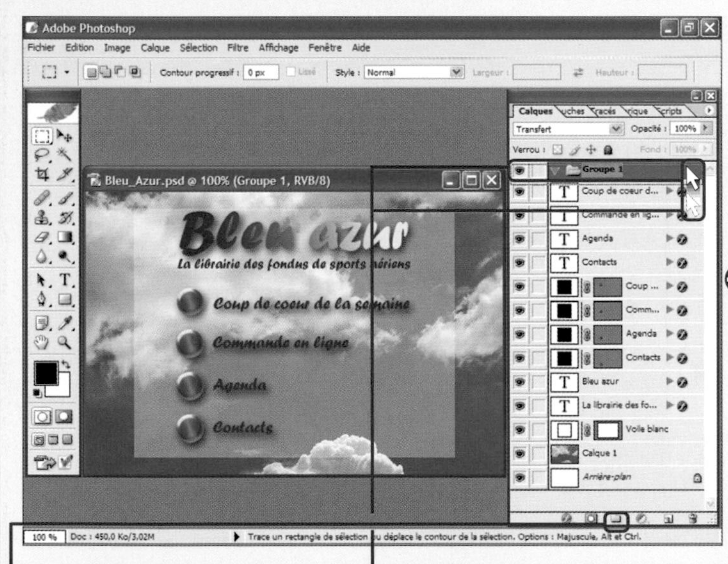

CRÉER UN GROUPE DE CALQUES

① Dans la palette Calques, cliquez [icône].

- Un nouveau groupe de calques apparaît.
- Par défaut, Photoshop le nomme Groupe 1.

② Cliquez et faites glisser un calque sur le groupe de calques.

③ Relâchez le bouton de la souris lorsque le nom du groupe est mis en surbrillance.

- Photoshop place le calque dans le groupe de calques.

NIVEAU DE DIFFICULTÉ

Le saviez-vous ?

Les groupes et sous-groupes de calques acceptent les modes de fusion, les réglages d'opacité, les calques de réglage et les transformations par les commandes du sous-menu **Transformation**. Lorsque vous appliquez ces modifications à un groupe contenant des sous-groupes, Photoshop traite d'abord le niveau le plus bas dans la hiérarchie, c'est à dire le sous-groupe le plus à l'intérieur. Ce sous-groupe est alors considéré comme un seul calque. Photoshop modifie le niveau supérieur et ainsi de suite jusqu'au niveau le plus élevé.

Le saviez-vous ?

Les filtres et les styles de calques ne peuvent pas s'appliquer aux groupes de calques.

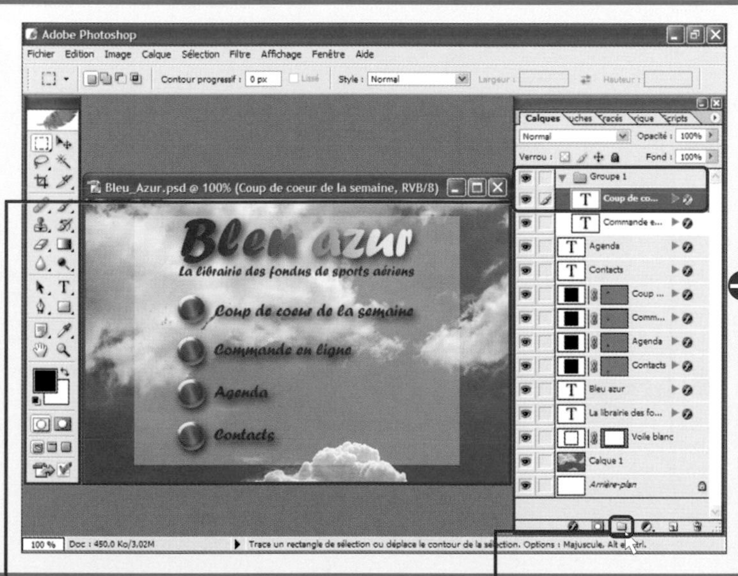

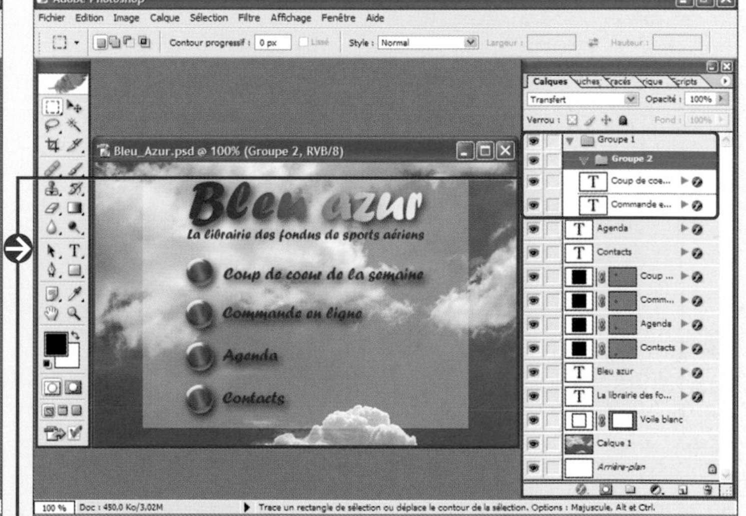

CRÉER UN SOUS-GROUPE DE CALQUES

1. Cliquez un calque dans un groupe de calques.
2. Cliquez ▭.

- Photoshop crée un sous-groupe imbriqué.
- Vous pouvez placer des calques supplémentaires dans le groupe et le sous-groupe.

Enregistrez différentes versions d'un projet avec les COMPOSITIONS DE CALQUES

Dans la création graphique, créer plusieurs versions d'un projet peut être utile. Photoshop rend possible l'enregistrement de ces différentes versions dans un seul fichier d'image .PSD grâce aux compositions de calques.

Une composition conserve l'état des calques à un moment précis : leur position dans la pile de calques, leur opacité, les effets et styles de calques, leur visibilité, leur mode de fusion. À chaque modification des calques, vous pouvez créer une nouvelle composition qui en capture l'état. Chaque fichier d'image peut contenir plusieurs compositions de calques. Vous pouvez activer tour à tour les différentes compositions de calques afin de les comparer.

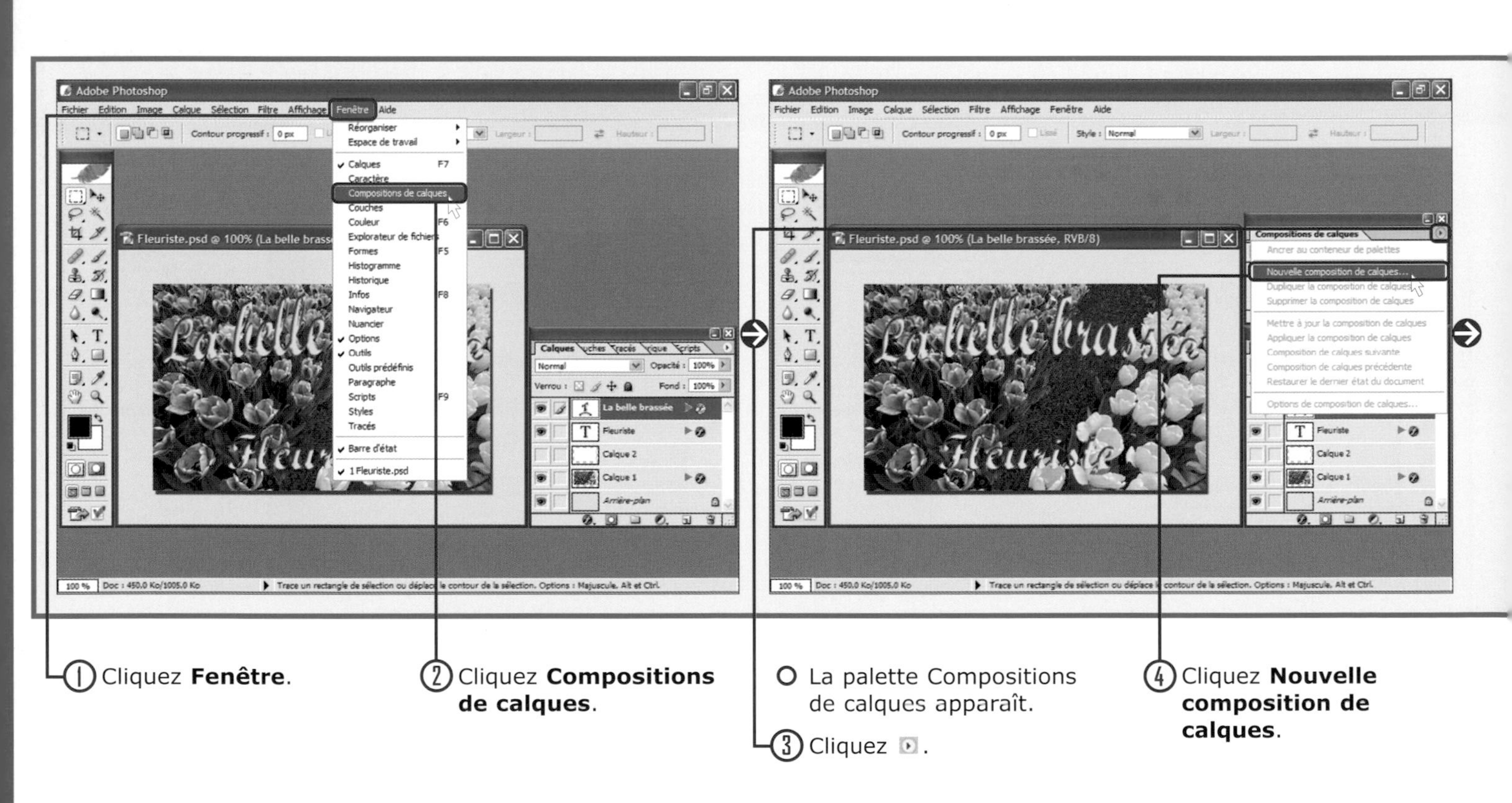

1. Cliquez **Fenêtre**.
2. Cliquez **Compositions de calques**.

- La palette Compositions de calques apparaît.

3. Cliquez ▸.
4. Cliquez **Nouvelle composition de calques**.

NIVEAU DE DIFFICULTÉ

Prudence !

Lorsque vous modifiez de manière irréversible la palette Calques, en supprimant ou en fusionnant des calques, par exemple, une icône ( ) apparaît en face des compositions qui ne peuvent plus être restaurées entièrement. En cas de suppression d'un calque, vous pouvez retrouver l'état des autres calques de l'image en activant une composition. En revanche, si la composition contenait le calque supprimé, ce dernier est définitivement perdu.

Le saviez-vous ?

Cliquez ( ) pour enregistrer dans une composition de calques les modifications apportées aux calques depuis sa création. Veillez à bien sélectionner la composition à mettre à jour avant de cliquer sur le bouton.

Mise en pratique !

Donnez aux compositions de calques un nom qui décrit clairement leur contenu. Vous pouvez aussi taper quelques mots dans la zone **Commentaire** de la boîte de dialogue Nouvelle composition de calques ou Options de composition de calques. Pour ouvrir cette dernière, double-cliquez une composition de calques.

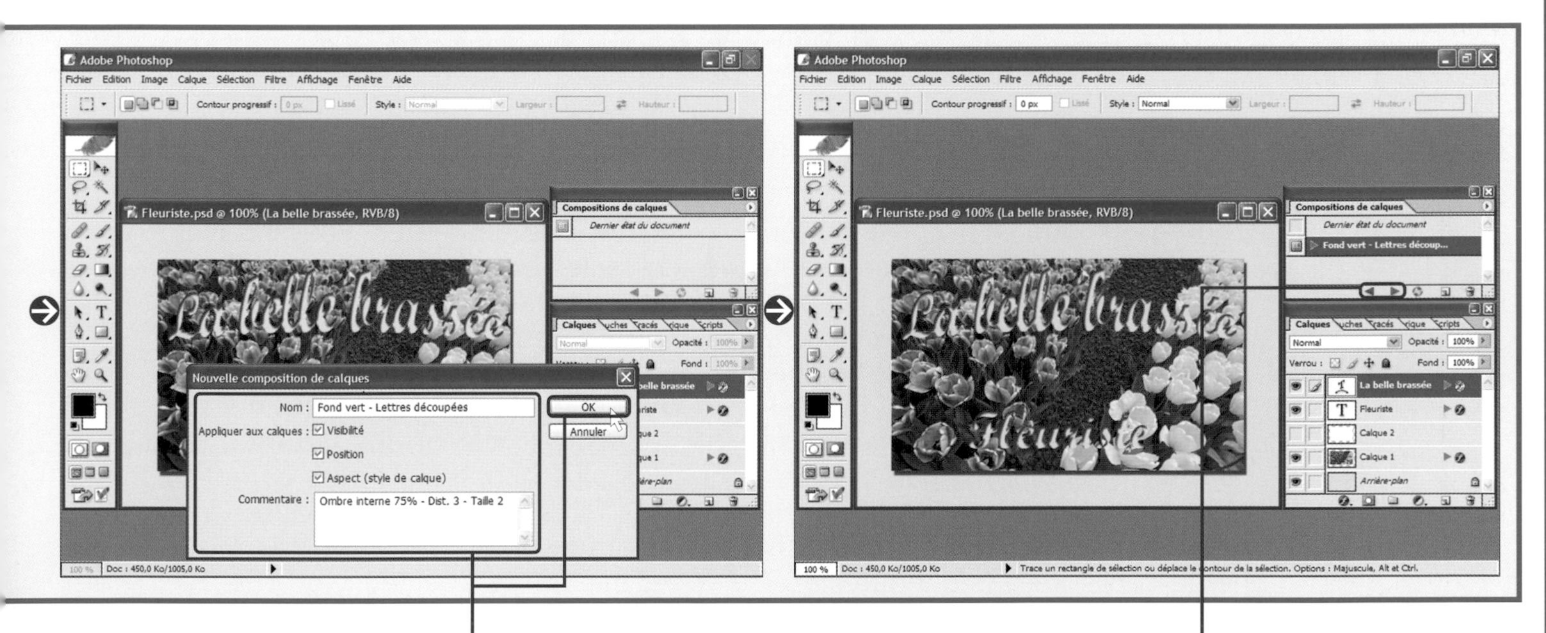

- La boîte de dialogue Nouvelle composition de calques s'ouvre.

5. Modifiez les options de la composition selon vos besoins.
6. Cliquez **OK**.

- Photoshop crée la composition de calques.

- Vous pouvez cliquer ◄ ou ► pour passer à la composition précédente ou suivante.

Ajoutez du texte et dessinez

Les fonctions de Photoshop ne se limitent pas à la retouche photographique. Il propose un large éventail d'outils de création graphique. Parmi ceux-ci, les formes, les outils de texte, de dessin et de peinture se montrent particulièrement flexibles.

Plusieurs types de projets nécessitent l'ajout de texte : les pages web, les publicités. Même les photographies peuvent être légendées. Photoshop ne se contente pas d'ajouter du texte. Il peut aussi en améliorer l'apparence à l'aide de motifs et d'effets spéciaux. Une nouvelle fonction de Photoshop CS permet la saisie d'un texte suivant une courbe irrégulière grâce aux tracés.

D'autres outils spéciaux peuvent assister votre créativité, quel que soit votre talent pour le dessin et la peinture. Photoshop offre une grande variété de pinceaux. Vous pouvez associer plusieurs formes de pinceau pour en fabriquer une nouvelle ou créer vos propres formes.

Photoshop permet de dessiner facilement les formes géométriques, des plus simples au plus complexes. Ces formes peuvent s'ajouter à vos photographies, recevoir des motifs et des effets spéciaux, et être déformées à volonté. Vous pouvez aussi créer vos propres formes personnalisées.

Grâce à tous ces outils, vous avez en mains tous les atouts pour créer des graphismes spectaculaires !

TOP 100

Saisissez un PARAGRAPHE DE TEXTE

Normalement, vous insérez du texte n'importe où dans l'image et vous devez appuyer sur Entrée pour passer à la ligne, sinon le texte continue hors de l'image.

Le paragraphe permet de définir par avance le cadre du texte. Au cours de la saisie, le texte passe automatiquement à la ligne lorsqu'il atteint le bord du cadre.

Créer un paragraphe de texte est un jeu d'enfant. Sélectionnez l'outil Texte, puis cliquez et faites glisser le pointeur dans l'image. Vous définissez ainsi le cadre de texte. Relâchez le bouton de la souris et commencez à saisir votre texte. Vous pouvez modifier, mettre en forme et supprimer le contenu du paragraphe en cliquant l'outil Texte puis à l'intérieur du cadre.

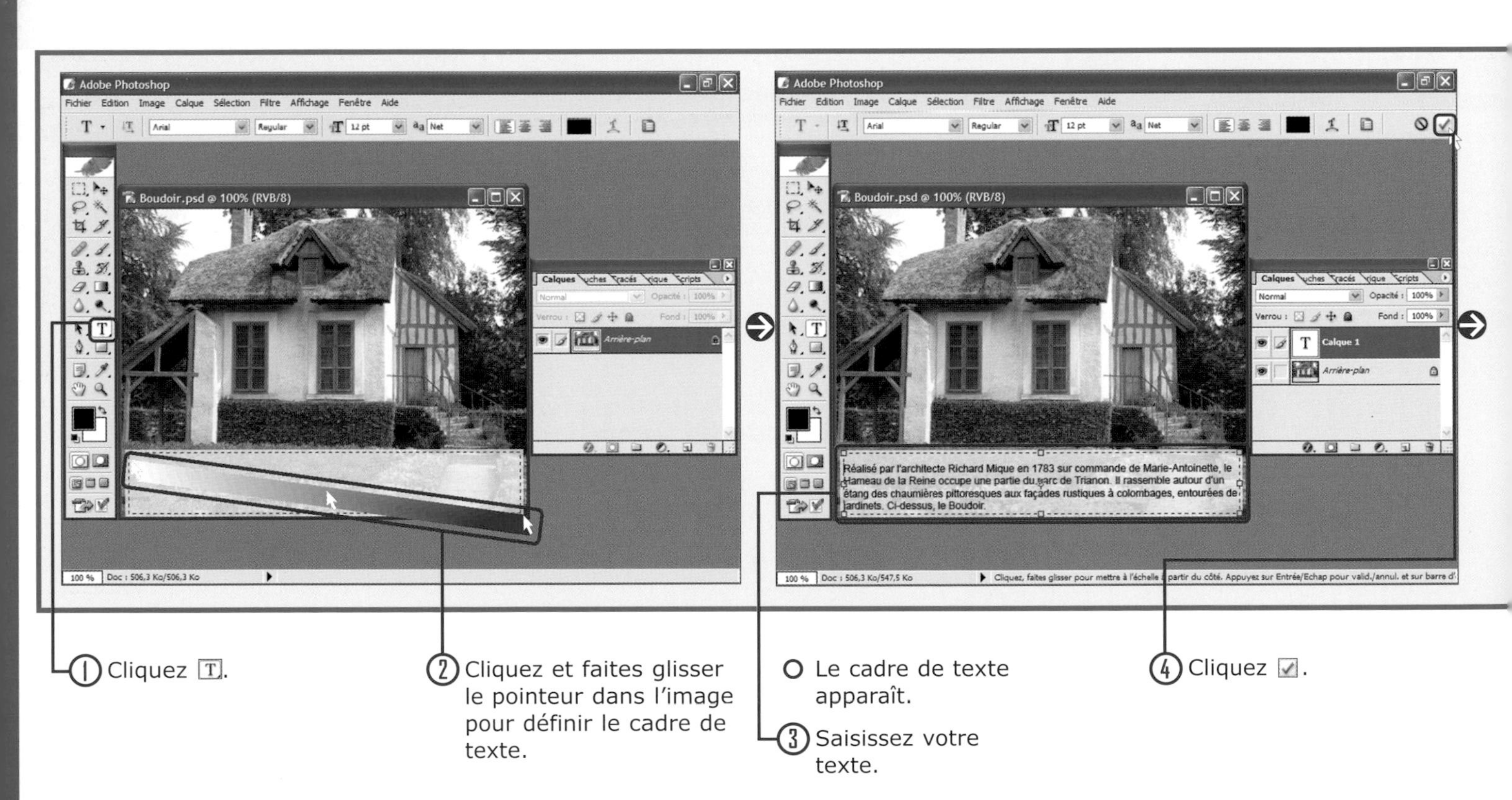

1. Cliquez T.
2. Cliquez et faites glisser le pointeur dans l'image pour définir le cadre de texte.

- Le cadre de texte apparaît.

3. Saisissez votre texte.
4. Cliquez ✓.

11

NIVEAU DE DIFFICULTÉ

Le saviez-vous ?

Vous pouvez modifier les propriétés du paragraphe sans sélectionner son contenu. Sélectionnez le calque de texte dans la palette Calques. Cliquez (T) dans la boîte à outils. Modifiez les paramètres du texte dans la barre d'options. Si vous devez corriger le texte proprement dit, cliquez à l'intérieur du paragraphe et sélectionnez les caractères à modifier ou supprimer.

Ajoutez une touche personnelle !

Une fois le paragraphe saisi, vous pouvez encore modifier les dimensions du cadre de texte. Cliquez T, puis à l'intérieur du paragraphe. Le cadre apparaît avec des poignées sur les côtés et les angles. Placez le pointeur sur une poignée. Il se transforme en ↕, ↔, ⤡ ou ⤢. Cliquez et faites glisser la poignée pour donner au cadre les dimensions voulues.

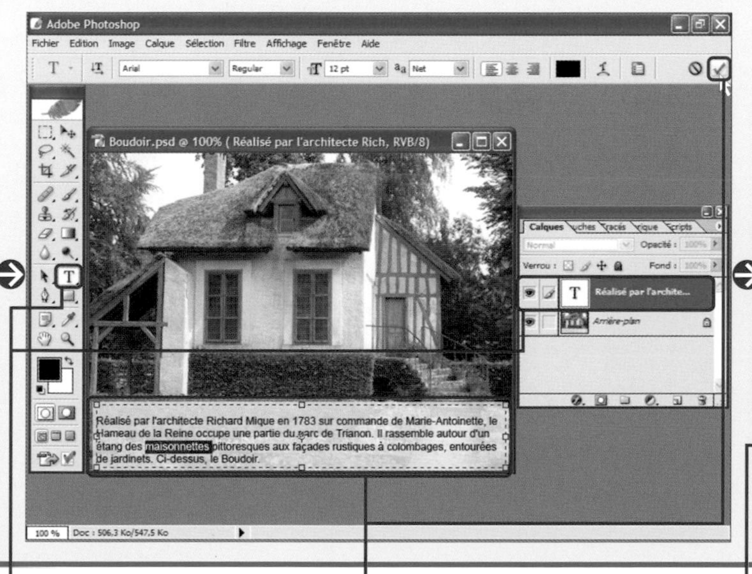

- Photoshop crée un nouveau calque de texte pour le paragraphe.

⑤ Cliquez T.

⑥ Cliquez à l'intérieur du paragraphe et effectuez les modifications nécessaires.

⑦ Cliquez ☑ pour valider les corrections.

- Photoshop met à jour le paragraphe.

DÉFORMEZ DU TEXTE
pour le mettre en valeur

Photoshop offre différents moyens de mettre un texte en valeur. Vous pouvez utiliser des polices de caractère décoratives ou appliquer un style au calque de texte. Si cela ne convient pas, vous pouvez déformer le texte pour lui donner un aspect plus frappant. Photoshop propose une grande variété de styles de déformations aux noms aussi évocateurs que Arche, Coquille, Onde, Poisson et bien d'autres encore. Les options de déformation permettent de paramétrer celles-ci très précisément.

Le texte déformé reste modifiable. Vous pouvez déformer le texte, puis le corriger ou le remplacer en cas de besoin, tout en conservant la déformation.

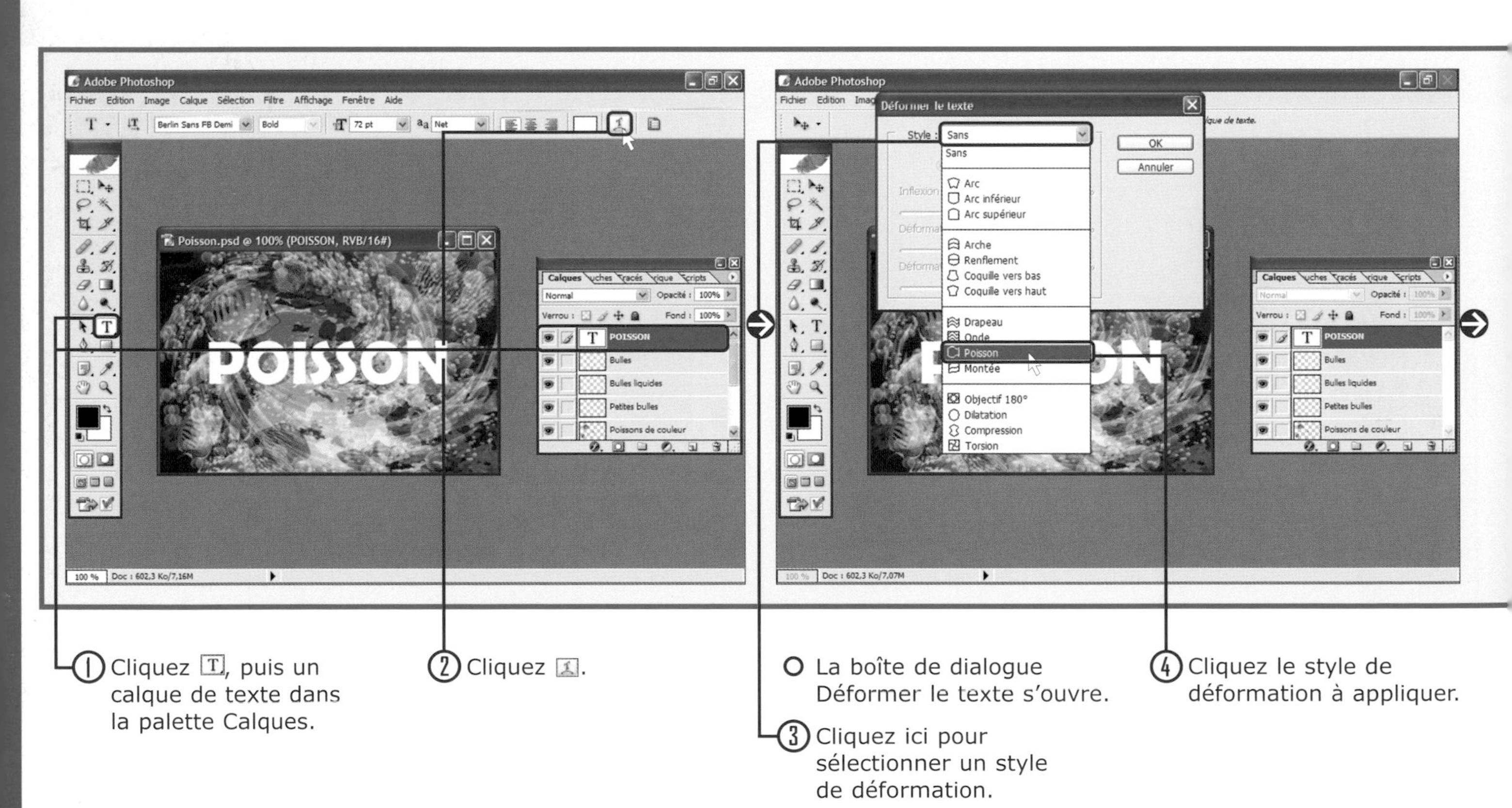

① Cliquez T, puis un calque de texte dans la palette Calques.

② Cliquez [icône].

○ La boîte de dialogue Déformer le texte s'ouvre.

③ Cliquez ici pour sélectionner un style de déformation.

④ Cliquez le style de déformation à appliquer.

12

NIVEAU DE DIFFICULTÉ

  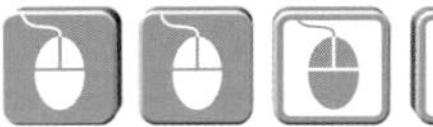

Le saviez-vous ?

Comme les autres calques, les calques de texte acceptent les styles et les effets de calque. Vous pouvez associer les déformations et les styles de calque pour rehausser l'apparence d'un texte.

Le saviez-vous ?

Les déformations ne peuvent s'appliquer que sur du texte vectoriel, dont les contours sont définis mathématiquement. Vous ne pouvez donc pas déformer un texte créé à l'aide de polices matricielles (bitmap) ou un calque de texte pixellisé. Le filtre Fluidité peut donner un résultat analogue sur un calque pixellisé.

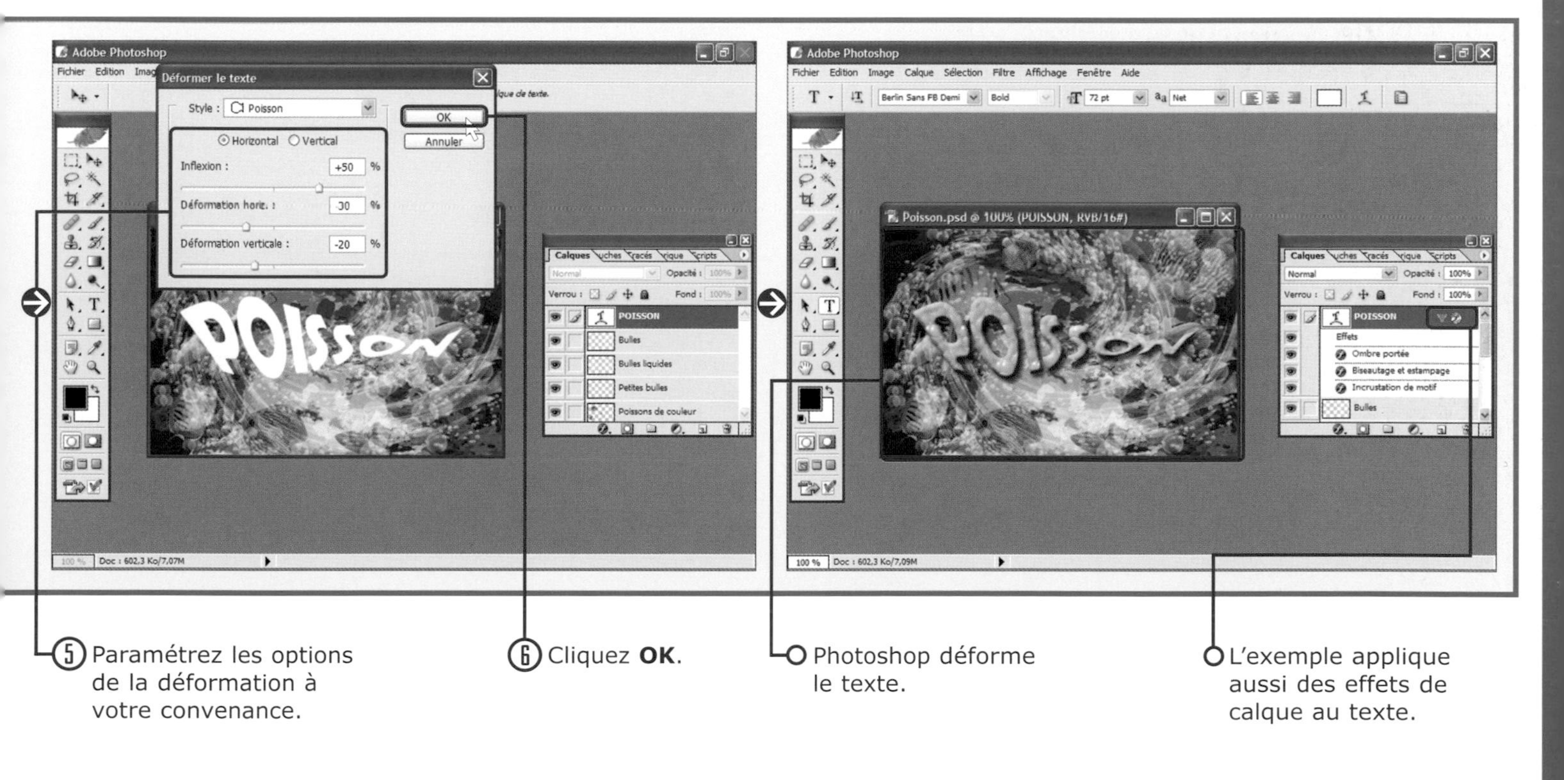

5 Paramétrez les options de la déformation à votre convenance.

6 Cliquez **OK**.

Photoshop déforme le texte.

L'exemple applique aussi des effets de calque au texte.

Tapez du TEXTE SUR UN TRACÉ

Une nouvelle fonction augmente encore la souplesse dont l'outil Texte fait déjà preuve. Elle permet de saisir un texte suivant une courbe irrégulière. Comme Photoshop calcule mathématiquement les contours des caractères, le texte reste modifiable même sous cette forme. En revanche, si vous pixellisez le texte, celui-ci ne peut plus être corrigé.

L'outil Plume permet de créer le tracé servant de guide au texte. Consultez les tâches n° 28 et 27 pour plus d'informations sur la création d'un tracé.

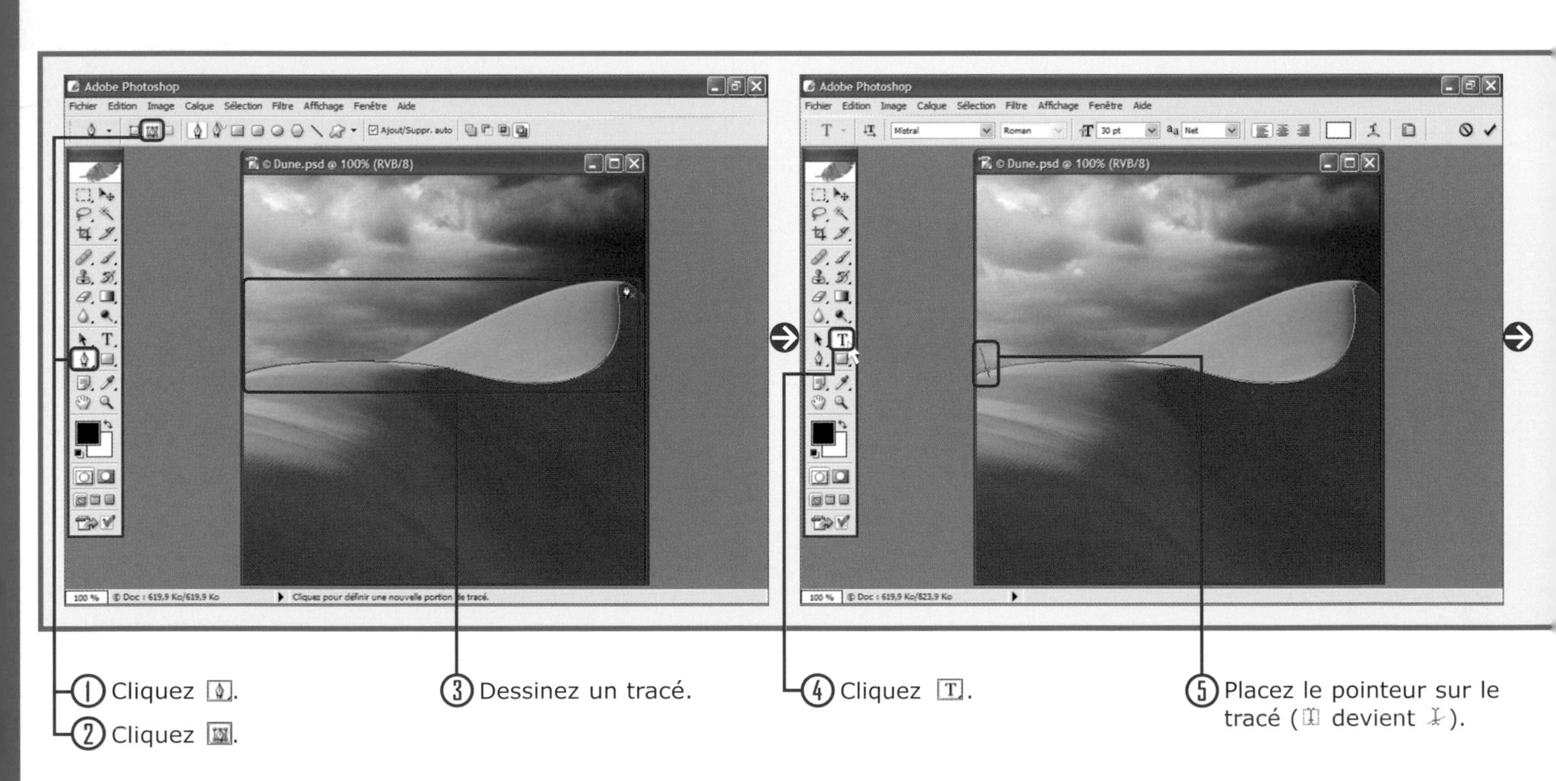

1. Cliquez .
2. Cliquez .
3. Dessinez un tracé.
4. Cliquez .
5. Placez le pointeur sur le tracé (devient).

NIVEAU DE DIFFICULTÉ

Le saviez-vous ?

Un texte saisi sur un tracé accepte les styles de calque et les déformations. Consultez les tâches n° 4 et 5 pour plus d'informations sur les styles de calques et la tâche n° 12 sur les déformations.

Le saviez-vous ?

Cliquez ou dans la boîte à outils pour modifier la position du texte sur le tracé. Pour déplacer le point de départ du texte, placez le pointeur sur celui-ci, cliquez-le et faites-le glisser vers sa nouvelle position. Pour faire basculer le texte du côté opposé du tracé, cliquez le texte et faites glisser le pointeur de l'autre côté du tracé.

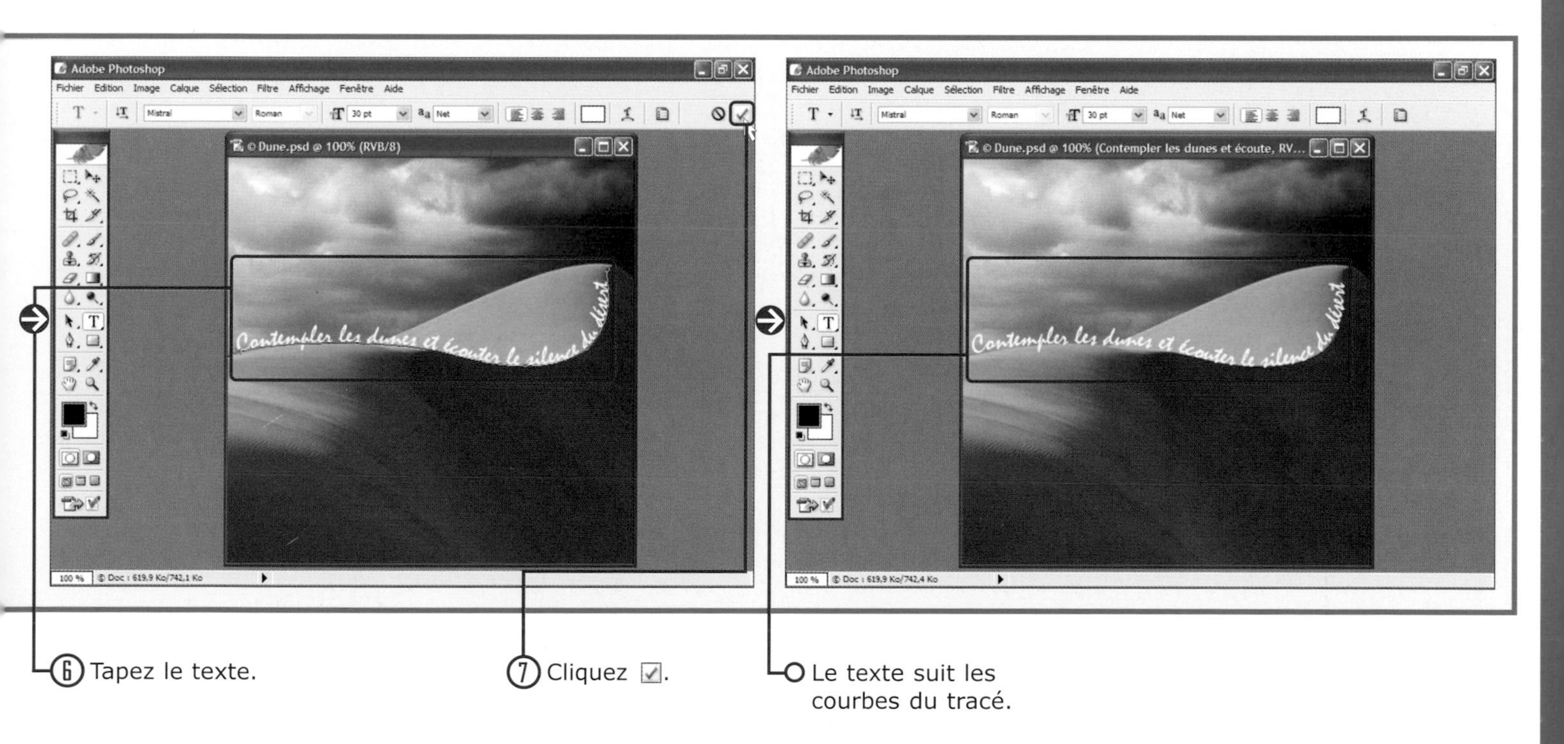

⑥ Tapez le texte.

⑦ Cliquez ☑.

Le texte suit les courbes du tracé.

Créez des

FORMES DE PINCEAU PERSONNALISÉES

Les outils de peinture comme le Pinceau peuvent prendre une grande variété de formes. Vous y accédez *via* le sélecteur de forme prédéfinie, dans la barre d'options. Outre les formes fournies avec Photoshop, vous pouvez en créer de nouvelles répondant à vos besoins spécifiques. La palette Formes permet alors d'indiquer le diamètre, l'angle, l'arrondi et la dureté de la pointe du pinceau.

D'autres paramètres avancés font en sorte que le pinceau laisse des empreintes en pointillé ou continues, uniformes ou irrégulières, constituées d'une seule teinte ou de plusieurs.

Un objet ou une portion d'image peut servir à créer une forme de pinceau. Enregistrée dans une bibliothèque, la forme de pinceau personnalisée devient accessible depuis la palette Formes.

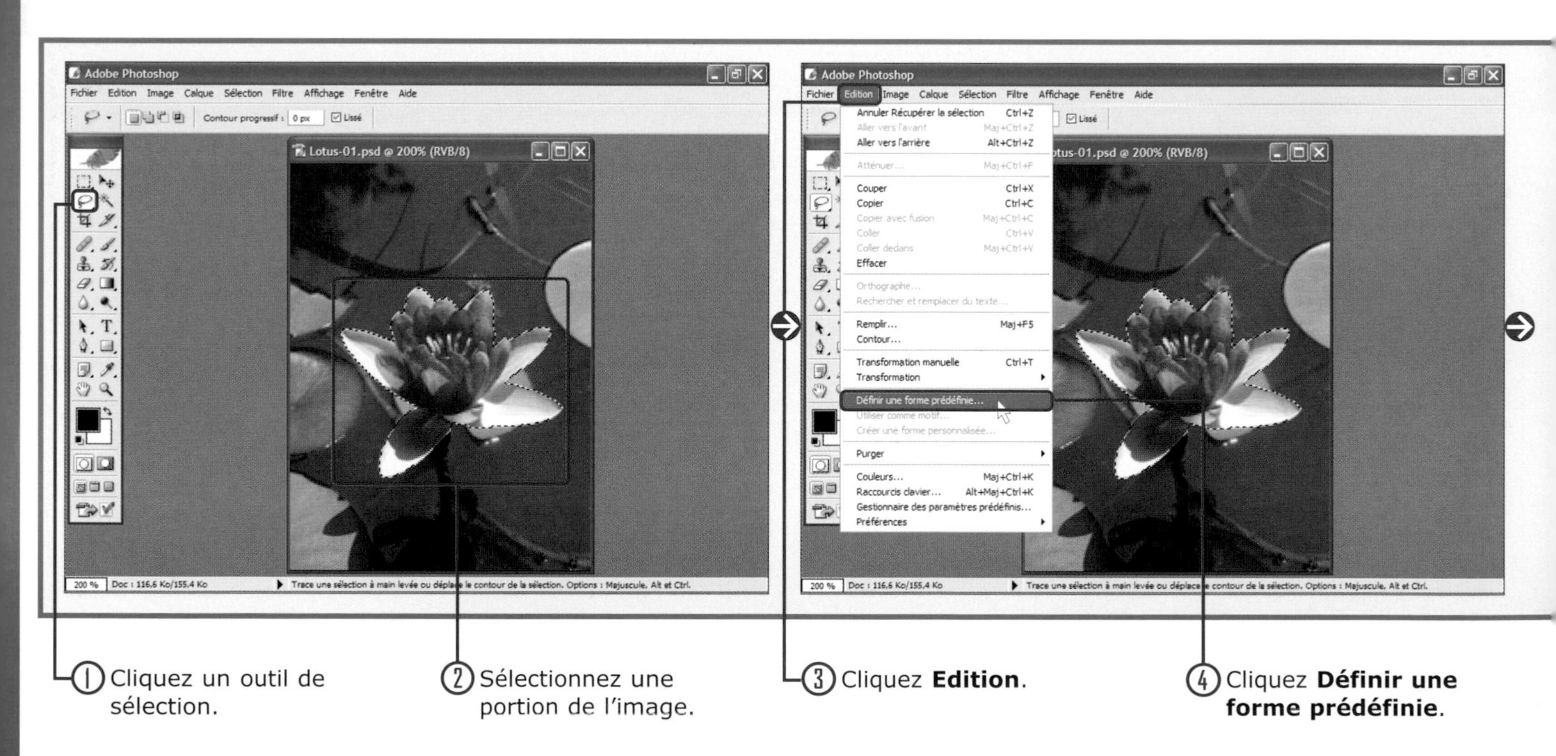

① Cliquez un outil de sélection.

② Sélectionnez une portion de l'image.

③ Cliquez **Edition**.

④ Cliquez **Définir une forme prédéfinie**.

NIVEAU DE DIFFICULTÉ

Ajoutez une touche personnelle !

Lorsque vous cliquez un outil de peinture, comme le Pinceau, le pointeur prend l'apparence de la forme de pinceau sélectionnée dans la barre d'options. Vous pouvez modifier cette option par défaut en cliquant **Edition** ⇨ **Préférences** ⇨ **Affichage et pointeurs**. Dans la boîte de dialogue Préférences, sous la section **Pointeurs outils dessin**, cliquez une autre option (○ devient ◉). L'option **Standard** donne au pointeur l'apparence de l'outil sélectionné. L'option **Précis** transforme le pointeur en croix indiquant précisément le centre de la pointe d'outil.

Le saviez-vous ?

Pour peindre une ligne parfaitement droite avec le Pinceau, définissez le point de départ de la ligne en cliquant dans l'image. Maintenez enfoncée la touche **Maj**, puis cliquez de nouveau pour définir le point d'arrivée de la ligne. Vous pouvez continuer à cliquer en maintenant **Maj** enfoncée pour tracer d'autres segments de ligne droite.

Ajoutez une touche personnelle !

Il n'est pas nécessaire de passer par la barre d'options pour modifier la forme du pinceau. Cliquez avec le bouton droit dans l'image. Dans le menu contextuel qui apparaît, vous pouvez redéfinir le diamètre et la dureté de la pointe, et choisir une autre forme de pinceau.

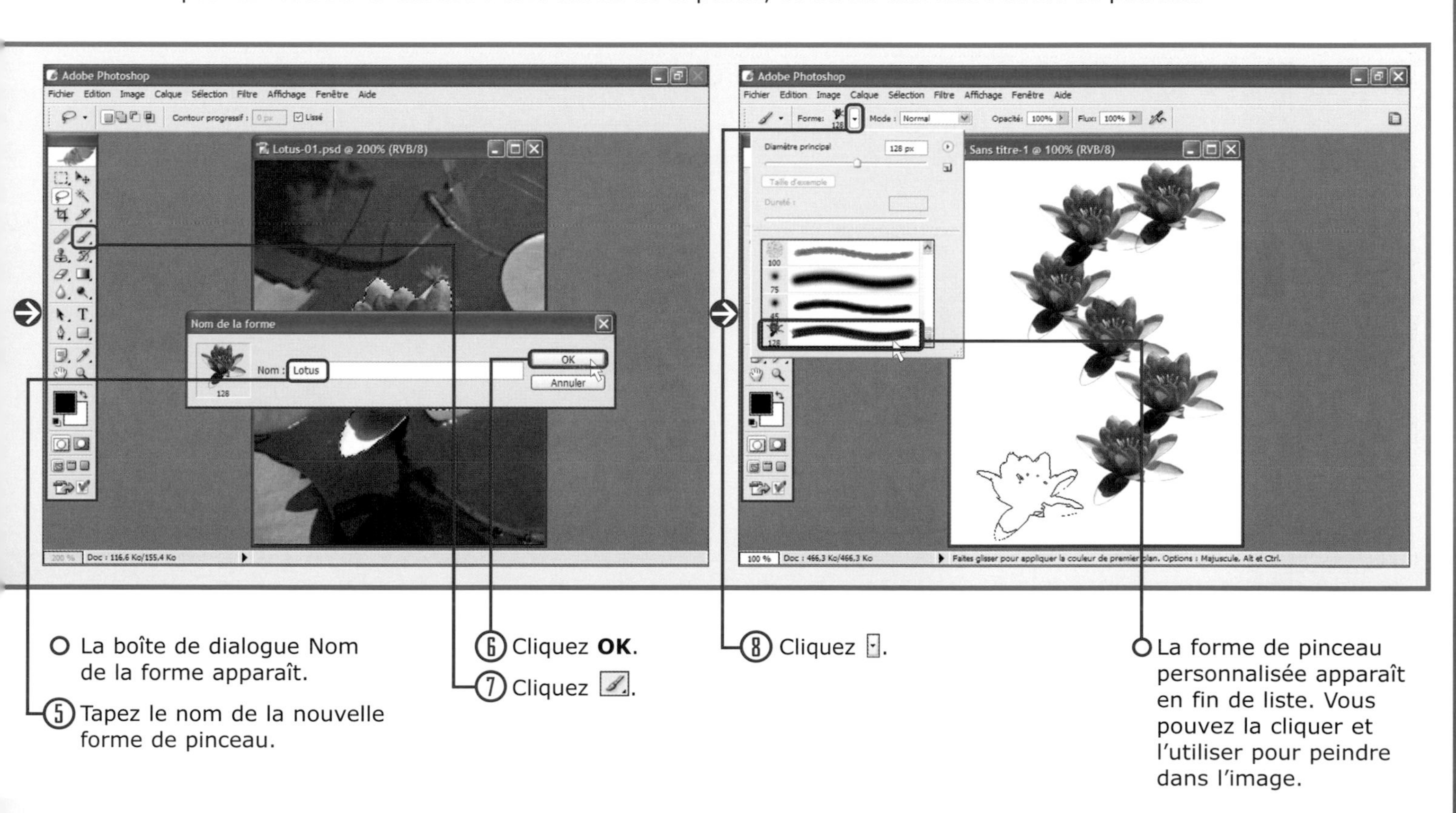

○ La boîte de dialogue Nom de la forme apparaît.

5 Tapez le nom de la nouvelle forme de pinceau.

6 Cliquez **OK**.

7 Cliquez 🖌.

8 Cliquez ▾.

○ La forme de pinceau personnalisée apparaît en fin de liste. Vous pouvez la cliquer et l'utiliser pour peindre dans l'image.

Dessinez des FORMES GÉOMÉTRIQUES

Dessiner à main levée des formes géométriques, même simples, n'est pas toujours facile. Les outils Rectangle, Rectangle arrondi, Ellipse, Polygone et Trait font gagner du temps en traçant rapidement, et sans efforts, les formes géométriques de base.

Photoshop propose aussi l'outil Forme personnalisée, grâce auquel vous accédez à un riche éventail de formes, comme des cadres décoratifs, des bulles, des symboles, des animaux et bien d'autres encore.

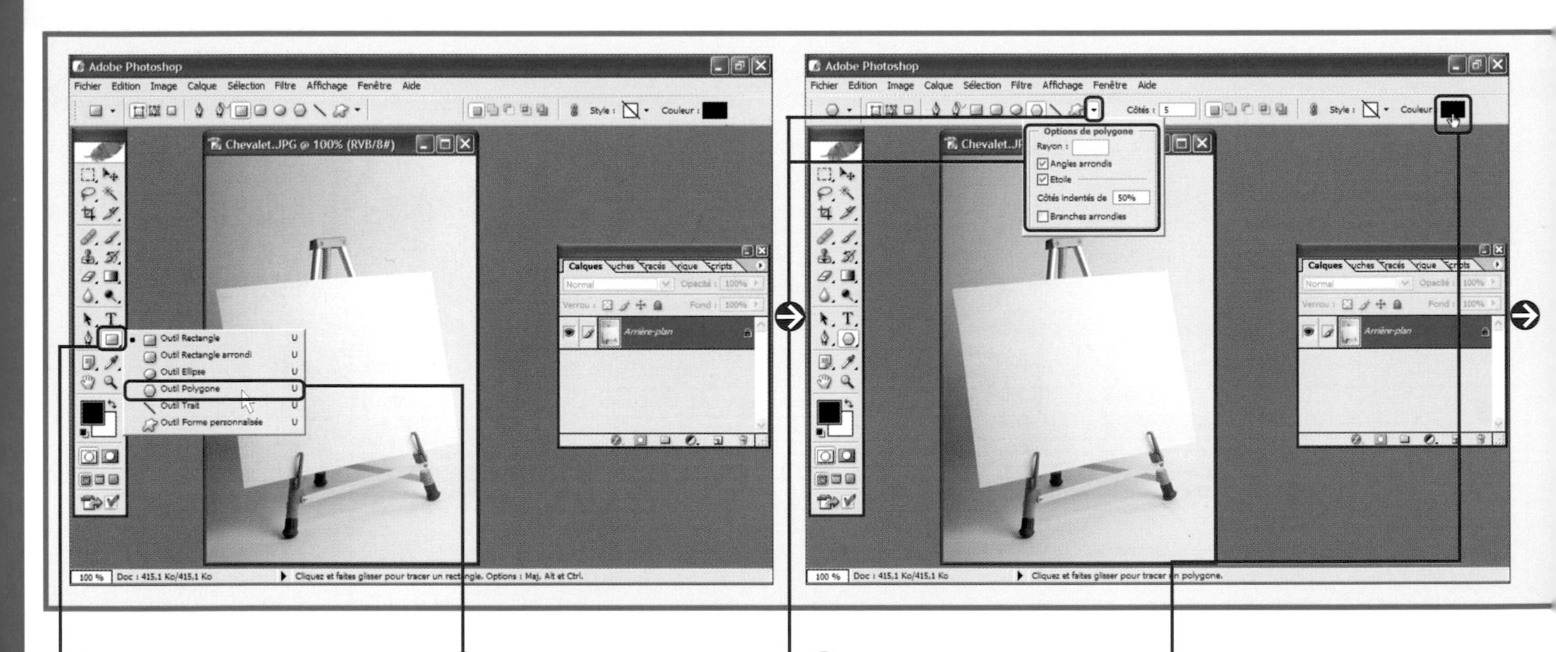

① Cliquez et maintenez appuyé .

② Cliquez dans le menu la forme géométrique à dessiner.

Note. Cet exemple utilise l'outil Polygone.

③ Cliquez .

④ Paramétrez les options de l'outil à votre convenance.

Note. Les options affichées dépendent de l'outil sélectionné.

⑤ Cliquez ici pour spécifier la couleur de remplissage de la forme.

Le saviez-vous ?

Maintenir enfoncée la touche **Maj** pendant que vous dessinez modifie le fonctionnement des outils de forme. Cliquez ou , par exemple, pour tracer un carré. Cliquez pour dessiner un cercle parfait. Cliquez pour tirer une ligne parfaitement horizontale, verticale ou inclinée à 45°.

Le saviez-vous ?

Des paramètres supplémentaires peuvent apparaître dans la barre d'options selon la forme géométrique sélectionnée. Si vous cliquez (), par exemple, vous pouvez définir dans quelle mesure les angles sont arrondis dans la zone **Rayon**. Lorsque () est sélectionné, indiquez le nombre de côtés du polygone dans la zone **Côtés**. Si vous cliquez , la zone **Epaisseur** détermine l'épaisseur du trait en pixels.

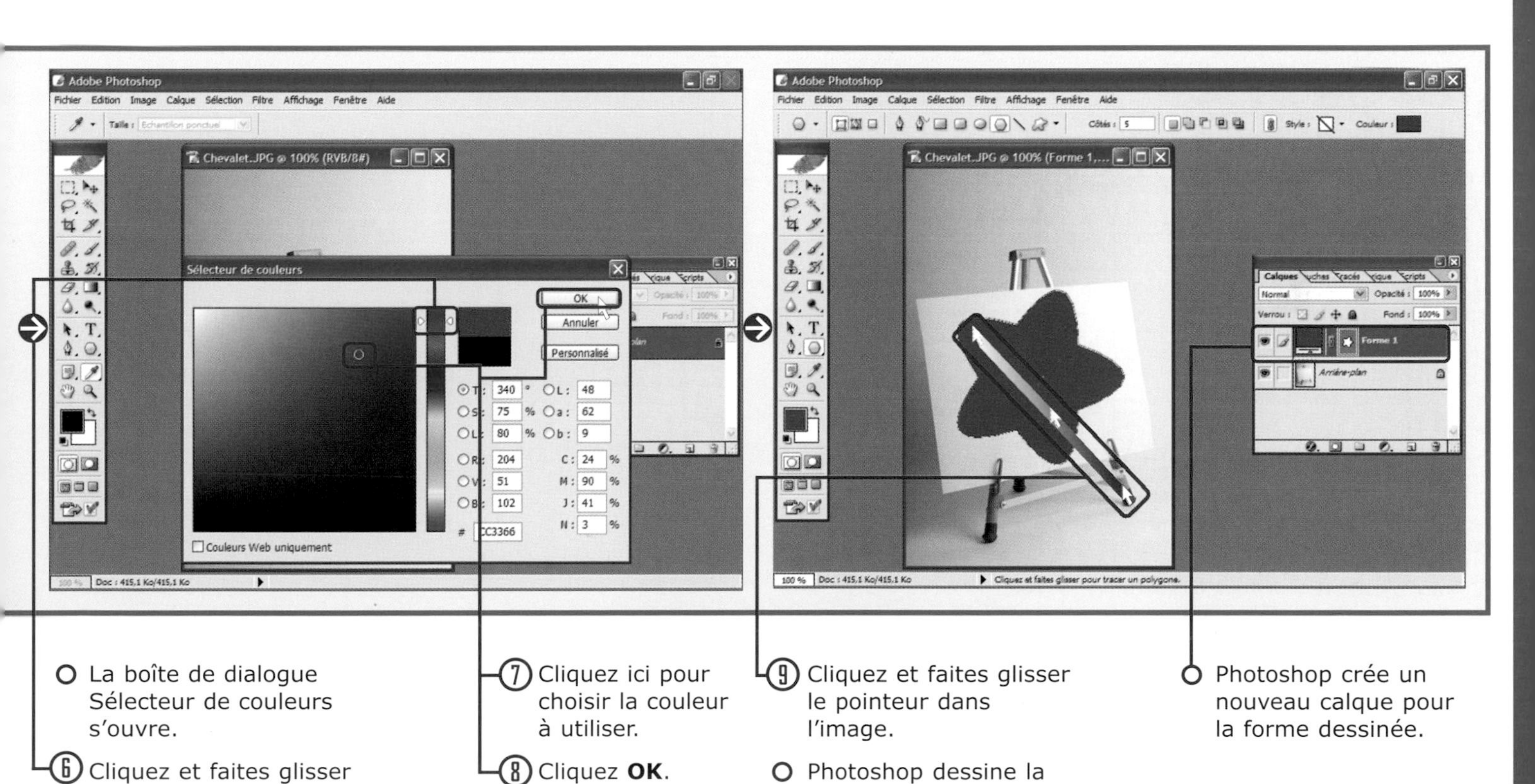

- La boîte de dialogue Sélecteur de couleurs s'ouvre.

6 Cliquez et faites glisser le curseur pour définir la gamme de teintes.

7 Cliquez ici pour choisir la couleur à utiliser.

8 Cliquez **OK**.

9 Cliquez et faites glisser le pointeur dans l'image.

- Photoshop dessine la forme selon les options spécifiées.

- Photoshop crée un nouveau calque pour la forme dessinée.

APPLIQUEZ DES effets de calque aux formes

Photoshop propose différents effets de calque qui peuvent mettre en valeur le contenu des calques de forme. Ces effets créent une impression de relief ou ajoutent une texture aux formes.

Les styles prédéfinis présentés dans la palette Styles peuvent aussi donner aux formes géométriques l'apparence du métal, du verre, du plastique ou d'autres matières.

Une fois appliqués, les effets et les styles de calques sont modifiables à volonté. Consultez les tâches n° 4, 5 et 6 pour plus d'informations.

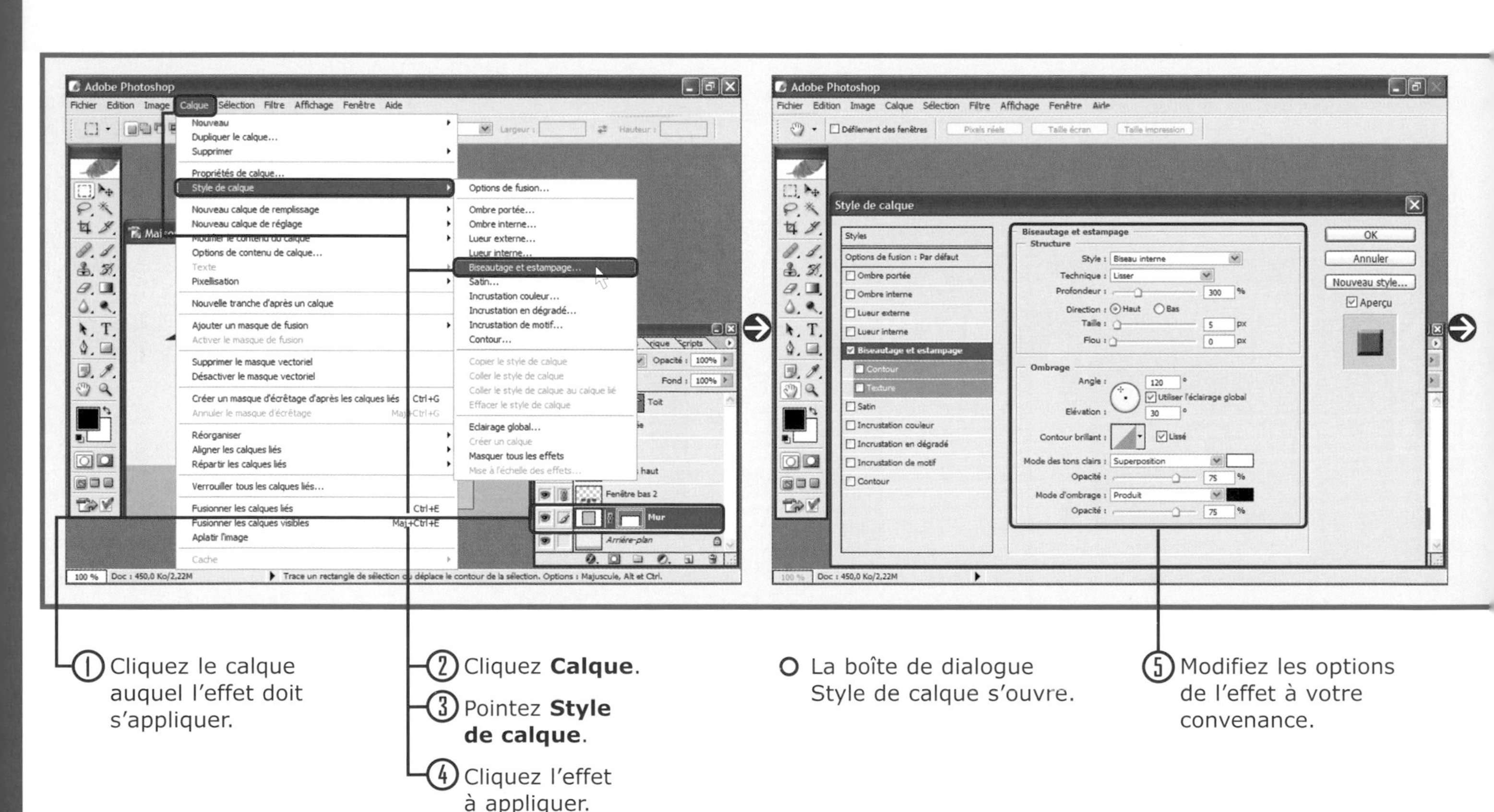

① Cliquez le calque auquel l'effet doit s'appliquer.

② Cliquez **Calque**.

③ Pointez **Style de calque**.

④ Cliquez l'effet à appliquer.

○ La boîte de dialogue Style de calque s'ouvre.

⑤ Modifiez les options de l'effet à votre convenance.

Ajoutez une touche personnelle !

NIVEAU DE DIFFICULTÉ

Une fois dotée d'un style ou d'un effet de calque, la forme géométrique reste modifiable. Sélectionnez le calque de forme dans la palette Calques. Cliquez **Edition** ⇨ **Transformation du tracé**, puis une commande de transformation. Faites glisser les poignées du cadre de sélection pour redimensionner, déformer ou faire pivoter la forme géométrique. Appuyez sur **Entrée** pour valider les modifications.

Le saviez-vous ?

La palette Styles propose des styles prédéfinis qui appliquent un effet selon des paramètres précis ou qui associent plusieurs effets de calque. Pour appliquer un style à une forme, cliquez le calque correspondant dans la palette Calques. Cliquez ensuite le style à appliquer dans la palette Styles. Pour afficher cette dernière, cliquez son onglet ou cliquez **Fenêtre** ⇨ **Styles**.

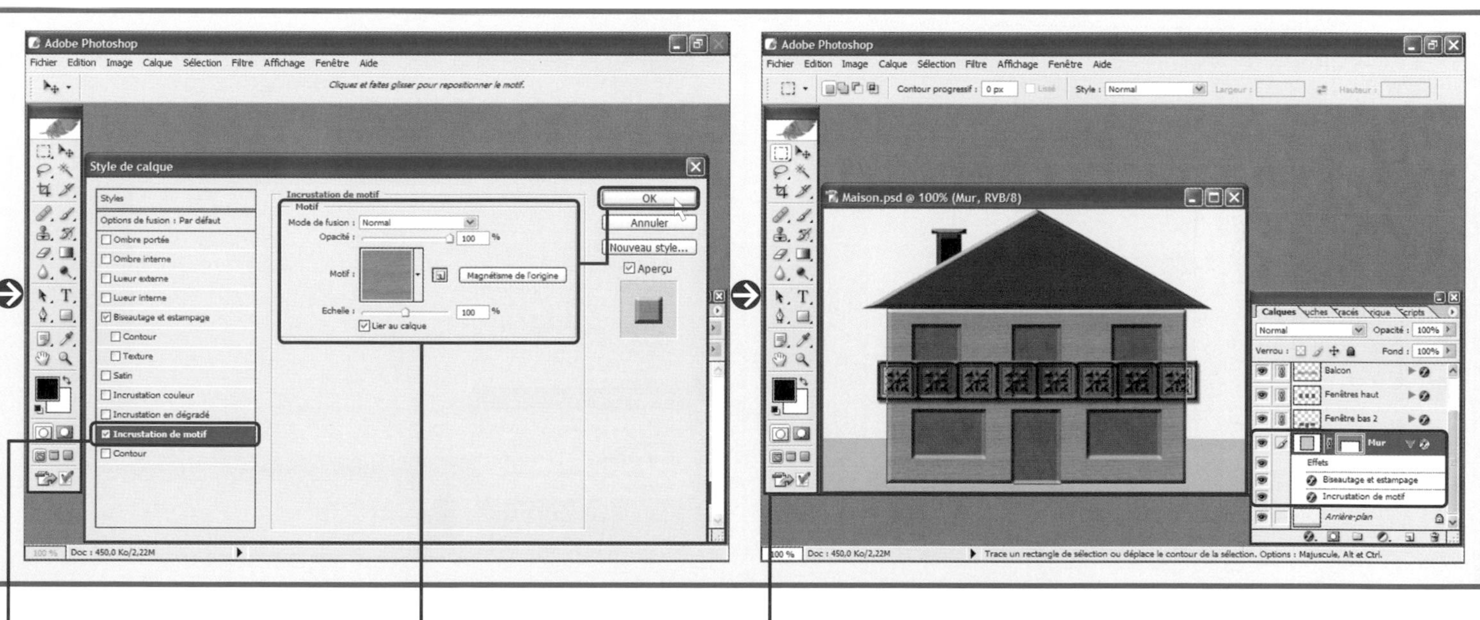

⑥ Si nécessaire, cliquez un autre effet (☐ devient ☑).

● Vous pouvez modifier les paramètres du deuxième effet sélectionné.

⑦ Cliquez **OK**.

● Photoshop applique les effets au calque de forme selon les options spécifiées.

● Dans l'exemple, des effets sont aussi appliqués aux autres calques.

Créez des FORMES PERSONNALISÉES

Parmi les outils de forme, Photoshop propose l'outil Forme personnalisée. Il donne accès à plusieurs bibliothèques de formes particulièrement riches. Si, toutefois, vous n'y trouvez pas votre bonheur, rien ne vous empêche de créer vos propres formes personnalisées.

Une forme personnalisée est définie par son contour. Celui-ci est constitué de lignes et de courbes vectorielles, calculées mathématiquement. Photoshop remplit ensuite le contour avec la couleur de premier plan.

Selon vos aptitudes pour le dessin, vous pouvez soit créer entièrement le contour d'une forme, soit vous servir d'une photo ou d'une image comme modèle. Dans ce dernier cas, réduisez les couleurs et les détails de l'image afin de mieux faire ressortir les contours. Consultez la tâche n° 38 pour plus d'informations sur la création d'une forme personnalisée d'après une photo.

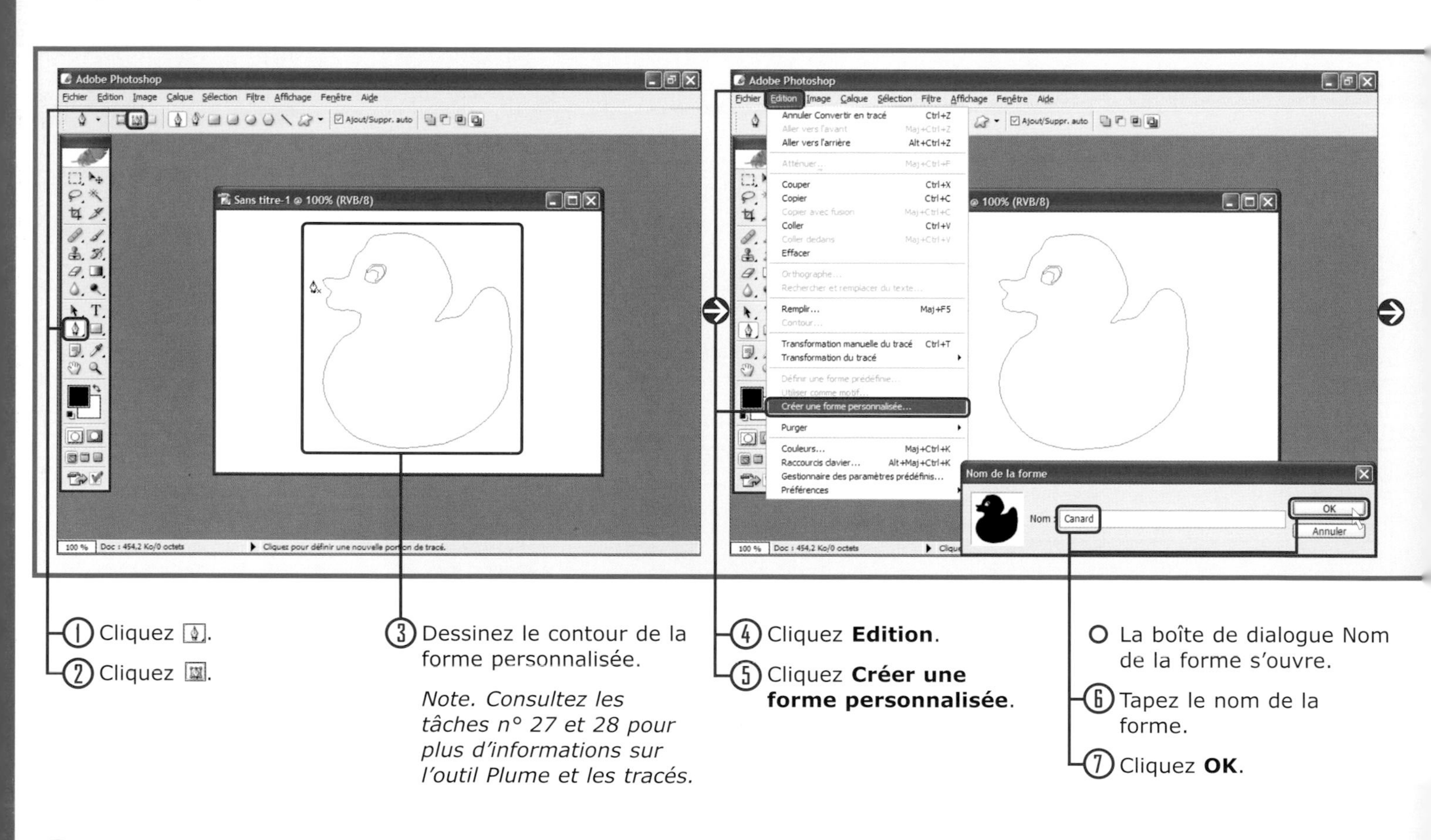

1. Cliquez [icône Plume].
2. Cliquez [icône Tracés].
3. Dessinez le contour de la forme personnalisée.

Note. Consultez les tâches n° 27 et 28 pour plus d'informations sur l'outil Plume et les tracés.

4. Cliquez **Edition**.
5. Cliquez **Créer une forme personnalisée**.

- La boîte de dialogue Nom de la forme s'ouvre.

6. Tapez le nom de la forme.
7. Cliquez **OK**.

NIVEAU DE DIFFICULTÉ

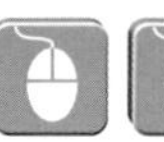

Le saviez-vous ?

Vous pouvez créer un tracé d'après un contour de sélection. Sélectionnez une partie de l'image. Ouvrez la palette Tracés en cliquant son onglet ou **Fenêtre** ⇨ **Tracés**. Dans la palette Tracés, cliquez ▸, puis **Convertir en tracé**. Dans la boîte de dialogue Convertir en tracé de travail, saisissez une autre valeur de tolérance ou acceptez la valeur par défaut. Elle détermine la sensibilité de la conversion aux légères irrégularités du contour de sélection. Cliquez **OK**. Suivez les étapes **4** à **7** ci-dessous pour transformer le tracé en forme personnalisée.

Le saviez-vous ?

Pour conserver les formes personnalisées que vous créez, enregistrez-les dans une bibliothèque de formes. Cliquez ▾, comme à l'étape **11** ci-dessous. Cliquez ▸, puis **Enregistrer les formes**. Dans la boîte de dialogue Enregistrer, donnez un nom au fichier et cliquez **Enregistrer**. Toutes les formes personnalisées se trouvant dans le sélecteur de forme sont enregistrées dans le fichier CSH ainsi créé.

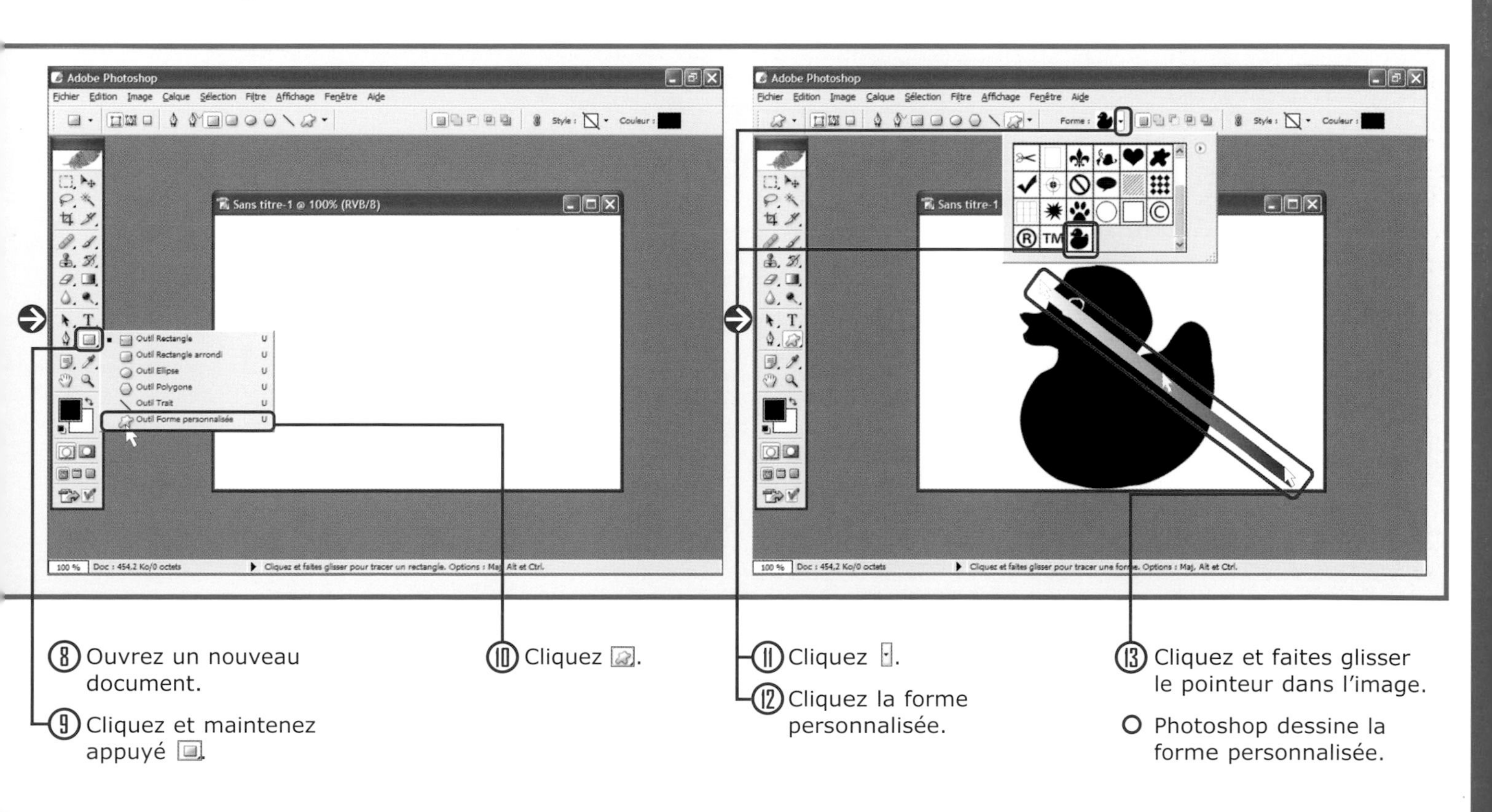

8. Ouvrez un nouveau document.
9. Cliquez et maintenez appuyé ▭.
10. Cliquez ▭.
11. Cliquez ▾.
12. Cliquez la forme personnalisée.
13. Cliquez et faites glisser le pointeur dans l'image.

- Photoshop dessine la forme personnalisée.

CONVERTIR DU TEXTE
en forme

Comme les formes, les polices de caractères sont constituées de lignes et de courbes vectorielles. Photoshop peut donc facilement convertir le texte en forme. Cette fonction s'avère particulièrement intéressante lorsque vous considérez la quantité de symboles proposés par des polices comme Wingdings.

Une forme est plus facile à manipuler qu'un caractère. En outre, une fois converti en forme, le texte peut être enregistré dans une bibliothèque de formes personnalisées et réutilisé à volonté. Consultez la page 39 pour plus d'informations sur l'enregistrement des bibliothèques de formes.

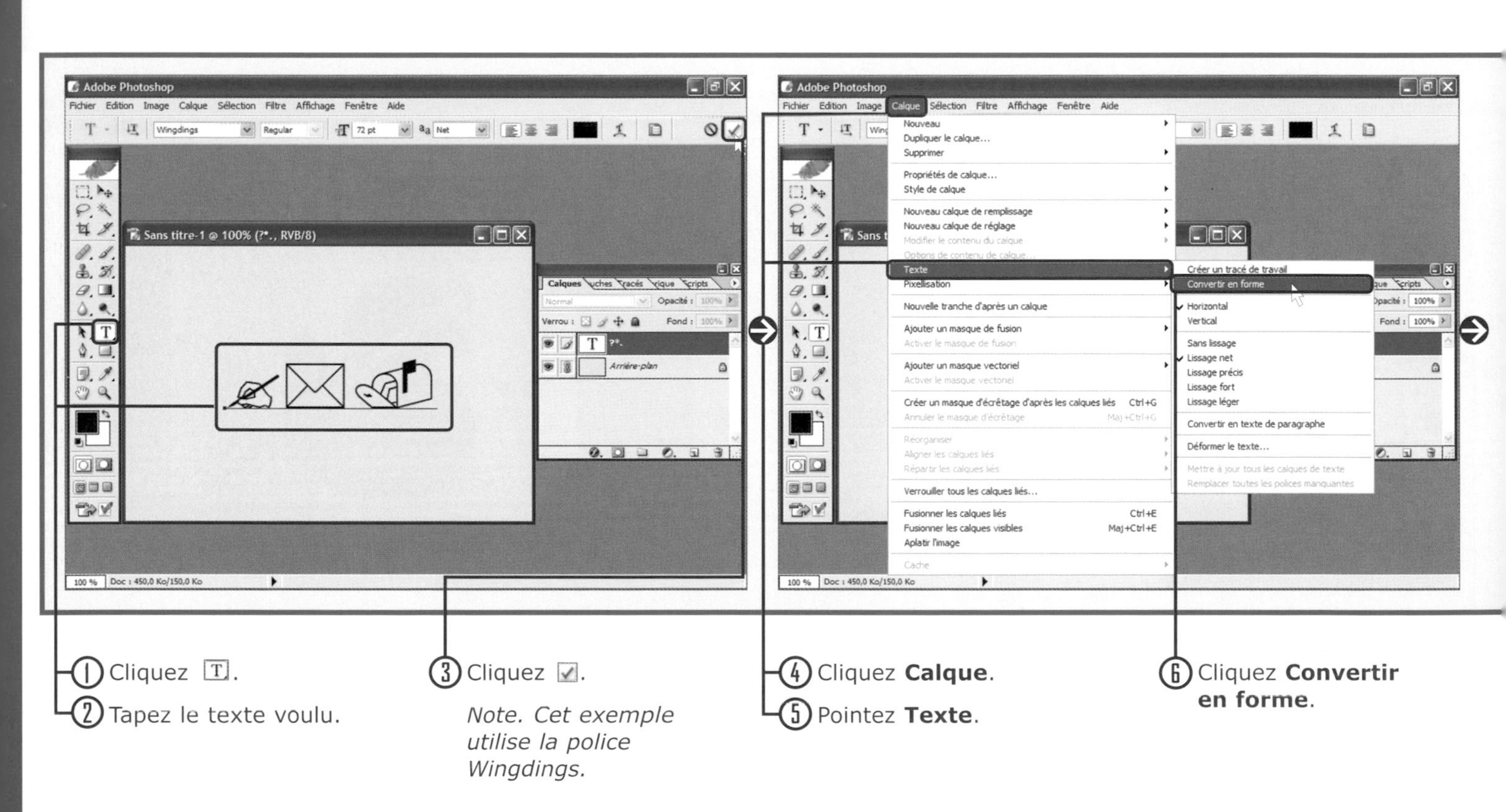

1. Cliquez T.
2. Tapez le texte voulu.
3. Cliquez ☑.

Note. Cet exemple utilise la police Wingdings.

4. Cliquez **Calque**.
5. Pointez **Texte**.
6. Cliquez **Convertir en forme**.

NIVEAU DE DIFFICULTÉ

Ajoutez une touche personnelle !

Créer votre propre bibliothèque de formes personnalisées est un jeu d'enfant. Consultez la tâche n° 17 pour plus d'informations sur la création de formes personnalisées. Alors qu'un outil de forme est sélectionné, cliquez dans la barre d'options. Toujours dans la barre d'options, cliquez à droite de Forme pour ouvrir le sélecteur de forme personnalisée. Cliquez une forme avec le bouton droit. Cliquez l'option adéquate dans le menu contextuel pour supprimer ou renommer la forme. Une fois le « ménage » effectué dans le sélecteur de forme personnalisée, vous pouvez enregistrer son contenu dans un fichier à part. Consultez le haut de la page 39 pour plus d'informations.

Prudence !

Vous pouvez convertir en formes les caractères de pratiquement toutes les polices. Certaines polices de caractères, toutefois, ne comportent pas les informations vectorielles nécessaires à Photoshop pour cette conversion. Les polices matricielles (bitmap), par exemple, ne peuvent être converties en forme.

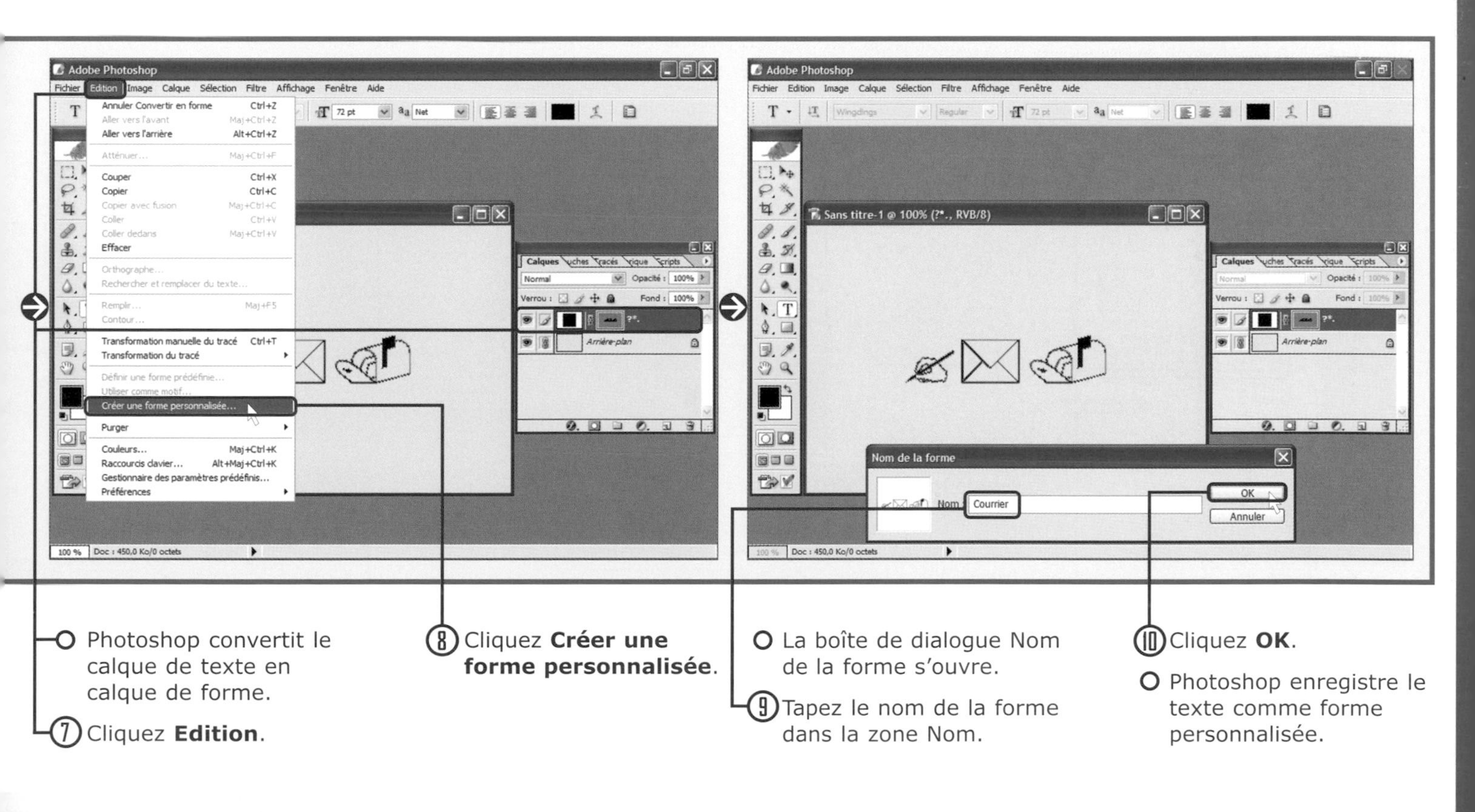

- Photoshop convertit le calque de texte en calque de forme.

7. Cliquez **Edition**.

8. Cliquez **Créer une forme personnalisée**.

- La boîte de dialogue Nom de la forme s'ouvre.

9. Tapez le nom de la forme dans la zone Nom.

10. Cliquez **OK**.

- Photoshop enregistre le texte comme forme personnalisée.

Importez des formes PERSONNALISÉES ET DE PINCEAU

Puisque les formes personnalisées et de pinceau sont stockées dans des fichiers, rien ne vous empêche de constituer vos propres bibliothèques de formes et de les charger dans Photoshop. Vous pouvez aussi trouver sur le Web des bibliothèques originales créées par d'autres utilisateurs.

Téléchargez depuis l'Internet les fichiers correspondant aux bibliothèques, puis copiez-les dans les dossiers Photoshop adéquats. Les bibliothèques de formes de pinceau portent l'extension ABR et doivent être copiées dans le dossier Formes. Les bibliothèques de formes personnalisées portent l'extension CSH et sont stockées dans le dossier Formes personnalisées.

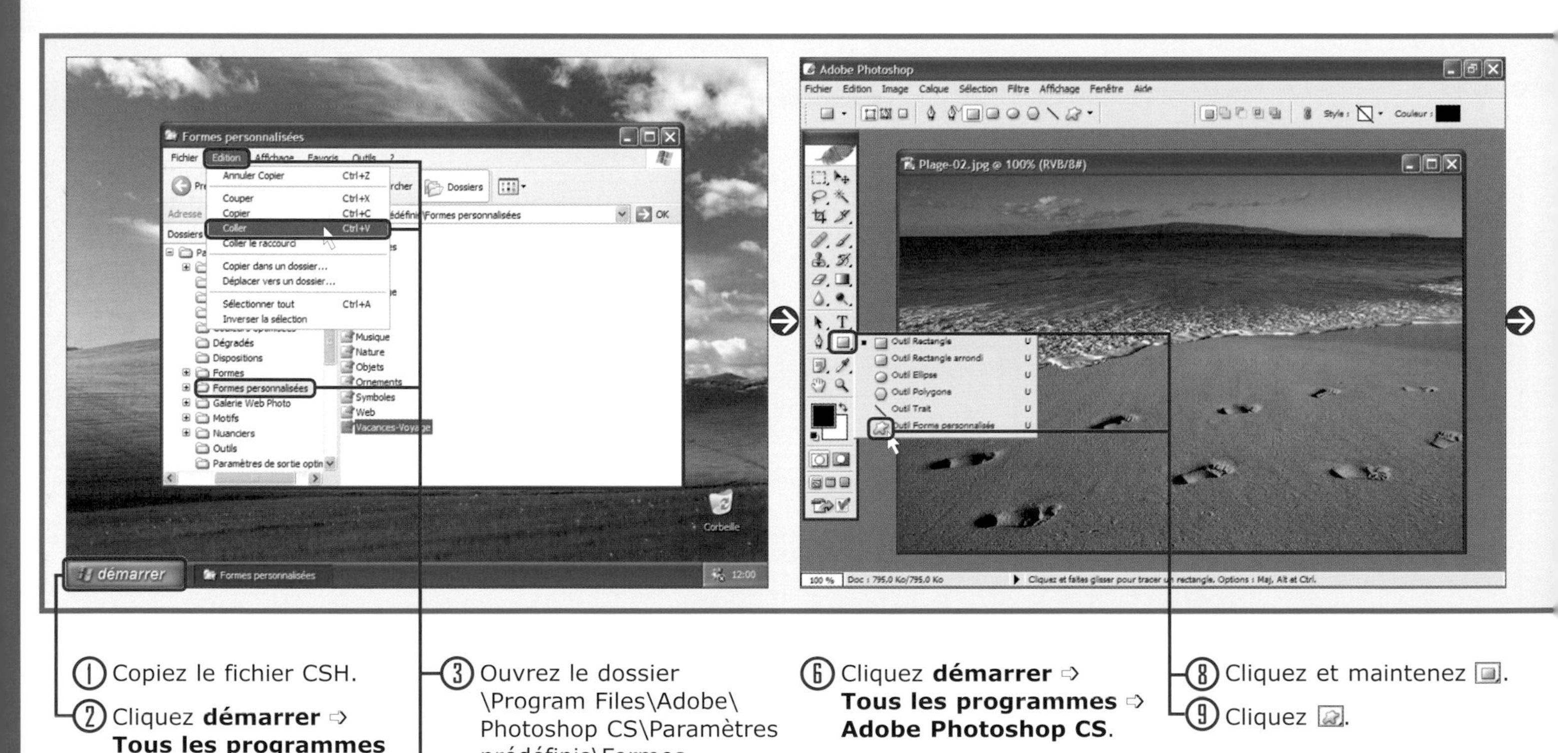

① Copiez le fichier CSH.

② Cliquez **démarrer** ⇨ **Tous les programmes** ⇨ **Accessoires** ⇨ **Explorateur Windows**.

③ Ouvrez le dossier \Program Files\Adobe\Photoshop CS\Paramètres prédéfinis\Formes personnalisées.

④ Cliquez **Edition**.

⑤ Cliquez **Coller**.

○ Le fichier apparaît dans le dossier.

⑥ Cliquez **démarrer** ⇨ **Tous les programmes** ⇨ **Adobe Photoshop CS**.

⑦ Ouvrez ou créez une image.

⑧ Cliquez et maintenez .

⑨ Cliquez .

NIVEAU DE DIFFICULTÉ

Le saviez-vous ?

L'importation de formes de pinceau s'effectue de la même manière que celle des formes personnalisées décrite ci-dessous. Copiez le fichier ABR. Collez-le dans le dossier \Program Files\Adobe\Photoshop CS\Paramètres prédéfinis\Formes. Redémarrez Photoshop. Cliquez dans la boîte à outils. Cliquez dans la barre d'options. Dans le sélecteur de forme prédéfinie, cliquez puis **Charger les formes**. La boîte de dialogue Charger s'ouvre. Sélectionnez la bibliothèque de formes de pinceau, puis cliquez **Charger**. Les formes de pinceau sont désormais accessibles dans le sélecteur de forme prédéfinie.

Le saviez-vous ?

Vous pouvez à tout moment retrouver les bibliothèques de formes personnalisées et de pinceau par défaut. Dans la barre d'options, ouvrez le sélecteur de forme personnalisée ou le sélecteur de forme prédéfinie. Dans les deux cas, cliquez , puis **Réinitialiser les formes**.

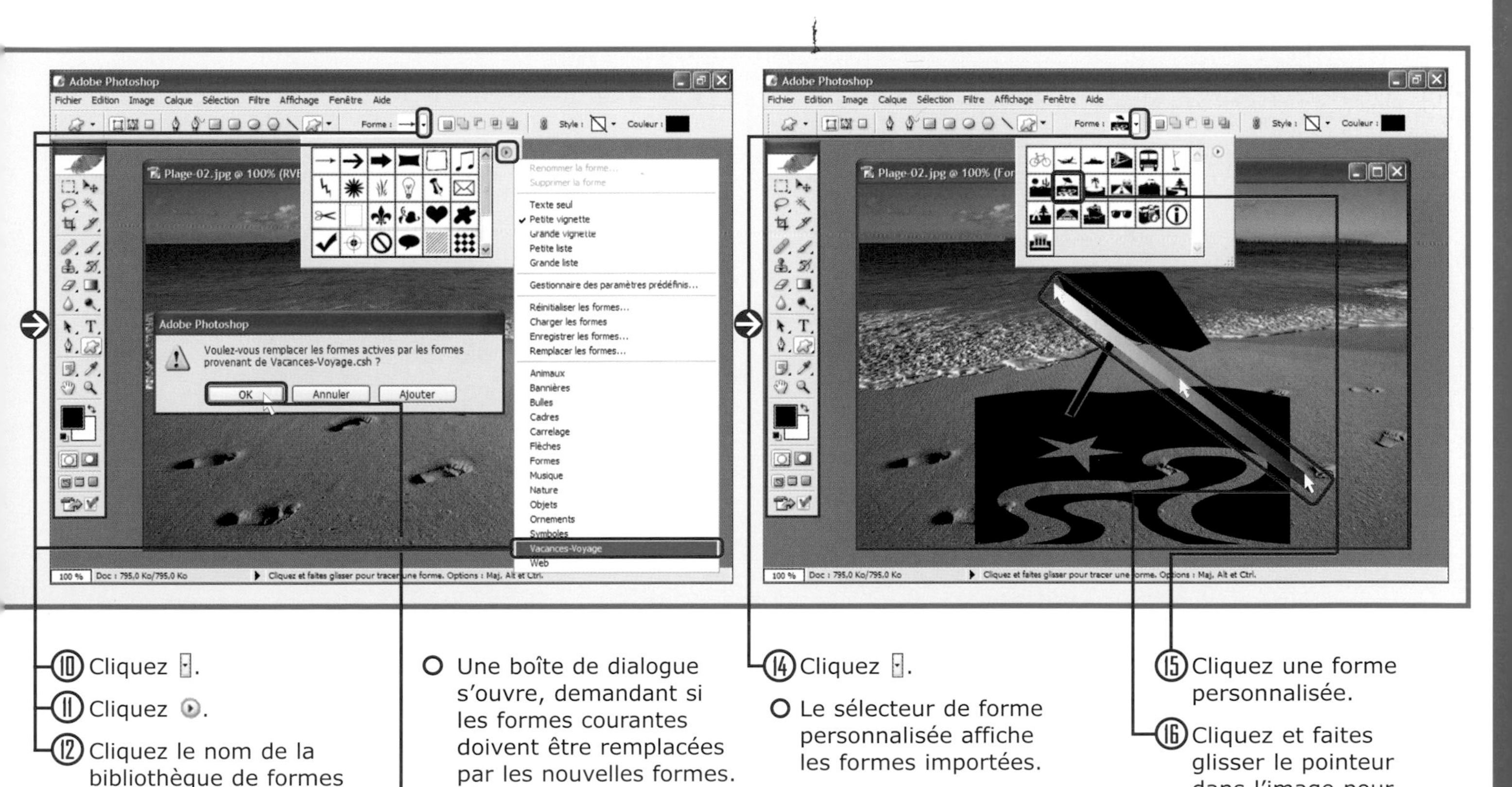

⑩ Cliquez .

⑪ Cliquez .

⑫ Cliquez le nom de la bibliothèque de formes personnalisées.

○ Une boîte de dialogue s'ouvre, demandant si les formes courantes doivent être remplacées par les nouvelles formes.

⑬ Cliquez **OK**.

⑭ Cliquez .

○ Le sélecteur de forme personnalisée affiche les formes importées.

⑮ Cliquez une forme personnalisée.

⑯ Cliquez et faites glisser le pointeur dans l'image pour dessiner la forme.

Déformez les objets avec les COMMANDES DE TRANSFORMATION

Les commandes de transformation se trouvent dans le menu Edition ⇨ Transformation. Elles permettent de redimensionner, de faire pivoter, d'incliner ou de déformer les objets, le texte et les formes. Vous pouvez ainsi mieux ajuster les différents éléments de votre graphisme.

La commande Homothétie redimensionne l'élément sélectionné. La commande Rotation fait pivoter l'objet. La commande Inclinaison incline l'objet. La commande Torsion le déforme. La commande Perspective déforme l'élément pour lui donner une perspective. Avec les commandes précédentes, vous appliquez la transformation en cliquant et en faisant glisser les poignées du cadre de sélection.

Pour les commandes suivantes, Photoshop applique directement la transformation. Les commandes Rotation 180°, Rotation 90° horaire et Rotation 90° antihoraire font pivoter l'élément respectivement d'un demi-tour, d'un quart de tour dans le sens des aiguilles d'une montre et d'un quart de tour dans le sens contraire. Les commandes Symétrie axe horizontal et Symétrie axe vertical font basculer l'objet horizontalement et verticalement.

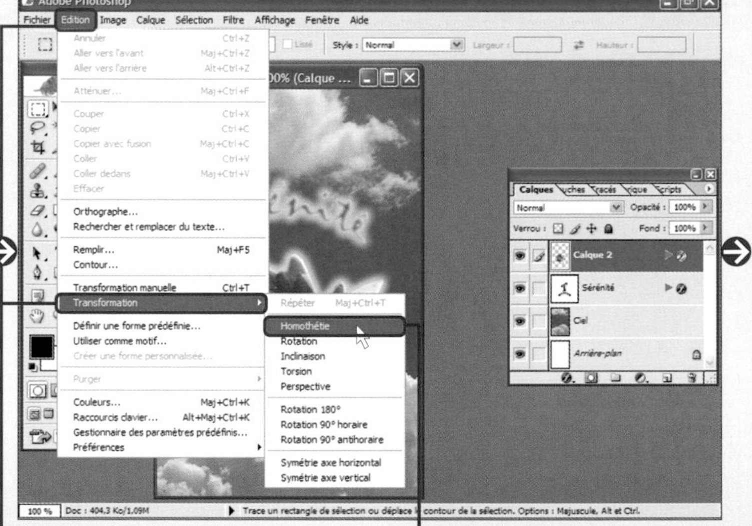

① Cliquez le calque contenant l'objet à transformer.

○ Vous pouvez sélectionner un élément du calque ou de l'image à l'aide d'un outil de sélection pour limiter la transformation à cet élément uniquement.

② Cliquez **Edition**.

③ Pointez **Transformation**.

④ Cliquez une commande de transformation.

Note. Cet exemple utilise la commande Homothétie.

20

NIVEAU DE DIFFICULTÉ

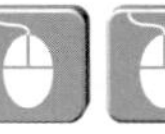

Le saviez-vous ?

Maintenir enfoncée la touche **Maj**, **Ctrl** ou **Alt** en appliquant une commande de transformation modifie l'effet de celle-ci. Avec la commande **Homothétie**, par exemple, maintenez enfoncée **Alt** tout en faisant glisser une poignée d'angle. Cela redimensionne l'objet sélectionné dans deux directions opposées à partir du point central.

Le saviez-vous ?

Vous pouvez transformer plusieurs calques en même temps. Il suffit pour cela de les lier. Consultez la tâche n° 8 pour plus d'informations. Photoshop considère alors le centre de l'ensemble des calques liés comme point de référence de la transformation.

- Un cadre de sélection muni de poignées entoure le contenu du calque.

5. Cliquez et faites glisser une poignée.

- Les poignées latérales redimensionnent le calque en hauteur ou en largeur, les poignées d'angles le modifient dans les deux dimensions simultanément.
- Vous pouvez maintenir enfoncée la touche **Maj** tout en faisant glisser une poignée d'angle pour conserver les proportions du calque.

6. Cliquez ☑.

- Photoshop transforme le contenu du calque.

Créez des sélections, des masques et des tracés

Photoshop propose trois principaux moyens d'isoler certaines parties d'une image ou d'un calque afin d'y circonscrire les modifications : les sélections, les masques et les tracés.

Les outils de sélection délimitent des zones spécifiques de l'image à l'aide d'un contour animé en pointillé. Seuls les pixels inclus dans le contour de sélection sont affectés par les modifications.

Photoshop dispose de deux types de masques en mode point (bitmap) : le masque de fusion et le masque temporaire créé à l'aide du mode Masque. Le masque de fusion rend invisibles certains pixels d'un calque en les masquant, sans les supprimer complètement. Le mode Masque matérialise à l'aide d'un cache rouge les zones protégées de l'image.

Photoshop permet aussi de créer un masque vectoriel. Comme le masque de fusion, il définit les zones visibles et invisibles d'un calque. Contrairement au masque de fusion, composés de pixels noirs, blancs et gris, le masque vectoriel est constitué d'un tracé.

Les tracés ne dépendent pas de la résolution d'image puisqu'ils sont définis par des lignes et des courbes vectorielles. Vous pouvez les redimensionner sans qu'ils perdent ni en netteté ni en précision. En règle générale, l'outil Plume et les outils de forme servent à créer les tracés.

Les sélections, les masques et les tracés se complètent. Un tracé peut, par exemple, être converti en sélection et une sélection devenir un masque. Aucun graphiste, amateur ou professionnel, ne peut se passer des masques, des sélections et des tracés.

TOP 100

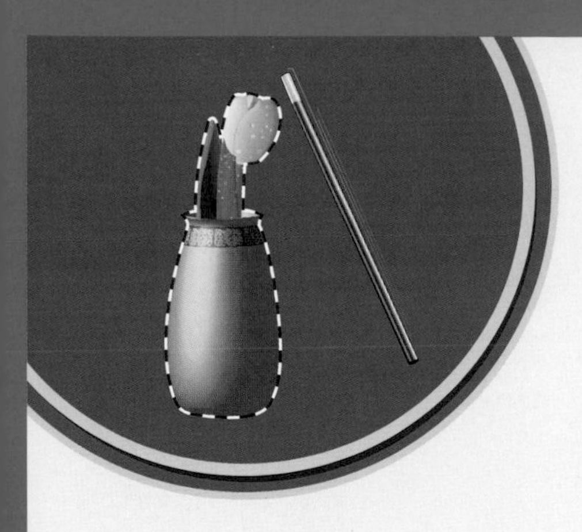

Utilisez L'OUTIL LASSO

L'outil Lasso crée une sélection aux contours irréguliers. Il se décline en trois variantes : le Lasso, le Lasso polygonal et le Lasso magnétique.

Ces trois outils sont particulièrement commodes lorsqu'il s'agit de sélectionner un élément aux formes complexes. Le Lasso permet de tracer une sélection à main levée. Le Lasso polygonal trace des segments rectilignes. Lorsque vous utilisez l'un de ces outils, vous pouvez basculer temporairement de l'un à l'autre en maintenant enfoncée la touche Alt.

Le Lasso magnétique analyse le contraste entre un objet et les pixels environnants pour créer une sélection qui épouse les formes de l'objet. Des points d'ancrage fixent le contour de sélection aux bords de l'objet.

1. Cliquez et maintenez [icône].
2. Cliquez l'outil à utiliser.

Note. Cet exemple utilise le Lasso magnétique.

3. Cliquez dans l'image pour définir le premier point d'ancrage.
4. Suivez les bords de l'objet avec le pointeur.

Note. Avec le Lasso magnétique, il est inutile de maintenir enfoncé le bouton de la souris.

NIVEAU DE DIFFICULTÉ

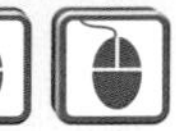

Le saviez-vous ?

Vous pouvez doter la sélection faite avec un outil Lasso d'un contour progressif. Avant de commencer la sélection, entrez une valeur dans la zone **Contour progressif** de la barre d'options. Cette valeur définit une zone de transition entre la sélection et les pixels qui l'entourent. Les pixels de cette zone de transition sont partiellement affectés par les modifications apportées à la sélection.

Ajoutez une touche personnelle !

Lorsque vous utilisez un outil de sélection, la barre d'options présente un groupe de quatre boutons qui définissent comment une nouvelle sélection agit sur une sélection existante. Cliquez ▣ pour créer une nouvelle sélection et effacer l'ancienne. Cliquez ▣ pour ajouter la nouvelle sélection à la précédente. Vous obtenez le même effet en appuyant sur la touche **Maj** tout en sélectionnant. Cliquez ▣ pour soustraire la nouvelle sélection de l'ancienne. Maintenir enfoncée la touche **Alt** tout en sélectionnant donne le même résultat. Cliquez ▣ pour ne conserver que les zones communes aux deux sélections.

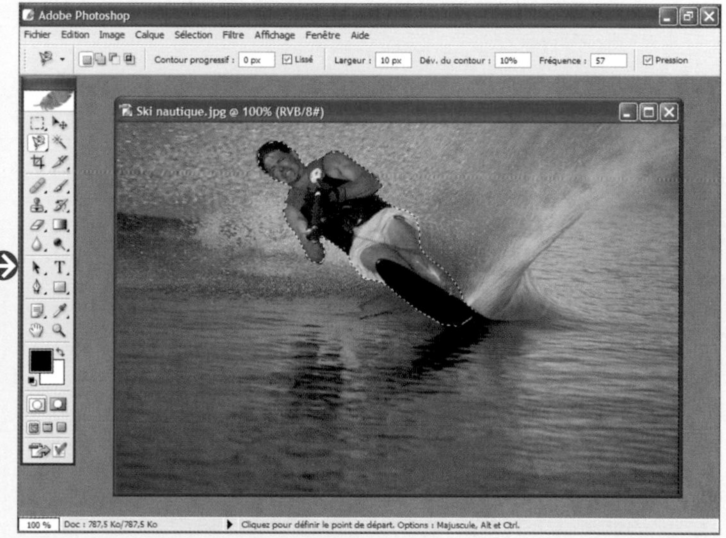

- Vous pouvez cliquer pour créer un point d'ancrage, si la sélection ne suit pas le contour voulu.

5. Cliquez le premier point d'ancrage pour terminer la sélection.

- Un contour animé en pointillé entoure l'objet sélectionné.

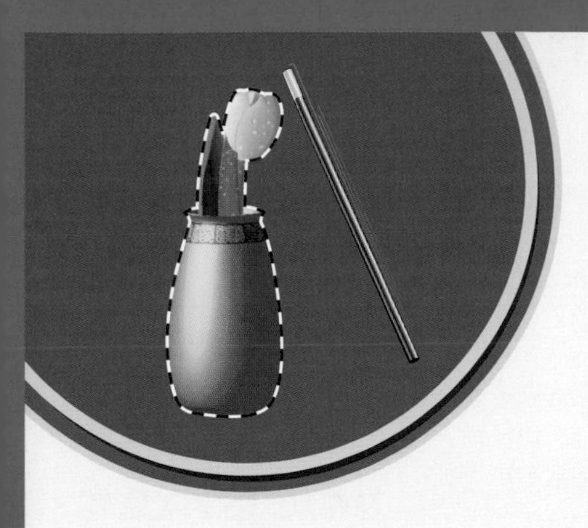

DILATEZ OU CONTRACTEZ une sélection

La sélection une fois terminée, vous pouvez encore la modifier. Les commandes du menu Sélection ➪ Modifier affectent la taille, la forme et le contour de la sélection. Les plus fréquemment utilisées sont les commandes Contracter et Dilater. La commande Contracter resserre la sélection du nombre de pixels spécifié. La commande Dilater élargit la sélection du nombre de pixels spécifié.

Les autres commandes du menu peuvent aussi s'avérer utiles. La commande Cadre crée une nouvelle sélection qui encadre l'ancienne. La commande Lisser aplanit les irrégularités du contour de sélection.

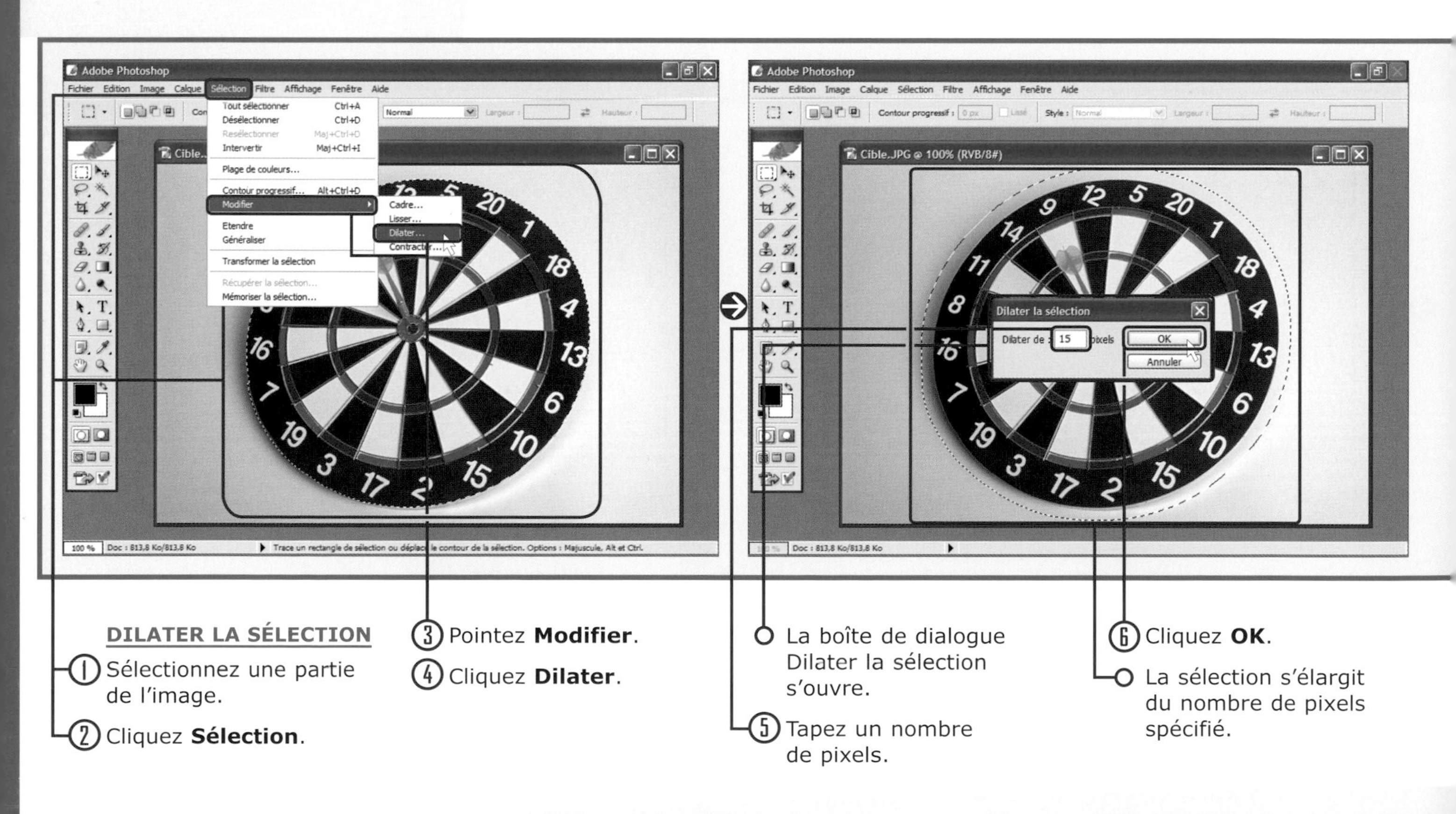

DILATER LA SÉLECTION

① Sélectionnez une partie de l'image.

② Cliquez **Sélection**.

③ Pointez **Modifier**.

④ Cliquez **Dilater**.

○ La boîte de dialogue Dilater la sélection s'ouvre.

⑤ Tapez un nombre de pixels.

⑥ Cliquez **OK**.

○ La sélection s'élargit du nombre de pixels spécifié.

22

NIVEAU DE DIFFICULTÉ

Ajoutez une touche personnelle !

La sélection permet d'entourer rapidement un objet d'un trait de couleur. Sélectionnez l'objet à entourer. Cliquez **Edition** ⇨ **Contour**. Dans la boîte de dialogue Contour, définissez l'épaisseur en pixels du trait. Cliquez une option pour indiquer la position du trait par rapport au contour de sélection (○ devient ◉). Cliquez la case **Couleur** pour choisir la couleur du trait. Cliquez **OK** pour le dessiner. Consultez la tâche n° 34 pour plus d'informations.

Le saviez-vous ?

D'autres outils modifient aussi la sélection. Cliquez un outil de sélection. Cliquez ensuite à l'intérieur du contour en pointillé pour le déplacer, puis faites-le glisser vers son nouvel emplacement. Pour inverser la sélection, appuyez sur **Ctrl+Maj+I**. La commande **Sélection** ⇨ **Transformer** permet de déplacer, redimensionner et déformer le contour de sélection. Cette commande n'affecte que le contour de sélection, contrairement à la commande **Edition** ⇨ **Transformation manuelle**, qui agit sur les pixels contenus dans la sélection.

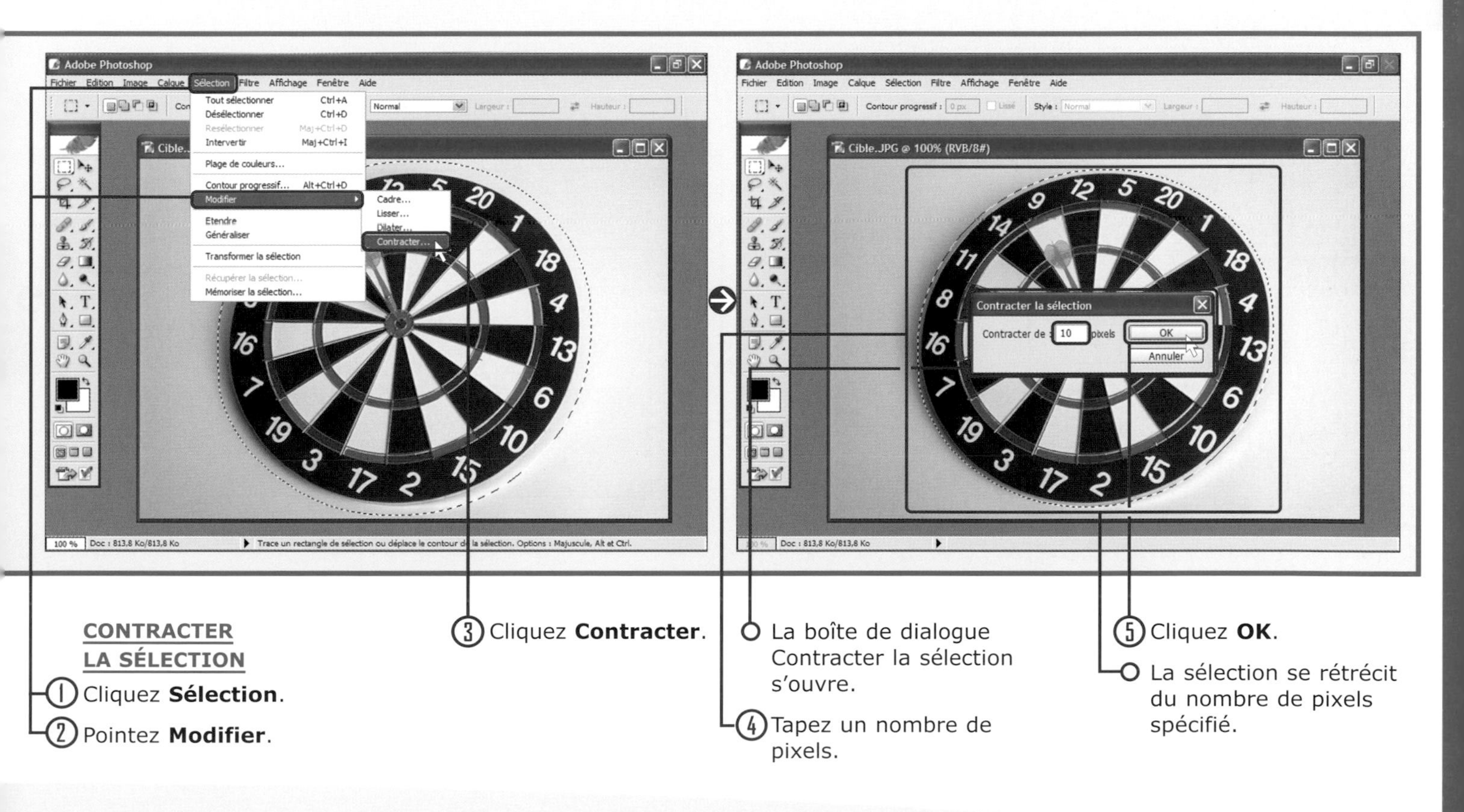

CONTRACTER LA SÉLECTION

① Cliquez **Sélection**.

② Pointez **Modifier**.

③ Cliquez **Contracter**.

○ La boîte de dialogue Contracter la sélection s'ouvre.

④ Tapez un nombre de pixels.

⑤ Cliquez **OK**.

○ La sélection se rétrécit du nombre de pixels spécifié.

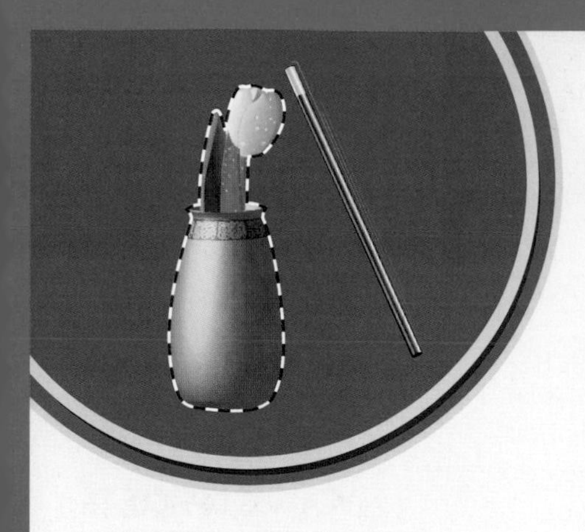

Détachez un élément d'une image à l'aide du FILTRE EXTRAIRE

Le filtre Extraire permet d'isoler de son arrière-plan un objet, quelle que soit sa forme, sa couleur ou la complexité de ses contours. Le filtre Extraire peut même détacher des objets aux contours aussi imprécis qu'une chevelure. L'objet extrait peut ensuite être collé dans un autre calque ou une autre image.

Dans la boîte de dialogue Extraire, définissez les limites de l'objet à extraire à l'aide de l'outil Sélecteur de contour. Photoshop analyse les zones surlignées et détermine les pixels à conserver ou à supprimer. Corrigez les éventuelles bavures avec la Gomme. Remplissez ensuite la sélection à l'aide de l'outil Remplissage. L'extraction faite, vous pouvez encore la parfaire avec les outils Nettoyage et Retouche de contour.

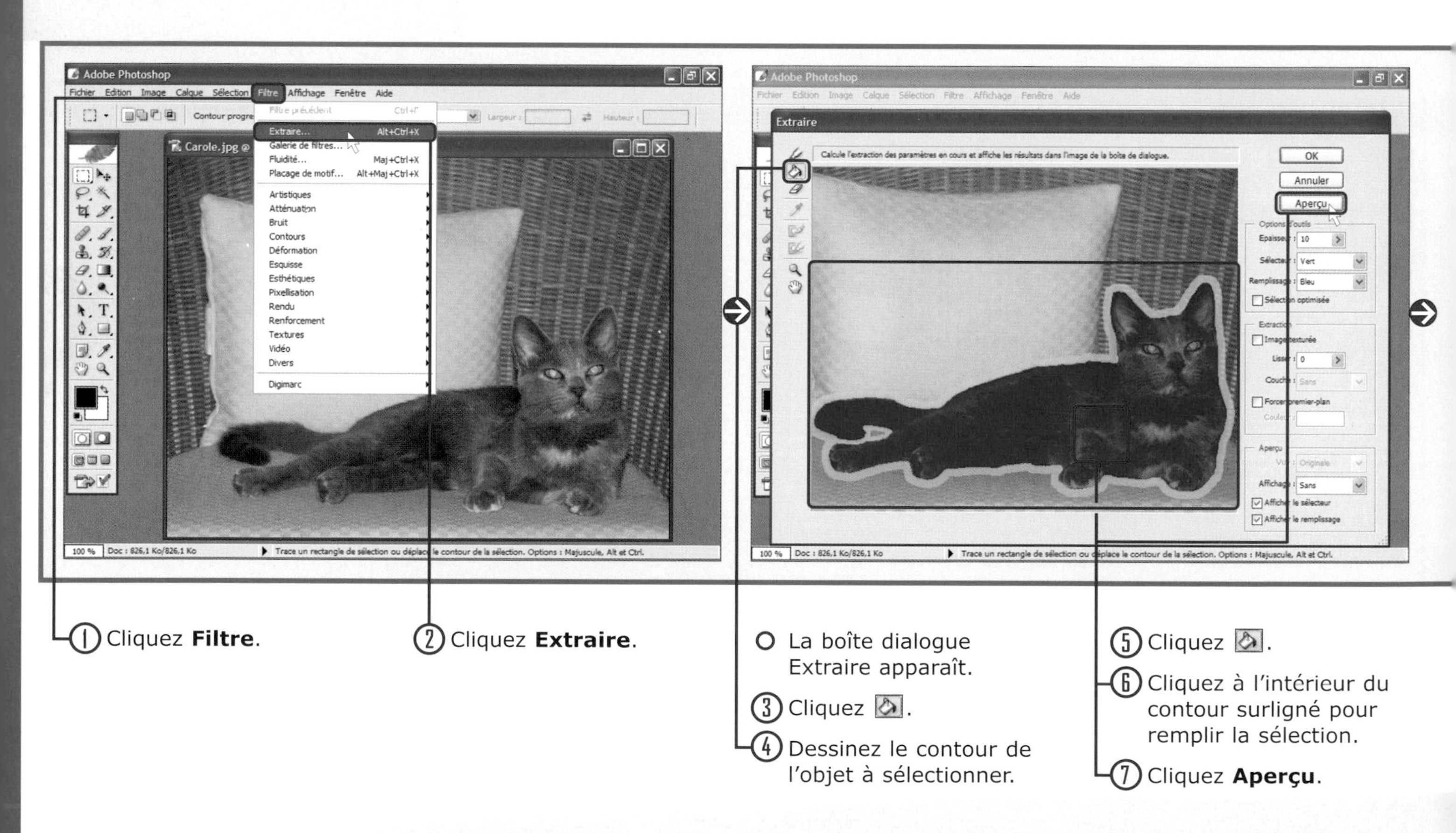

1 Cliquez **Filtre**.

2 Cliquez **Extraire**.

- La boîte dialogue Extraire apparaît.

3 Cliquez .

4 Dessinez le contour de l'objet à sélectionner.

5 Cliquez .

6 Cliquez à l'intérieur du contour surligné pour remplir la sélection.

7 Cliquez **Aperçu**.

Le saviez-vous ?

Vous pouvez régler l'intensité des effets des outils Nettoyage ( ) et Retouche de contour ( ) en appuyant sur une touche du pavé numérique. Avant d'appliquer la correction, appuyez sur **1** pour l'intensité la plus faible, **0** pour l'intensité la plus forte et **2** à **9** pour les valeurs intermédiaires.

23

NIVEAU DE DIFFICULTÉ

Le saviez-vous ?

Une fois le filtre appliqué, vous disposez encore de moyens pour fignoler les contours de l'objet. Utilisez l'outil Forme d'historique ( ) pour restaurer les pixels manquants et l'outil Gomme ( ) pour effacer les pixels en trop.

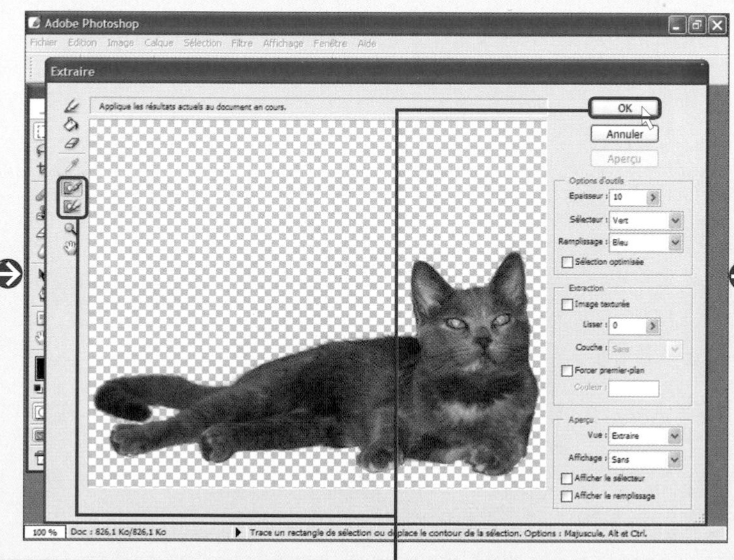

- La boîte de dialogue affiche un aperçu de l'extraction.
- Vous pouvez cliquer et pour corriger les erreurs et affiner l'extraction.

8 Cliquez **OK**.

- Photoshop extrait l'objet.
- Vous pouvez intégrer l'objet dans une autre image.

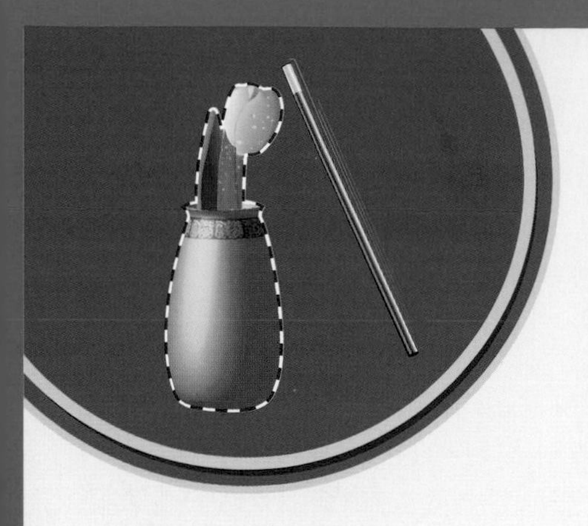

ACTIVEZ LE MODE MASQUE

pour sélectionner un objet

Dans Photoshop, seule la partie sélectionnée d'une image subit des modifications. Une sélection agit donc comme un masque qui protège la partie non sélectionnée de l'image. Lorsque le mode Masque est activé, un cache rouge semi-opaque recouvre la partie protégée de l'image. Le mode Masque étant désactivé, un contour de sélection en pointillé apparaît à la place du masque et entoure les zones non protégées.

Le mode Masque offre une méthode souple pour créer et peaufiner une sélection. Servez-vous des outils de peinture pour définir les zones protégées par le masque.

Associé à un masque de fusion, le mode Masque permet aussi de rendre transparentes des zones d'un calque ou d'une image sans les supprimer.

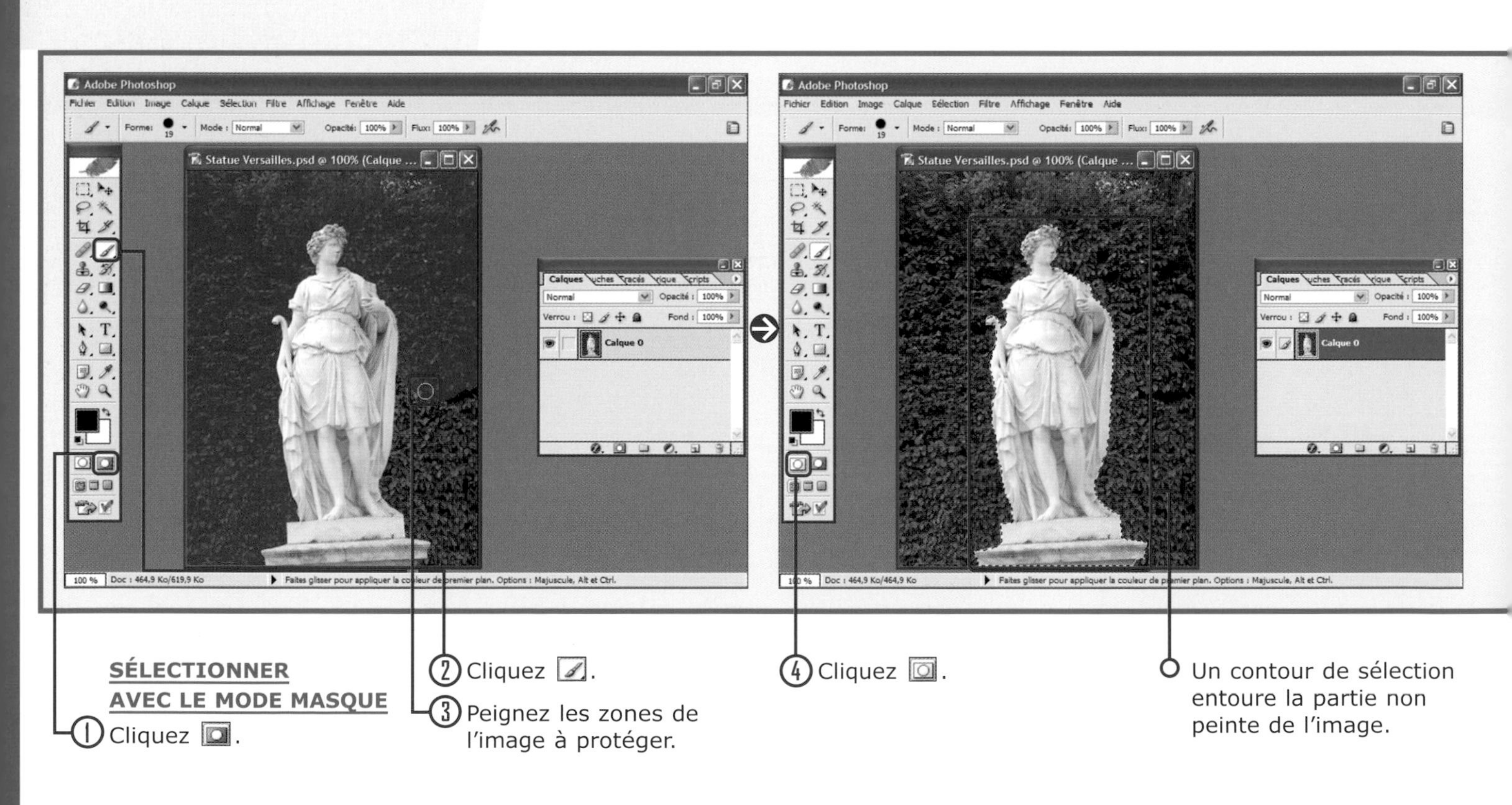

SÉLECTIONNER AVEC LE MODE MASQUE

1. Cliquez ▣.
2. Cliquez ✎.
3. Peignez les zones de l'image à protéger.
4. Cliquez ▣.

○ Un contour de sélection entoure la partie non peinte de l'image.

24

NIVEAU DE DIFFICULTÉ

Le saviez-vous ?

Le masque temporaire peut être considéré comme une image. Vous pouvez le créer et le modifier avec pratiquement tous les outils de peinture, de dessin et de retouche proposés par Photoshop. Comme toute image, il accepte aussi les filtres d'effets spéciaux. Associez les différentes formes de pinceaux offertes par Photoshop et les filtres pour obtenir des sélections insolites. Vous pouvez créer ainsi des graphismes originaux.

Le saviez-vous ?

Lorsque vous travaillez sur une image comportant beaucoup de zones rouges, il peut être plus pratique de choisir une couleur de cache différente. Double-cliquez [icône] dans la boîte à outils, pour accéder aux options du masque temporaire. Cliquez la case de couleur dans la boîte de dialogue Options de masque. Choisissez la couleur adéquate dans le Sélecteur de couleurs. Consultez la tâche n° 15 pour plus d'informations sur celui-ci.

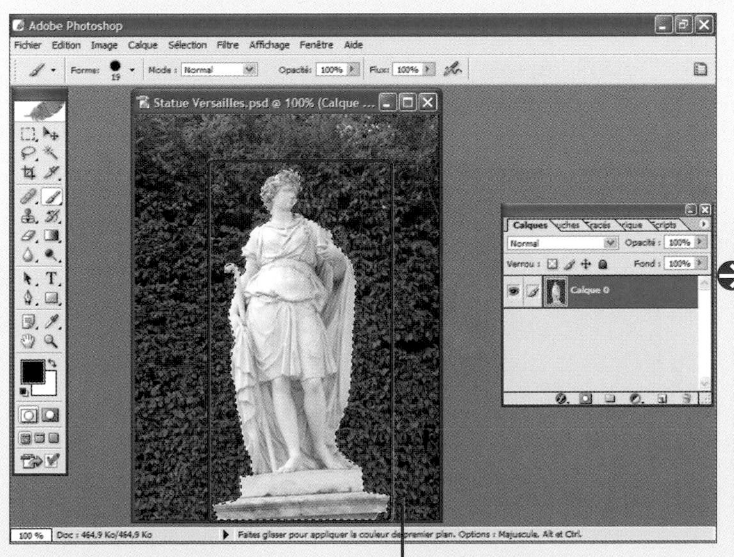

CRÉER DES ZONES TRANSPARENTES AVEC UN MASQUE DE FUSION

Note. Le calque Arrière-plan n'accepte pas de masque de fusion. Convertissez-le en calque normal avant de poursuivre. Consultez la tâche n° 3 à cette fin.

1. Répétez les étapes **1** à **4** de la page précédente pour sélectionner la partie de l'image à garder opaque.

- Vous pouvez aussi utiliser les outils de sélection.

2. Cliquez [icône] dans la palette Calques.

- Les zones non sélectionnées de l'image deviennent transparentes.

- La vignette du masque de fusion apparaît à droite de celle du calque.

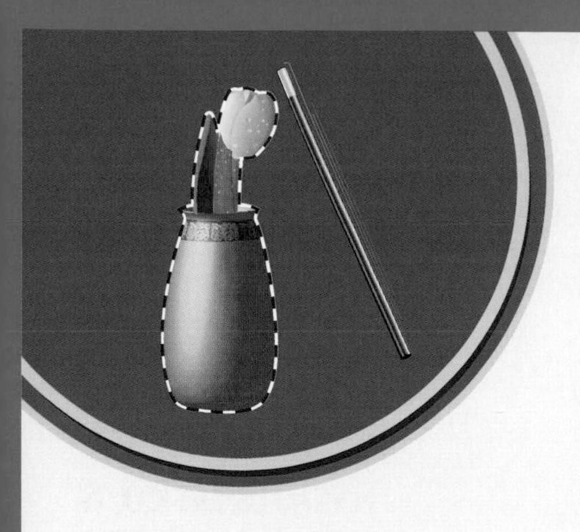

Réunissez deux images à l'aide d'un MASQUE DE FUSION

Les masques de fusion facilitent la création de montages photo. Grâce à un masque de fusion, vous pouvez mêler deux images qui se trouvent sur deux calques différents. Le masque détermine la visibilité des pixels d'un calque. Les pixels invisibles laissent apparaître le contenu du calque sous-jacent, les pixels visibles le masquent.

Un masque de fusion prend l'apparence d'une image en niveau de gris. Les parties peintes en noir correspondent aux pixels invisibles, les zones blanches aux pixels opaques. Les gris définissent différents degrés de transparence selon leur luminosité. Définissez les zones de transparence du masque à l'aide des outils de peinture et de sélection. Un dégradé allant du noir au blanc, en passant par différents niveaux de gris, peut aussi servir de masque de fusion.

En réalité, vous pouvez laisser libre cours à votre imagination lorsque vous créez un masque de fusion. Ce dernier n'altère pas l'image originale puisque aucun pixel n'est réellement supprimé.

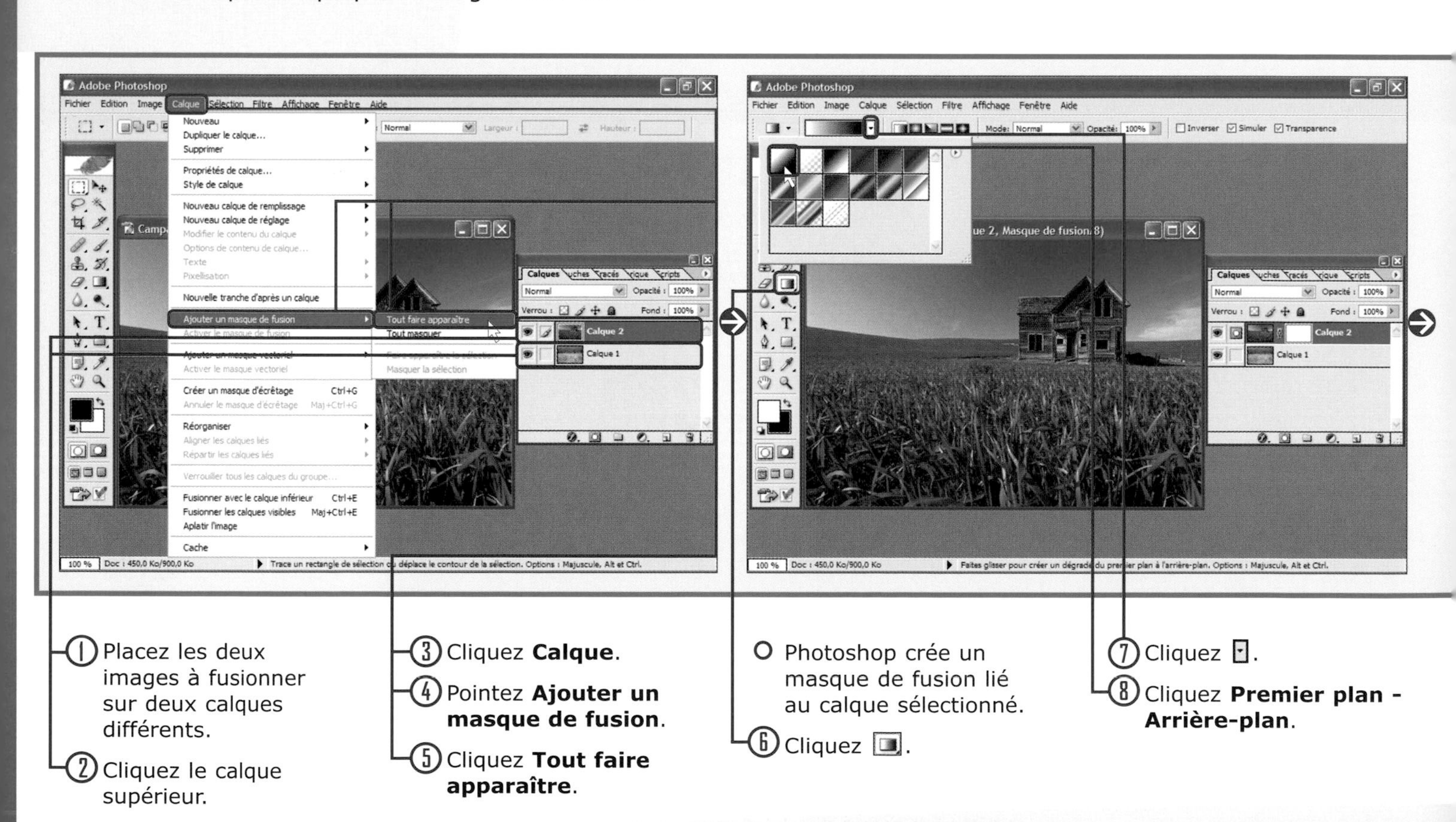

1. Placez les deux images à fusionner sur deux calques différents.
2. Cliquez le calque supérieur.
3. Cliquez **Calque**.
4. Pointez **Ajouter un masque de fusion**.
5. Cliquez **Tout faire apparaître**.

- Photoshop crée un masque de fusion lié au calque sélectionné.

6. Cliquez ▣.
7. Cliquez ▾.
8. Cliquez **Premier plan - Arrière-plan**.

25

Ajoutez une touche personnelle !

Ajoutez du caractère à vos photos en les dotant d'une bordure estompée grâce au dégradé radial. Ajoutez un masque de fusion au calque. Vérifiez que le blanc est bien la couleur de premier plan et le noir la couleur d'arrière-plan. Cliquez , puis dans la barre d'options. Créez le dégradé en cliquant au centre de l'image et en faisant glisser le pointeur vers l'extérieur.

NIVEAU DE DIFFICULTÉ

Le saviez-vous ?

L'option Aérographe de l'outil Pinceau permet de mieux contrôler le flux et l'opacité des touches appliquées lorsque vous peignez le masque de fusion. Cliquez dans la barre d'options. Réglez les options **Opacité** et **Flux** pour définir l'opacité et l'épaisseur des touches. Modulez la largeur des touches en maintenant le pointeur immobile et le bouton de la souris enfoncé plus ou moins longtemps.

9 Cliquez et faites glisser le pointeur dans l'image pour créer un dégradé.

- L'icône indique que vous peignez bien le masque de fusion et non les pixels du calque.
- Vous pouvez cliquer la vignette du calque pour modifier les pixels du calque et celle du masque de fusion pour peindre ce dernier.
- Photoshop applique le dégradé au masque de fusion.
- Les deux images se mélangent.

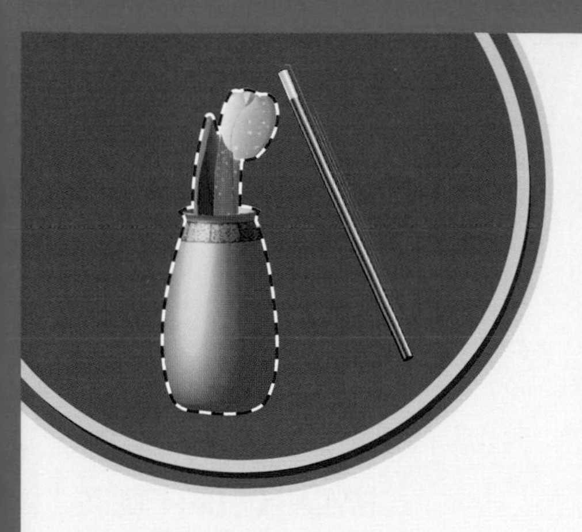

Incrustez une image dans du texte avec un MASQUE DE TEXTE

Les outils Masque de texte horizontal et Masque de texte vertical dessinent des sélections en forme de texte. Cela permet de créer une multitude d'effets visuels mêlant texte et image. Les sélections créées par les outils Masque de texte se manipulent comme toute autre sélection. Elles peuvent donc être converties en masque de fusion.

Le masque de fusion rend invisibles certains pixels d'un calque sans les supprimer réellement. Dans l'exemple ci-dessous, tous les pixels se trouvant hors du texte deviennent transparents et laissent apparaître le calque sous-jacent. Ce dernier peut présenter une couleur unie, un dégradé, une texture ou une autre image mettant le texte en valeur.

Consultez la tâche n° 11 pour plus d'informations sur le texte et la tâche n° 25 sur le masque de fusion.

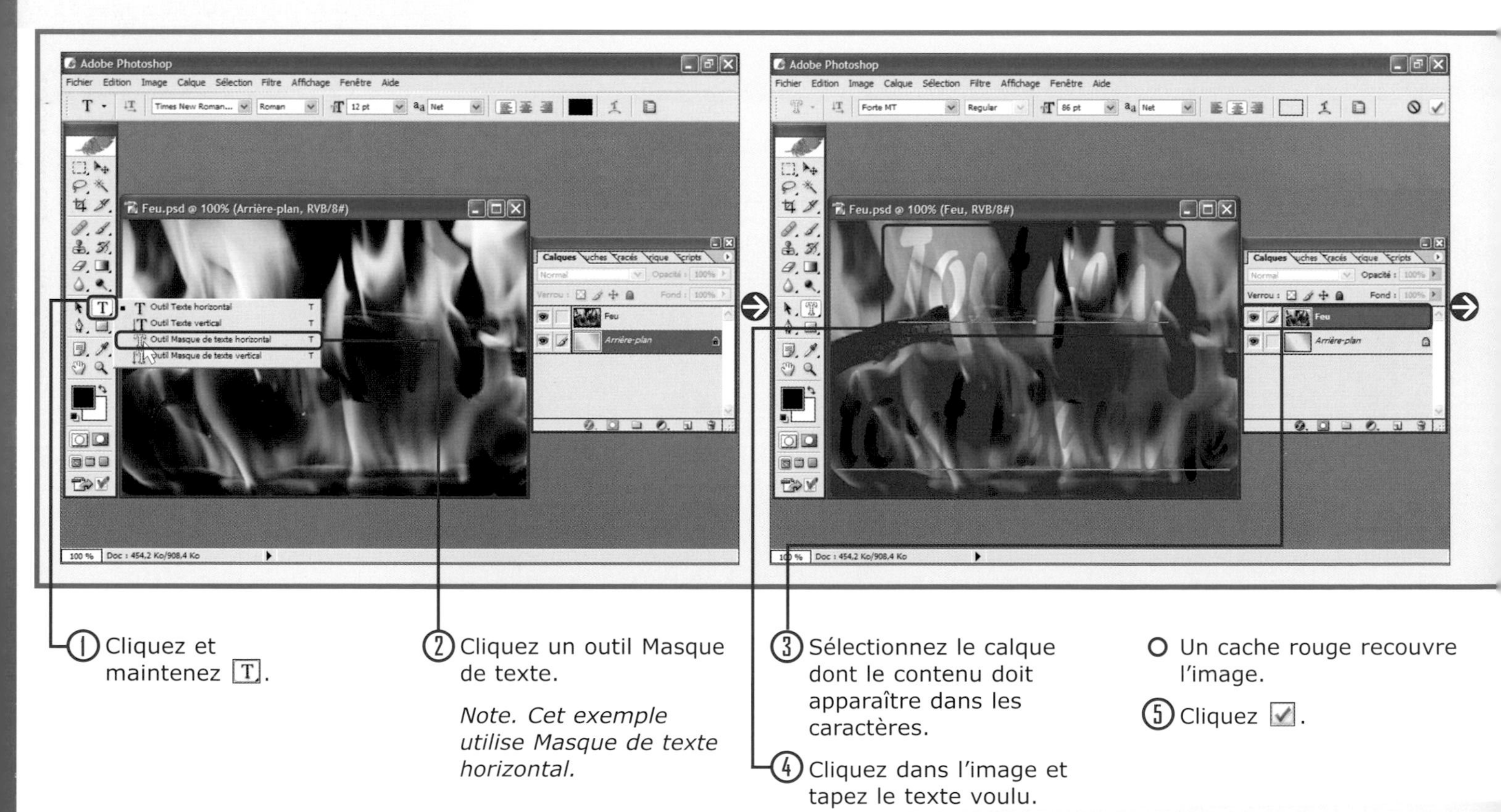

① Cliquez et maintenez [T].

② Cliquez un outil Masque de texte.

Note. Cet exemple utilise Masque de texte horizontal.

③ Sélectionnez le calque dont le contenu doit apparaître dans les caractères.

④ Cliquez dans l'image et tapez le texte voulu.

- Un cache rouge recouvre l'image.

⑤ Cliquez [✓].

26

NIVEAU DE DIFFICULTÉ

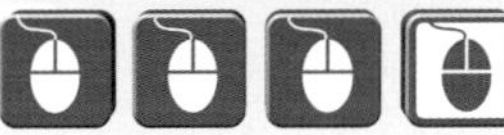

Le saviez-vous ?

Vous pouvez recréer l'effet décrit ci-dessous avec tous les outils de sélection de Photoshop. Vous pouvez aussi vous servir des formes géométriques et des formes personnalisées. Consultez la tâche n° 28 pour plus d'informations. Convertissez ensuite le tracé en sélection. Consultez à cette fin la tâche n° 29. Répétez alors les étapes **6** à **8** ci-dessous pour faire apparaître l'image dans la sélection.

Le saviez-vous ?

En appliquant un contour à une sélection de texte, vous pouvez recréer l'aspect d'une enseigne lumineuse au néon. Créez la sélection sur un arrière-plan foncé. Cliquez **Edition** ⇨ **Contour**. Dans la boîte de dialogue Contour, définissez l'épaisseur du trait. Choisissez une valeur suffisamment grande pour que le texte ressemble à un tube au néon. Cliquez la case **Couleur** et choisissez la nuance la plus foncée à utiliser. Cliquez **Centre** sous la rubrique Position (○ devient ◉). Cliquez **OK** pour appliquer le contour. Répétez cette opération à plusieurs reprises en choisissant à chaque fois une épaisseur plus réduite et une couleur plus claire. Consultez la tâche n° 34 pour plus d'informations.

○ Photoshop crée une sélection en forme de texte.

⑥ Cliquez **Calque**.

⑦ Pointez **Ajouter un masque de fusion**.

⑧ Cliquez **Faire apparaître la sélection**.

○ Les pixels du calque deviennent invisibles, sauf à l'intérieur du texte.

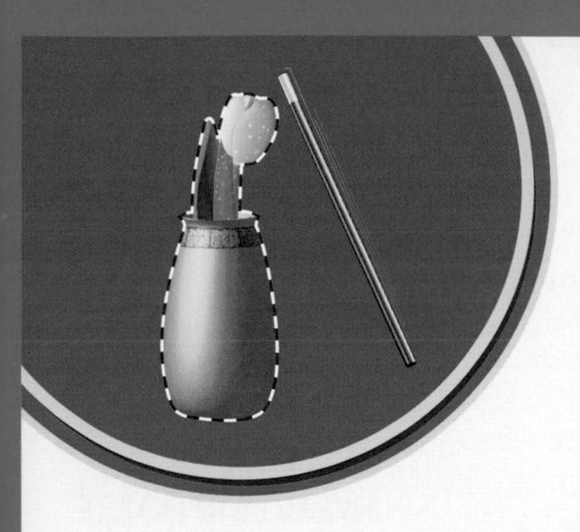

CRÉEZ UN CONTOUR DE TRACÉ

avec la Plume

Les outils Plume et Plume libre dessinent des courbes et des lignes vectorielles. Celles-ci sont conservées dans la palette Tracés et peuvent être modifiées à tout moment. La Plume trace des segments rectilignes et courbes. La Plume libre permet de dessiner à main levée, comme avec un crayon.

Les tracés possèdent diverses fonctions. Ils permettent de peindre le long d'un tracé précis, de créer des formes remplies d'une couleur, et peuvent être convertis en sélections. Consultez la tâche n° 29 pour plus d'informations sur cette dernière option.

Dans l'exemple ci-dessous, la Plume sert à dessiner une silhouette au pinceau, grâce à la commande Contour du tracé.

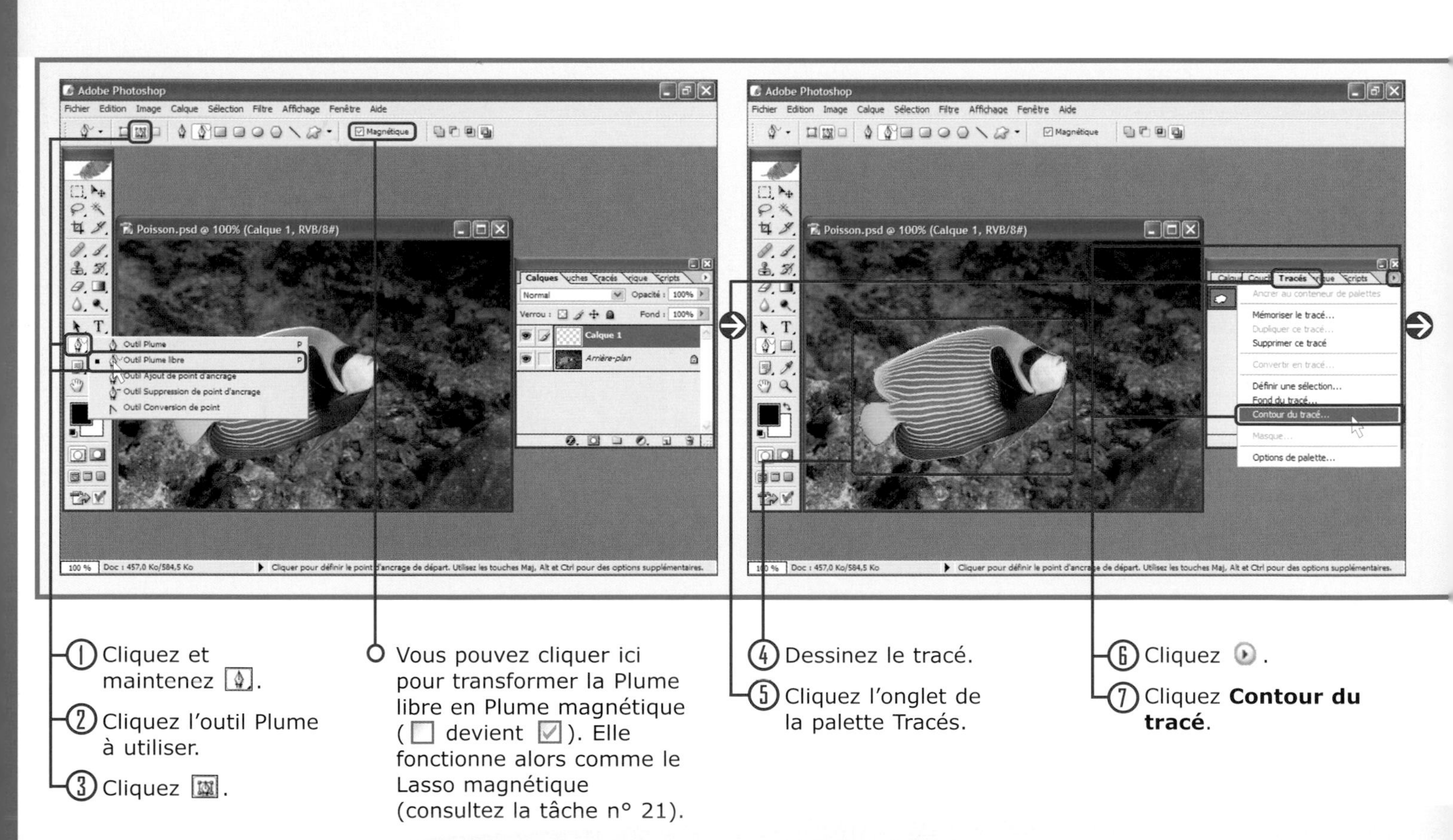

1. Cliquez et maintenez .
2. Cliquez l'outil Plume à utiliser.
3. Cliquez .

- Vous pouvez cliquer ici pour transformer la Plume libre en Plume magnétique (☐ devient ☑). Elle fonctionne alors comme le Lasso magnétique (consultez la tâche n° 21).

4. Dessinez le tracé.
5. Cliquez l'onglet de la palette Tracés.
6. Cliquez .
7. Cliquez **Contour du tracé**.

27

NIVEAU DE DIFFICULTÉ

Le saviez-vous ?

La commande **Contour du tracé** imite l'effet de l'outil de peinture ou de retouche que vous choisissez. Chaque outil applique les options définies lors de sa dernière utilisation. Vous pouvez paramétrer l'outil avant de lancer la commande **Contour du tracé** pour en personnaliser l'effet.

Le saviez-vous ?

Lorsque vous créez un tracé, la palette Tracés ne le conserve que provisoirement sous la forme d'un tracé de travail. Pour l'enregistrer de manière plus permanente, vous devez tout d'abord le mémoriser. Sélectionnez le tracé de travail dans la palette Tracés puis cliquez ⊙. Cliquez **Mémoriser le tracé**. Donnez un nom au tracé dans la boîte de dialogue Mémoriser le tracé et cliquez **OK**. Le tracé peut maintenant être enregistré dans le fichier d'image. Plusieurs formats de fichiers graphiques prennent en charge les tracés, dont les formats PSD, JPEG, EPS et TIFF. Lorsque vous ouvrez à nouveau le fichier enregistré, vous retrouvez le tracé tel que vous l'avez dessiné.

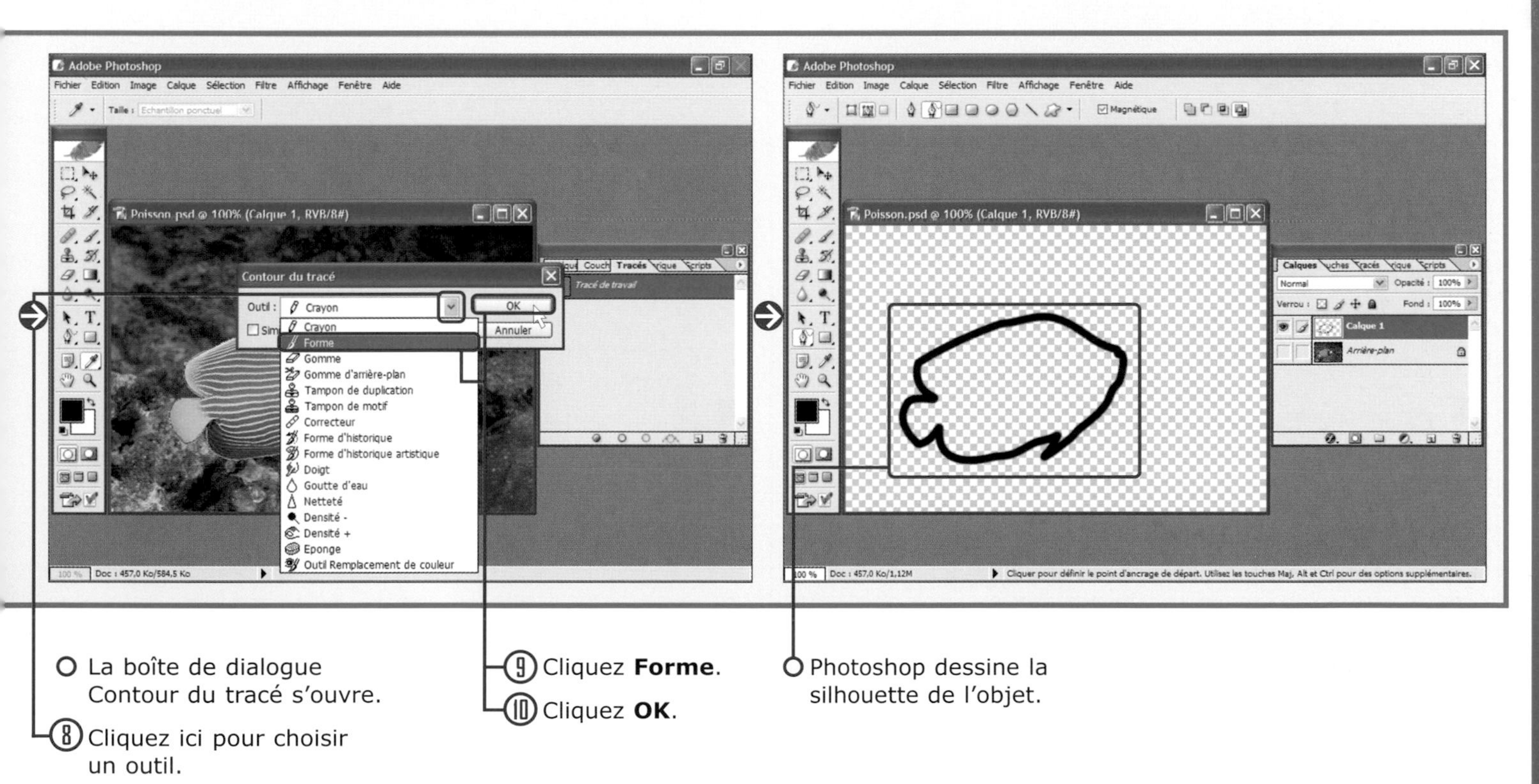

○ La boîte de dialogue Contour du tracé s'ouvre.

8 Cliquez ici pour choisir un outil.

9 Cliquez **Forme**.

10 Cliquez **OK**.

○ Photoshop dessine la silhouette de l'objet.

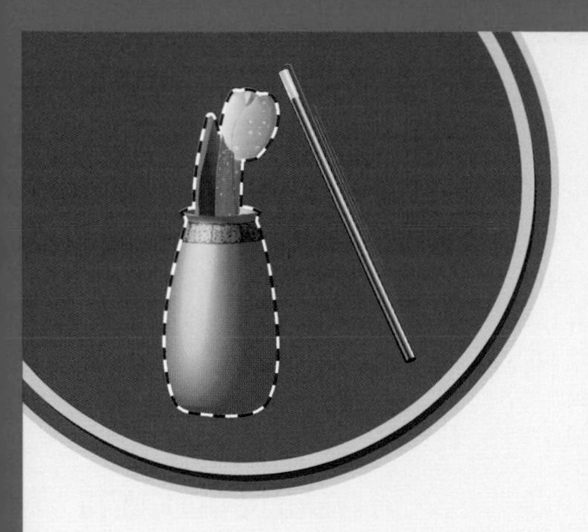

Créez un TRACÉ AVEC UNE FORME PERSONNALISÉE

Les formes personnalisées font gagner du temps lorsque vous souhaitez créer des tracés complexes. Comme un tracé, le contour d'une forme personnalisée est constitué de courbes et de lignes vectorielles. Pour dessiner un tracé avec l'outil Forme personnalisée, cliquez le bouton Tracés dans la barre d'options. Le tracé obtenu fonctionne comme tous les autres. Vous pouvez, par exemple, le convertir en sélection.

La commande Edition ⇨ Transformation manuelle du tracé et le menu Edition ⇨ Transformation du tracé permettent de déplacer, redimensionner, déformer ou faire pivoter le tracé. Vous obtenez le même résultat en cochant Afficher le cadre de sélection dans la barre d'options de l'outil Sélection de tracé. Consultez la tâche n° 20 pour plus d'informations sur les commandes de transformation.

Si les formes personnalisées livrées avec Photoshop ne vous suffisent pas, consultez la tâche n° 19 pour en importer depuis l'Internet.

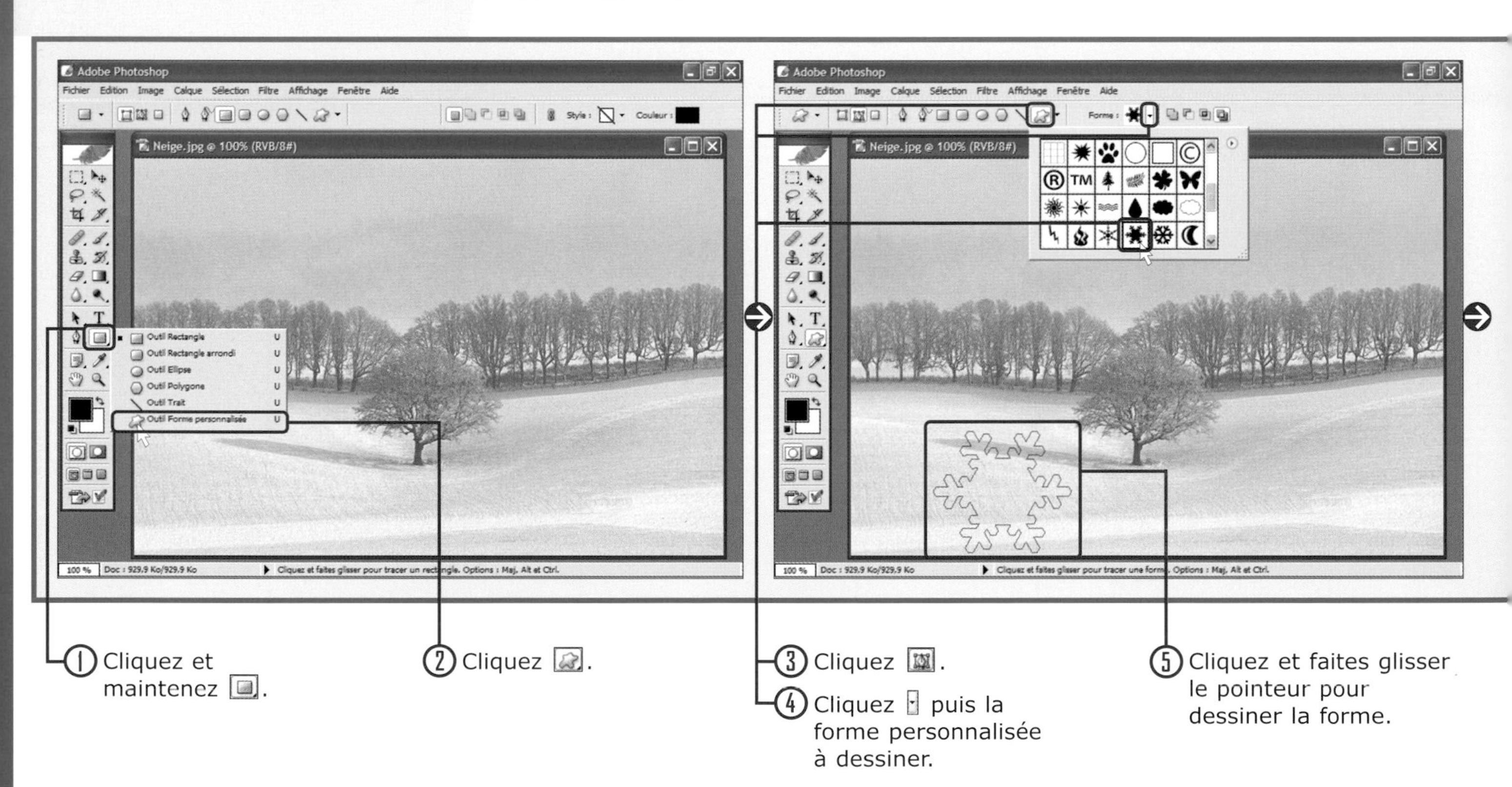

① Cliquez et maintenez ▭.

② Cliquez ⬚.

③ Cliquez ⬚.

④ Cliquez ▾ puis la forme personnalisée à dessiner.

⑤ Cliquez et faites glisser le pointeur pour dessiner la forme.

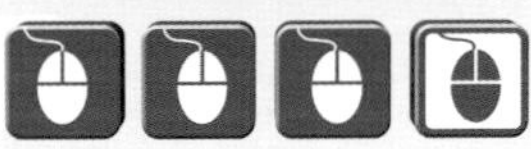

28

NIVEAU DE DIFFICULTÉ

Le saviez-vous ?

Comme tout autre tracé, celui créé à l'aide de l'outil Forme personnalisée peut être converti en sélection. Consultez la tâche n° 29 pour plus d'informations. Vous pouvez aussi peindre les lignes et les courbes avec un outil de peinture ou de retouche. Consultez à cette fin la tâche n° 27.

Le saviez-vous ?

Comme l'outil Sélection de tracé, l'outil Sélection directe permet de modifier un tracé après sa création. Cliquez dans la boîte à outils, puis cliquez le tracé. Les points d'ancrage apparaissent. Contrairement à l'outil Sélection de tracé, l'outil Sélection directe peut déplacer individuellement chaque point d'ancrage. Il suffit de cliquer, puis de faire glisser le point d'ancrage à modifier. Les points d'ancrage des segments courbes sont pourvus de lignes directrices. La position et la longueur de ces lignes déterminent la taille et la forme de la courbe. Vous pouvez ajouter de nouveaux points d'ancrage sur le tracé en le cliquant avec l'outil Plume. Cliquez et faites glisser le pointeur pour doter le nouveau point d'ancrage de lignes directrices.

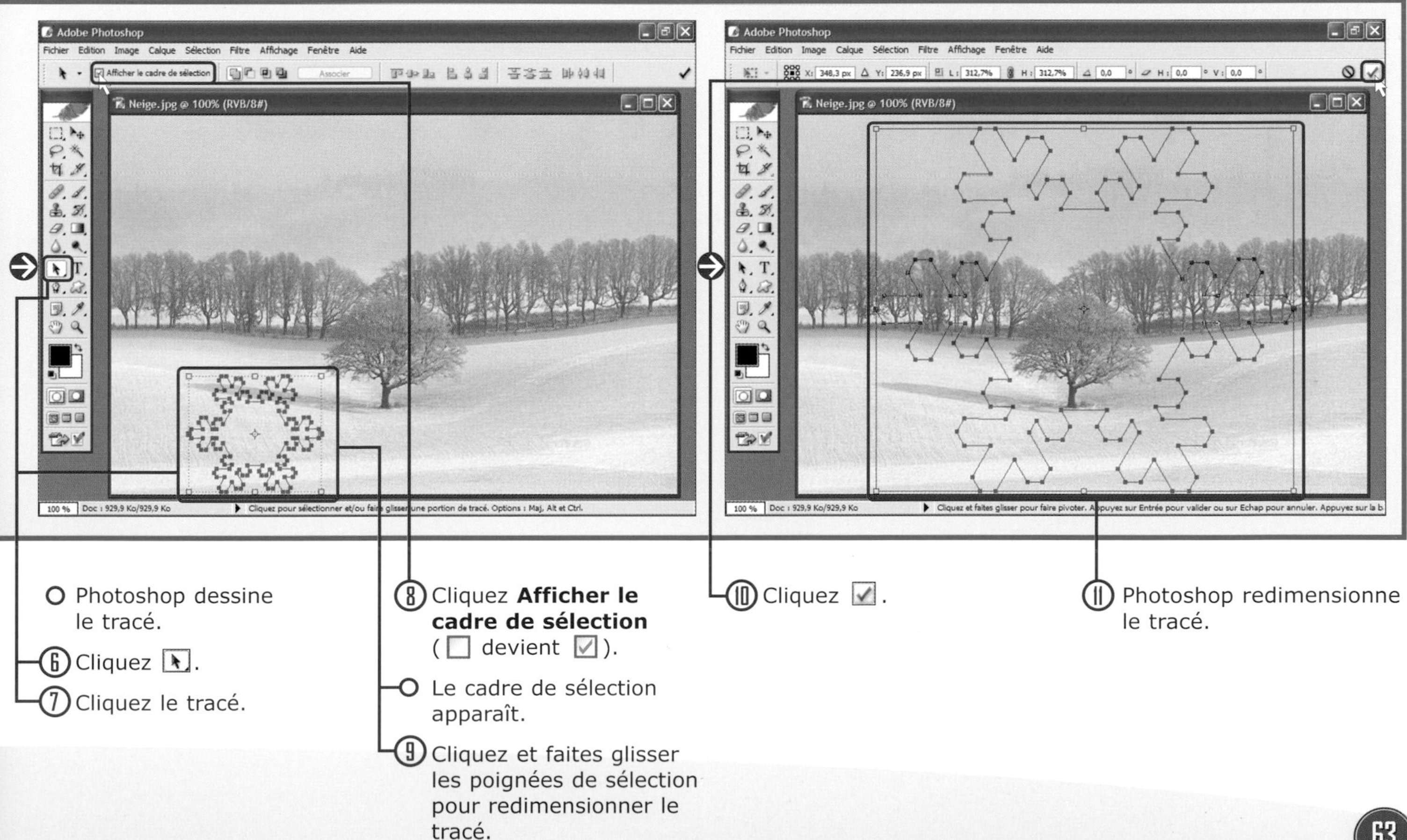

- Photoshop dessine le tracé.

6 Cliquez .

7 Cliquez le tracé.

8 Cliquez **Afficher le cadre de sélection** (devient).

- Le cadre de sélection apparaît.

9 Cliquez et faites glisser les poignées de sélection pour redimensionner le tracé.

10 Cliquez .

11 Photoshop redimensionne le tracé.

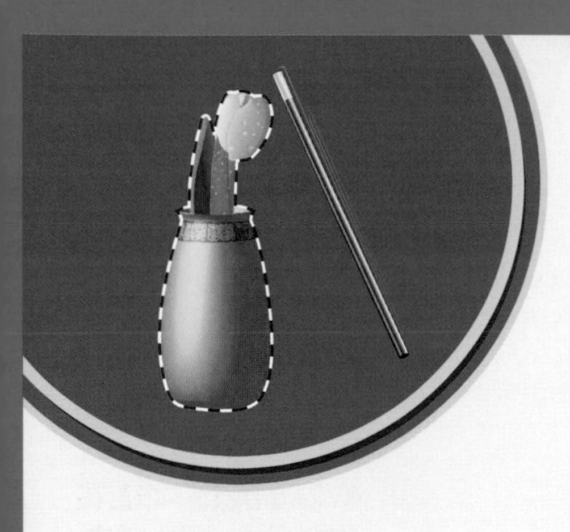

CONVERTISSEZ UN
tracé en sélection

L'outil Plume se montre souvent plus précis et plus flexible que les outils de sélection de Photoshop. En outre, un tracé est plus facile à modifier qu'une sélection. Dans certains cas, il peut donc être avantageux de sélectionner un objet en l'entourant d'abord d'un tracé. Rien de plus simple, ensuite, que de convertir le tracé en sélection.

La conversion se fait *via* le menu contextuel de la palette Tracés. Rien ne distingue alors cette sélection de celles créées avec les outils de sélection classiques. La palette Tracés conserve le tracé qui a servi de modèle. Vous pouvez le retrouver à tout moment, récupérer la sélection, voire enregistrer le tracé dans le fichier d'image. Consultez le haut de la page 61 pour plus d'informations.

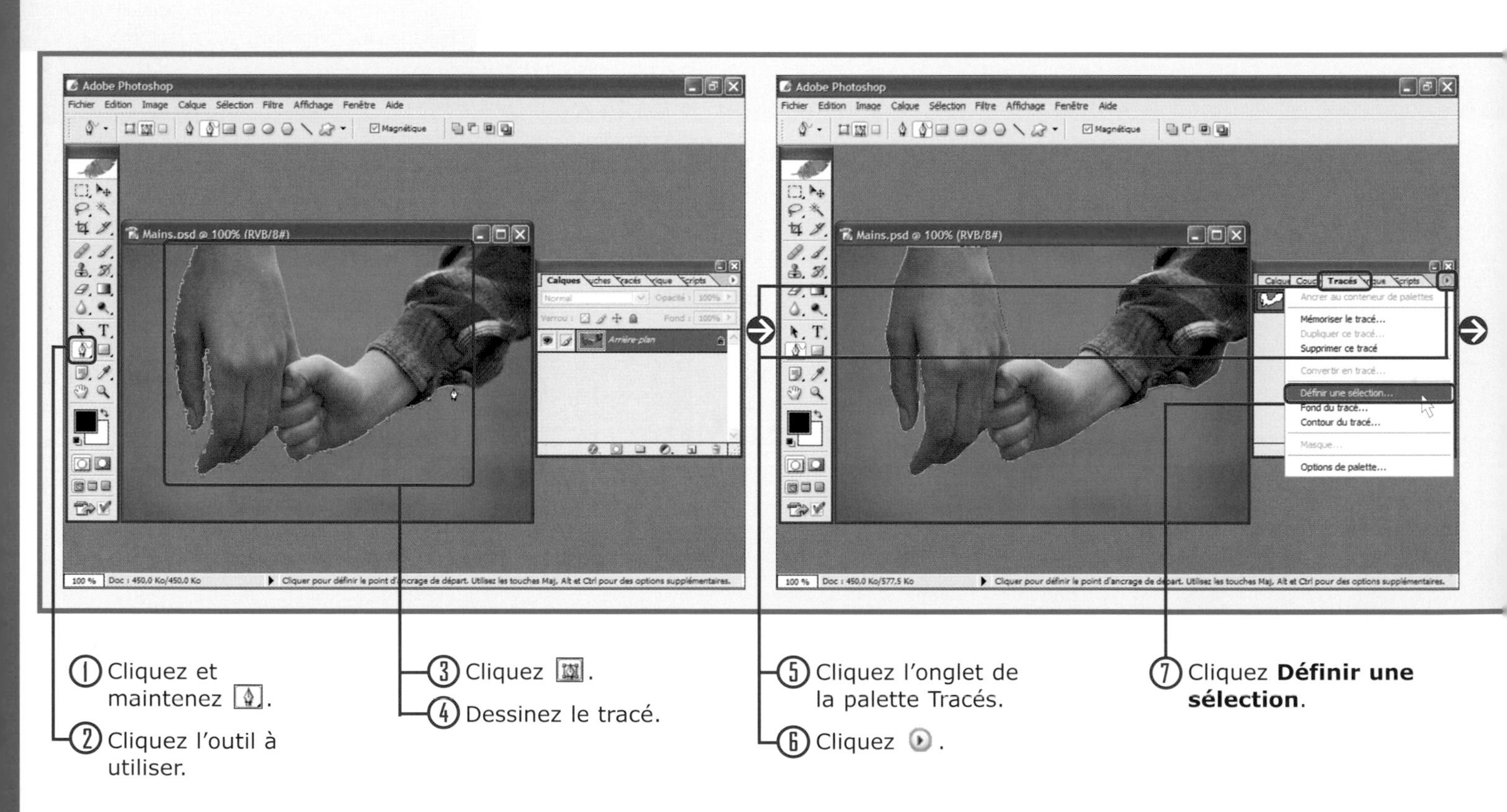

① Cliquez et maintenez [icône].

② Cliquez l'outil à utiliser.

③ Cliquez [icône].

④ Dessinez le tracé.

⑤ Cliquez l'onglet de la palette Tracés.

⑥ Cliquez [icône].

⑦ Cliquez **Définir une sélection**.

29

NIVEAU DE DIFFICULTÉ

Le saviez-vous ?

Les options de la palette Tracés permettent de remplir un tracé avec des pixels de couleurs. Cliquez , puis **Fond du tracé**. Sélectionnez les options de remplissage dans la boîte de dialogue Fond du tracé. Vous pouvez, par exemple, remplir le tracé avec la couleur de premier plan, la couleur d'arrière-plan, une couleur choisie dans le Sélecteur de couleurs, ou un motif. Spécifiez un nombre de pixels dans la zone Rayon si vous souhaitez doter le remplissage d'un contour progressif. Vous pouvez aussi remplir directement le tracé avec la couleur de premier plan en cliquant dans la palette **Tracés**. Les pixels colorés apparaissent sur le calque actif.

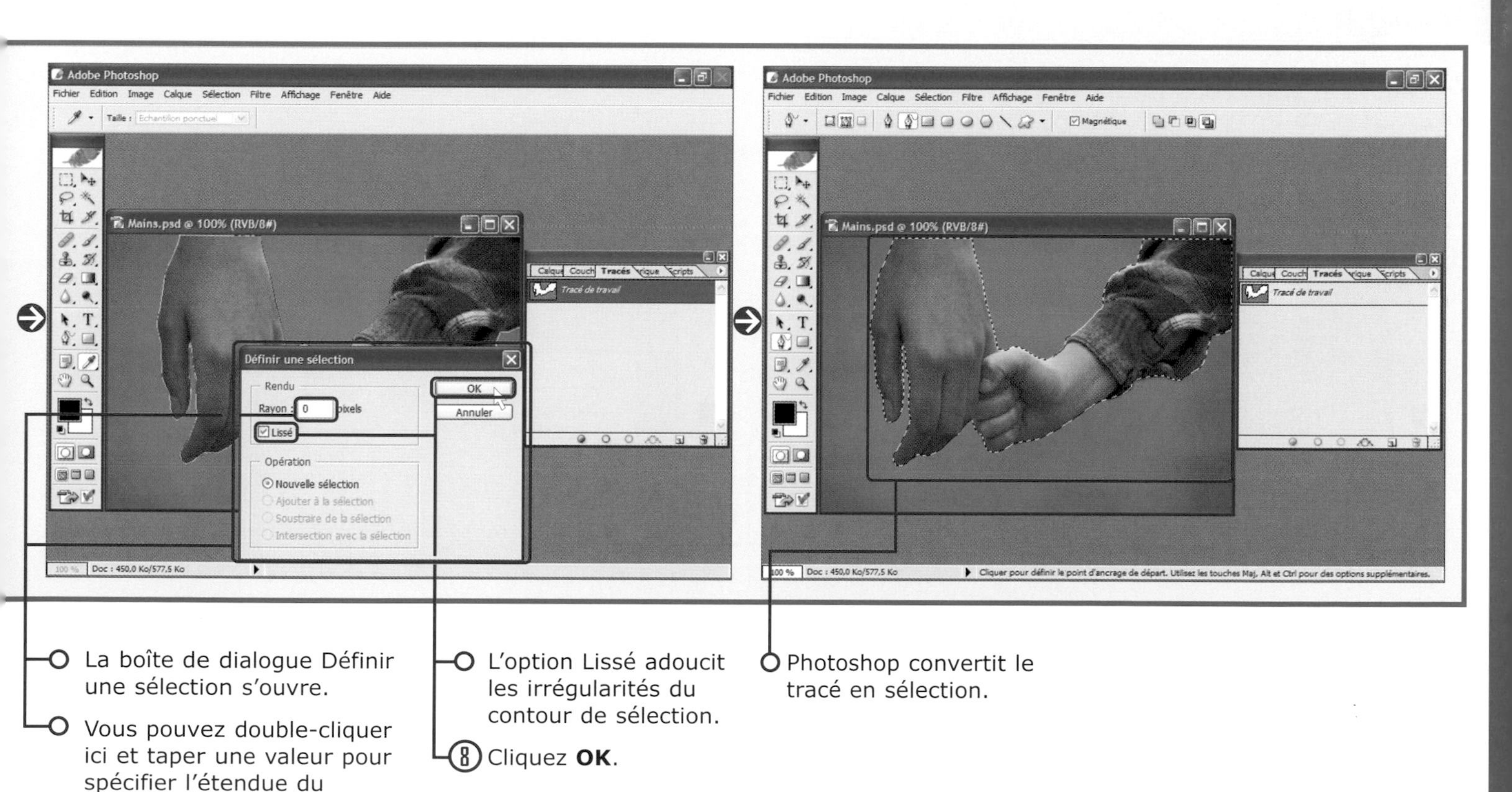

- La boîte de dialogue Définir une sélection s'ouvre.
- Vous pouvez double-cliquer ici et taper une valeur pour spécifier l'étendue du contour progressif.
- L'option Lissé adoucit les irrégularités du contour de sélection.
- (8) Cliquez **OK**.
- Photoshop convertit le tracé en sélection.

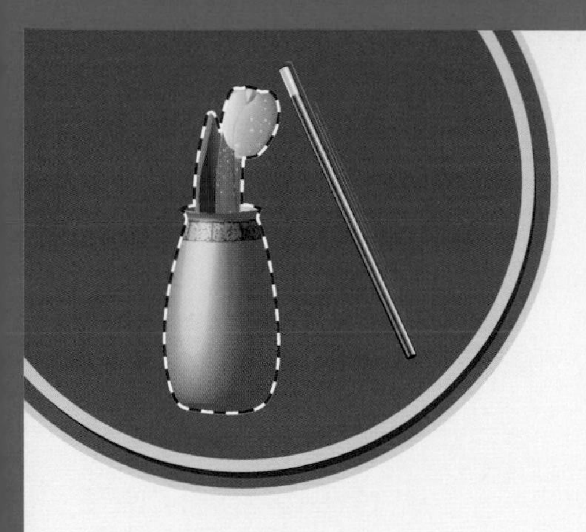

MÉMORISEZ UNE SÉLECTION
sur une couche alpha

Les tâches précédentes présentent différentes méthodes pour créer une sélection : les outils de sélection de Photoshop, le mode Masque et les tracés. Associées, ces différentes méthodes permettent de créer des sélections très complexes et précises. Ce serait dommage de perdre le fruit de tant d'efforts à cause d'une erreur de manipulation ou parce que vous devez fermer le fichier d'image. Dans certains cas, vous pouvez souhaiter sélectionner plusieurs fois le même objet dans une image, pour lui appliquer une série de retouches et de réglages, par exemple.

Quelle que soit la raison pour laquelle vous voulez retrouver une sélection, Photoshop propose la solution : mémoriser la sélection sur une couche alpha. Une couche alpha est une image en niveaux de gris, fonctionnant comme un masque et affichée dans la palette Couches.

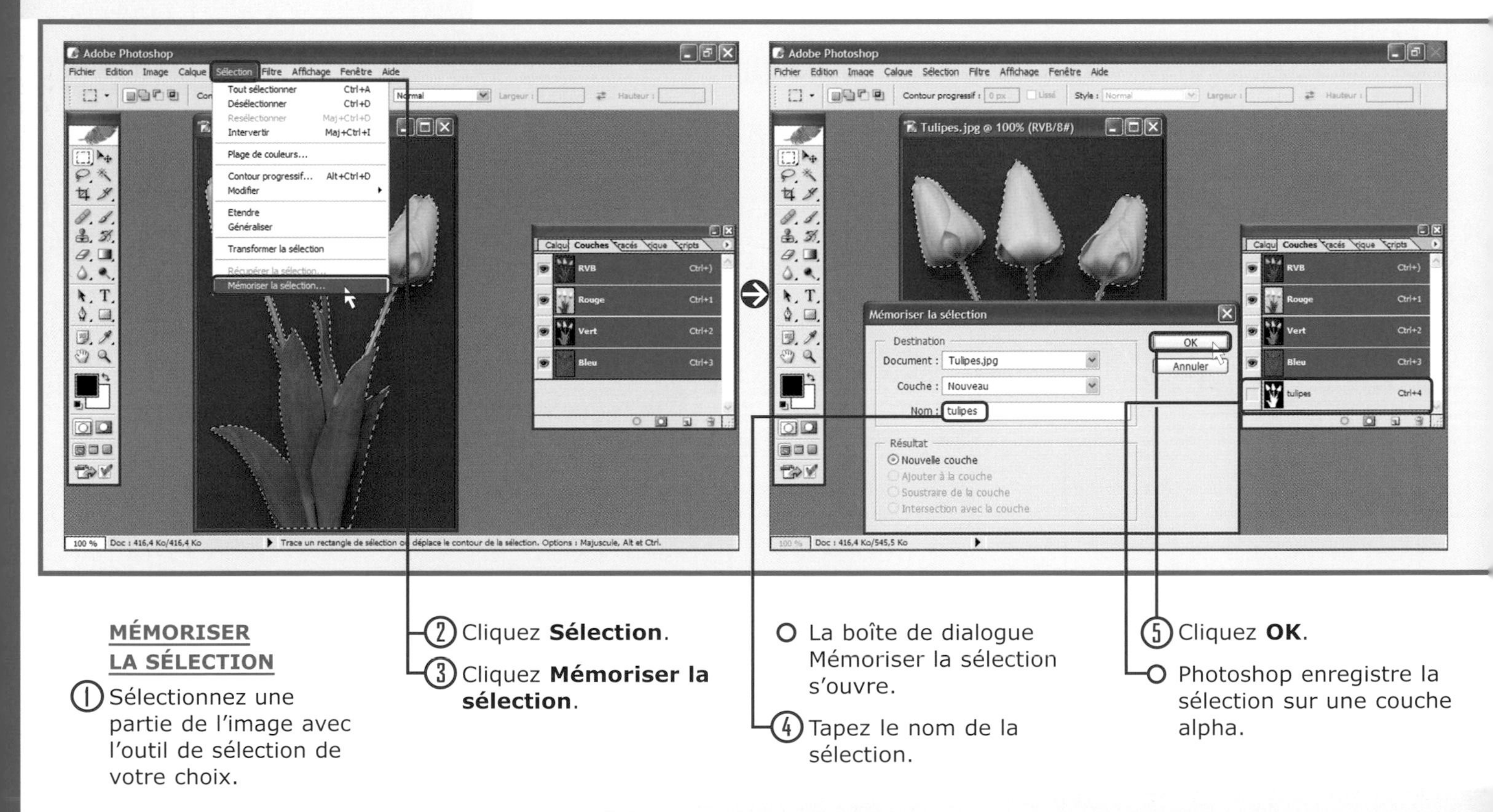

MÉMORISER LA SÉLECTION

① Sélectionnez une partie de l'image avec l'outil de sélection de votre choix.

② Cliquez **Sélection**.

③ Cliquez **Mémoriser la sélection**.

○ La boîte de dialogue Mémoriser la sélection s'ouvre.

④ Tapez le nom de la sélection.

⑤ Cliquez **OK**.

○ Photoshop enregistre la sélection sur une couche alpha.

NIVEAU DE DIFFICULTÉ

Le saviez-vous ?

Photoshop enregistre une sélection sous la forme d'une couche alpha. Les zones blanches de la couche correspondent aux parties sélectionnées, les zones noires aux pixels exclus de la sélection. La couche alpha peut aussi comporter des parties grises correspondant aux pixels partiellement sélectionnés, la zone de transition d'un contour progressif, par exemple. Seuls les formats de fichiers PSD et TIFF prennent en charge l'enregistrement des couches alpha dans l'image.

Ajoutez une touche personnelle

Vous pouvez enregistrer plusieurs sélections dans une seule image. Une image peut comporter jusqu'à 56 couches, couches de couleur comprises. Une image RVB comporte, par exemple, quatre couches de couleur : RVB, Rouge, Vert, Bleu. Veillez à donner un nom descriptif aux sélections afin de ne pas les confondre.

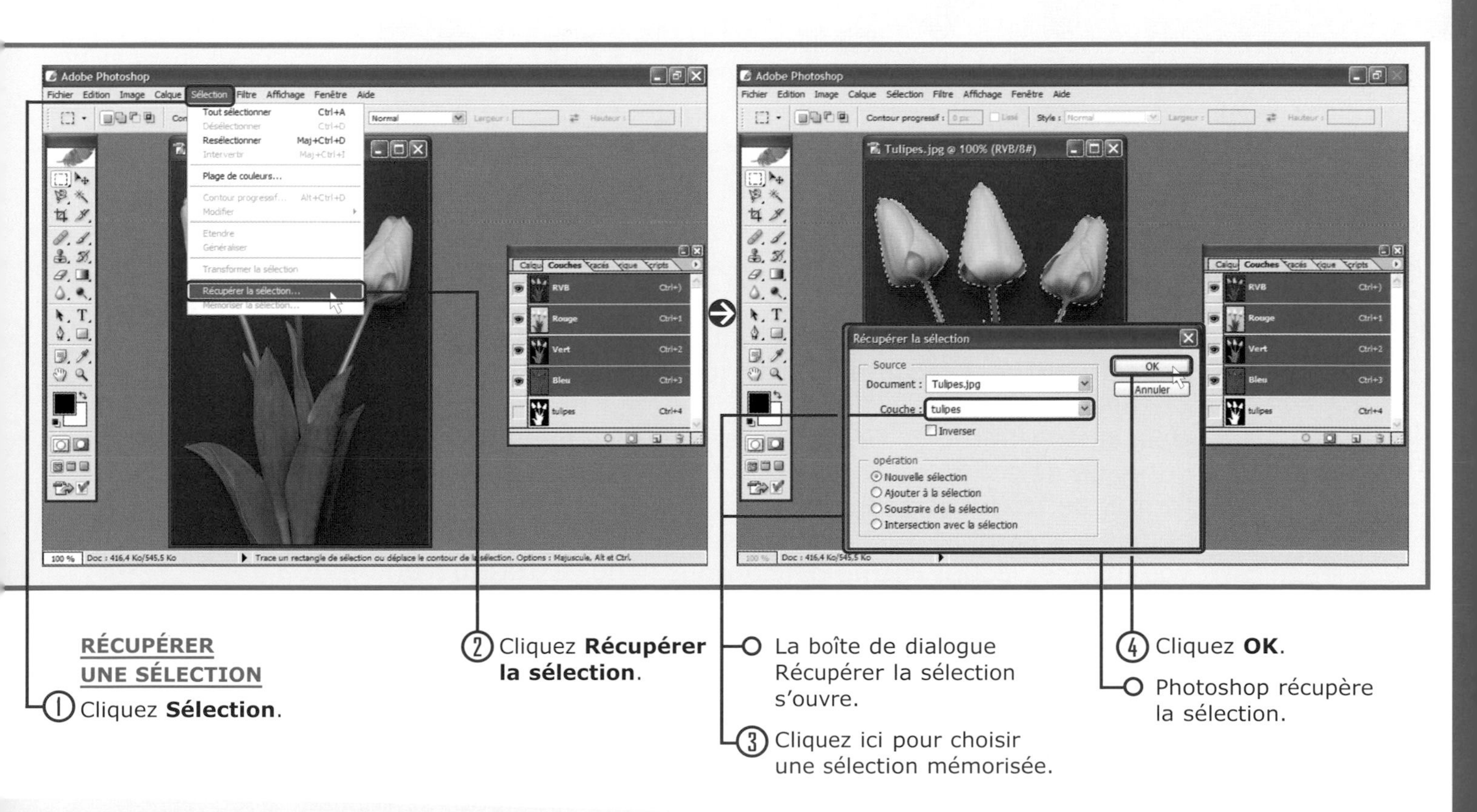

RÉCUPÉRER UNE SÉLECTION

1. Cliquez **Sélection**.
2. Cliquez **Récupérer la sélection**.

- La boîte de dialogue Récupérer la sélection s'ouvre.

3. Cliquez ici pour choisir une sélection mémorisée.
4. Cliquez **OK**.

- Photoshop récupère la sélection.

Retouchez et peignez vos images

Photoshop offre une gamme d'outils si vaste qu'il est facile d'en manquer certains. À côté des grands classiques comme le Pinceau, les outils de sélection ou les outils de forme, se trouvent des outils qui peuvent accomplir des miracles sur vos photos. L'outil Forme d'historique et la Gomme d'arrière-plan comptent parmi ceux-ci, même s'ils ne servent pas aussi couramment que les outils classiques. Les outils traités dans ce chapitre concernent, pour la plupart, la retouche d'images.

Les photos présentent souvent des petits défauts que Photoshop peut corriger facilement. Les outils de retouche peuvent atténuer les rides sur un portrait, effacer d'un paysage les objets indésirables, et exécuter bien d'autres tâches encore.

Ce chapitre montre comment ajouter une texture ou un motif à vos images, changer leurs couleurs, effacer l'arrière-plan d'une photo, entourer les objets d'un trait coloré, et comment créer une forme personnalisée d'après une photo. Seule votre imagination restreint ce que vous pouvez réaliser avec les outils de retouche et de peinture décrits dans ce chapitre.

TOP 100

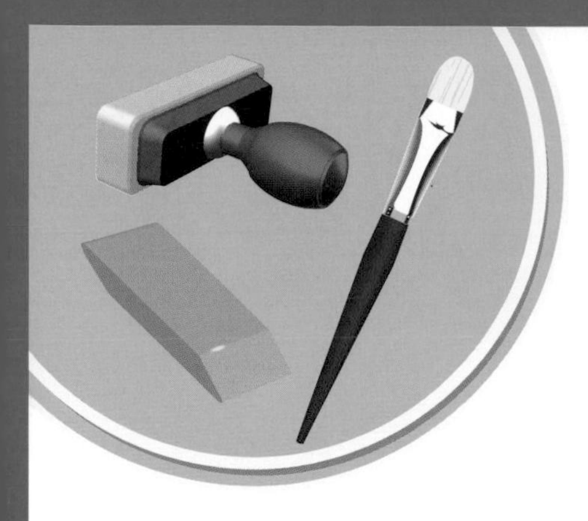

Corrigez les imperfections avec LE CORRECTEUR

Vous possédez probablement des photos abîmées, tachetées, déchirées ou gâchées par d'autres petites imperfections. L'outil Correcteur peut réparer ces images de manière indécelable.

L'outil Correcteur fonctionne en prélevant des pixels d'une partie de l'image et en les appliquant sur la zone à réparer. Les pixels prélevés s'adaptent à la texture, la luminosité, la transparence et l'éclairage des zones réparées. Ainsi, la réparation ne laisse aucune démarcation entre les zones corrigées et les pixels environnants.

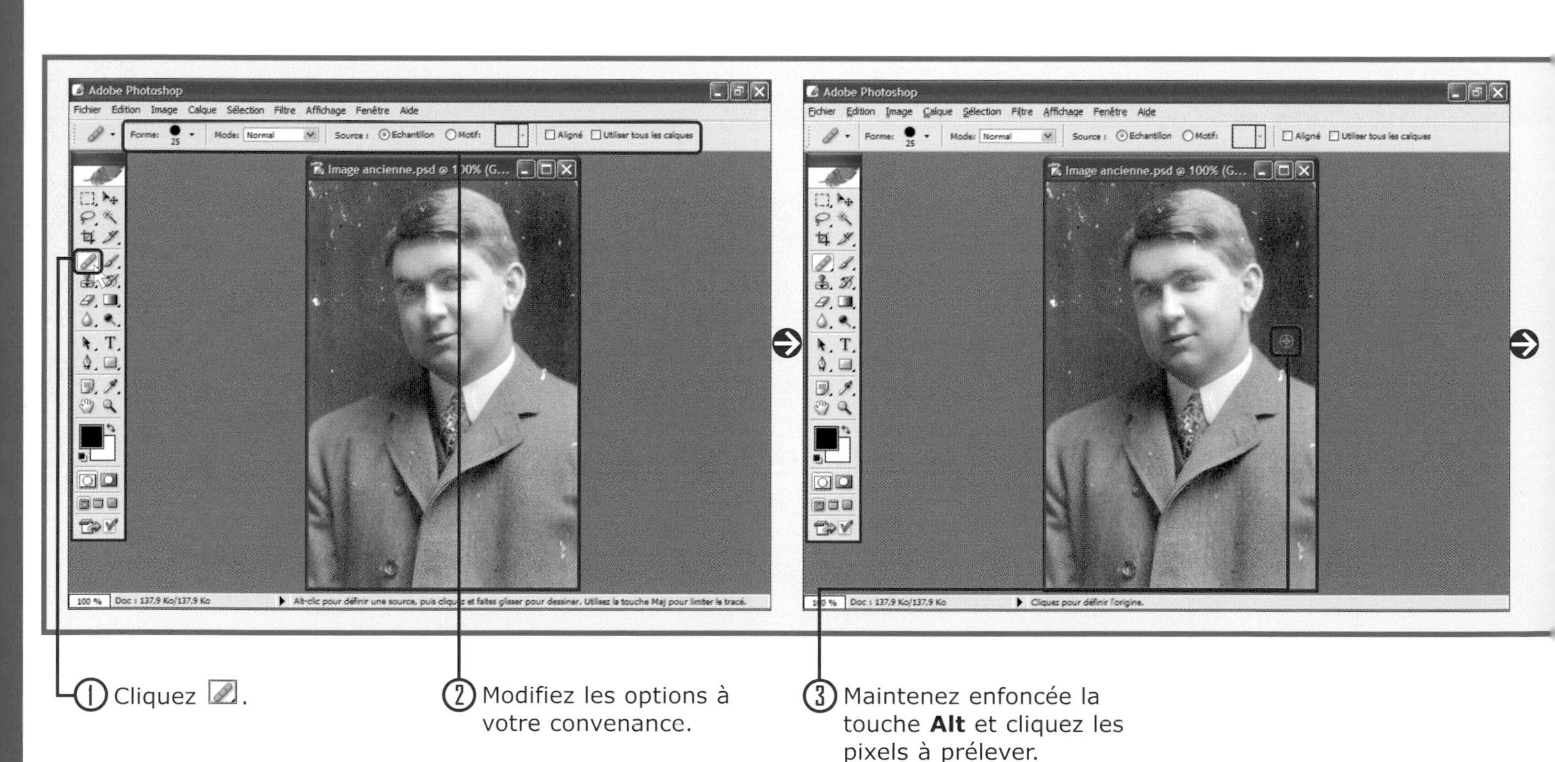

① Cliquez .

② Modifiez les options à votre convenance.

③ Maintenez enfoncée la touche **Alt** et cliquez les pixels à prélever.

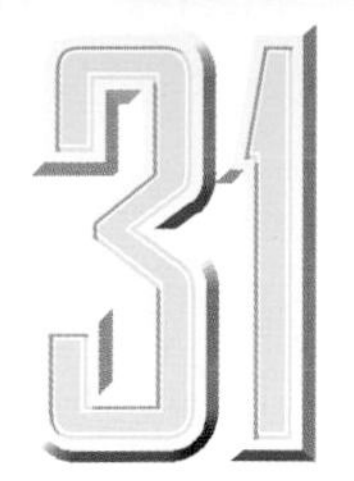

Le saviez-vous ?

Choisissez de préférence des pixels proches des zones à réparer ou présentant des caractéristiques similaires lorsque vous utilisez l'outil Correcteur. Ainsi, la correction respecte mieux la texture, la luminosité et l'éclairage des zones réparées. Réduisez le diamètre de la forme d'outil et prélevez fréquemment un nouvel échantillon pour un meilleur résultat.

Prudence !

Surveillez l'emplacement du pointeur ⊞ au cours de la réparation pour réduire les risques de dupliquer des pixels inadéquats. Utiliser un outil de taille réduite permet aussi d'éviter ce piège. Cliquez ▾ dans la barre d'options pour ouvrir le sélecteur de forme. Tapez une valeur plus petite dans la zone Diamètre et appuyez sur **Entrée**. En cas d'erreur, cliquez **Edition** ⇨ **Annuler Correcteur** ou appuyez sur **Ctrl+Z** pour annuler la dernière réparation. Cliquez **Edition** ⇨ **Aller vers l'arrière** ou appuyez sur **Alt+Ctrl+Z** pour remonter plus en arrière dans les réparations successives.

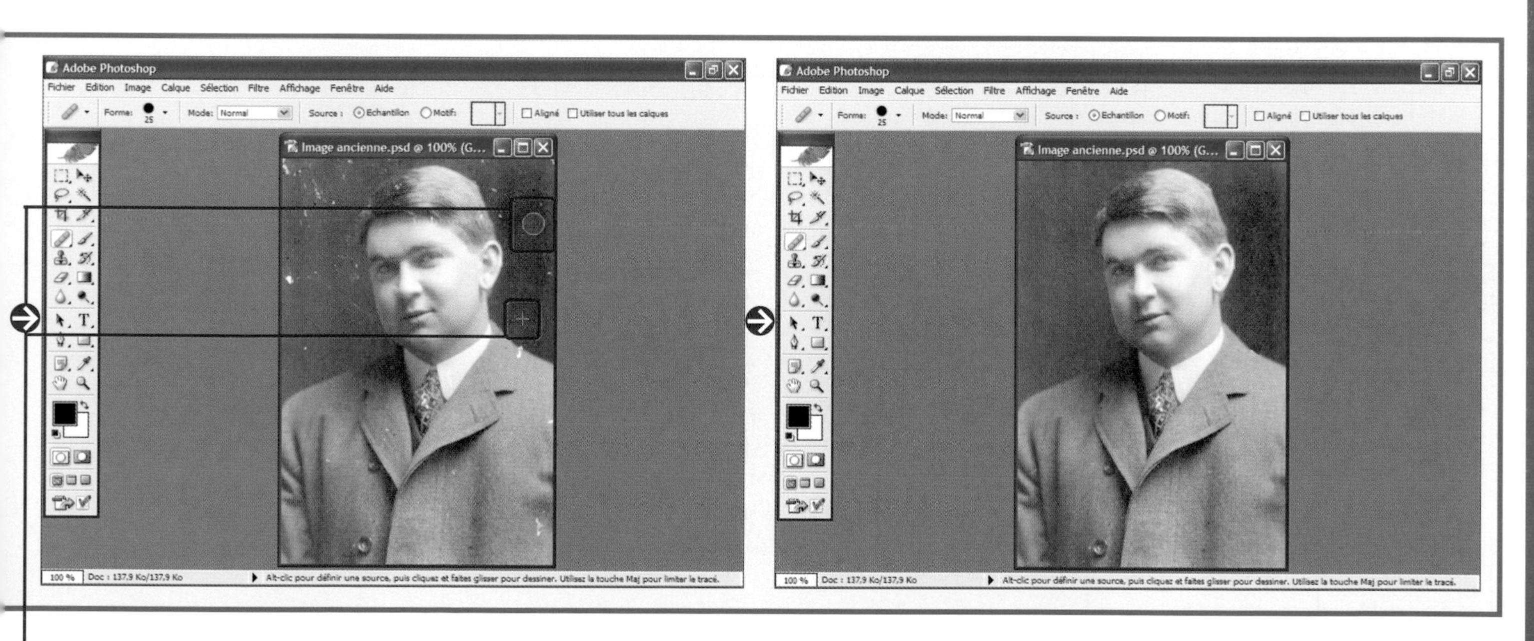

④ Cliquez et faites glisser le pointeur sur les zones à réparer.

○ Le pointeur ⊞ indique les pixels prélevés.

○ Les pixels prélevés recouvrent la zone réparée.

○ La réparation se fond dans l'image sans laisser de trace.

○ Dans l'exemple, toutes les détériorations sont réparées.

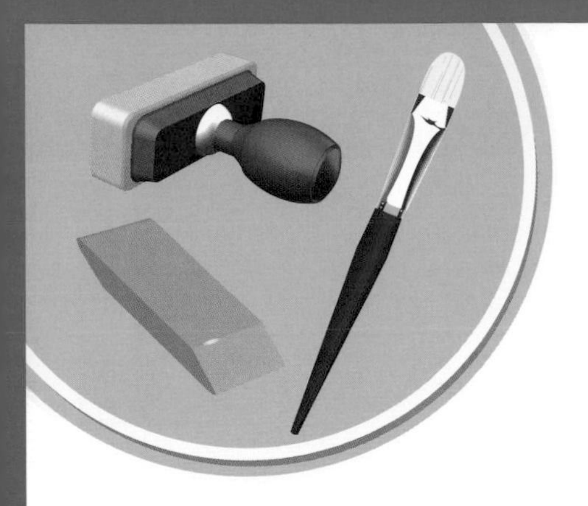

Éliminez un élément indésirable avec le TAMPON DE DUPLICATION

Vous ne pouvez pas toujours maîtriser ce qui apparaît à l'image lorsque vous prenez une photographie. Après la prise de vue, vous pouvez facilement éliminer les éléments indésirables dans Photoshop. Ce dernier propose à cette fin plusieurs outils, dont le Tampon de duplication.

Le Tampon de duplication prélève les pixels d'une zone et les recopie sur une autre partie de l'image.

Comme avec le Pinceau, vous pouvez choisir la taille et le style de la forme d'outil.

Le Tampon de duplication fonctionne mieux sur une image comprenant des zones suffisamment uniformes à prélever. Si l'image présente une grande variété de textures et de luminosités, choisissez plutôt le Correcteur. Consultez la tâche n° 31 pour plus d'informations.

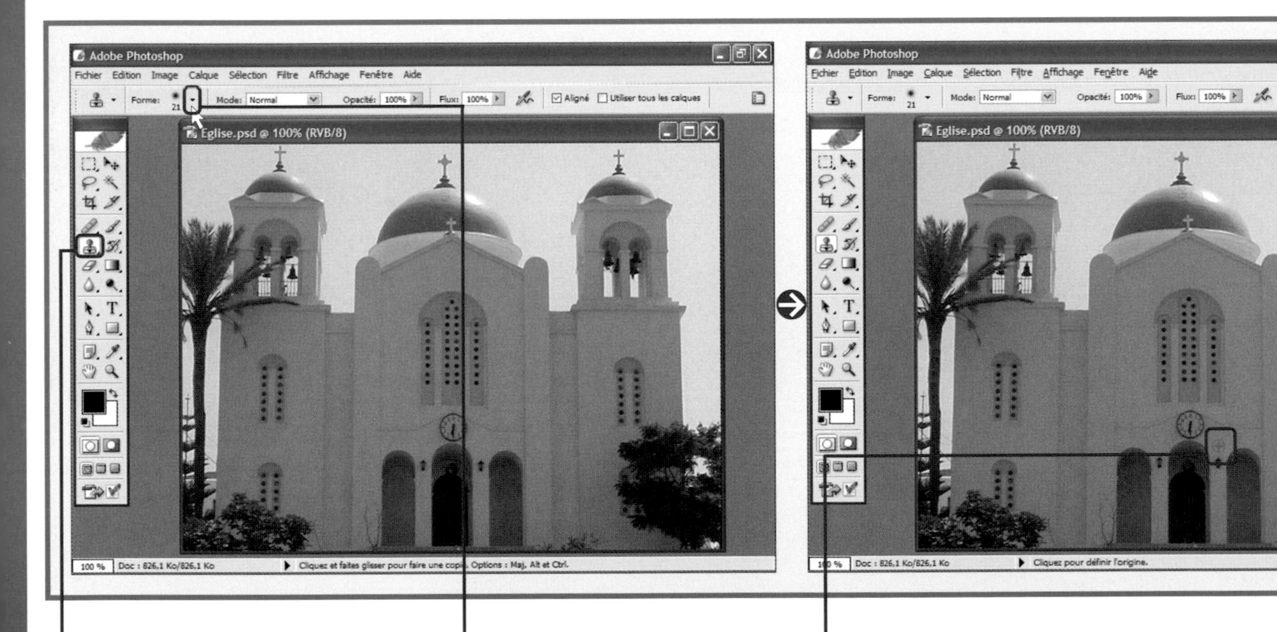

① Cliquez [icône Tampon].

② Cliquez [flèche] et sélectionnez la forme d'outil adéquate.

③ Maintenez enfoncée la touche **Alt** et cliquez les pixels à prélever.

Ajoutez une touche personnelle !

Si les seuls pixels disponibles à prélever présentent une légère différence de luminosité ou de teinte avec la zone à recouvrir, définissez une valeur d'**Opacité** inférieure à 100 % dans la barre d'options. Vous pouvez ainsi mieux moduler les touches appliquées par le Tampon de duplication (). Si les retouches sont trop flagrantes, utilisez plutôt le Correcteur (consultez la tâche n° 31).

Ajoutez une touche personnelle !

Sélectionnez la zone à réparer afin de restreindre l'effet du Tampon de duplication à l'élément à effacer. Par exemple, cliquez , puis cliquez et faites glisser le pointeur autour de l'élément à éliminer. Lorsque vous appliquez le Tampon de duplication, les parties de l'image hors du contour de sélection ne sont pas affectées.

4 Cliquez et faites glisser le pointeur sur l'élément à éliminer.

- Le pointeur ⊞ indique les pixels prélevés.

- Les pixels prélevés recouvrent l'élément à effacer.

5 Répétez les étapes **3** et **4** jusqu'à effacer l'élément indésirable.

- L'élément disparaît de l'image.

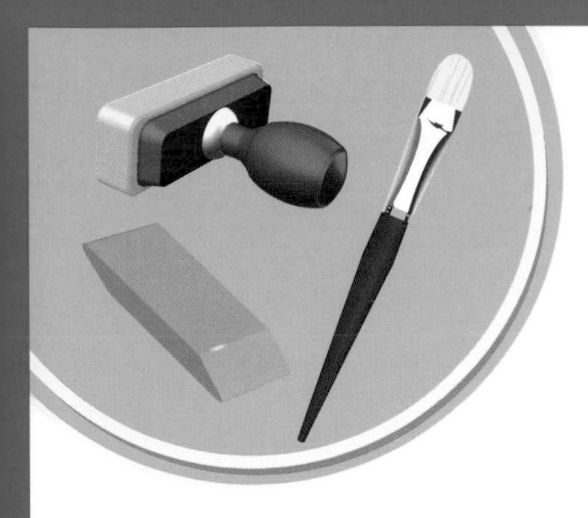

Réparez une zone étendue avec L'OUTIL PIÈCE

Si l'élément à éliminer ou les défauts à réparer occupent une zone étendue de l'image, les retouches avec le Correcteur ou le Tampon de duplication prendraient trop de temps. Dans ce cas, l'outil Pièce peut venir à votre secours.

Comme d'autres outils de clonage, l'outil Pièce prélève les pixels d'une zone pour les appliquer à une autre partie de l'image. Comme le Correcteur, l'outil Pièce adapte à la zone de destination la texture, la luminosité et l'éclairage des pixels prélevés. Même importante, la réparation reste donc indécelable. Assurez-vous toutefois que l'image comporte une surface à prélever suffisamment étendue pour masquer l'élément ou les défauts à éliminer.

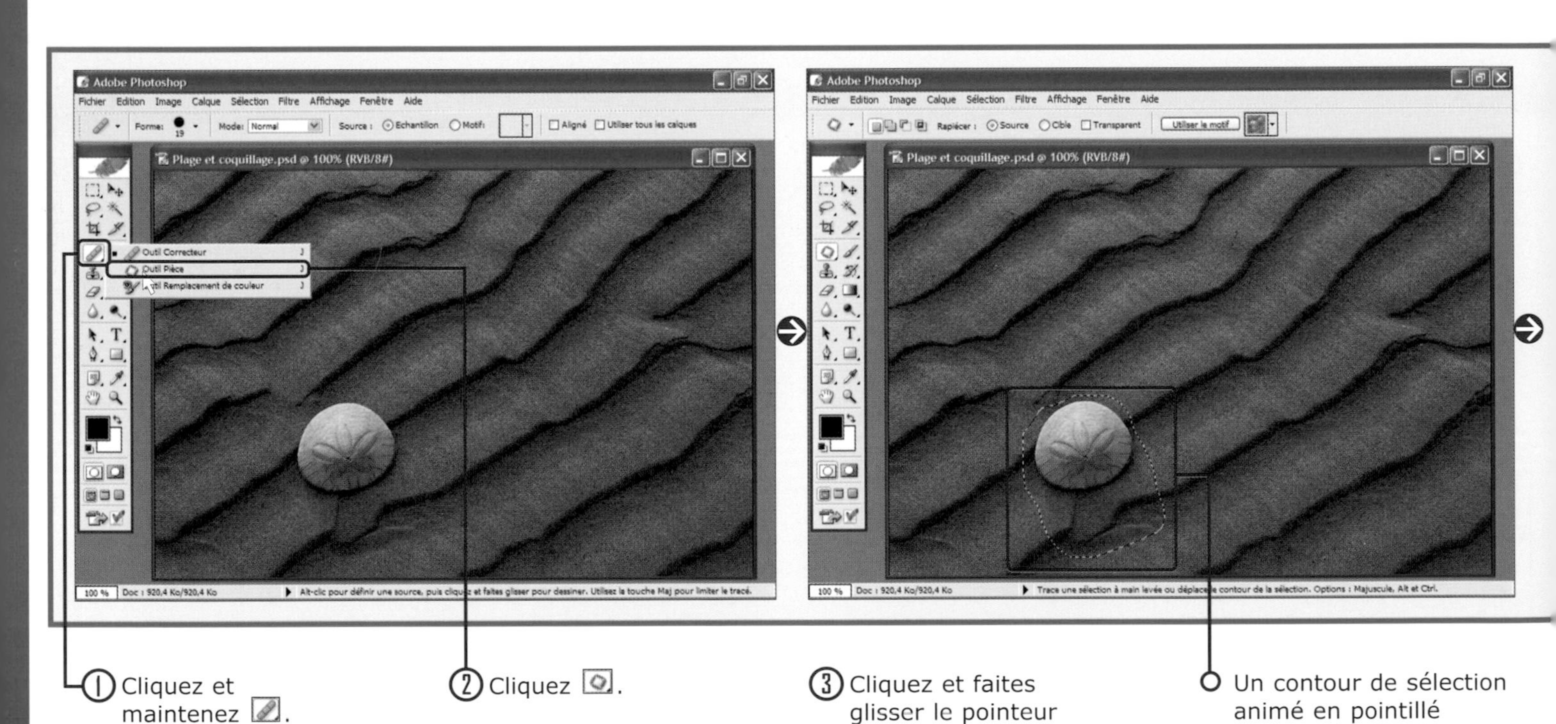

① Cliquez et maintenez .

② Cliquez .

③ Cliquez et faites glisser le pointeur autour de la zone à réparer pour la sélectionner.

- Un contour de sélection animé en pointillé entoure la zone à réparer.

Le saviez-vous ?

Vous pouvez inverser le fonctionnement de l'outil Pièce en cliquant l'option **Cible** dans la barre d'options (○ devient ◉). Dans ce cas, vous sélectionnez d'abord la « pièce » servant au « raccommodage », puis vous la faites glisser sur la zone à « rapiécer ». Ceci explique le nom de l'outil.

Le saviez-vous ?

En associant le Correcteur (consultez la tâche n° 31) et l'outil Pièce, effacez facilement la date insérée par certains appareils numériques dans les photos.

Prudence !

Le Correcteur et l'outil Pièce s'efforcent de fondre les pixels prélevés dans la zone cible et les pixels environnants. Ceci peut causer des problèmes si la zone cible comporte différentes couleurs. Par exemple, si le pan de ciel bleu que vous tentez de réparer est à proximité d'un bâtiment gris, l'outil Pièce en tient compte. Le bâtiment laisse alors une tâche sombre malgré la réparation. Dans ce genre de cas, préférez le Tampon de duplication ( ) qui ignore la couleur et la luminosité de la zone cible. Pour une réparation plus subtile, vous pouvez associer les deux outils.

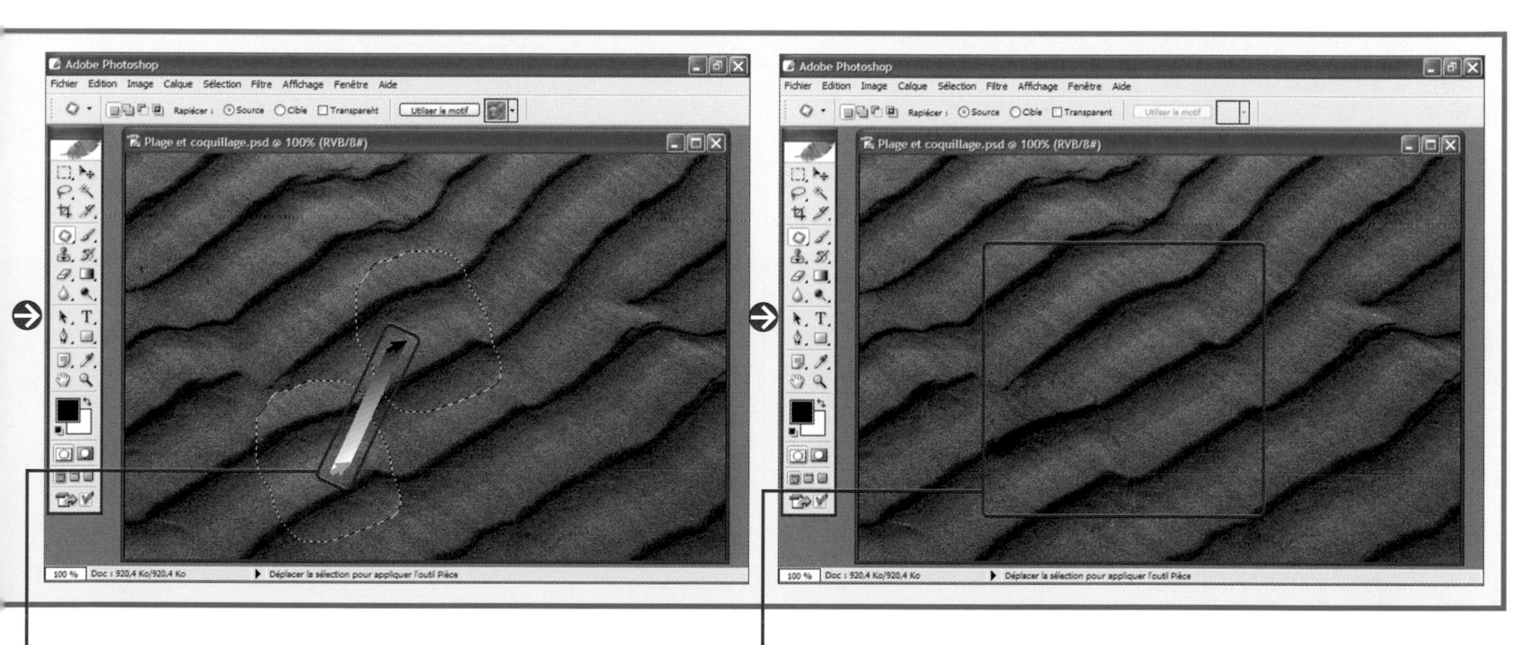

4. Cliquez à l'intérieur de la sélection et faites-la glisser vers les pixels de remplacement.

- Les pixels prélevés recouvrent la zone réparée.

5. Appuyez sur **Ctrl+D** pour désélectionner la zone réparée.

- L'élément indésirable disparaît et la réparation se fond dans l'image.

*Note. Répétez l'étape **5** si les pixels source et cible présentent un écart important de luminosité.*

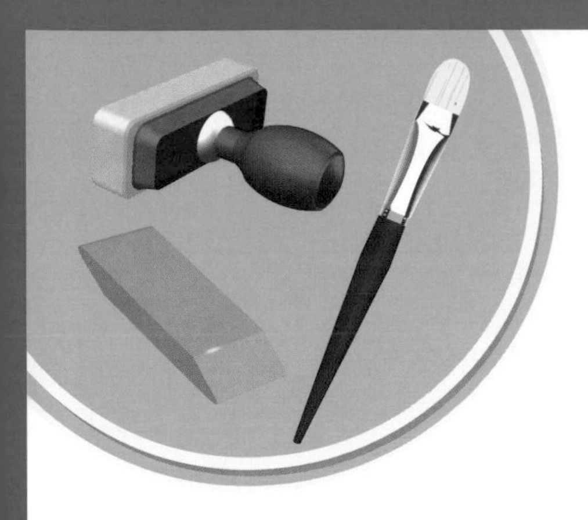

Soulignez le contour d'un objet avec la COMMANDE CONTOUR

Un trait de couleur soulignant le contour d'un objet ou d'un élément de l'image constitue un bon moyen de le mettre en valeur. Vous pouvez difficilement réaliser cela manuellement, avec l'outil Pinceau. Même avec une tablette graphique et un stylet, la tâche reste délicate. Photoshop propose une solution simple et rapide à appliquer. La commande Contour permet de souligner le contour d'une sélection ou les bords d'un calque d'un trait coloré. Une commande équivalente existe aussi pour les tracés. Consultez la tâche n° 27 pour plus d'informations.

La boîte de dialogue Contour paramètre l'épaisseur, la couleur et la position du trait. Vous pouvez aussi définir l'opacité et le mode de fusion du trait ainsi que son comportement sur les pixels transparents. Consultez le chapitre 1 pour plus d'informations sur les calques, le chapitre 3 sur les sélections.

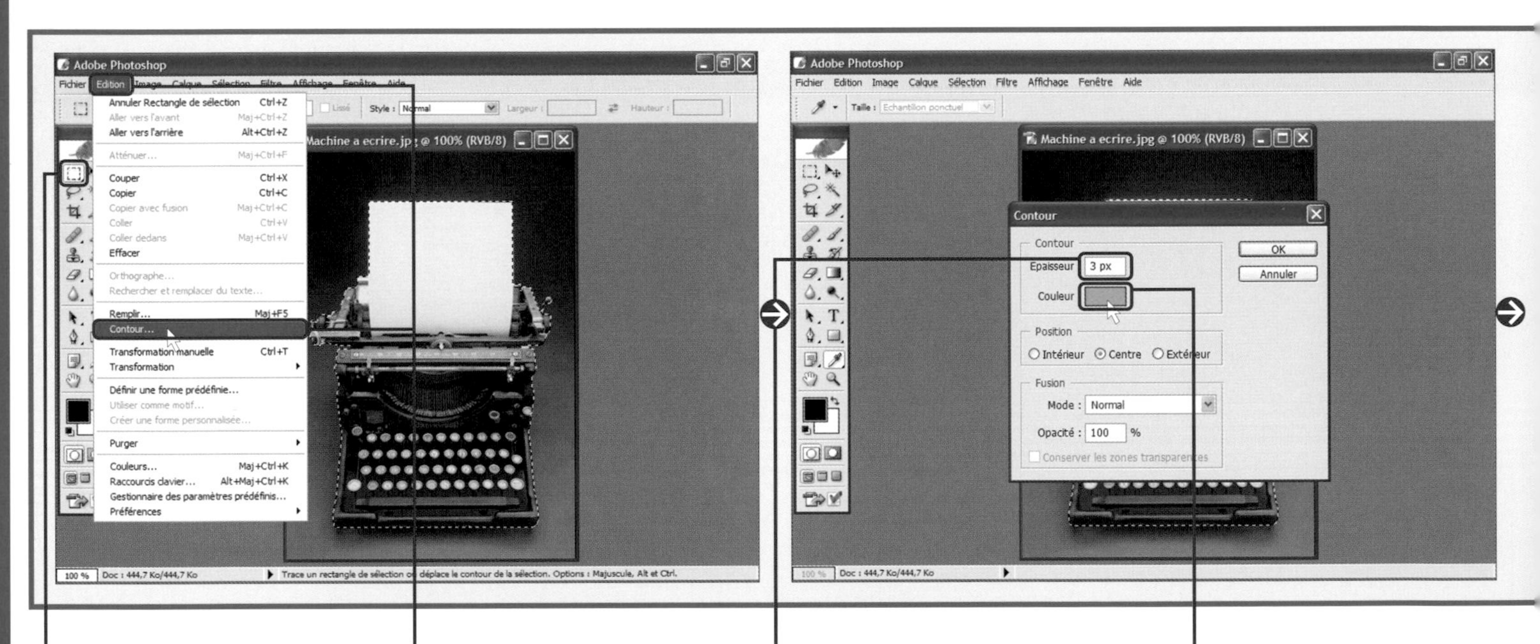

1. Sélectionnez une partie de l'image avec l'outil de sélection de votre choix.
2. Cliquez **Edition**.
3. Cliquez **Contour**.

- La boîte de dialogue Contour s'ouvre.

4. Double-cliquez ici et tapez l'épaisseur en pixels du trait.
5. Cliquez ici pour choisir la couleur du trait dans le Sélecteur de couleurs (consultez les étapes **6** à **8** de la page 35).

NIVEAU DE DIFFICULTÉ

Ajoutez une touche personnelle !

Vous pouvez entourer la sélection d'un trait qui s'estompe vers l'extérieur. La sélection définie, cliquez **Sélection ⇨ Contour progressif**. Dans la boîte de dialogue Contour progressif, tapez une valeur de rayon adaptée à l'épaisseur du contour à appliquer. La commande **Contour** dessine alors un trait estompé.

Le saviez-vous ?

Pour encadrer d'un contour tout le calque, surtout dans le cas du calque Arrière-plan ou d'un calque comportant des pixels transparents, appuyez d'abord sur **Ctrl+A** afin de sélectionner toute la zone de travail. Cliquez ensuite **Edition ⇨ Contour** et procédez comme ci-dessous.

Prudence !

À l'étape 6, choisissez la position du trait selon la sélection ou le calque à entourer. Choisissez la position **Intérieur**, si le contour doit encadrer tout le calque sinon il reste invisible. Si le trait empiète sur des éléments importants de l'image, augmentez la surface de la zone de travail en cliquant **Image ⇨ Taille de la zone de travail**.

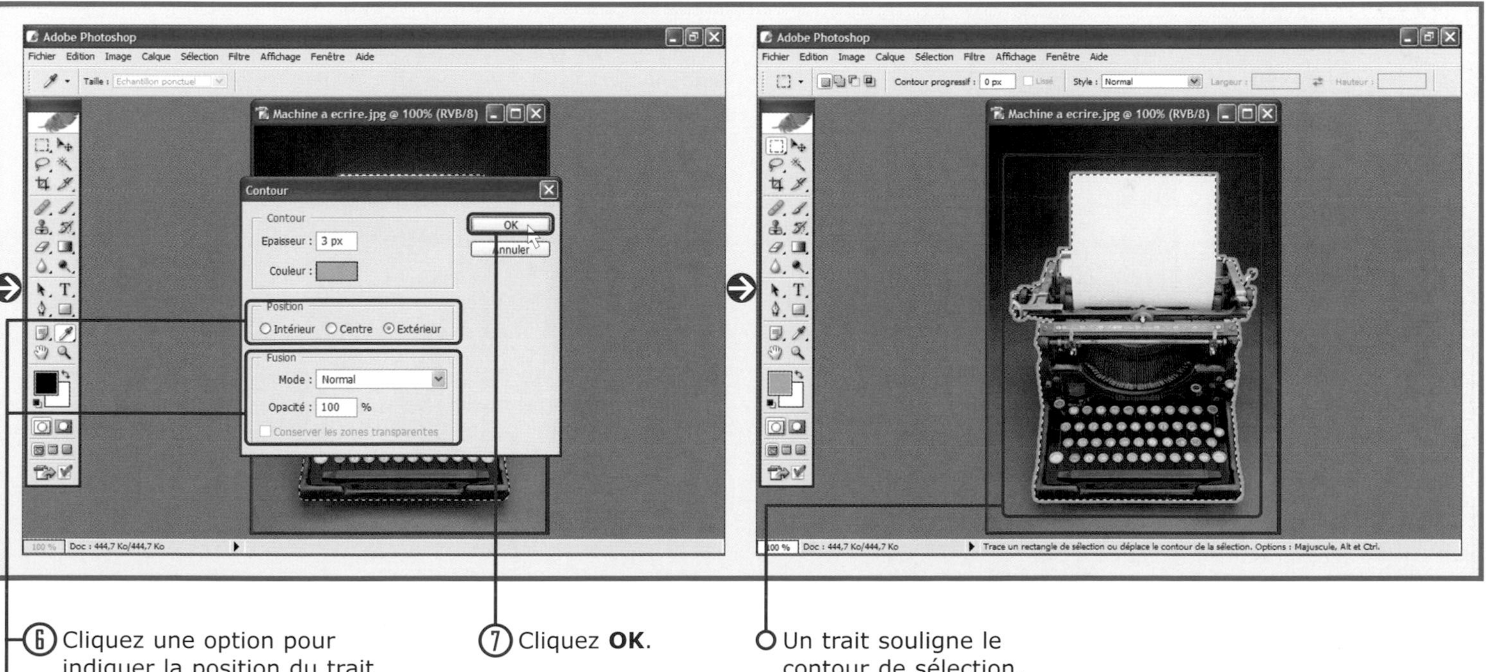

6 Cliquez une option pour indiquer la position du trait (○ devient ◉).

Vous pouvez modifier ces options pour définir comment le trait fusionne avec les pixels de l'image ou du calque.

7 Cliquez **OK**.

Un trait souligne le contour de sélection.

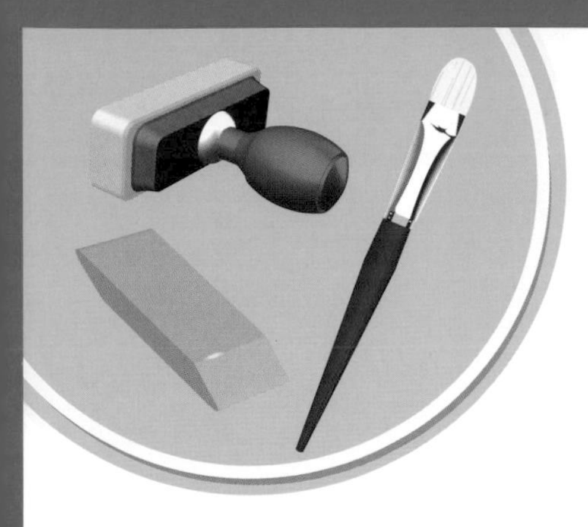

Restaurez une image avec la FORME D'HISTORIQUE

L'outil Forme d'historique restaure un état antérieur de votre image par petites touches. Il fonctionne comme le Pinceau ou n'importe quel autre outil de peinture. Toutefois, au lieu de couleur, il applique les pixels d'un état d'historique. Vous sélectionnez ce dernier dans la palette Historique.

La Forme d'historique utilise les mêmes options et réglages que les autres outils de peinture. Vous pouvez paramétrer le mode de fusion, l'opacité et le flux des touches appliquées. Vous pouvez aussi choisir la forme d'outil adéquate dans le sélecteur de forme prédéfinie.

Cet outil permet de créer des effets visuels intéressants, en appliquant, par exemple, un effet à toute l'image, puis en restaurant des éléments bien choisis.

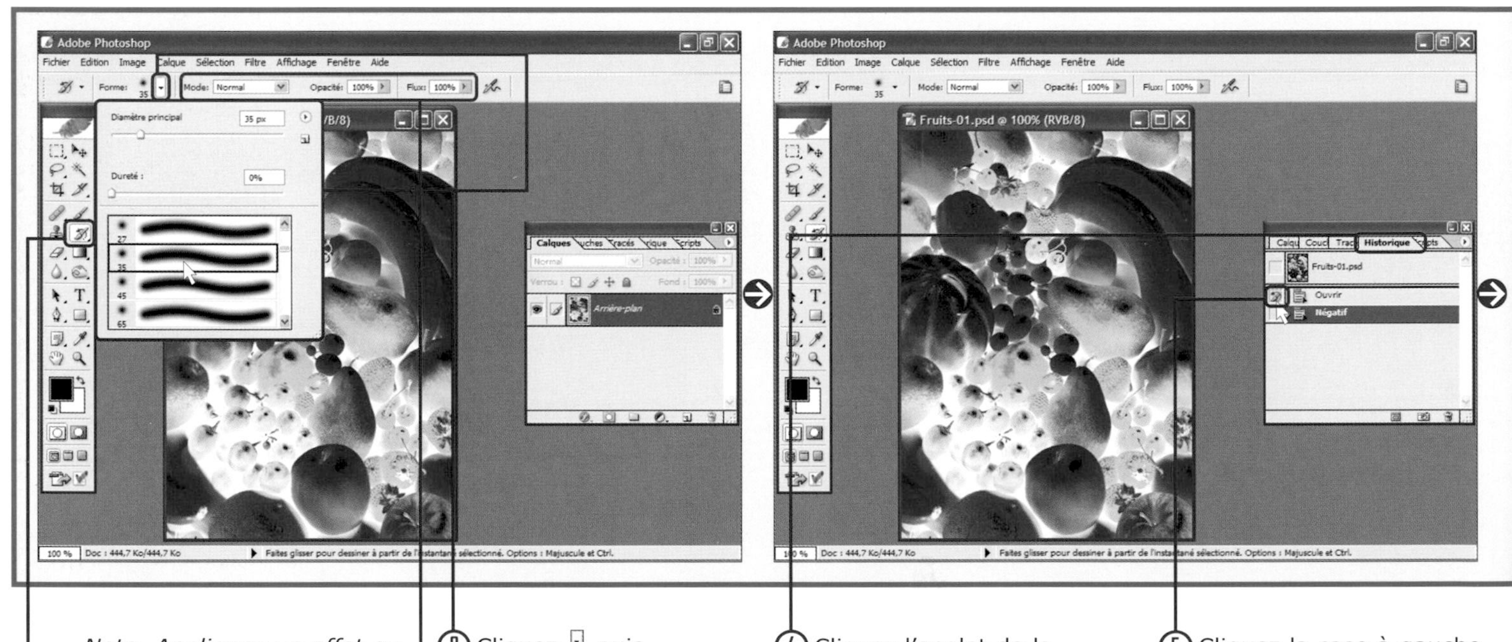

Note. Appliquez un effet ou un réglage à l'image avant de poursuivre. La palette d'Historique doit comporter au moins deux états pour que la Forme d'historique fonctionne.

① Cliquez .

② Cliquez puis sélectionnez la forme d'outil adéquate.

③ Paramétrez d'autres options de l'outil, si nécessaire.

④ Cliquez l'onglet de la palette Historique.

⑤ Cliquez la case à gauche de l'état d'historique source. apparaît.

NIVEAU DE DIFFICULTÉ

Mise en pratique !

Vous avez certainement déjà vu cet effet visuel : un sujet principal en couleur dans un décor en noir et blanc. Grâce à la Forme d'historique vous pouvez le recréer. Ouvrez l'image en couleur et cliquez **Image** ⇨ **Réglages** ⇨ **Désaturation**. Les couleurs se transforment en niveaux de gris. Cliquez . Dans la palette Historique, cliquez la case à gauche de l'état d'historique correspondant à l'image en couleur. Restaurez les couleurs de l'élément qui vous intéresse.

Le saviez-vous ?

Comme la Forme d'historique, l'outil Forme d'historique artistique () restaure un état antérieur de l'image. Son originalité tient à sa manière de combiner les couleurs de l'état d'historique aux options spécifiées pour recréer un effet de peinture impressionniste.

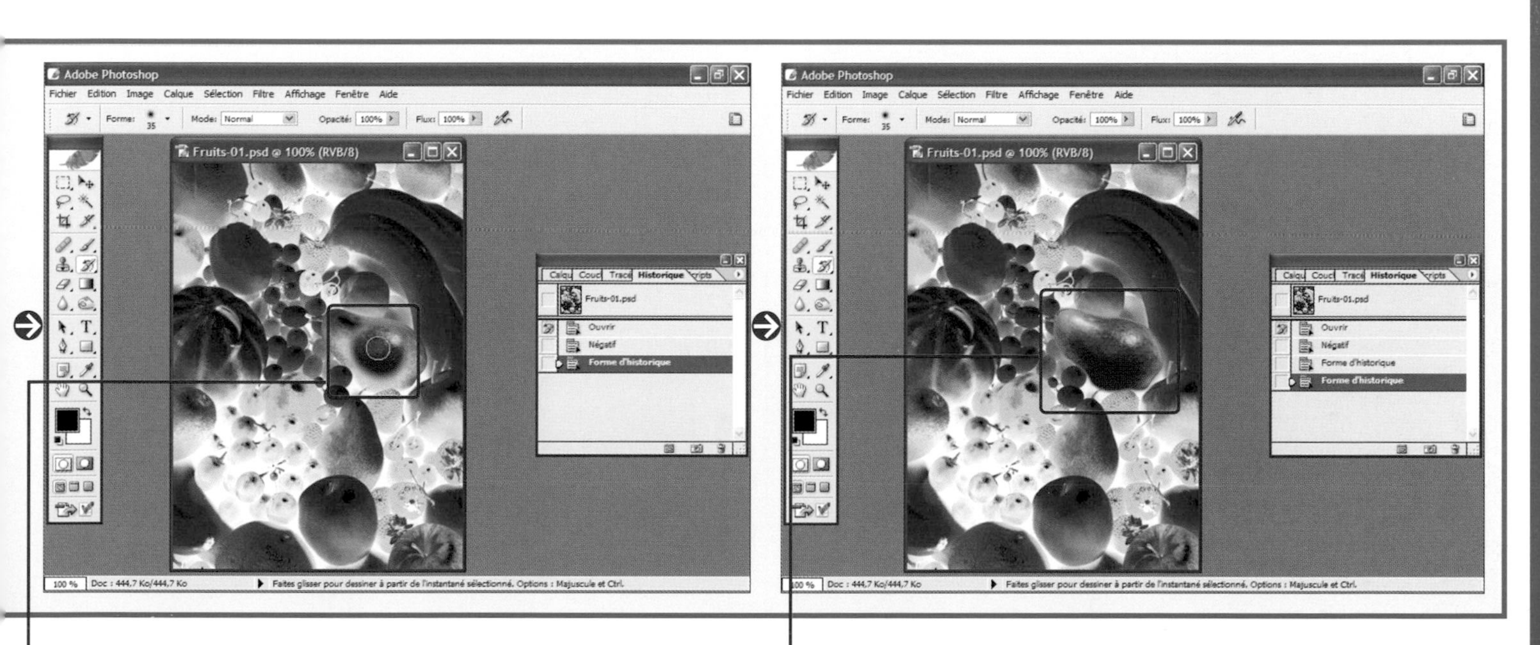

6 Cliquez et faites glisser le pointeur sur la partie de l'image à restaurer.

Photoshop remplace les zones peintes par les pixels de l'état d'historique source.

Effacez l'arrière-plan d'une image avec la GOMME D'ARRIÈRE-PLAN

La Gomme d'arrière-plan, comme son nom l'indique, efface l'arrière-plan d'une image tout en épargnant le sujet principal. Pour accomplir ce prodige, il analyse la couleur de la zone considérée comme arrière-plan et n'efface que les pixels de couleur similaire.

Le pointeur se présente sous la forme d'un cercle avec une croix en son centre, comme une cible. La couleur de référence, ou zone sensible, se trouve sous la croix. Vous pouvez gommer les pixels qui touchent le sujet principal, tant que la croix ne se trouve pas sur celui-ci.

La Gomme d'arrière-plan dispose de plusieurs options. L'option Echantillonnage détermine la fréquence de renouvellement de la couleur de référence. Cliquez Continu pour renouveler la couleur de référence à chaque déplacement du pointeur. Si vous cliquez Une fois, la première couleur prélevée reste la couleur de référence jusqu'à ce que vous en cliquiez une autre. L'option Limites détermine le rayon d'action de l'outil.

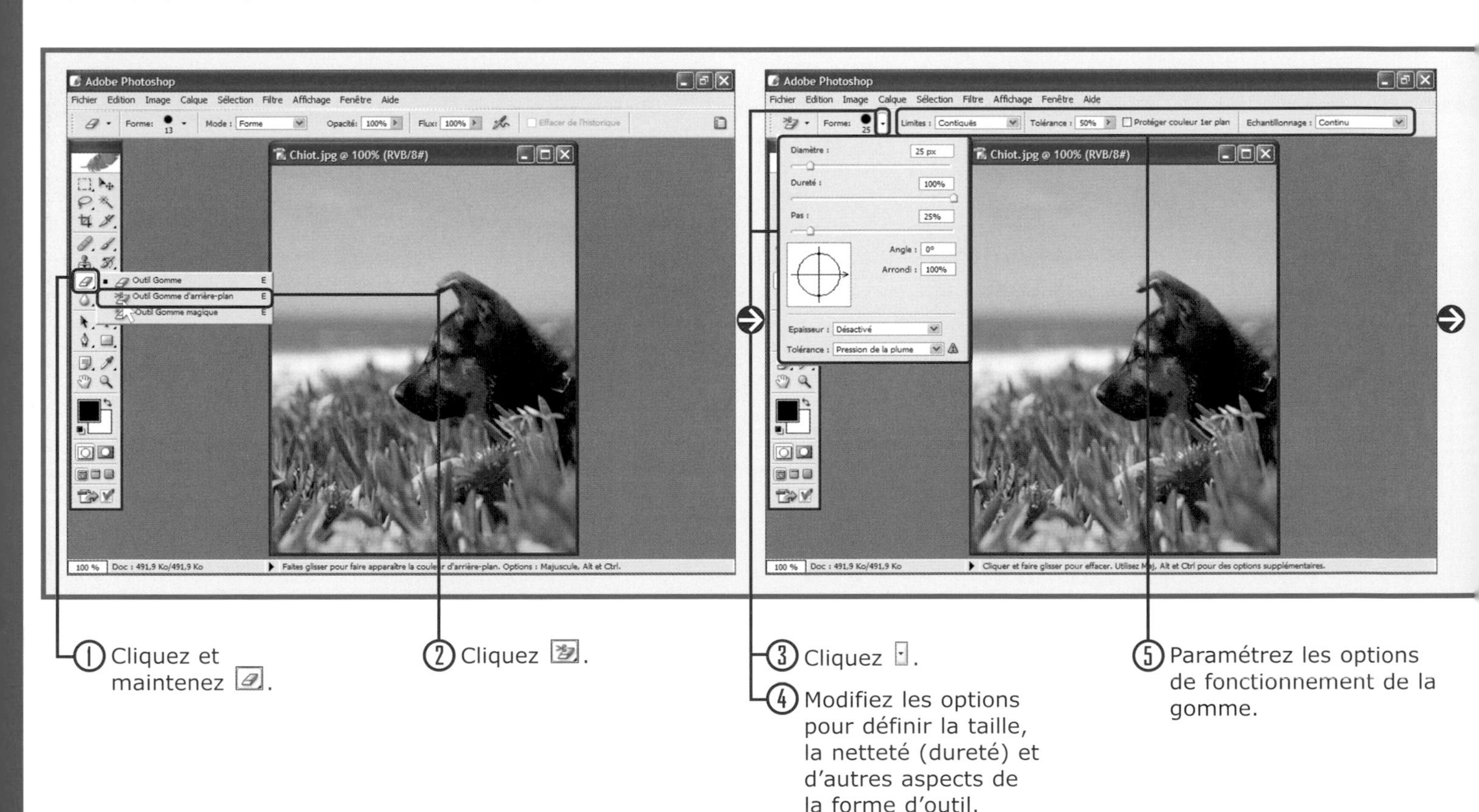

1. Cliquez et maintenez .
2. Cliquez .
3. Cliquez .
4. Modifiez les options pour définir la taille, la netteté (dureté) et d'autres aspects de la forme d'outil.
5. Paramétrez les options de fonctionnement de la gomme.

NIVEAU DE DIFFICULTÉ

Le saviez-vous ?

Si le sujet principal comporte des nuances de couleur semblables à l'arrière-plan, réglez l'option Tolérance de la Gomme d'arrière-plan (). Un seuil de tolérance bas restreint la gamme de nuances gommée. Avec une valeur de tolérance trop élevée, la Gomme d'arrière-plan risque d'effacer accidentellement des pixels du sujet principal, même si la + au centre du pointeur n'effleure pas ce dernier.

Le saviez-vous ?

Un message d'avertissement apparaît si vous tentez de gommer les pixels d'un calque verrouillé. Même si la plupart des outils de Photoshop considèrent le calque Arrière-plan comme un calque verrouillé, la Gomme d'arrière-plan le convertit automatiquement en calque ordinaire.

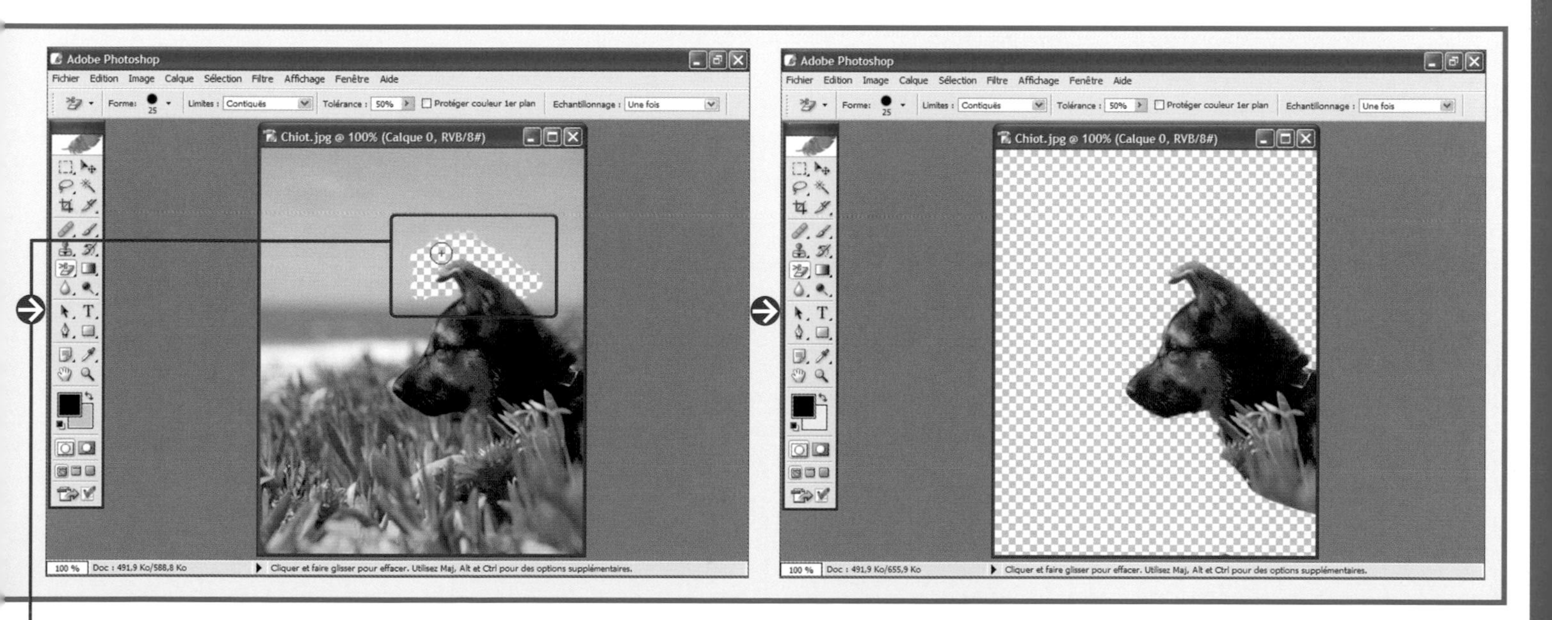

6 Cliquez et faites glisser le pointeur le long des bords du sujet principal.

Note. Évitez de faire glisser la ⊞ du pointeur sur l'objet à préserver.

○ La Gomme d'arrière-plan efface l'arrière-plan de l'image.

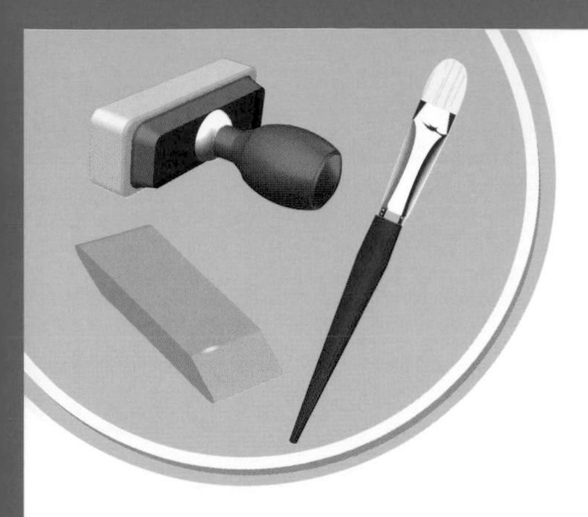

Créez des DÉGRADÉS PERSONNALISÉS

Les dégradés peuvent servir à ombrer une image, créer un aspect métallique, *etc*. Photoshop propose un choix varié de dégradés prédéfinis. La boîte de dialogue Editeur de dégradé permet de créer des dégradés personnalisés.

Cliquez l'échantillon de dégradé dans la barre d'options pour ouvrir la boîte de dialogue Editeur de dégradé. Les dégradés personnalisés que vous y créez peuvent être enregistrés dans une bibliothèque et réutilisés ultérieurement.

Les étapes de couleur, le long du côté inférieur du dégradé, définissent les couleurs de départ et d'arrivée. Faites glisser les taquets d'étapes pour indiquer l'étendue de chaque couleur. Une distance importante entre deux taquets crée un fondu progressif entre deux couleurs. Les étapes d'opacité, le long du côté supérieur du dégradé, définissent l'opacité de départ et d'arrivée. Vous pouvez ajouter des étapes intermédiaires d'opacité et de couleur.

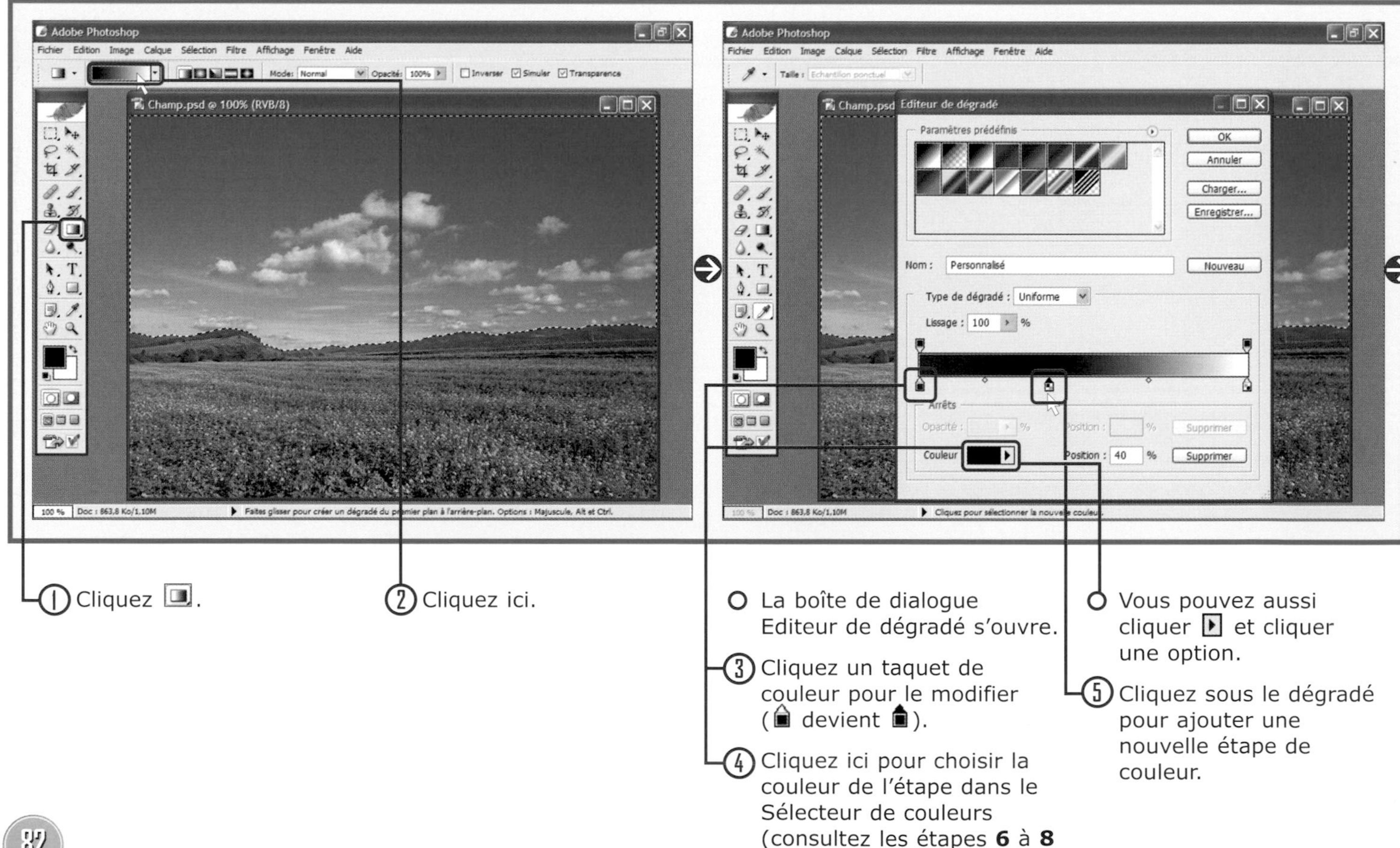

1 Cliquez .

2 Cliquez ici.

○ La boîte de dialogue Editeur de dégradé s'ouvre.

3 Cliquez un taquet de couleur pour le modifier (devient).

4 Cliquez ici pour choisir la couleur de l'étape dans le Sélecteur de couleurs (consultez les étapes **6** à **8** de la page 35).

○ Vous pouvez aussi cliquer et cliquer une option.

5 Cliquez sous le dégradé pour ajouter une nouvelle étape de couleur.

Ajoutez une touche personnelle !

Outre les dégradés uniformes, Photoshop permet de créer des dégradés avec du bruit. Les couleurs du dégradé sont réparties de façon aléatoire. Dans la boîte de dialogue Editeur de dégradé, cliquez pour dérouler la liste **Type de dégradé**. Cliquez **Bruit**. L'option **Cassure** détermine si le passage entre les couleurs se fait de manière progressive ou abrupte. Vous pouvez choisir un modèle de couleur dans la liste prévue à cet effet et régler la gamme de couleurs à l'aide des curseurs. Cliquez **Phase initiale aléatoire** pour générer aléatoirement les couleurs du dégradé.

NIVEAU DE DIFFICULTÉ

Le saviez-vous ?

Vous pouvez charger d'autres dégradés prédéfinis en cliquant dans la boîte de dialogue Editeur de dégradé, puis le nom de la bibliothèque de dégradés. Vous pouvez aussi enregistrer dans une bibliothèque les dégradés que vous créez en cliquant le bouton Enregistrer. Donnez un nom à votre bibliothèque et indiquez son emplacement. Par défaut, les dégradés se trouvent dans le dossier Adobe\Photoshop CS\Paramètres prédéfinis\Dégradés.

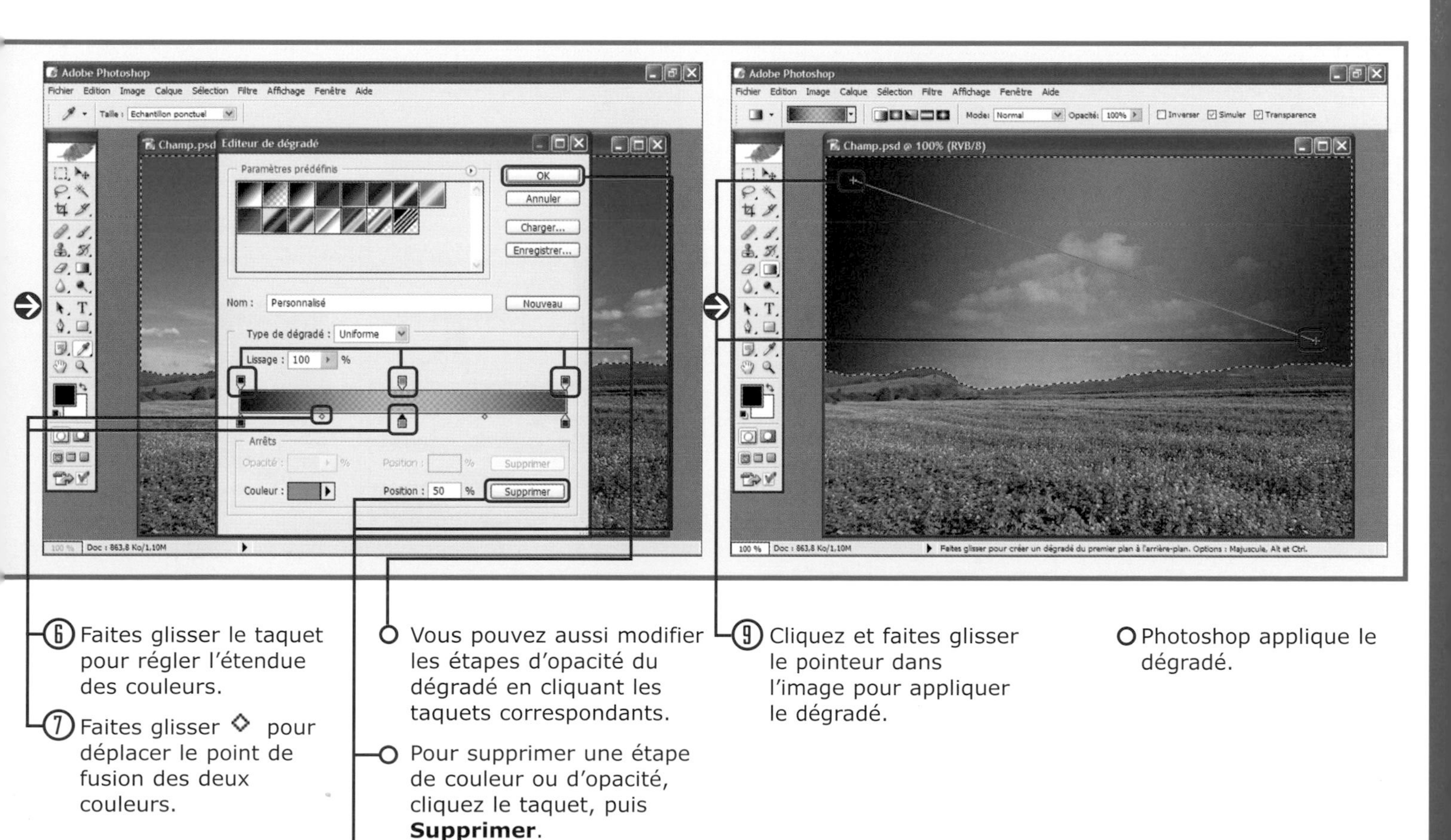

6 Faites glisser le taquet pour régler l'étendue des couleurs.

7 Faites glisser ◇ pour déplacer le point de fusion des deux couleurs.

- Vous pouvez aussi modifier les étapes d'opacité du dégradé en cliquant les taquets correspondants.

- Pour supprimer une étape de couleur ou d'opacité, cliquez le taquet, puis **Supprimer**.

8 Cliquez **OK**.

9 Cliquez et faites glisser le pointeur dans l'image pour appliquer le dégradé.

- Photoshop applique le dégradé.

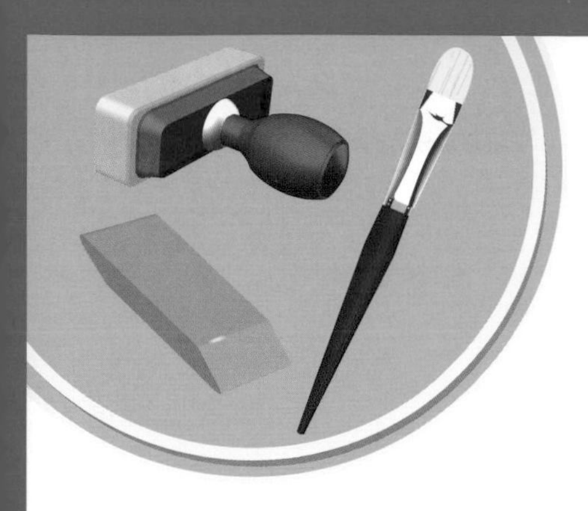

Créez une forme personnalisée
D'APRÈS UNE PHOTO

Les formes personnalisées remplissent diverses fonctions dans la création d'un graphisme. Photoshop propose une large sélection de formes personnalisées dans les bibliothèques prédéfinies. Vous pouvez aussi télécharger des formes personnalisées depuis l'Internet. Consultez la tâche n° 19 pour plus d'informations.

Vous pouvez créer des formes personnalisées d'après un tracé ou un texte. Consultez, à cette fin, les tâches n° 17 et 18. La tâche suivante explique comment créer une forme personnalisée d'après une photo. Celle-ci doit être convertie en image ne comportant que des pixels noirs et blancs. Préférez une photo suffisamment grande, présentant des objets aux silhouettes aisément identifiables.

La forme personnalisée créée, vous pouvez l'enregistrer dans votre propre bibliothèque de formes. Consultez pour cela le haut de la page 39.

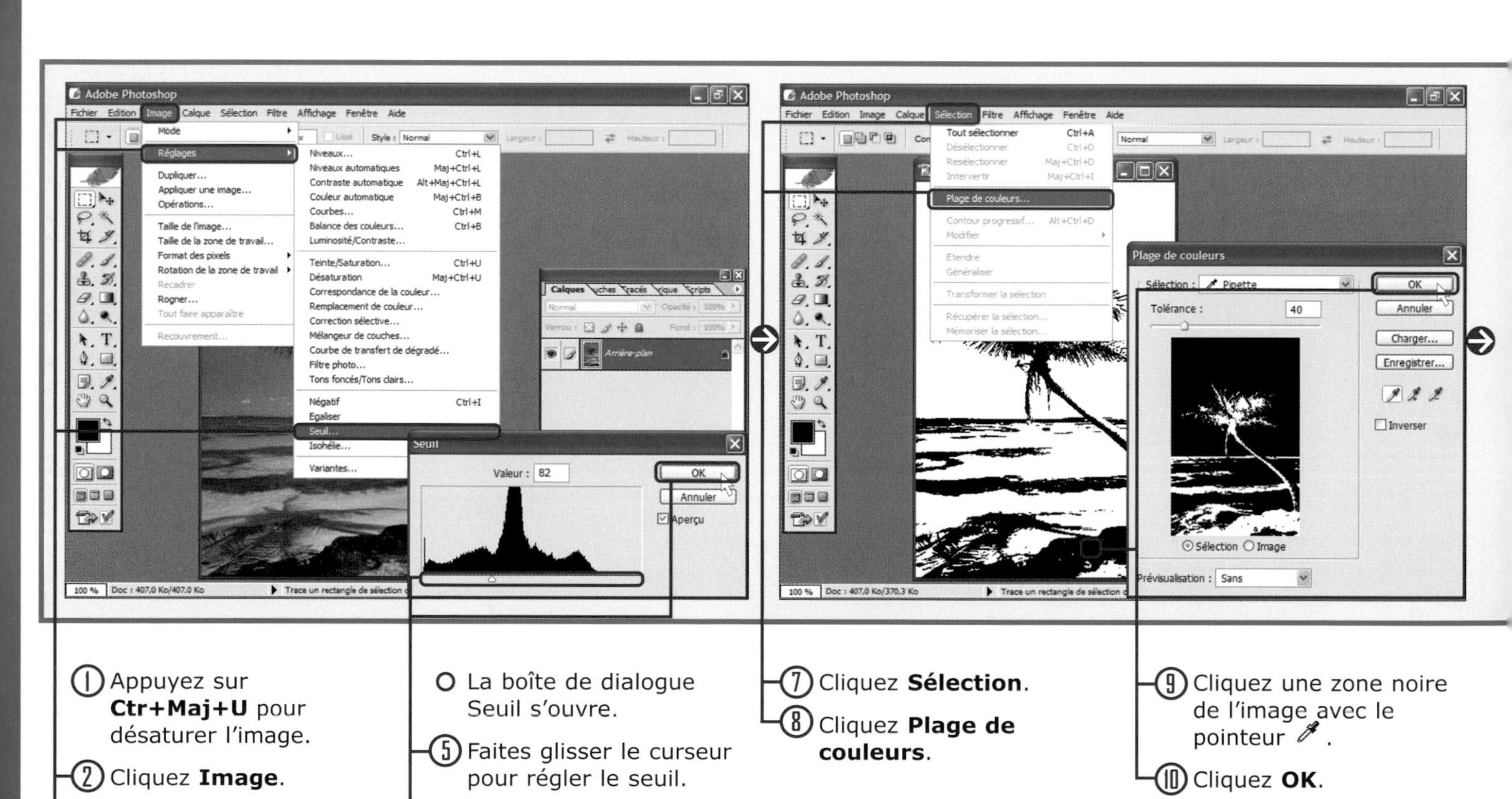

① Appuyez sur **Ctr+Maj+U** pour désaturer l'image.

② Cliquez **Image**.

③ Pointez **Réglages**.

④ Cliquez **Seuil**.

- La boîte de dialogue Seuil s'ouvre.

⑤ Faites glisser le curseur pour régler le seuil.

⑥ Cliquez **OK**.

⑦ Cliquez **Sélection**.

⑧ Cliquez **Plage de couleurs**.

⑨ Cliquez une zone noire de l'image avec le pointeur 🖉.

⑩ Cliquez **OK**.

- Toutes les zones noires de l'image sont sélectionnées.

Ajoutez une touche personnelle !

Vous pouvez adoucir les contours de la forme personnalisée. Répétez les étapes **1** à **6** ci-dessous. Avant de procéder à l'étape **7**, cliquez **Filtre** ⇨ **Atténuation** ⇨ **Flou gaussien**. Tapez une valeur de rayon assez faible pour ne pas perdre trop de détails. La commande **Plage de couleurs** crée alors une sélection plus lissée. Cela produit un tracé aux arêtes moins saillantes.

e saviez-vous ?

Préférez une image de grande taille pour obtenir de meilleurs résultats. Une définition d'un million de pixels constitue un minimum. Les images prises par un appareil photo numérique à haute résolution dépassent généralement cette définition. En utilisant une image de taille inférieure, vous obtenez une forme personnalisée comportant moins de détails et avec des contours moins lisses.

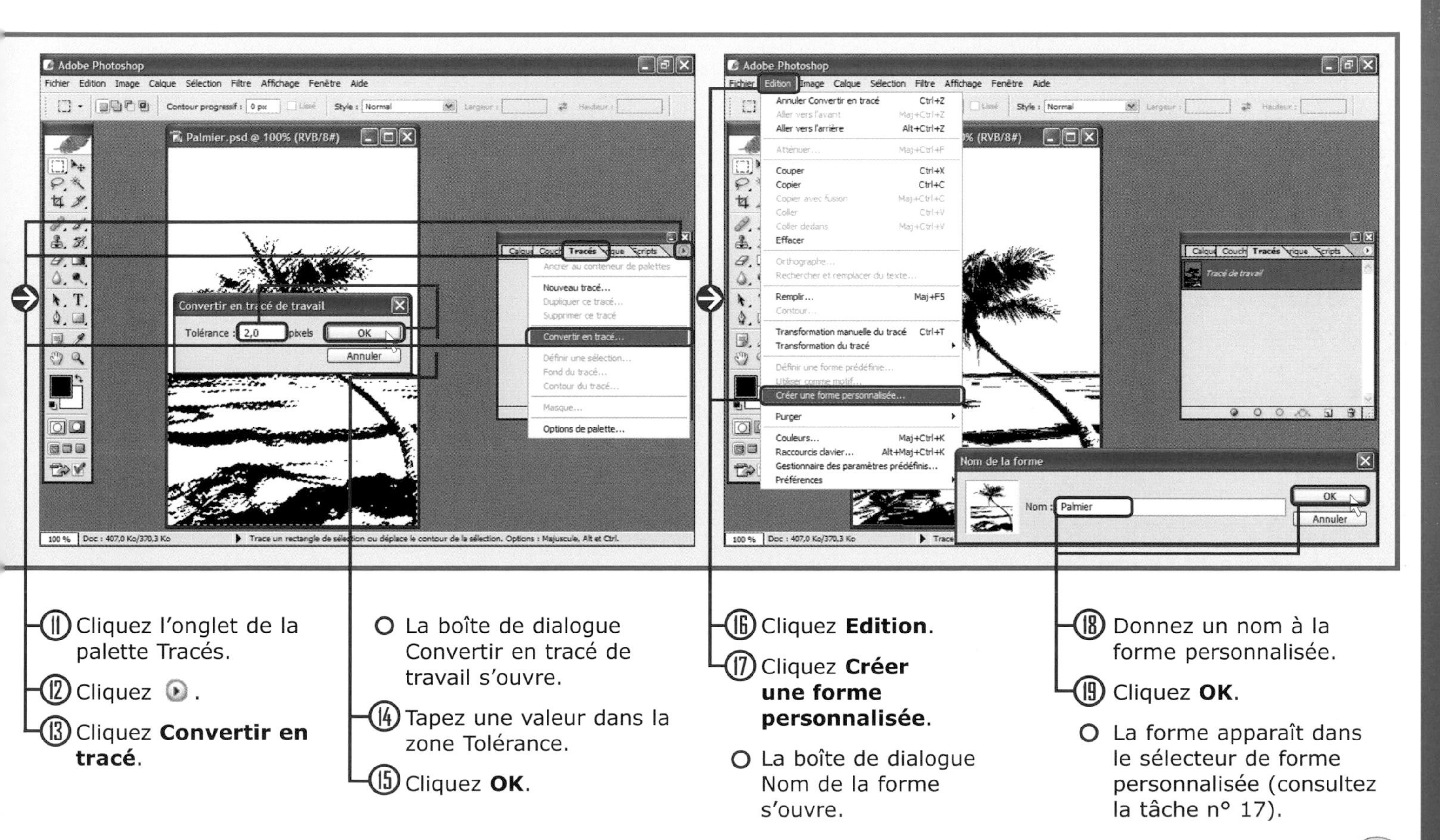

⑪ Cliquez l'onglet de la palette Tracés.

⑫ Cliquez ▶.

⑬ Cliquez **Convertir en tracé**.

○ La boîte de dialogue Convertir en tracé de travail s'ouvre.

⑭ Tapez une valeur dans la zone Tolérance.

⑮ Cliquez **OK**.

⑯ Cliquez **Edition**.

⑰ Cliquez **Créer une forme personnalisée**.

○ La boîte de dialogue Nom de la forme s'ouvre.

⑱ Donnez un nom à la forme personnalisée.

⑲ Cliquez **OK**.

○ La forme apparaît dans le sélecteur de forme personnalisée (consultez la tâche n° 17).

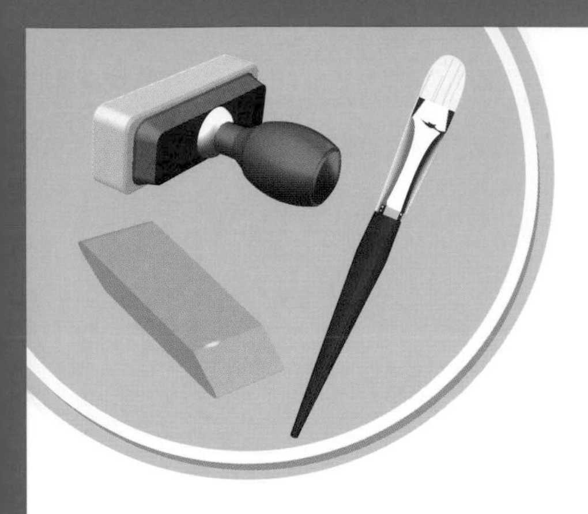

Appliquez un motif avec la

COMMANDE REMPLIR

La commande Remplir permet d'appliquer rapidement une couleur ou une texture à une sélection ou un calque entier. Elle se trouve dans le menu Edition.

Lorsque vous lancez la commande Remplir, la boîte de dialogue correspondante s'ouvre. Elle offre plusieurs options de remplissage. Vous pouvez remplir la sélection avec les couleurs de premier plan et d'arrière-plan, une couleur choisie dans le Sélecteur de couleurs, du noir, du blanc ou du gris. Vous pouvez aussi sélectionner un motif prédéfini parmi tous ceux proposés par Photoshop.

La boîte de dialogue Remplir permet de spécifier le mode de fusion du remplissage. Cela donne accès à un grand nombre d'effets qui appliquent le motif sans altérer les couleurs de l'image. Enfin, vous pouvez aussi définir l'opacité du remplissage.

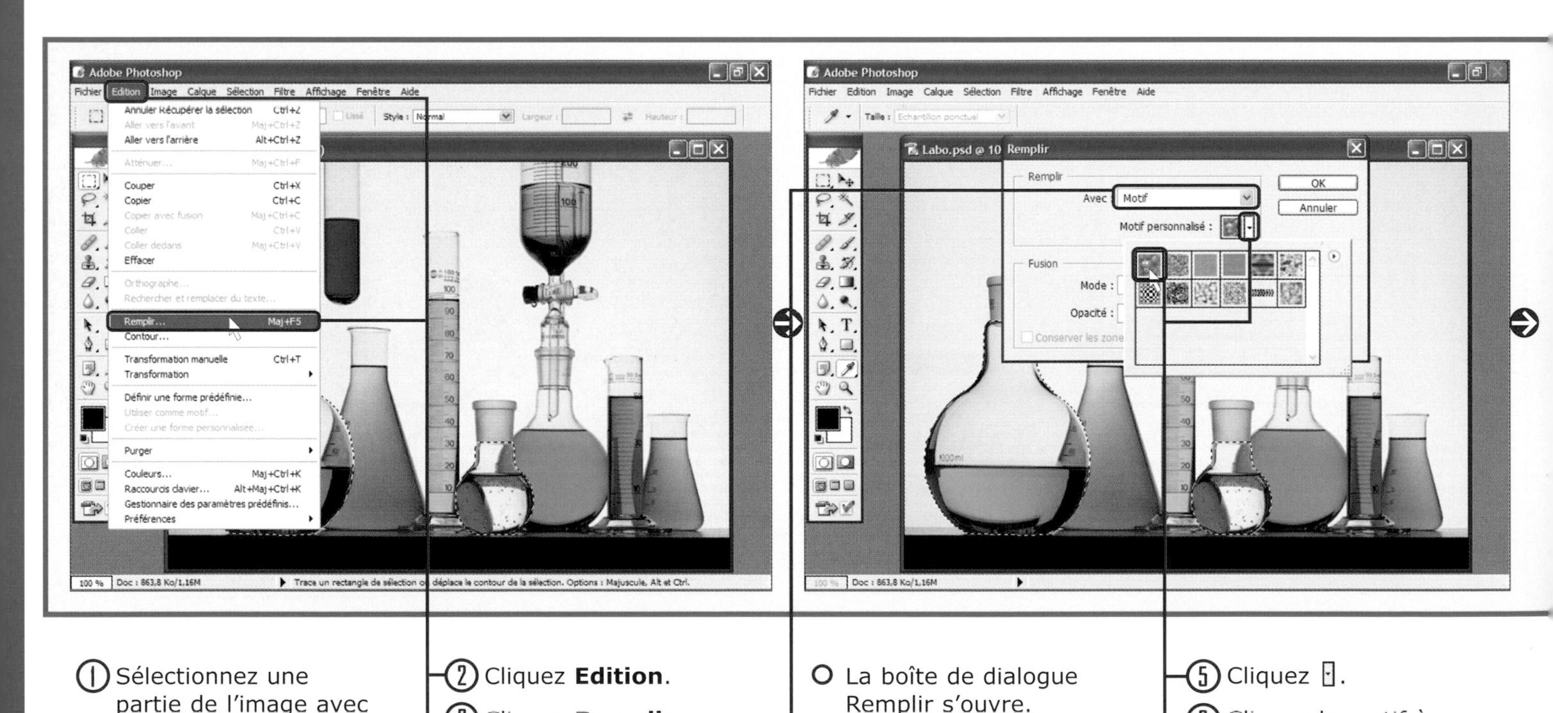

① Sélectionnez une partie de l'image avec l'outil de sélection de votre choix.

② Cliquez **Edition**.

③ Cliquez **Remplir**.

○ La boîte de dialogue Remplir s'ouvre.

④ Cliquez ici et sélectionnez **Motif**.

⑤ Cliquez ▾.

⑥ Cliquez le motif à appliquer.

NIVEAU DE DIFFICULTÉ

Le saviez-vous ?

Photoshop permet de créer rapidement un motif personnalisé. Sélectionnez la partie de l'image à convertir en motif. Cliquez **Edition** ⇨ **Utiliser comme motif**. Dans la boîte de dialogue Nom de motif, nommez le nouveau motif. Celui-ci est désormais disponible dans le sélecteur de motif.

Le saviez-vous ?

Lorsque vous remplissez un calque comportant des pixels transparents, vous pouvez cliquer l'option **Conserver les zones transparentes** (○ devient ◉). Dans ce cas, le remplissage ne s'applique qu'aux pixels opaques. Les zones transparentes ne sont pas affectées. Ceci facilite le remplissage d'objets complexes sur un calque, sans définir au préalable une sélection.

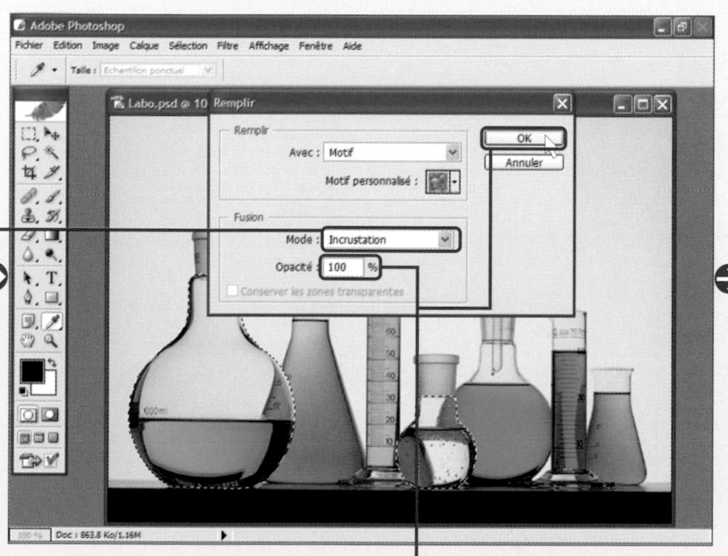

7 Cliquez ici et sélectionnez un mode de fusion.

Note. Consultez la tâche n° 7 pour plus d'informations.

8 Double-cliquez ici et tapez une valeur pour définir l'opacité du remplissage.

9 Cliquez **OK**.

Photoshop applique le motif à la sélection.

Modifiez les tons d'une photo avec les outils DENSITÉ - ET DENSITÉ +

Les outils Densité – et Densité + corrigent la tonalité d'une partie de l'image. Ils s'inspirent de techniques photographiques traditionnelles. Celles-ci consistent à moduler le temps d'exposition d'une partie du cliché au cours du développement afin de la rendre plus claire ou plus sombre que le reste de l'image. Les outils de Photoshop facilitent le procédé et rendent les résultats plus prévisibles.

L'outil Densité – éclaircit les pixels tandis que Densité + les assombrit. La barre d'options permet de paramétrer différents aspects des deux outils. Vous pouvez sélectionner la forme d'outil dans le sélecteur de forme prédéfinie. L'option Gamme permet de limiter les retouches aux tons foncés, moyens ou clairs. L'option Exposition détermine l'intensité des modifications.

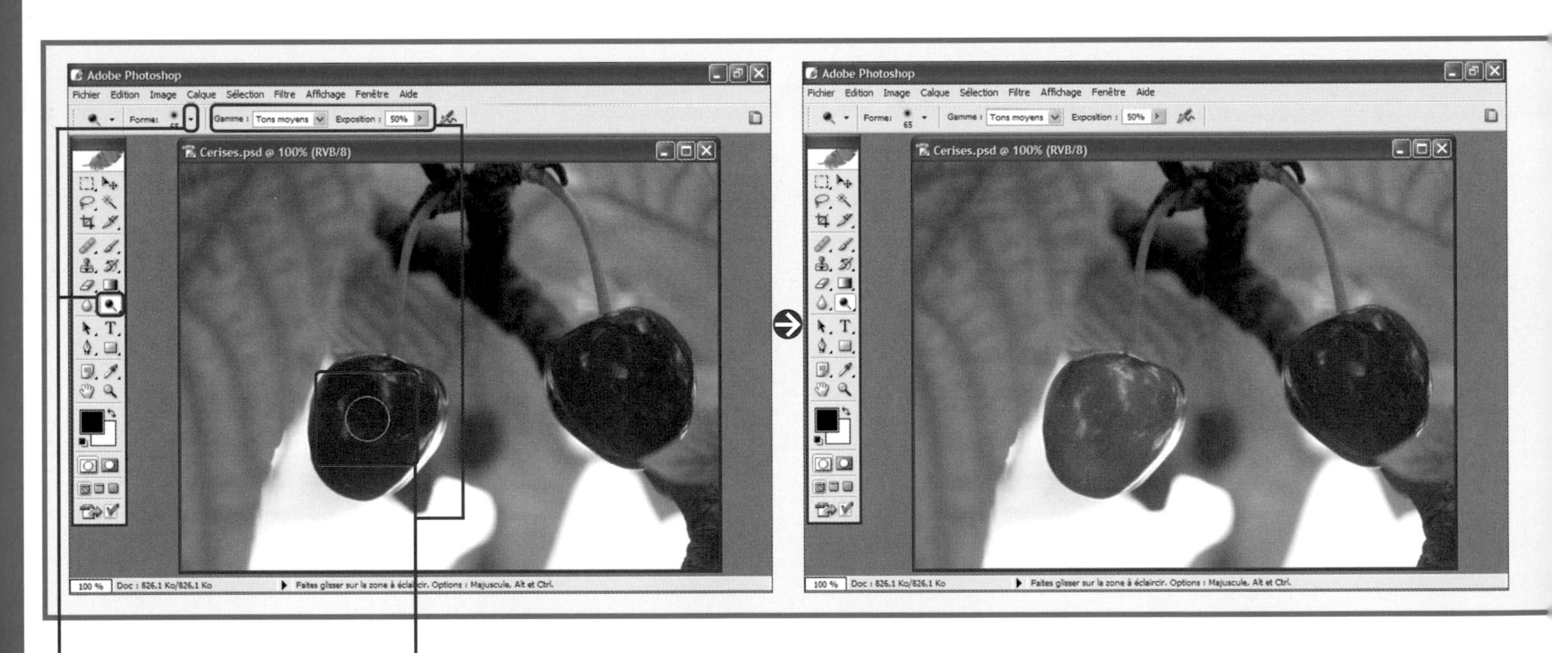

UTILISER DENSITÉ –

① Cliquez .

② Cliquez et sélectionnez une forme d'outil.

○ Vous pouvez aussi paramétrer les autres options à votre convenance.

③ Cliquez et faites glisser le pointeur sur la zone à éclaircir.

○ Photoshop éclaircit la zone de l'image.

Le saviez-vous ?

Vous pouvez facilement ombrer un objet à l'aide des outils Densité + ( ) et Densité – ( ). Commencez par déterminer la direction de la lumière qui éclaire l'objet. Utilisez Densité + pour dessiner les ombres, selon la direction de l'éclairage. Éclaircissez les zones frappées par la lumière avec Densité –. Pour un meilleur résultat, choisissez une valeur d'exposition très faible dans la barre d'options.

Le saviez-vous ?

Les outils Densité – et Densité + peuvent faire ressortir les détails d'une image trop sombre ou trop claire. Appliquez Densité – pour révéler les détails cachés dans les zones d'ombre et Densité + pour faire ressortir les détails « brûlés » dans les zones trop claires.

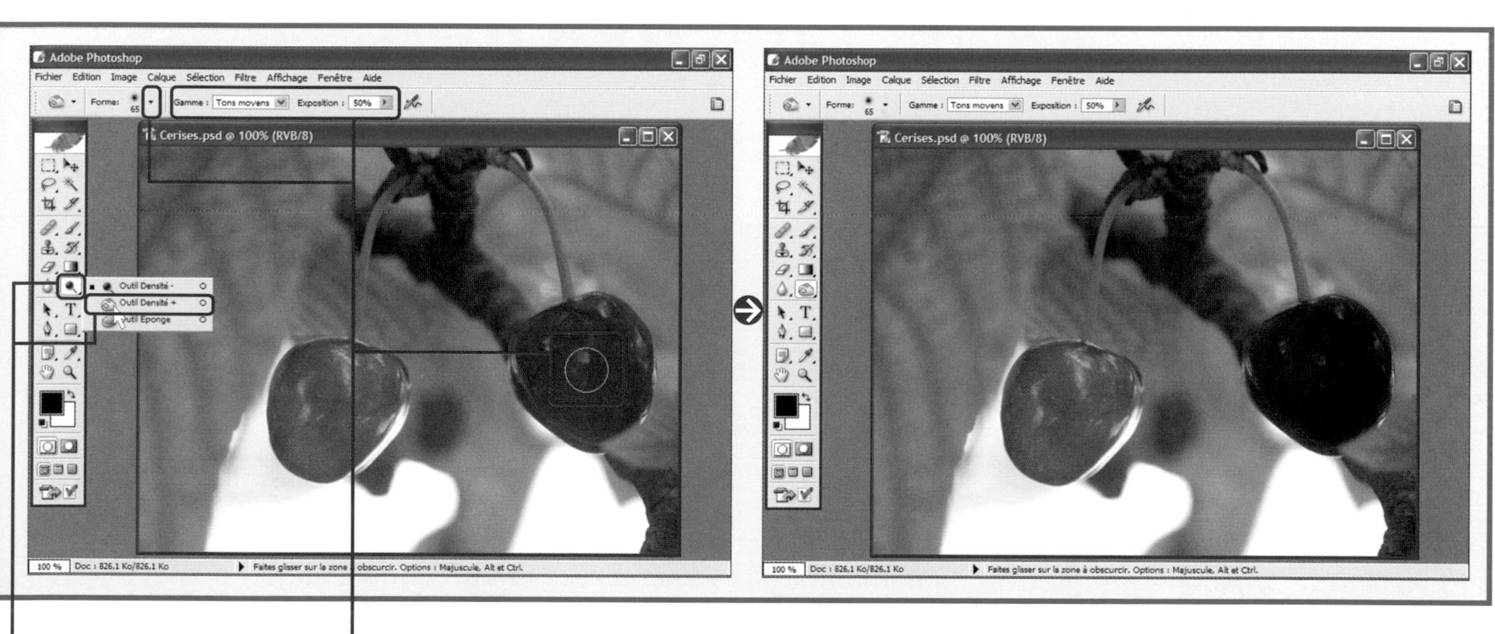

UTILISER DENSITÉ +

① Cliquez et maintenez .

② Cliquez .

③ Cliquez et sélectionnez une forme d'outil.

○ Vous pouvez aussi paramétrer les autres options à votre convenance.

④ Cliquez et faites glisser le pointeur sur la zone à assombrir.

○ Photoshop assombrit la zone de l'image.

Améliorez vos photographies

Photoshop peut tirer le meilleur de vos photos prises avec un appareil photo numérique ou scannées. Photoshop offre une solution pour tous les défauts courants des photos : problème d'exposition, manque de contraste, équilibre incorrect des couleurs, composition imparfaite.

La commande Niveaux peut corriger une photo sous-exposée ou surexposée. Améliorez le contraste d'une image avec la commande Contraste automatique. Révélez les détails perdus dans les ombres ou les hautes lumières extrêmes grâce à la commande Tons foncés/Tons clairs.

Rééquilibrez les couleurs avec la commande Couleur automatique. Photoshop CS propose un nouveau réglage simulant l'utilisation de filtres photographiques classiques. Comme ceux-ci, la commande Filtre photo produit des effets créatifs ou ajuste l'équilibre chromatique des photos.

La composition est un aspect souvent négligé d'une photo. L'outil Recadrage permet d'éliminer les parties superflues d'une image. Ceci redirige l'attention sur le sujet principal, ce qui dynamise la composition.

Peu d'appareils photo peuvent recréer la vue panoramique des yeux humains. Photomerge permet de rassembler plusieurs photos en une seule image panoramique.

Cerise sur le gâteau, une fois vos photos retouchées et améliorées, présentez-les à votre famille et à vos amis dans un diaporama. Vous pouvez même distribuer vos images sous cette forme.

TOP 100

REDRESSEZ UNE PHOTO AVEC l'outil Mesure

En raison d'une photo placée de travers sur la vitre du scanneur ou d'un appareil photo instable lors de la prise de vue, vous vous retrouvez avec une image inclinée. Quelle que soit la cause du problème, Photoshop offre la solution grâce à l'outil Mesure.

Cet outil, à l'apparence d'une règle, mesure la distance entre deux points. Il indique aussi l'angle formé par la ligne qui les relie par rapport à l'axe horizontal. La barre d'options affiche également des informations sur la position du point de départ.

Dans l'exemple, l'outil Mesure sert à déterminer l'angle d'inclinaison de la photo. Grâce à cette information, vous pouvez redresser la photo avec l'outil Recadrage.

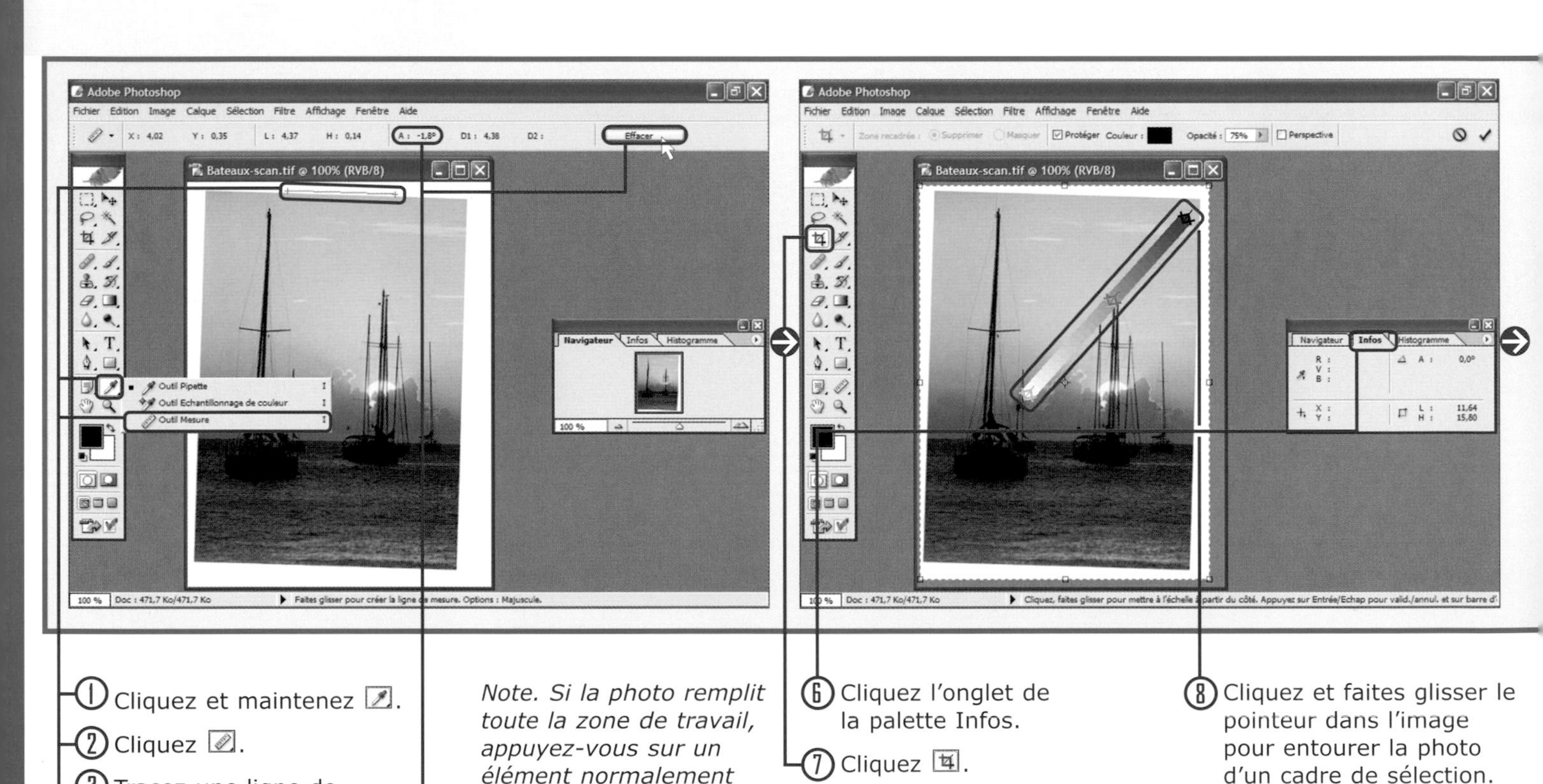

① Cliquez et maintenez .

② Cliquez .

③ Tracez une ligne de gauche à droite suivant un bord horizontal de la photo.

Note. Si la photo remplit toute la zone de travail, appuyez-vous sur un élément normalement horizontal de l'image, comme la ligne d'horizon, le haut d'un mur, etc.

④ Notez l'angle indiqué ici.

⑤ Cliquez **Effacer**.

⑥ Cliquez l'onglet de la palette Infos.

⑦ Cliquez .

⑧ Cliquez et faites glisser le pointeur dans l'image pour entourer la photo d'un cadre de sélection.

41

NIVEAU DE DIFFICULTÉ

Le saviez-vous ?

Faire pivoter toute la zone de travail peut aussi redresser la photo. Cliquez **Image ⇨ Rotation de la zone de travail ⇨ Paramétrée**. Dans la boîte de dialogue, tapez la valeur fournie par l'outil Mesure ( ) à l'étape **4**, sans son signe. Cliquez l'option **Horaire** si l'angle est positif, sinon cliquez **Antihoraire** (○ devient ◉). Cliquez **OK**. Photoshop peut rajouter des pixels blancs autour de la photo. Consultez la tâche n° 47 pour recadrer l'image.

Tentez l'expérience !

Vous pouvez gagner du temps en scannant plusieurs photos en même temps. Servez-vous ensuite de la commande **Rogner et désincliner les photos** pour enregistrer chaque image dans un fichier séparé. Consultez la tâche n° 89 pour plus d'informations.

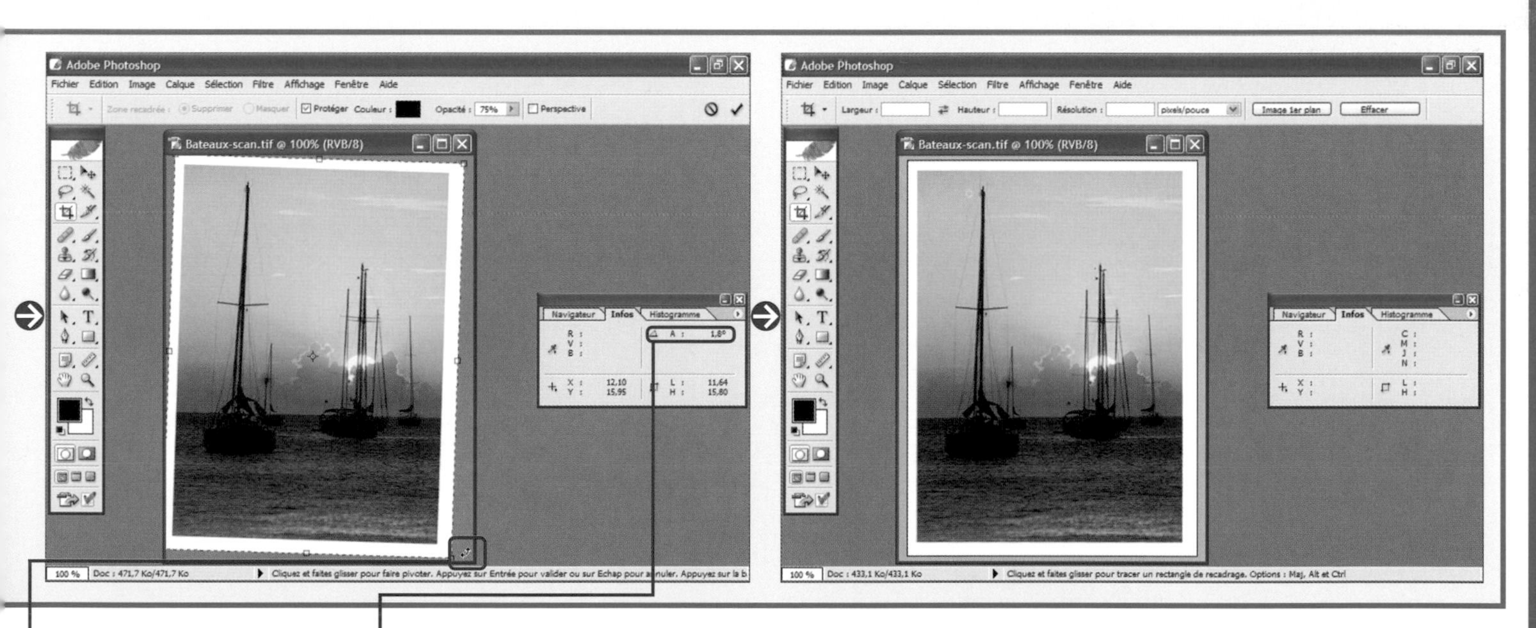

9 Placez le pointeur à l'extérieur d'un coin du cadre de sélection (devient).

10 Faites pivoter le cadre de sélection jusqu'à obtenir l'angle adéquat dans la palette Infos.

Note. L'angle indiqué dans la palette Infos doit contrebalancer l'inclinaison de la photo. Si vous obtenez un angle positif à l'étape 4, appliquez un angle négatif à l'étape 10, et inversement.

11 Appuyez sur **Entrée**.

○ Photoshop redresse la photo.

Rénovez une photo avec la COMMANDE FILTRE PHOTO

La commande Filtre photo crée des images dignes d'un photographe professionnel. Elle colore l'image à l'instar des filtres placés devant les objectifs des appareils photo. Photoshop propose 18 couleurs de filtres prédéfinis. Vous pouvez aussi choisir une couleur personnalisée dans le Sélecteur de couleurs.

Les options prédéfinies portent les mêmes noms que des véritables filtres photographiques. Elles reproduisent dans Photoshop des effets équivalents de ceux obtenus avec les filtres lors d'une prise de vue. La plupart servent à rééquilibrer les dominantes colorées dues à l'éclairage. Le filtre refroidissant 80, par exemple, élimine la dominante jaune orangée causée par la lumière à incandescence.

Consultez les sites de fabricants, comme Tiffen (www.tiffen.com) ou Hoya (www.hoya.com), si les descriptions de ces filtres photographiques vous intéressent.

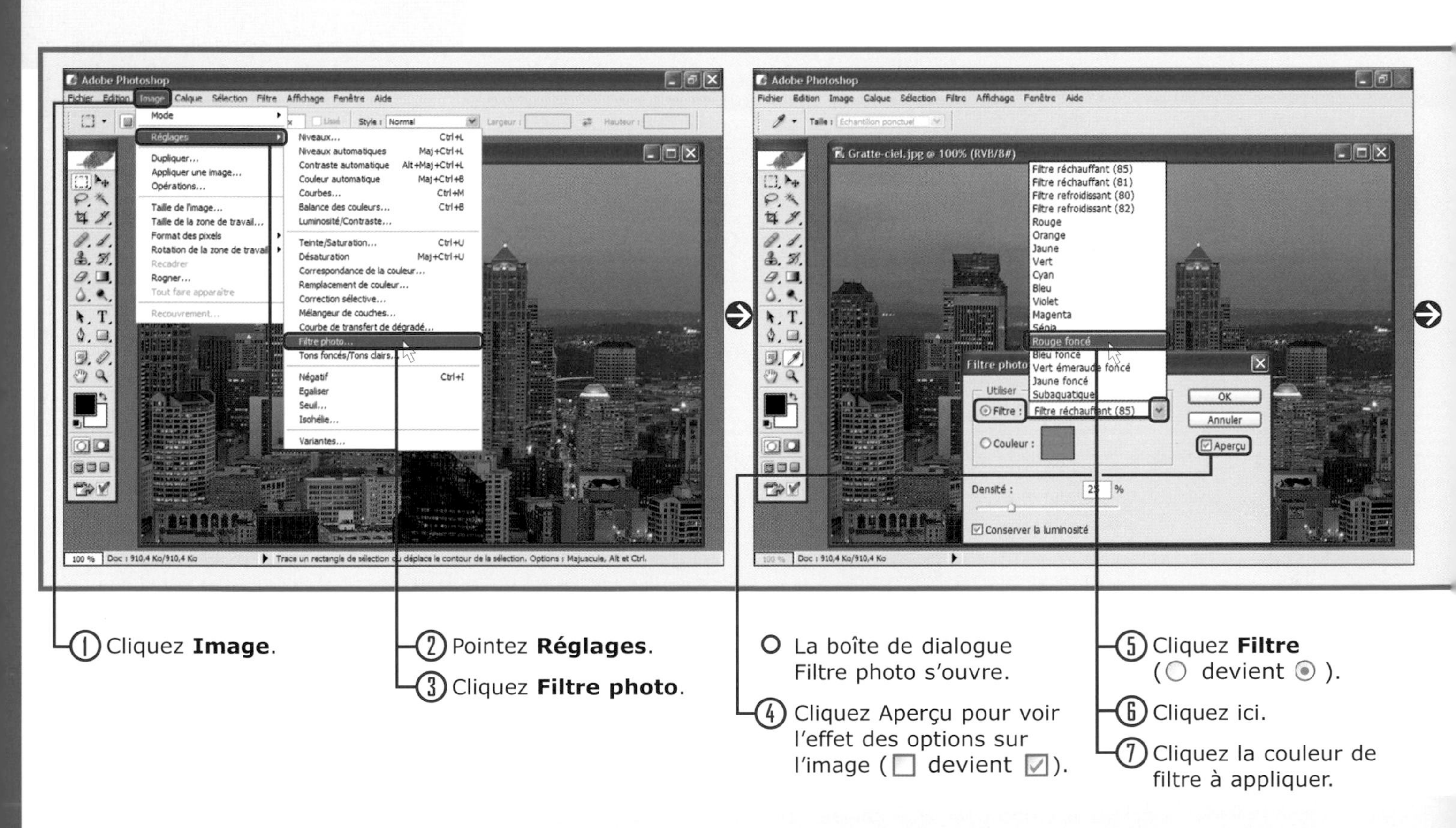

① Cliquez **Image**.

② Pointez **Réglages**.

③ Cliquez **Filtre photo**.

○ La boîte de dialogue Filtre photo s'ouvre.

④ Cliquez Aperçu pour voir l'effet des options sur l'image (☐ devient ☑).

⑤ Cliquez **Filtre** (○ devient ◉).

⑥ Cliquez ici.

⑦ Cliquez la couleur de filtre à appliquer.

NIVEAU DE DIFFICULTÉ

 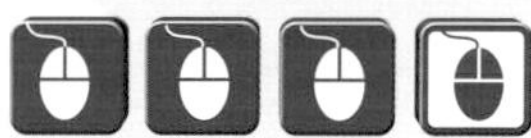 

Prudence !

Contrairement aux calques de réglages affectant les couleurs, comme Teinte/Saturation ou Balance des couleurs, la commande Filtre photo altère directement l'image. Vous ne pouvez revenir sur l'application de la commande qu'en cliquant **Edition ⇨ Annuler Filtre photo** immédiatement après. Par précaution, faites un essai sur une copie de l'image avant d'appliquer le filtre. Consultez la tâche n° 60 pour plus d'informations sur les calques de réglage.

Prudence !

Les filtres d'objectif dont Photoshop s'inspire sont conçus pour affecter la pellicule photo. Les options de la commande Filtre photo portent les mêmes noms et sont de la même couleur que les véritables filtres photographiques. Les résultats produits ne peuvent, toutefois, qu'approcher les effets de ces filtres sur un film.

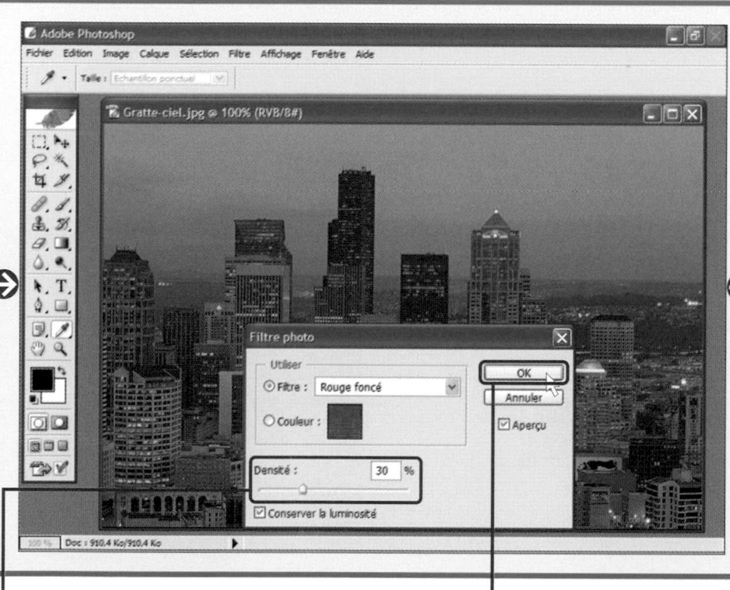

8 Faites glisser le curseur pour régler la densité du filtre.

9 Cliquez **OK**.

- Photoshop applique la couleur de filtre.

RÉGLEZ LES TONS AVEC

la commande Niveaux

La commande Niveaux est l'un des outils les plus puissants dont dispose Photoshop pour corriger les tonalités et les couleurs d'une image. Elle permet de corriger indépendamment les tons clairs, moyens et foncés.

La boîte de dialogue Niveaux affiche un histogramme. Celui-ci représente la densité de pixels sur toute la gamme de tons. Les trois curseurs sous l'histogramme servent à redistribuer les pixels. Une paire de curseurs, les curseurs de sortie, se trouve au bas de la boîte de dialogue. Ils servent à définir les valeurs des tons les plus foncés et les plus clairs d'une image destinée à l'impression commerciale.

Par défaut, les réglages affectent toutes les couches de couleur de l'image RVB ou CMJN. Vous pouvez ajuster une couche de couleur individuelle, pour corriger une dominante colorée, par exemple.

La commande Niveaux peut ajouter du contraste à une image terne ou faire ressortir les détails d'une photo.

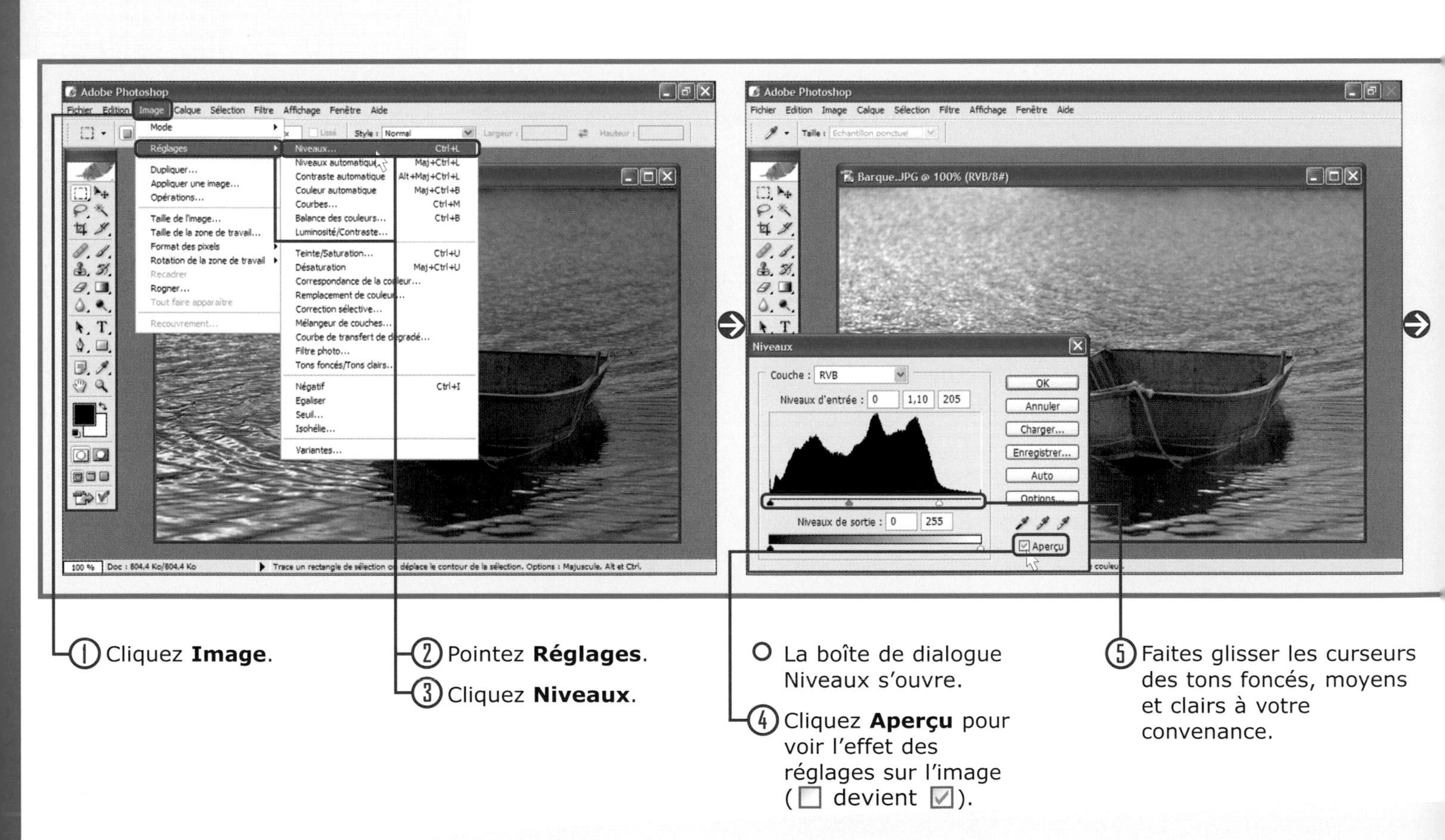

① Cliquez **Image**.

② Pointez **Réglages**.

③ Cliquez **Niveaux**.

○ La boîte de dialogue Niveaux s'ouvre.

④ Cliquez **Aperçu** pour voir l'effet des réglages sur l'image (☐ devient ☑).

⑤ Faites glisser les curseurs des tons foncés, moyens et clairs à votre convenance.

NIVEAU DE DIFFICULTÉ

Le saviez-vous ?

La commande **Image** ⇨ **Réglages** ⇨ **Niveaux automatiques** redistribue automatiquement les pixels de l'image dans la gamme de tons. Le résultat dépend des tonalités de l'image originale. La commande peut altérer l'équilibre des couleurs de l'image, car elle modifie séparément chaque couche de couleur. Vous pouvez aussi cliquer **Auto** dans la boîte de dialogue Niveaux pour appliquer une correction automatique. Si le résultat ne vous satisfait pas, procédez comme ci-dessous.

Ajoutez une touche personnelle !

Vous pouvez enregistrer les réglages effectués afin de les réutiliser ultérieurement. Dans la boîte de dialogue Niveaux, cliquez **Enregistrer**. Donnez un nom au fichier, dans la boîte de dialogue Enregistrer, et désignez son emplacement. Cliquez **Charger** dans la boîte de dialogue Niveaux pour réutiliser les paramètres enregistrés.

6 Si nécessaire, ajustez les niveaux de sortie.

7 Cliquez **OK**.

- Photoshop corrige les tons de l'image.

Rééquilibrez les couleurs avec la COMMANDE COULEUR AUTOMATIQUE

NIVEAU DE DIFFICULTÉ

La commande Couleur automatique applique rapidement une correction chromatique. Elle analyse les couleurs de la photo et tente de supprimer toute dominante colorée.

Il n'existe aucun moyen infaillible de distinguer d'une dominante les couleurs correctes d'une image. La commande Couleur automatique étudie, selon un processus complexe, chaque couche de couleur de l'image. Elle neutralise ensuite les déséquilibres flagrants. Elle obtient un résultat plus ou moins satisfaisant selon les photos.

Si la correction automatique ne donne pas le résultat escompté, ajustez manuellement les couleurs de l'image avec les commandes Niveaux ou Courbes.

1 Cliquez **Image**.

2 Pointez **Réglages**.

3 Cliquez **Couleur automatique**.

- Photoshop rééquilibre automatiquement les couleurs de l'image.

Ravivez une photo avec la COMMANDE CONTRASTE AUTOMATIQUE

45

NIVEAU DE DIFFICULTÉ

La commande Contraste automatique peut dynamiser rapidement une image terne. Elle augmente la différence de luminosité entre les zones claires et foncées de l'image, ce qui accentue le contraste.

Contrairement à la commande Niveaux automatique (consultez le haut de la page 97), Contraste automatique modifie l'image composite, c'est à dire toutes les couches de couleur simultanément. Elle n'altère donc pas l'équilibre des couleurs.

Comme toutes les commandes de correction automatique, la commande Contraste automatique obtient des résultats très variables selon les images originales. Des corrections manuelles supplémentaires, avec les commandes Niveaux ou Courbes, peuvent s'avérer nécessaires.

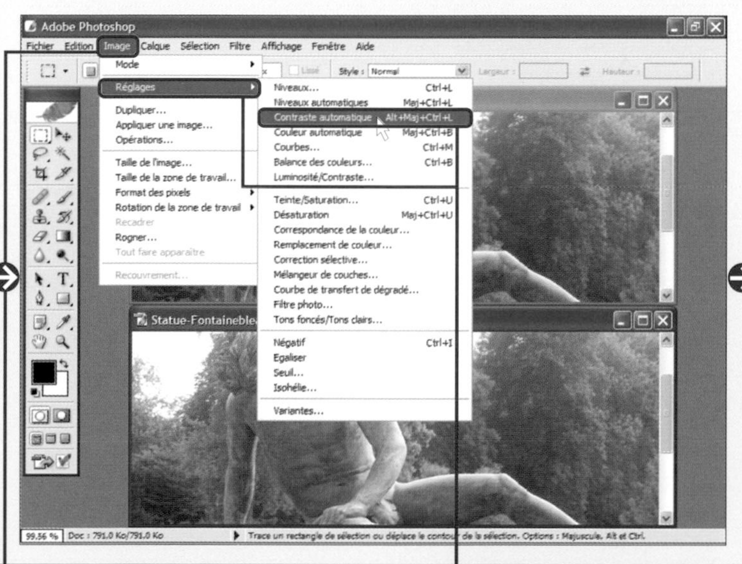

① Cliquez **Image**.

② Pointez **Réglages**.

③ Cliquez **Contraste automatique**.

Photoshop améliore automatiquement le contraste de l'image.

IMPORTEZ DES ÉLÉMENTS
d'une autre image

Vous pouvez créer des images insolites, comiques ou surréalistes en collant un objet ou un personnage d'une image dans une autre.

N'importe quel outil de sélection peut servir à isoler puis à copier un élément d'une image. Consultez le chapitre 3 pour plus d'informations sur les sélections. Photoshop dispose d'outils qui permettent d'extraire facilement un objet de son arrière-plan, comme le filtre Extraire et la Gomme d'arrière-plan. Consultez respectivement les tâches n° 23 et 36 pour plus d'informations.

Prêtez une attention particulière aux différences d'intensité, de qualité, de direction et de couleur de l'éclairage dans les deux photos. Un personnage photographié en intérieur, sous la lumière verdâtre d'un éclairage fluorescent, peut difficilement s'intégrer à une scène de bord de mer éclairée par la lumière chaude du soleil couchant. Si vous souhaitez quand même réaliser le montage, rectifiez la disparité d'éclairage avec les commandes de correction des tons et des couleurs comme Niveaux, Teinte/Saturation ou Courbes.

① Sélectionnez l'élément à exporter avec l'outil de sélection de votre choix.

② Cliquez **Edition**.

③ Cliquez **Copier**.

④ Ouvrez l'image de destination.

Ajoutez une touche personnelle !

NIVEAU DE DIFFICULTÉ

Vous pouvez coller le contenu d'une image dans une autre et créer en même temps un masque de fusion. Vous utilisez, pour cela, la commande **Edition ⇨ Coller dedans (Maj+Ctrl+V)**. Pour reproduire l'effet ci-dessous, par exemple, sélectionnez la zone de l'image de destination où l'élément importé doit apparaître. Copiez toute l'image source en appuyant sur **Ctrl+A** puis sur **Ctrl+C**. Collez-la dans l'image de destination en appuyant sur **Maj+Ctrl+V**. L'image apparaît sur un nouveau calque associé à un masque de fusion. Seule la partie incluse dans la sélection définie au préalable est visible. Pour n'afficher que la partie exclue de la sélection, collez l'image en appuyant sur **Maj+Alt+Ctrl+V**. Utilisez l'outil Déplacement (▶) pour changer la partie visible. Consultez les tâches n° 25 et 26 pour plus d'informations sur les masques de fusion.

Le saviez-vous ?

Pour une meilleure fusion de l'élément importé dans l'image de destination, vous pouvez ajouter un contour progressif à la sélection. La sélection faite, cliquez **Sélection ⇨ Contour progressif**. Tapez la valeur adéquate dans la boîte de dialogue **Contour progressif**. Certains outils de sélection présentent une option Contour progressif dans la barre d'options.

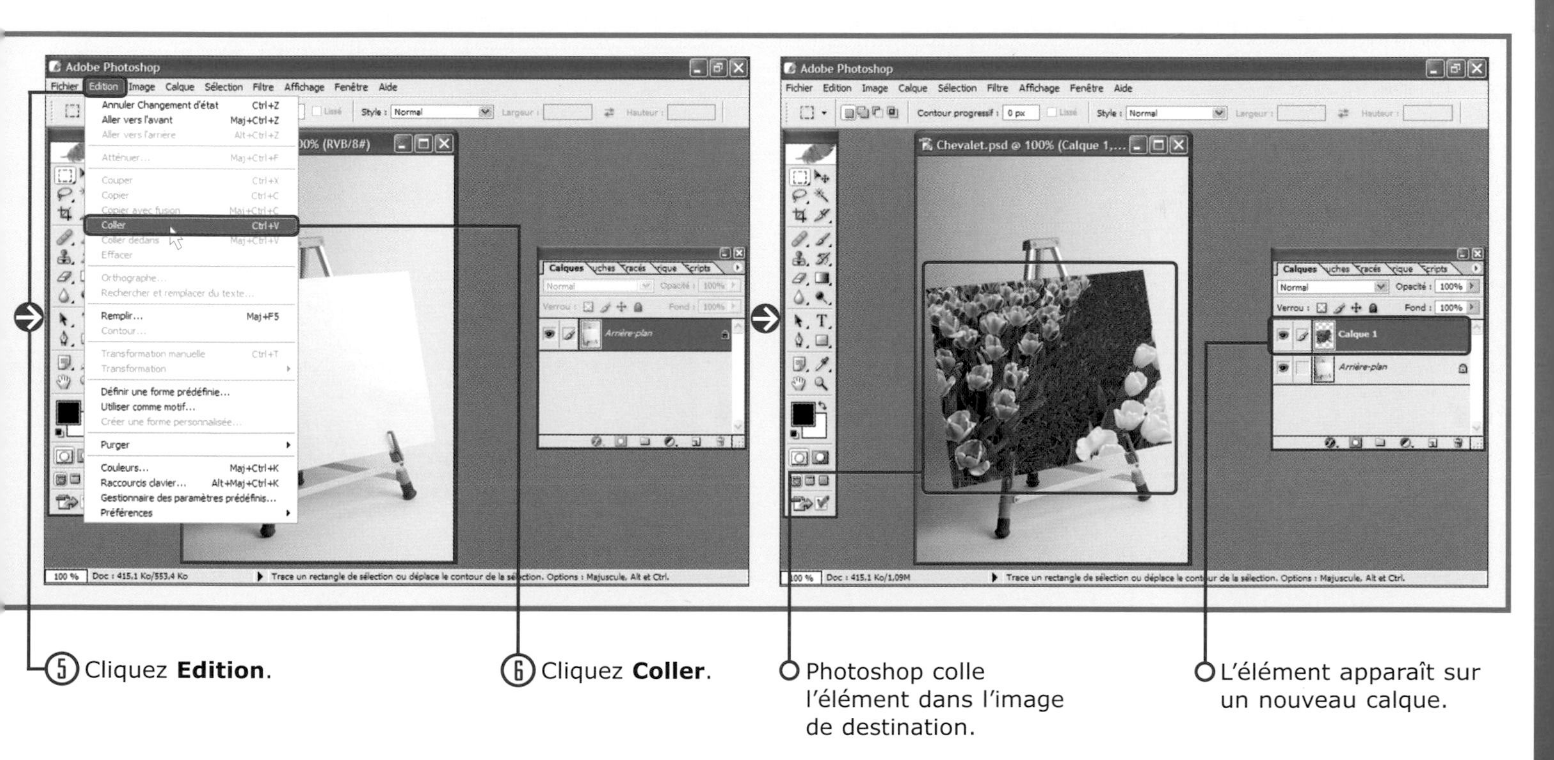

⑤ Cliquez **Edition**.

⑥ Cliquez **Coller**.

○ Photoshop colle l'élément dans l'image de destination.

○ L'élément apparaît sur un nouveau calque.

RECOMPOSEZ UNE PHOTO

avec l'outil Recadrage

Parfois, un simple recadrage suffit pour donner plus d'impact à une image banale. L'outil Recadrage enlève la partie de l'image hors des limites que vous définissez. L'image recadrée prend les dimensions de la sélection.

Vous pouvez utiliser l'outil Recadrage pour recomposer une photo autour du sujet principal. Il peut aussi tout simplement servir à retirer de l'espace inutile. Ceci réduit par la même occasion la taille du fichier.

La barre d'options permet de paramétrer le fonctionnement de l'outil Recadrage. Entrer des valeurs dans les zones Largeur et Hauteur détermine d'avance les dimensions de l'image recadrée. Le cadre de sélection tracé avec l'outil Recadrage garde les mêmes proportions que les dimensions définies.

Recadrez avec prudence les images destinées à l'impression. Si vous devez modifier la taille d'une photo déjà recadrée, celle-ci peut perdre en définition. Ceci affecte la qualité de l'image imprimée. Prévoyez aussi une certaine marge pour tenir compte d'un éventuel rognage pour mettre l'image au format.

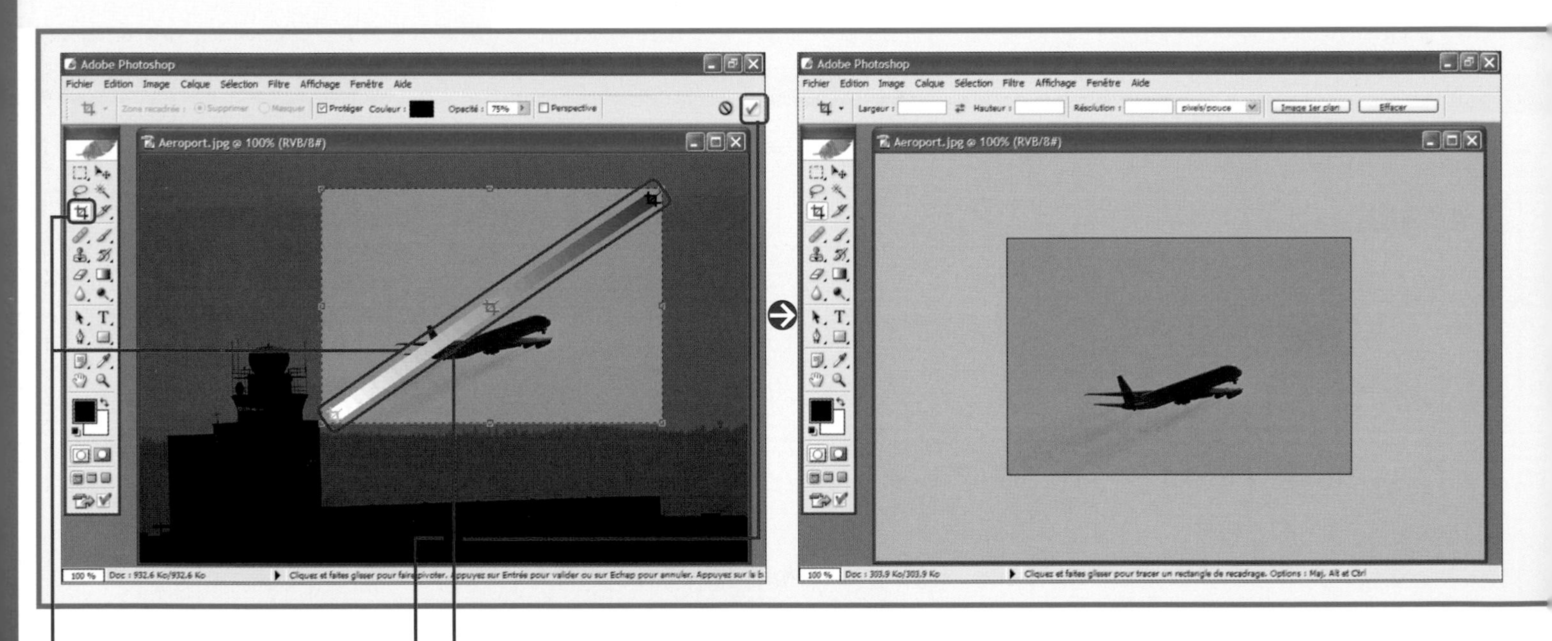

RECADRER UNE PHOTO

1. Cliquez [icône Recadrage].
2. Cliquez et faites glisser le pointeur dans l'image pour définir la partie à conserver.
3. Cliquez et faites glisser les poignées du cadre pour le redimensionner.
4. Cliquez [icône ✓].

- Photoshop recadre la photo.

47

NIVEAU DE DIFFICULTÉ

Le saviez-vous ?

Les outils de sélection peuvent aussi servir à recadrer une image. Sélectionnez la partie de l'image à conserver. Cliquez ensuite **Image** ⇨ **Recadrer**. La commande enlève les zones hors de la sélection. L'image recadrée reste rectangulaire même si la sélection définie possède des contours complexes.

Prudence !

Le recadrage affecte tous les calques de l'image, même masqués. En outre, les pixels enlevés sont définitivement perdus, à moins de cliquer **Masquer** dans la barre d'options (○ devient ◉), une fois le rectangle de recadrage défini. Les pixels enlevés sont alors simplement masqués. Vous pouvez les retrouver en cliquant **Image** ⇨ **Tout faire apparaître**. L'option **Masquer** est indisponible si vous travaillez sur le calque Arrière-plan.

AJOUTER DE L'ESPACE AUTOUR D'UNE PHOTO

1. Cliquez et faites glisser un coin de la fenêtre d'image pour l'agrandir.
2. Cliquez ⌗.
3. Cliquez et faites glisser le pointeur dans l'image.
4. Cliquez et faites glisser les poignées du cadre hors des limites de la photo.
5. Cliquez ✓.

- La surface de la zone de travail augmente.
- Photoshop remplit l'espace supplémentaire avec la couleur d'arrière-plan si l'image est sur le calque Arrière-plan, avec des pixels transparents sur un autre calque.

Créez une image panoramique avec PHOTOMERGE

Photomerge rassemble plusieurs photos en une seule image panoramique. Une image panoramique dépasse les dimensions d'une photo normale. Elle convient tout particulièrement aux vastes étendues de paysage, qu'une photo au format normal peut difficilement rendre entièrement. Il existe des appareils spéciaux qui prennent des vues panoramiques. Grâce à Photoshop, vous pouvez créer une image panoramique avec les photos prises par votre appareil habituel.

Photoshop crée la composition Photomerge avec les photos source que vous désignez. Vous pouvez rectifier le placement et l'alignement automatiques réalisés par Photoshop.

La boîte de dialogue Photomerge inclut tous les outils nécessaires à l'organisation, la manipulation et l'assemblage des photos. Au-dessus de la zone de travail proprement dite se trouve la « boîte à lumière ». Cet espace, équivalent de la table lumineuse des photographes, permet d'organiser les images à assembler. Elle propose aussi des options ajustant la perspective.

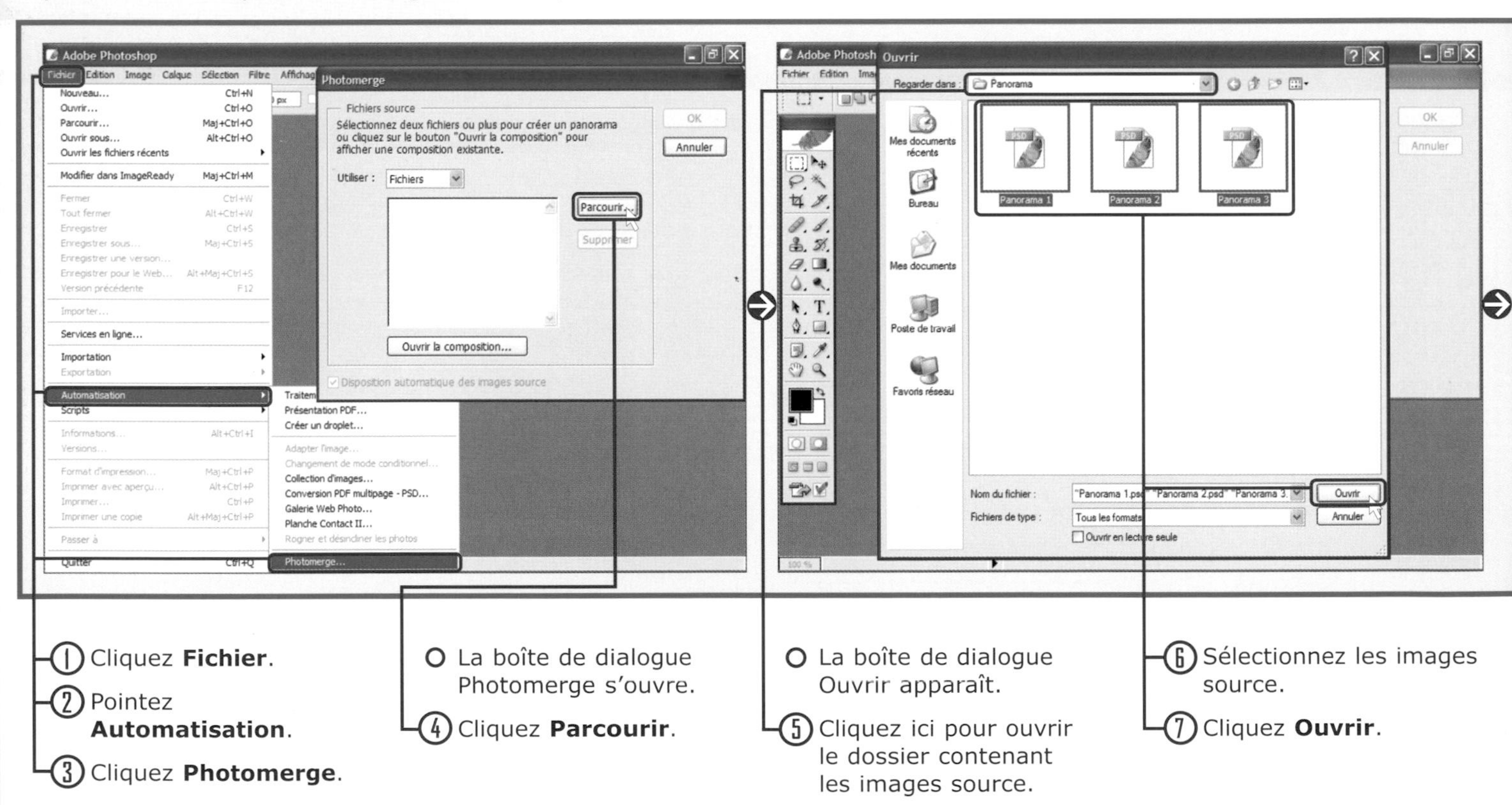

1. Cliquez **Fichier**.
2. Pointez **Automatisation**.
3. Cliquez **Photomerge**.

- La boîte de dialogue Photomerge s'ouvre.

4. Cliquez **Parcourir**.

- La boîte de dialogue Ouvrir apparaît.

5. Cliquez ici pour ouvrir le dossier contenant les images source.
6. Sélectionnez les images source.
7. Cliquez **Ouvrir**.

NIVEAU DE DIFFICULTÉ

Le saviez-vous ?

Voici quelques précautions à prendre lorsque vous prenez des photos destinées à créer une image panoramique avec Photomerge :

- Stabilisez l'appareil photo à l'aide d'un pied ou d'un trépied. Ceci permet de le faire pivoter de gauche à droite sans changer le niveau de l'objectif.
- Gardez le même point de vue afin de ne pas rompre la cohérence des photos.
- Conservez la même longueur focale pour toute la prise de vue. Évitez d'actionner le zoom entre deux photos.
- Harmonisez l'exposition des photos. Évitez, par exemple d'utiliser le flash pour certaines photos seulement.
- Veillez à ce que le contenu de chaque photo empiète légèrement sur la précédente et la suivante.
- Un objectif grand-angle permet d'élargir le champ photographié. Évitez toutefois d'utiliser des objectifs déformants comme les objectif super grand angulaire ou « fish-eye ».

SUITE

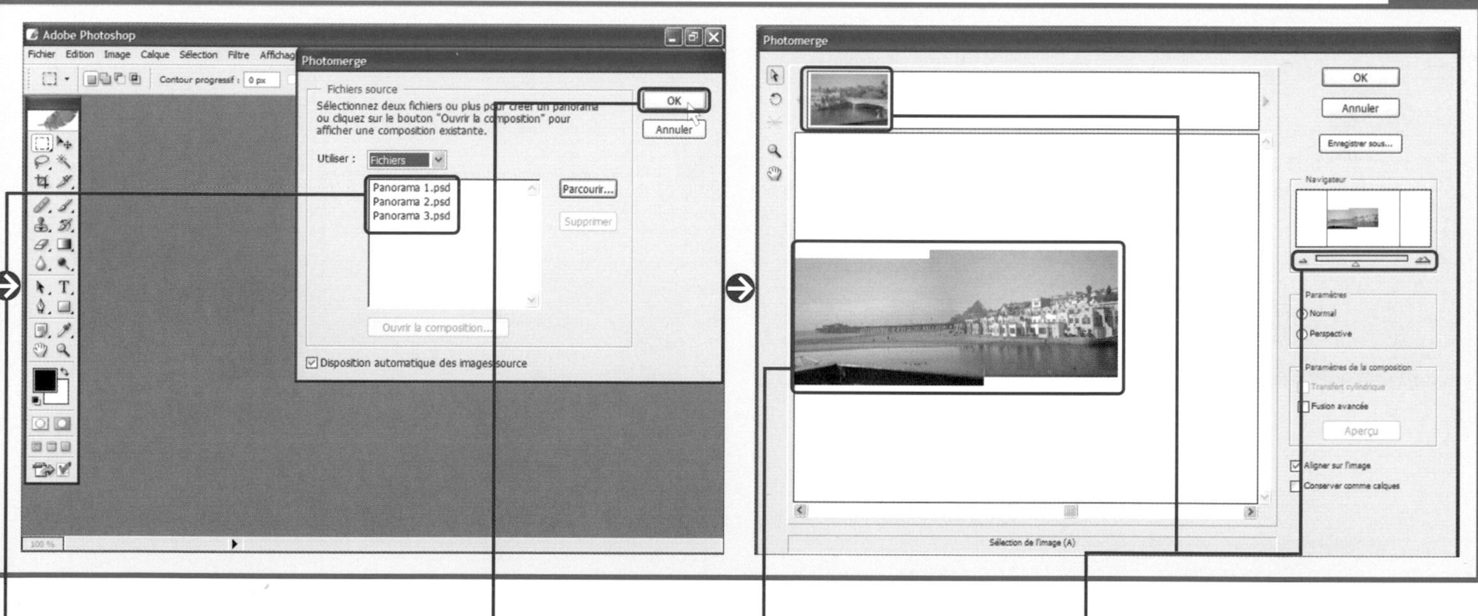

- Les noms des fichiers apparaissent dans la liste des fichiers source.

8 Cliquez **OK**.

- Photoshop tente d'assembler des photos en une seule image panoramique.

- Les vignettes des images que Photoshop ne parvient pas à joindre s'affichent dans la boîte à lumière.
- Vous pouvez faire glisser le curseur pour effectuer un zoom avant ou arrière de la composition.

Créez une image panoramique avec PHOTOMERGE

Un repositionnement manuel des photos source peut s'avérer nécessaire lors de leur assemblage dans la boîte de dialogue Photomerge. Celle-ci offre tous les outils nécessaires à cette fin. L'outil Zoom permet de voir plus précisément la jonction de deux photos lors des ajustements manuels.

Photoshop a plus de chance de réussir l'assemblage automatique si chaque photo déborde légèrement sur les photos adjacentes. Prévoyez un chevauchement de 15 % à 40 % pour un résultat optimal. Ne dépassez pas cette limite, toutefois, car les photos doivent rester suffisamment différentes les unes des autres.

La composition Photomerge achevée, vous pouvez la manipuler comme n'importe quelle autre image. Ajustez, par exemple, la couleur ou la luminosité sur les raccords pour les estomper.

SUITE

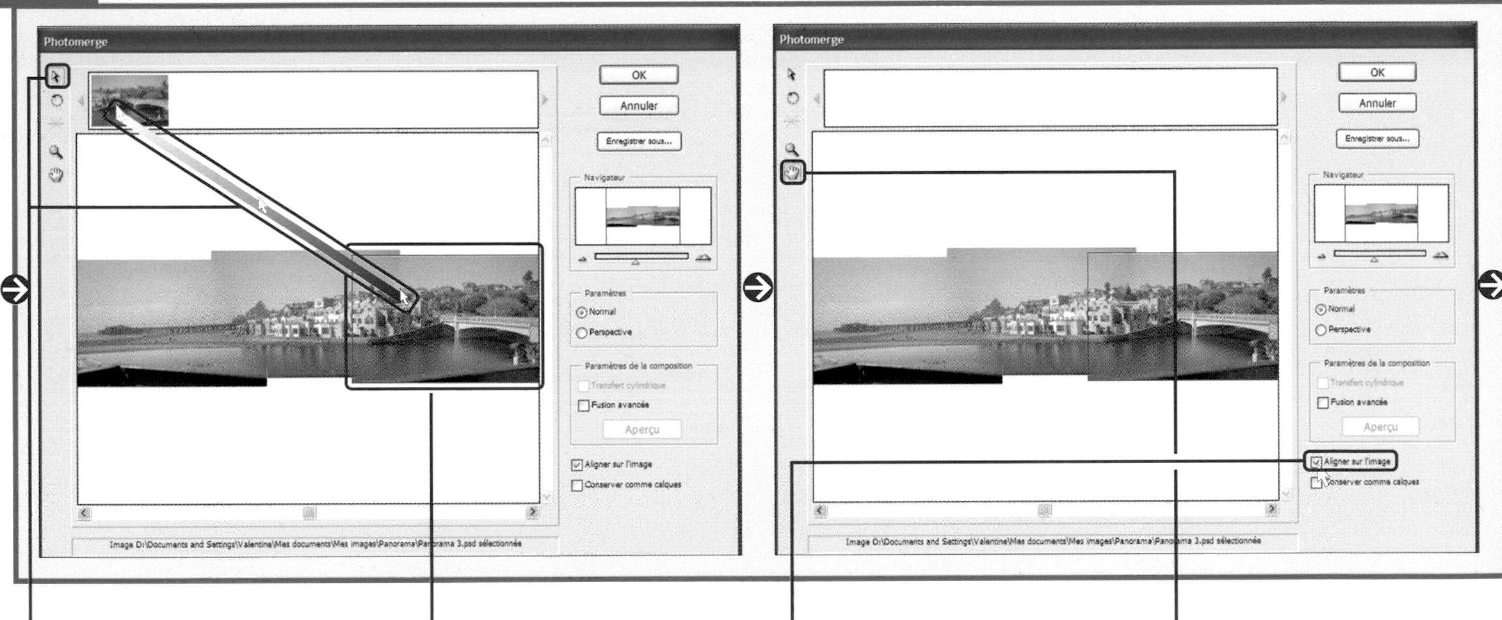

9. Cliquez.

10. Faites glisser une image de la boîte à lumière dans la zone de travail.

11. Alignez la photo sur l'image adjacente dans la composition.

- Si vous cliquez Aligner sur l'image (☐ devient ☑), Photoshop tente d'ajuster automatiquement la position de l'image.

- Vous pouvez cliquer, puis cliquer et faire glisser l'image panoramique pour la déplacer dans la zone de travail.

12. Répétez les étapes 9 à 11 pour toutes les images dans la boîte à lumière.

48 SUITE

Le saviez-vous ?

Photoshop utilise des méthodes similaires à celles des outils Correcteur et Pièce pour fusionner les pixels au niveau de la jointure de deux photos adjacentes. Comme les outils Pièce et Correcteur, Photomerge respecte la texture et la luminosité des pixels fusionnés. Ainsi, le montage ne laisse aucune démarcation. Consultez respectivement les tâches n° 31 et 33 pour plus d'informations sur les outils Correcteur et Pièce.

Le saviez-vous ?

Vous pouvez aussi réaliser une image panoramique verticale. Commencez par appliquer une rotation à 90° aux photos verticales à assembler pour que Photomerge les considère comme des photos horizontales. L'assemblage terminé, appliquez à nouveau une rotation à 90° à l'image panoramique afin d'obtenir une image verticale. Utilisez la commande **Image ⇨ Rotation de la zone de travail ⇨ 90° horaire** ou **90° antihoraire** pour changer l'orientation des images.

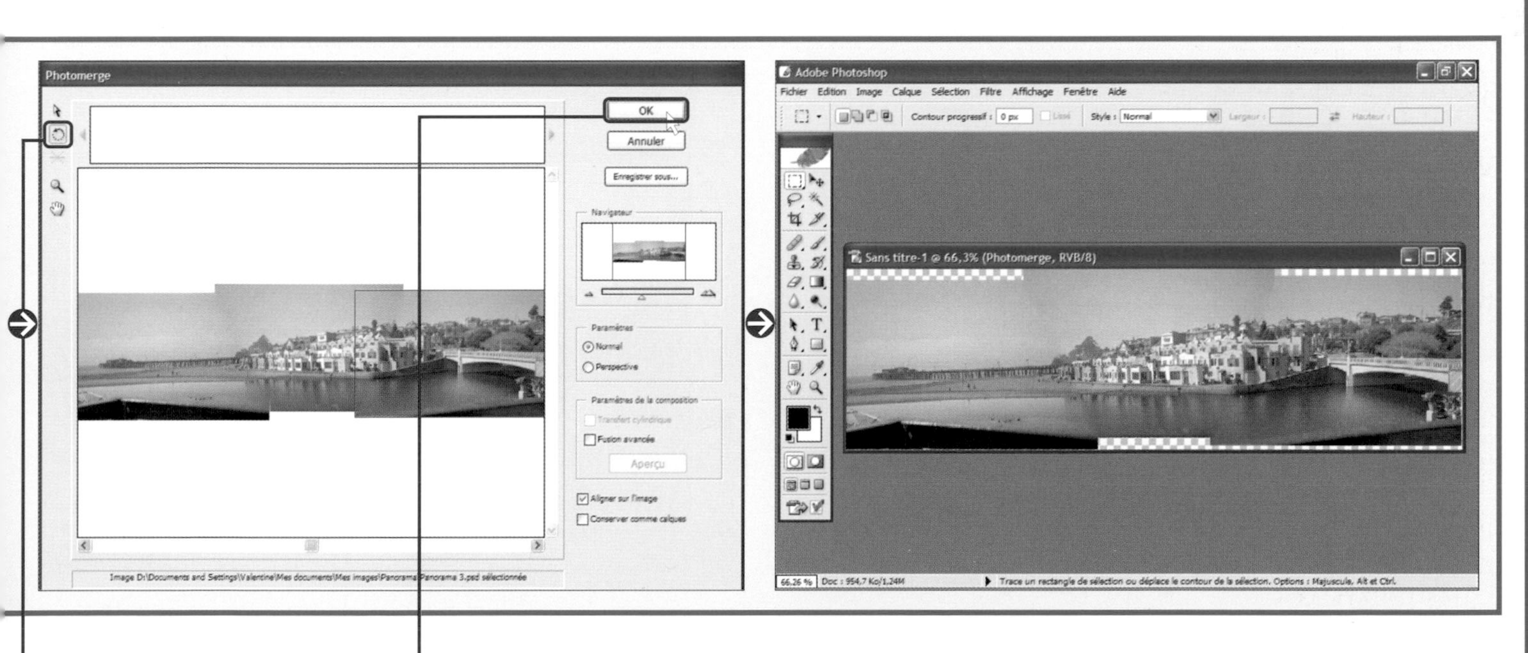

- Si nécessaire, cliquez , puis cliquez et faites glisser le coin d'une photo pour la faire pivoter.

- Vous pouvez cliquer **Ctrl+Z** pour annuler la dernière manipulation effectuée. Répétez pour annuler plusieurs actions successives.

13 Cliquez **OK**.

- Photoshop assemble les photos en une seule image panoramique.

Améliorez l'exposition avec la COMMANDE TONS FONCÉS/TONS CLAIRS

La commande Tons foncés/Tons clairs améliore rapidement les photographies comportant des zones sous-exposées ou surexposées.

En cas d'éclairage à contre-jour, le sujet est généralement sous-exposé alors que l'arrière-plan est légèrement surexposé. Lors d'une prise de vue avec un flash, le sujet est surexposé s'il se trouve trop près de l'appareil. Vous pouvez bien sûr rectifier ce type de problème avec les outils classiques de correction des tonalités proposés par Photoshop.

La commande Tons foncés/Tons clairs facilite considérablement l'opération. Elle analyse les tons foncés et clairs de l'image et corrige de manière sélective les zones trop sombres ou trop brillantes. Quelques réglages dans une boîte de dialogue suffisent et vous voyez le résultat en temps réel sur l'image.

① Cliquez **Image**.

② Pointez **Réglages**.

③ Cliquez **Tons foncés/Tons clairs**.

○ La boîte de dialogue Tons foncés/Tons clairs s'ouvre.

④ Cliquez **Aperçu** pour voir l'effet des réglages sur l'image (☐ devient ☑).

49

NIVEAU DE DIFFICULTÉ

Le saviez-vous ?

Vous pouvez cliquer **Afficher plus d'option** (☐ devient ☑), pour accéder aux options avancées de la boîte de dialogue Tons foncés/Tons clairs. Ces options offrent un meilleur contrôle des réglages effectués. Consultez l'aide de Photoshop CS pour plus d'informations.

Le saviez-vous ?

Vous pouvez enregistrer les paramètres appliqués dans la boîte de dialogue Tons foncés/Tons clairs pour les réutiliser ultérieurement. Cliquez **Enregistrer** et donnez un nom au fichier dans la boîte de dialogue Enregistrer. Pour charger les paramètres enregistrés, cliquez **Charger**. Sélectionnez le fichier SHH et cliquez **Charger** dans la boîte de dialogue du même nom.

5 Faites glisser le curseur pour ajuster les tons foncés.

6 Faites glisser le curseur pour régler les tons clairs.

7 Cliquez **OK**.

○ Photoshop corrige l'exposition de l'image.

Réalisez un DIAPORAMA PDF

Photoshop propose un moyen à la fois utile et agréable de présenter vos images : une présentation PDF. Photoshop réunit les images désignées pour constituer un diaporama au format PDF.

Indiquez l'emplacement des fichiers à importer. Photoshop se charge de la mise en forme du diaporama. Vous pouvez paramétrer certaines options comme le délai et les effets de transition entre deux images.

Le diaporama PDF constitue un moyen simple et commode de partager vos images, dans le domaine professionnel ou privé. La lecture du diaporama nécessite Adobe Reader, téléchargeable gratuitement depuis l'Internet. Le format PDF est aujourd'hui largement répandu.

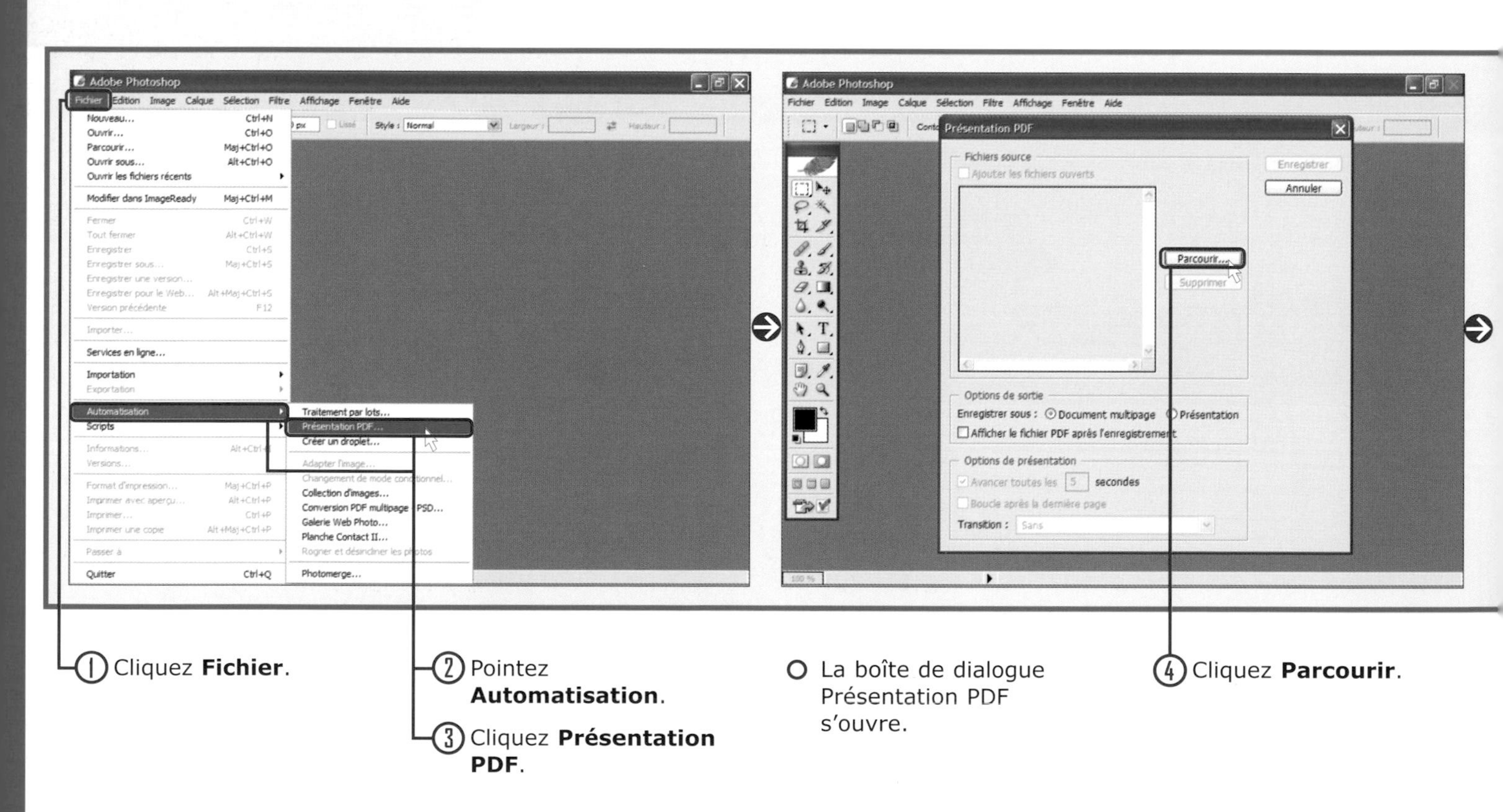

① Cliquez **Fichier**.

② Pointez **Automatisation**.

③ Cliquez **Présentation PDF**.

○ La boîte de dialogue Présentation PDF s'ouvre.

④ Cliquez **Parcourir**.

Ajoutez une touche personnelle !

Vous pouvez distribuer le diaporama PDF de différentes manières, selon la taille du fichier PDF généré. Vous pouvez l'envoyer par courrier électronique, en pièce jointe, ou le graver sur un CD ou un DVD, lisible sur la grande majorité des ordinateurs. Pour tirer un meilleur profit du diaporama, la lecture doit se faire avec la version la plus récente d'Adobe Reader. Celle-ci est téléchargeable depuis l'adresse http://www.adobe.fr/products/acrobat/readermain.html.

NIVEAU DE DIFFICULTÉ

Ajoutez une touche personnelle !

Vous pouvez choisir des images provenant de plusieurs dossiers différents. Après l'étape **6** ci-dessous, cliquez à nouveau **Parcourir** pour sélectionner des images dans un autre dossier. Pour supprimer une image du diaporama, cliquez-la dans la liste des fichiers source, dans la boîte de dialogue Présentation PDF, puis cliquez **Supprimer**.

SUITE ▶

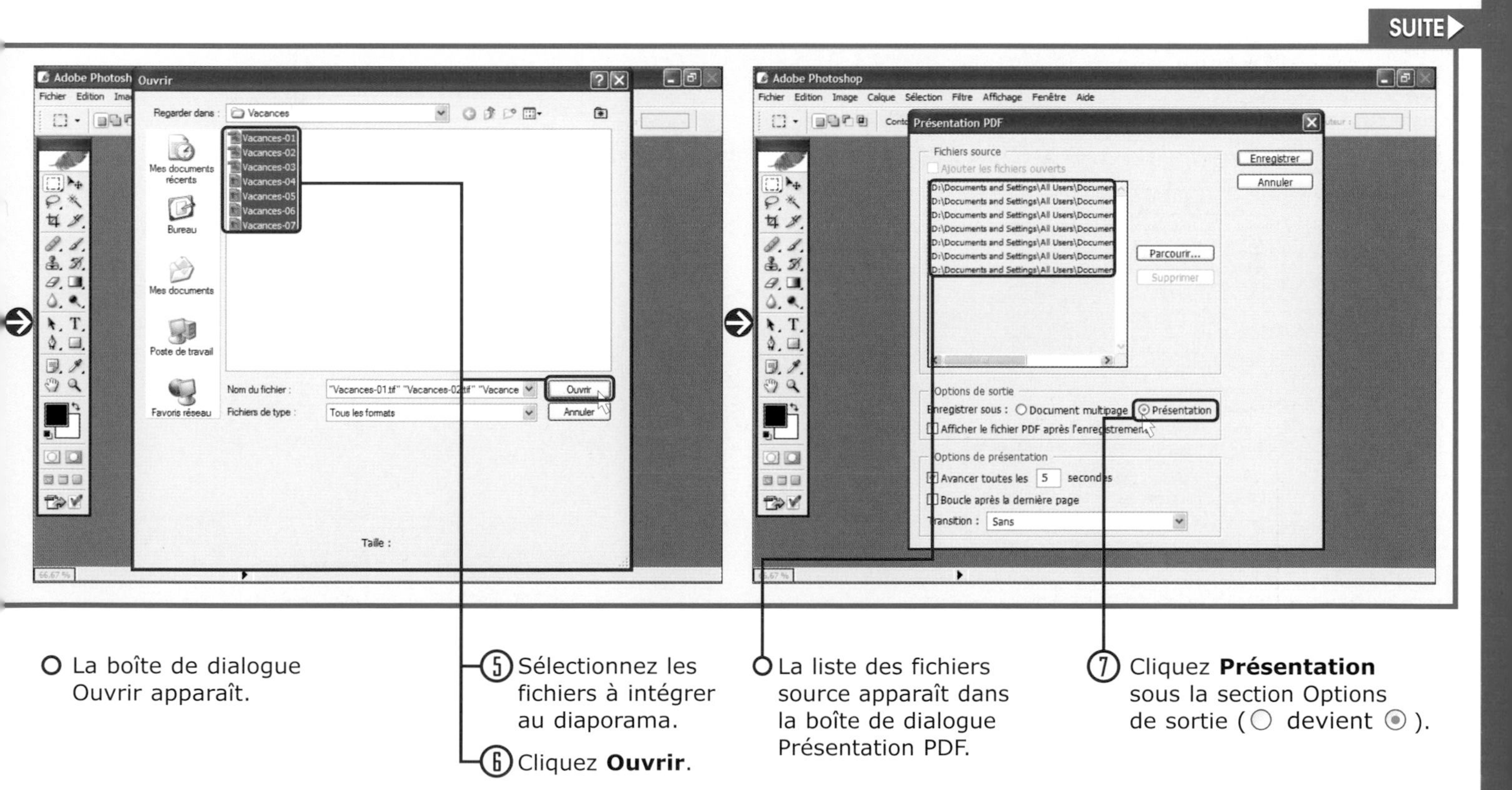

- La boîte de dialogue Ouvrir apparaît.

5. Sélectionnez les fichiers à intégrer au diaporama.
6. Cliquez **Ouvrir**.

- La liste des fichiers source apparaît dans la boîte de dialogue Présentation PDF.

7. Cliquez **Présentation** sous la section Options de sortie (○ devient ⦿).

Réalisez un DIAPORAMA PDF

Les options choisies dans la boîte de dialogue Présentation PDF affectent l'apparence générale du diaporama. Vous pouvez combiner les options de différentes manières pour obtenir des diaporamas de styles variés. Grâce à cette flexibilité, la présentation PDF devient un outil particulièrement intéressant.

Vous pouvez spécifier la durée d'affichage de chaque image. Un affichage prolongé peut, par exemple, mettre avantageusement en valeur des reproductions d'œuvres d'art. Un défilement plus rapide convient mieux à des images assez similaires et répétitives. Le diaporama peut s'afficher en boucle ou s'arrêter après la dernière image. Une présentation en boucle convient mieux, par exemple, lors d'un salon professionnel.

Photoshop propose aussi une sélection d'effets de transition qui renforcent l'impact du diaporama. Ces effets permettent une transition fluide d'une image à l'autre.

SUITE

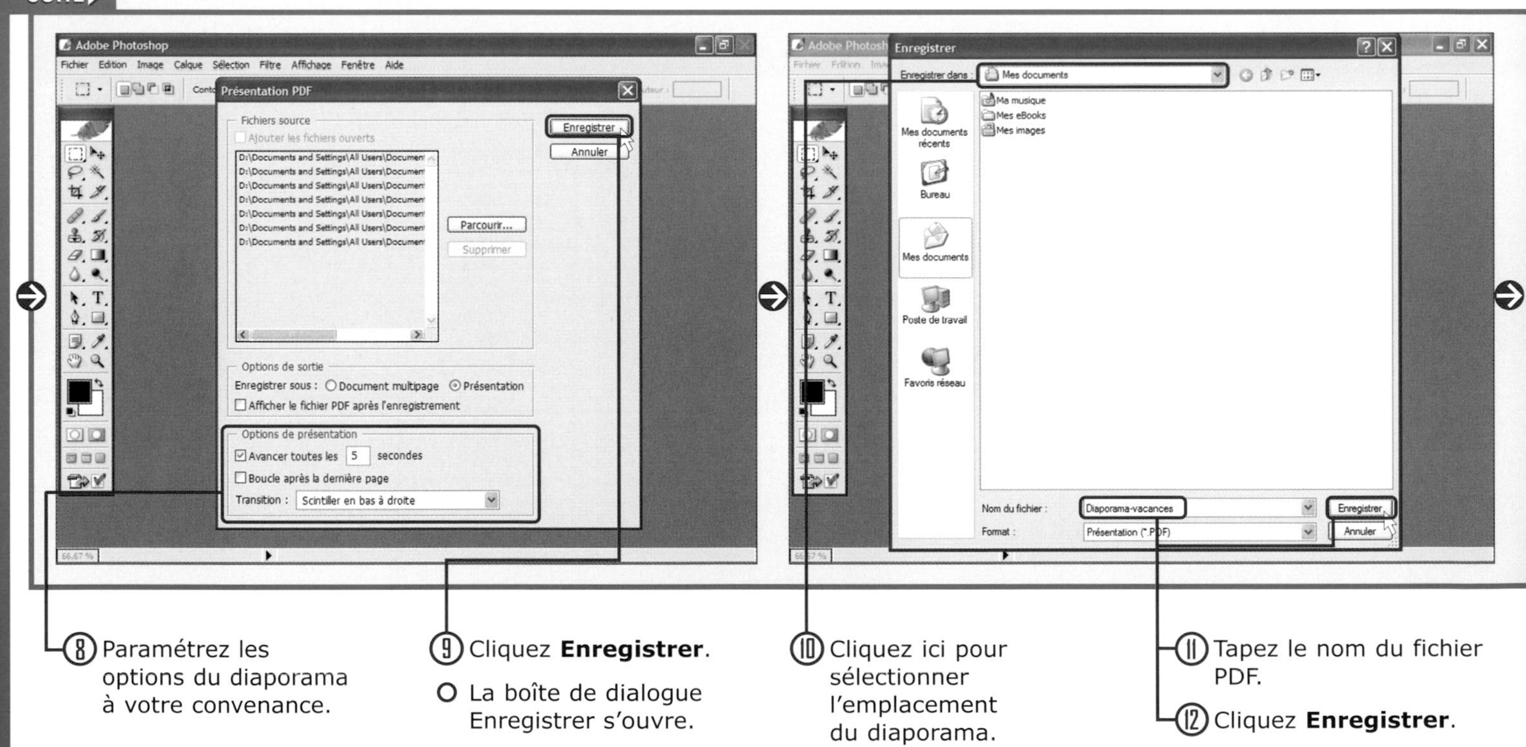

8 Paramétrez les options du diaporama à votre convenance.

9 Cliquez **Enregistrer**.

- La boîte de dialogue Enregistrer s'ouvre.

10 Cliquez ici pour sélectionner l'emplacement du diaporama.

11 Tapez le nom du fichier PDF.

12 Cliquez **Enregistrer**.

50

SUITE

Le saviez-vous ?

Vous pouvez modifier l'ordre de succession des images dans la boîte de dialogue Présentation PDF. Cliquez une image et faites-la glisser vers sa nouvelle position dans la liste des fichiers source. Vous pouvez aussi cliquer **Supprimer** pour enlever du diaporama le fichier en surbrillance.

Prudence !

Vous pouvez ajouter autant d'images que vous le souhaitez dans le diaporama, et inclure des images à haute résolution. Prêtez tout de même attention à la taille du fichier PDF final. Réduisez la taille des images à intégrer au diaporama pour limiter la taille du fichier PDF. Vous pouvez aussi augmenter la compression dans la section **Codage** de la boîte de dialogue Options PDF. Si vous souhaitez garder des images de grande taille, diminuez le nombre d'images du diaporama.

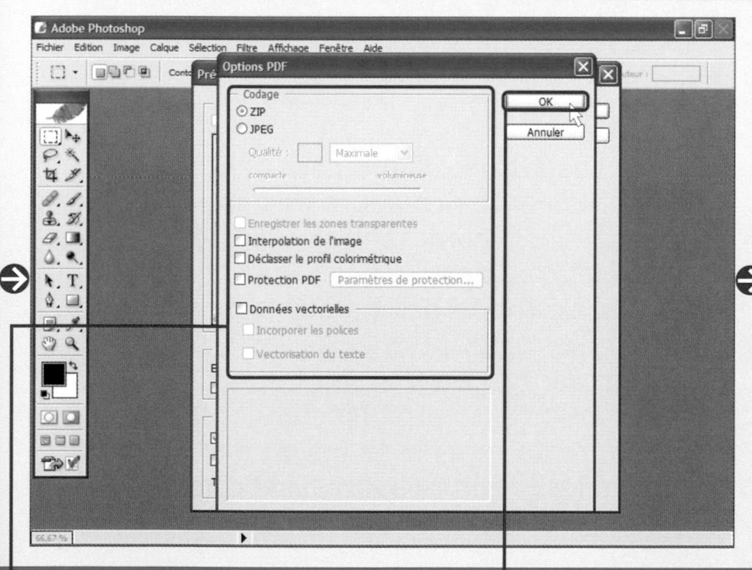

- La boîte de dialogue Options PDF s'ouvre.

13. Sélectionnez la méthode de compression et d'autres options dans la boîte de dialogue Options PDF.

14. Cliquez **OK**.

- Photoshop crée et enregistre le diaporama PDF.

15. Double-cliquez le fichier PDF pour lancer le diaporama.

- Vous pouvez cliquer avec le bouton gauche pour avancer d'une image, avec le bouton droit pour reculer. Appuyez sur **Echap** pour arrêter le diaporama.
- La figure ci-dessus montre un effet de transition.

Manipulez les couleurs

Des couleurs à la fois vibrantes et réalistes conditionnent la qualité d'une image numérique. Ce n'est donc pas une surprise que la grande majorité des outils de Photoshop concernent l'ajustement des couleurs.

Certains outils règlent l'équilibre chromatique global de l'image, comme les commandes Balance des couleurs et Variantes. Cette dernière permet de corriger une dominante colorée en quelques clics, de manière intuitive et ergonomique. Photoshop propose aussi des outils ne modifiant qu'une couleur spécifique. La commande Remplacement de couleur permet, par exemple, de remplacer rapidement une couleur par une autre.

Ce chapitre explique comment manipuler les couleurs des images mais aussi comment ajouter de la couleur aux photos en niveaux de gris. Le mode de couleur Bichromie, par exemple, permet de les transformer en image en deux tons. En associant l'outil Pinceau et les différents modes de fusion des calques, vous pouvez aussi coloriser une photo en noir et blanc.

Enfin, les calques de remplissage et de réglage permettent d'appliquer ou d'ajuster les couleurs sans altérer irrémédiablement l'image originale.

Grâce à ces outils, rehaussez les couleurs de vos images et donnez-leur plus d'impact.

TOP 100

Harmonisez les couleurs de deux images avec CORRESPONDANCE DE LA COULEUR

La commande Correspondance de la couleur ajuste les couleurs d'une image en les harmonisant avec celles d'une autre. Elle règle aussi la luminosité, l'équilibre des couleurs et la saturation en s'appuyant sur les caractéristiques de l'image source. Ceci permet, par exemple, d'accorder un élément extrait d'une image avec l'image destinée à le recevoir (consultez la tâche n° 46).

La commande Correspondance de la couleur peut considérer comme source et comme cible une image, un calque ou une sélection. Les calques source et cible peuvent appartenir à la même image ou à deux images différentes.

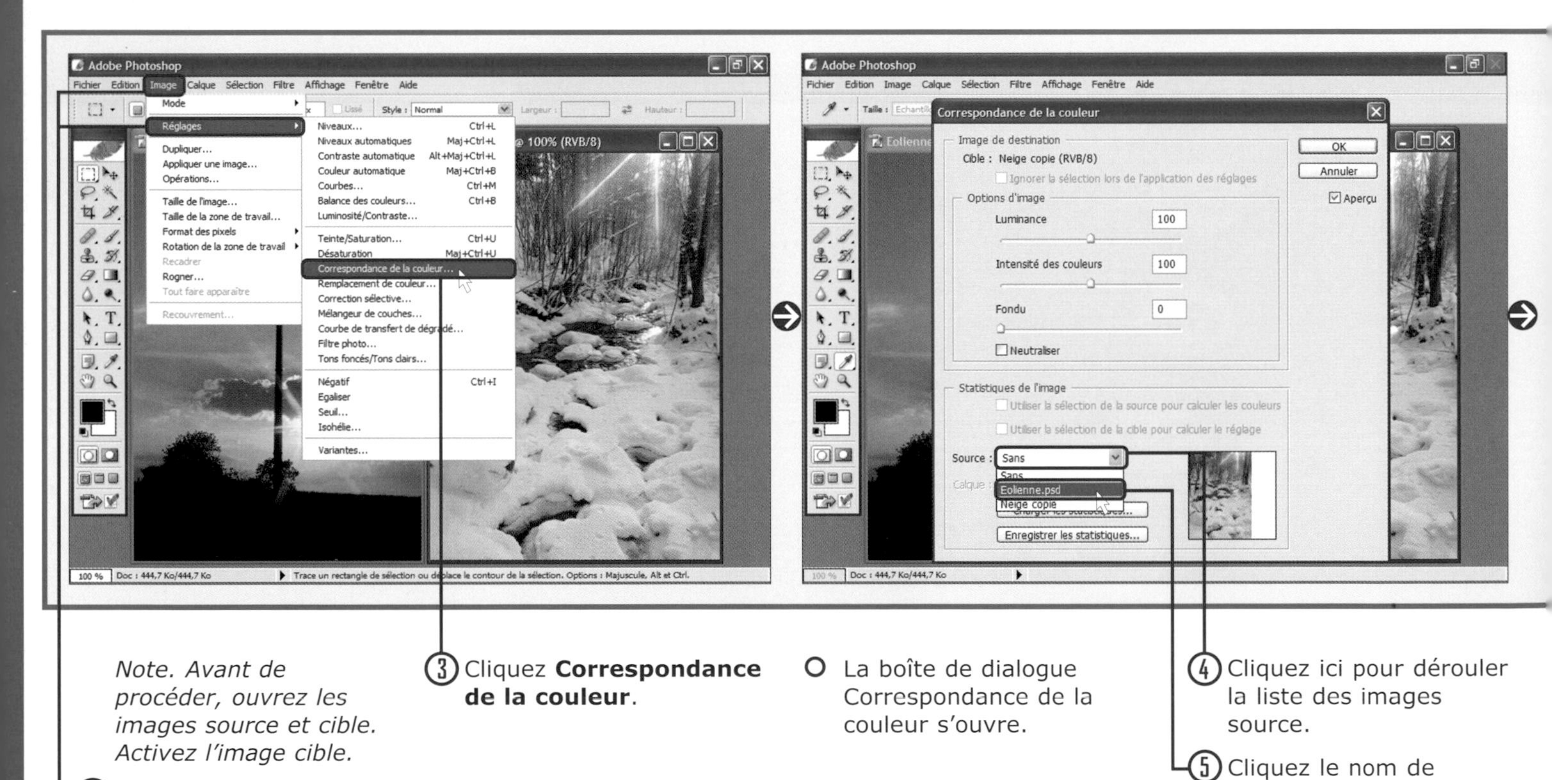

Note. Avant de procéder, ouvrez les images source et cible. Activez l'image cible.

① Cliquez **Image**.

② Pointez **Réglages**.

③ Cliquez **Correspondance de la couleur**.

○ La boîte de dialogue Correspondance de la couleur s'ouvre.

④ Cliquez ici pour dérouler la liste des images source.

⑤ Cliquez le nom de l'image source.

51

NIVEAU DE DIFFICULTÉ

Le saviez-vous ?

La commande **Correspondance de la couleur** peut aussi servir à éliminer une dominante colorée dans une image. Dans la boîte de dialogue Correspondance de la couleur, choisissez Sans dans la liste **Source**. Cliquez **Neutraliser** dans la section **Options d'image** (☐ devient ☑). Photoshop élimine la dominante. Ajustez les autres options d'image selon vos besoins.

Le saviez-vous ?

Vous pouvez utiliser deux calques d'une même image comme source et cible des réglages. Cliquez le calque cible dans la palette Calques. Ouvrez la boîte de dialogue Correspondance de la couleur. Dans la liste **Source**, sélectionnez la même image. Sélectionnez le calque source dans la liste **Calque**. Effectuez les réglages adéquats puis cliquez **OK**.

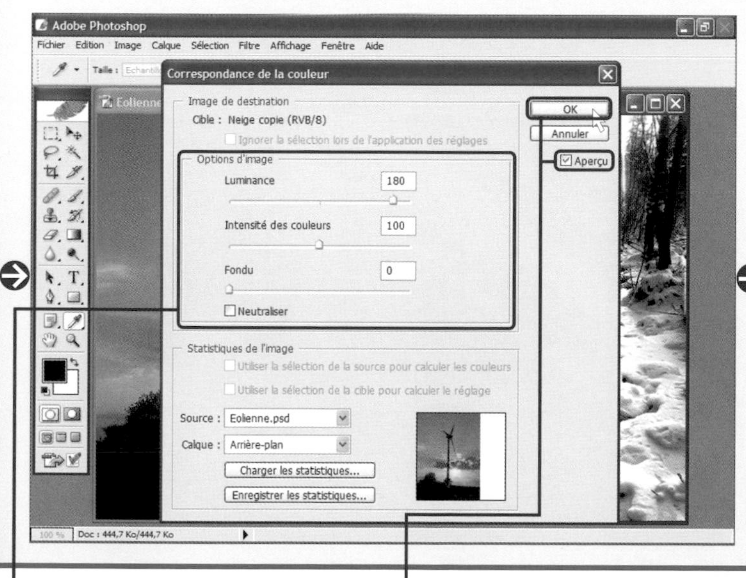

- Si l'image source comporte plusieurs calques, cliquez ici pour sélectionner le calque source.

6 Réglez les options d'image à votre convenance.

7 Cliquez **Aperçu** pour voir les effets des réglages sur l'image (☐ devient ☑).

8 Cliquez **OK**.

- Photoshop ajuste les couleurs de l'image cible selon les propriétés de l'image source.

Vous pouvez comparer ci-dessus l'image avant et après l'application de la commande Correspondance de la couleur.

ATTÉNUEZ ET RAVIVEZ LES COULEURS
de zones précises

Vous pouvez adoucir ou renforcer les couleurs d'une partie de l'image avec l'outil Eponge. Celui-ci diminue ou accentue la saturation des couleurs sur lesquelles le pointeur glisse. La saturation réduite à zéro donne du gris. Une saturation exagérée donne des couleurs peu naturelles.

L'outil Eponge peut servir, par exemple, à raviver les tons chair dans une photo aux couleurs délavées. Vous pouvez aussi l'utiliser pour atténuer une dominante colorée dans une partie bien ciblée d'une image. Sélectionnez la zone précise à saturer ou à désaturer afin de protéger le reste de l'image des effets de l'outil Eponge.

L'option Flux de l'outil éponge détermine l'intensité de la retouche appliquée à chaque passage du pointeur. Vous pouvez aussi repasser plusieurs fois sur la même zone pour la saturer ou la désaturer encore plus.

La commande Image ⇨ Réglages ⇨ Désaturation permet d'éliminer rapidement les couleurs d'une image ou d'une partie de l'image.

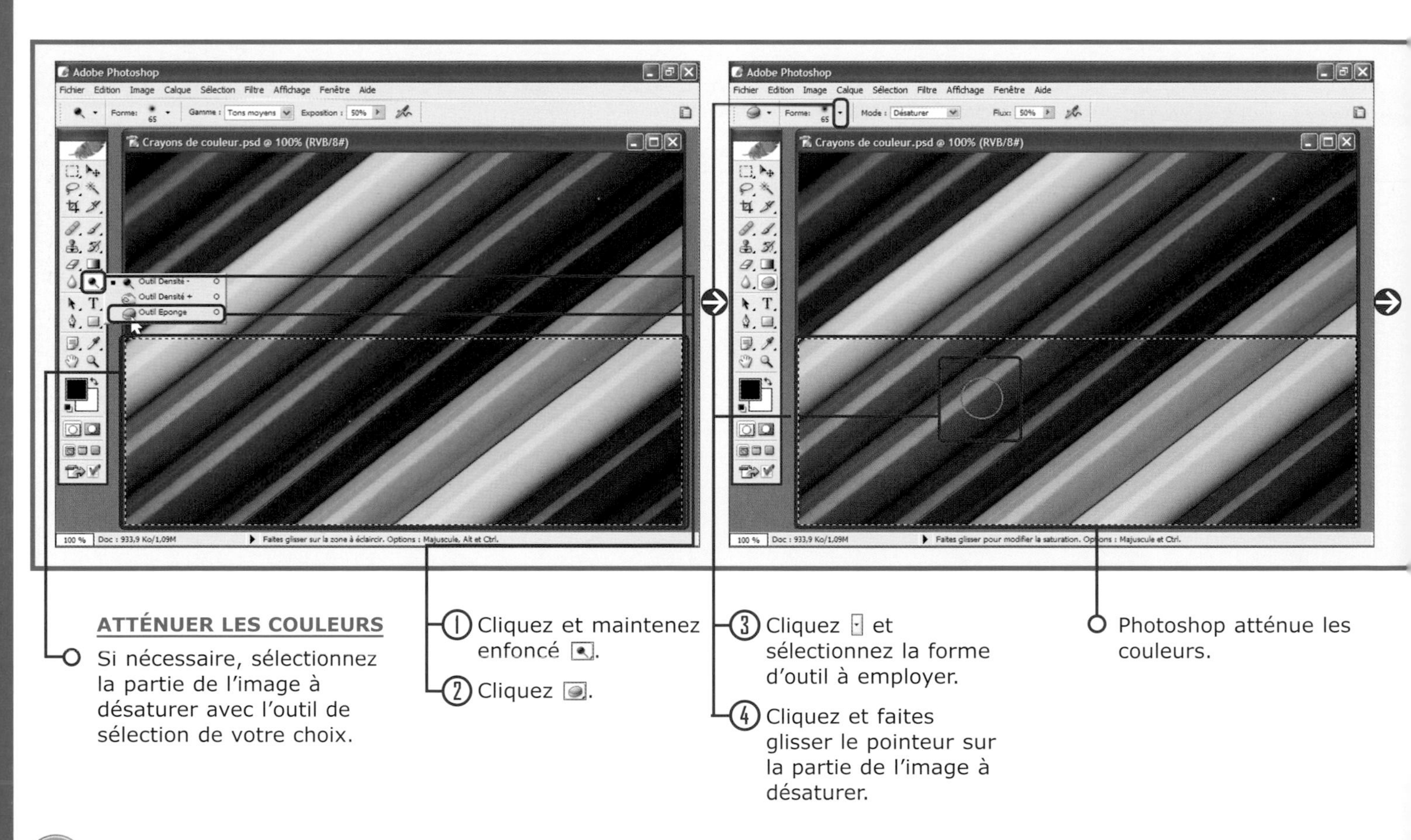

ATTÉNUER LES COULEURS

- Si nécessaire, sélectionnez la partie de l'image à désaturer avec l'outil de sélection de votre choix.

1. Cliquez et maintenez enfoncé .
2. Cliquez .
3. Cliquez ⁝ et sélectionnez la forme d'outil à employer.
4. Cliquez et faites glisser le pointeur sur la partie de l'image à désaturer.

- Photoshop atténue les couleurs.

52

NIVEAU DE DIFFICULTÉ

Le saviez-vous ?

L'outil Eponge (◙) peut aussi servir à adoucir ou à durcir le contraste dans une image en niveaux de gris. En mode **Désaturer**, l'outil Eponge rapproche les tons du gris moyen (gris à 50 %), ce qui diminue le contraste. En mode **Saturer**, il les éloigne du gris moyen et augmente le contraste.

Le saviez-vous ?

L'outil Eponge n'affecte que le calque actif d'une image multicalque. Vous pouvez aplatir l'image pour modifier tous les calques à la fois. Pour un résultat optimal, il vaut mieux retoucher chaque calque séparément. Si une retouche ne vous satisfait pas, utilisez la commande **Edition** ⇨ **Annuler Eponge** ou la palette Historique pour revenir en arrière. Travaillez sur une copie de l'image pour plus de sécurité.

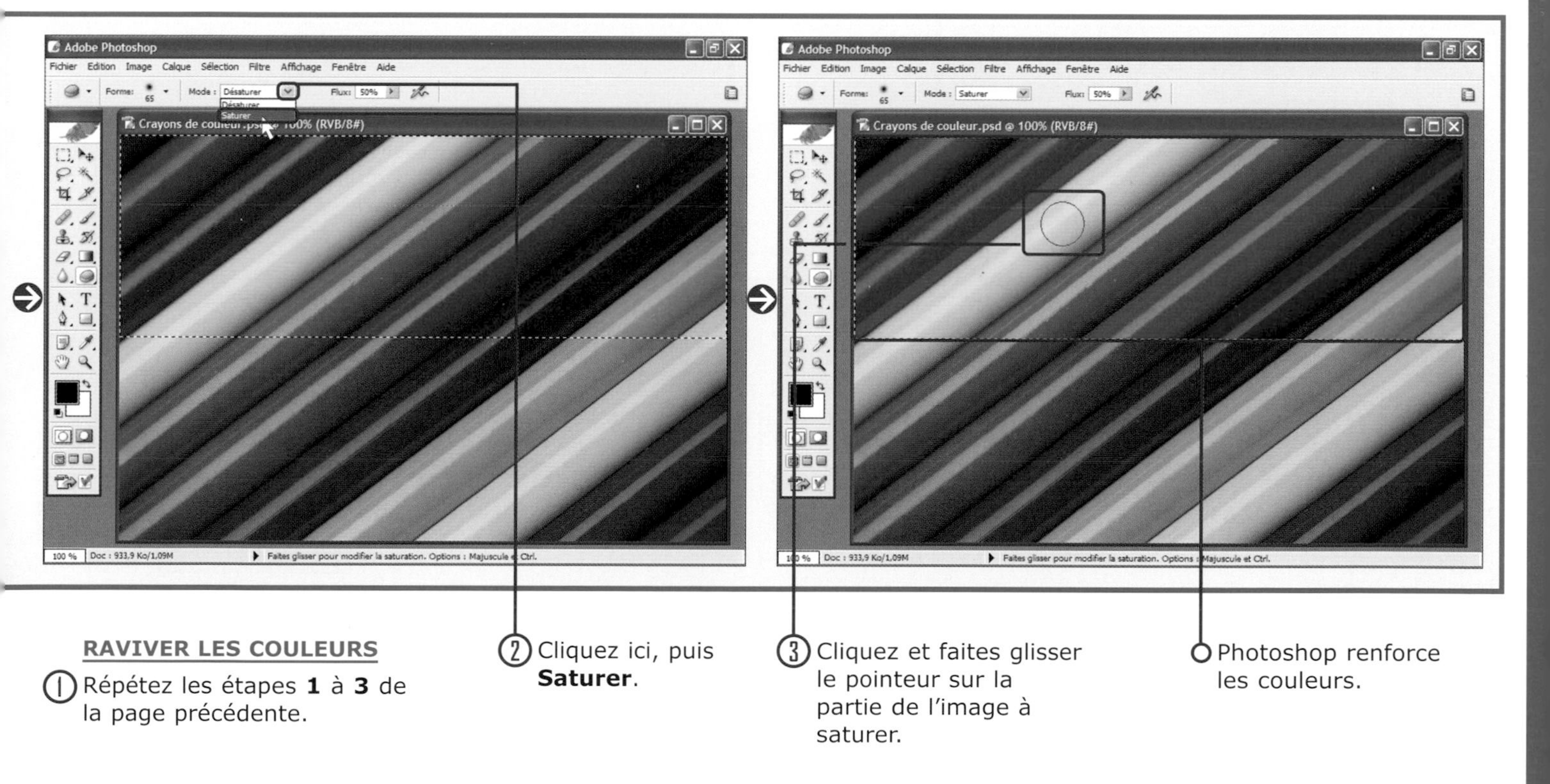

RAVIVER LES COULEURS

① Répétez les étapes **1** à **3** de la page précédente.

② Cliquez ici, puis **Saturer**.

③ Cliquez et faites glisser le pointeur sur la partie de l'image à saturer.

○ Photoshop renforce les couleurs.

REMPLACEZ UNE COULEUR

par une autre

La commande Remplacement de couleur permet de sélectionner une couleur, ou une gamme de couleurs, dans l'image pour la remplacer par une autre. Elle s'avère particulièrement efficace si l'image comporte plusieurs zones de couleur unie dont vous souhaitez changer la teinte. Vous n'avez pas besoin de sélectionner chaque zone une par une pour les modifier.

La commande Remplacement de couleur crée un masque temporaire. Celui-ci apparaît sous la forme d'une version en niveaux de gris de l'image, dans la boîte de dialogue Remplacement de couleur. Les zones blanches correspondent aux parties sélectionnées de l'image. Les zones noires signalent les parties protégées par le masque. Les zones grises sont partiellement affectées par les réglages.

Lorsque la boîte de dialogue Remplacement de couleur s'ouvre, le pointeur se transforme en pipette. Cliquez dans la fenêtre d'image pour sélectionner les couleurs à remplacer.

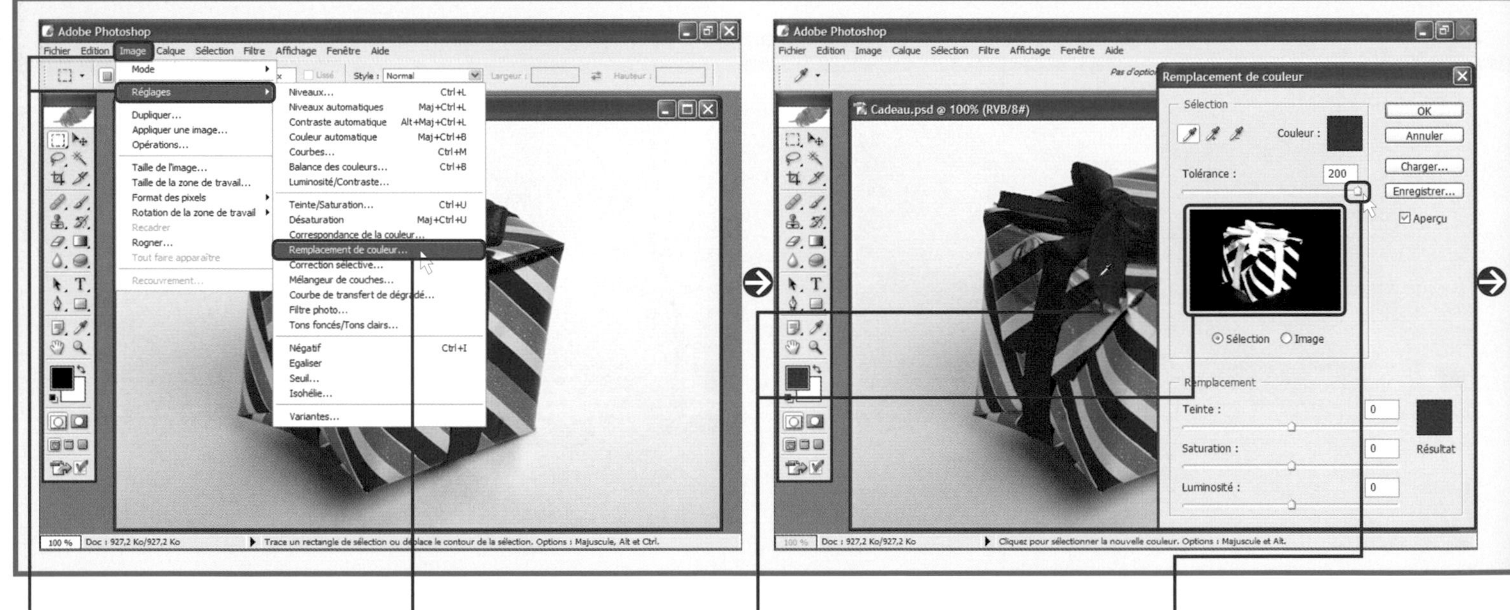

1. Cliquez **Image**.
2. Pointez **Réglages**.
3. Cliquez **Remplacement de couleur**.

- La boîte de dialogue Remplacement de couleur s'ouvre.

4. Cliquez dans l'image pour sélectionner une couleur.

- Les zones correspondantes deviennent blanches dans l'aperçu en niveaux de gris de la boîte de dialogue.

5. Cliquez et faites glisser le curseur pour régler la tolérance de la sélection.

- Plus la valeur affichée dans la zone de texte est élevée, plus la gamme de couleurs sélectionnée s'élargit.

53

NIVEAU DE DIFFICULTÉ

Le saviez-vous ?

Pour ajouter une autre couleur à la sélection initiale, cliquez dans la boîte de dialogue Remplacement de couleur. Cliquez ensuite la couleur supplémentaire dans la fenêtre d'image. Pour retirer une couleur de la sélection, cliquez puis dans la fenêtre d'image. En cas d'erreur, vous pouvez aussi appuyer sur la touche **Alt**. Le bouton **Annuler** devient **Réinitialiser**. Cliquez-le et reprenez la sélection depuis le début.

Ajoutez une touche personnelle !

Cliquez **Image** dans la boîte de dialogue Remplacement de couleur (○ devient ◉). L'aperçu en niveaux de gris se transforme en version miniature de l'image en couleurs. Ceci permet de voir l'image dans sa totalité lorsqu'elle est agrandie dans la fenêtre principale ou que la surface de l'écran est restreinte.

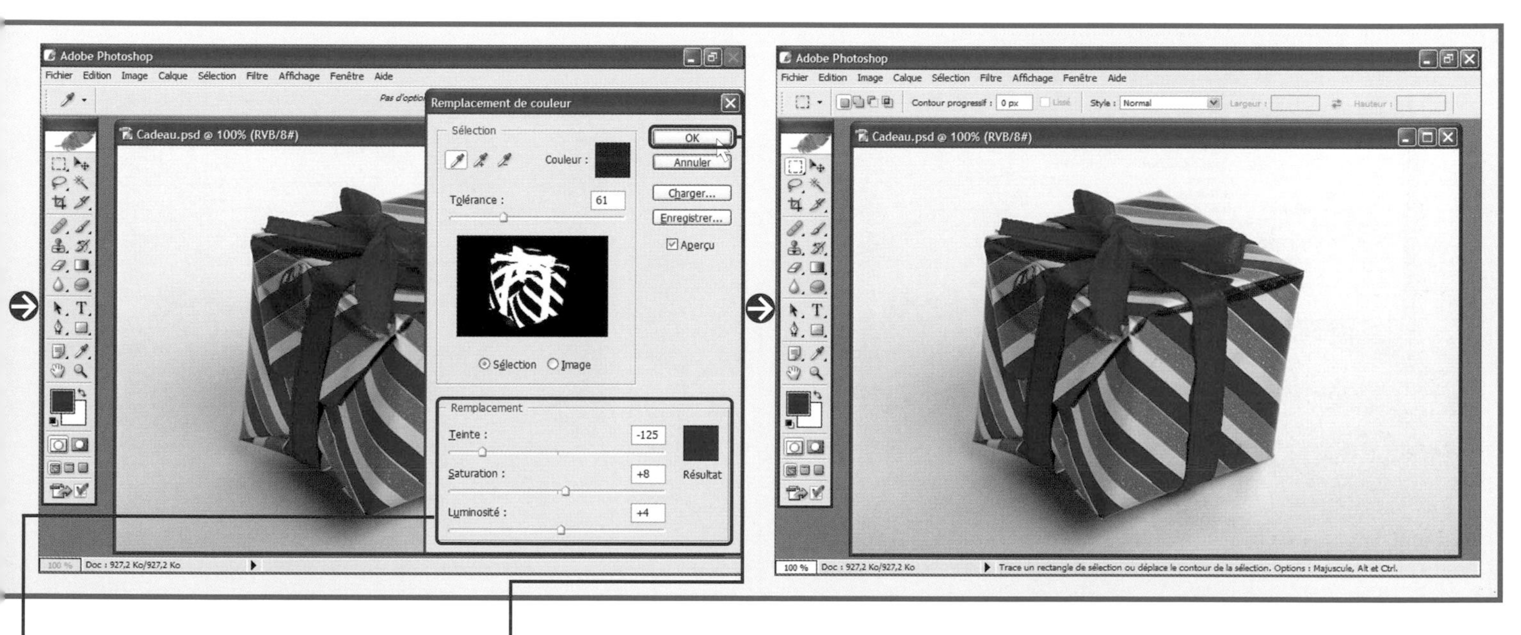

⑥ Cliquez et faites glisser les curseurs pour choisir la teinte de remplacement, régler sa saturation et sa luminosité.

⑦ Cliquez **OK**.

○ Photoshop remplace la couleur sélectionnée.

Réglez les couleurs avec la COMMANDE VARIANTES

La commande Variantes rassemble plusieurs réglages dans une seule boîte de dialogue. Ceci en fait un outil particulièrement polyvalent et ergonomique. La boîte de dialogue Variantes affiche l'image originale et les différents réglages de couleurs et de luminosité sous forme de vignettes. Les vignettes Sélection montrent l'image modifiée par les réglages en vigueur.

La boîte de dialogue Variantes présente aussi un ensemble d'options affectant la saturation des couleurs. Elles permettent d'accentuer ou d'atténuer la saturation globale des couleurs de l'image.

Vous pouvez limiter les modifications aux tons foncés, moyens ou clairs. Un curseur permet d'ajuster la force des réglages.

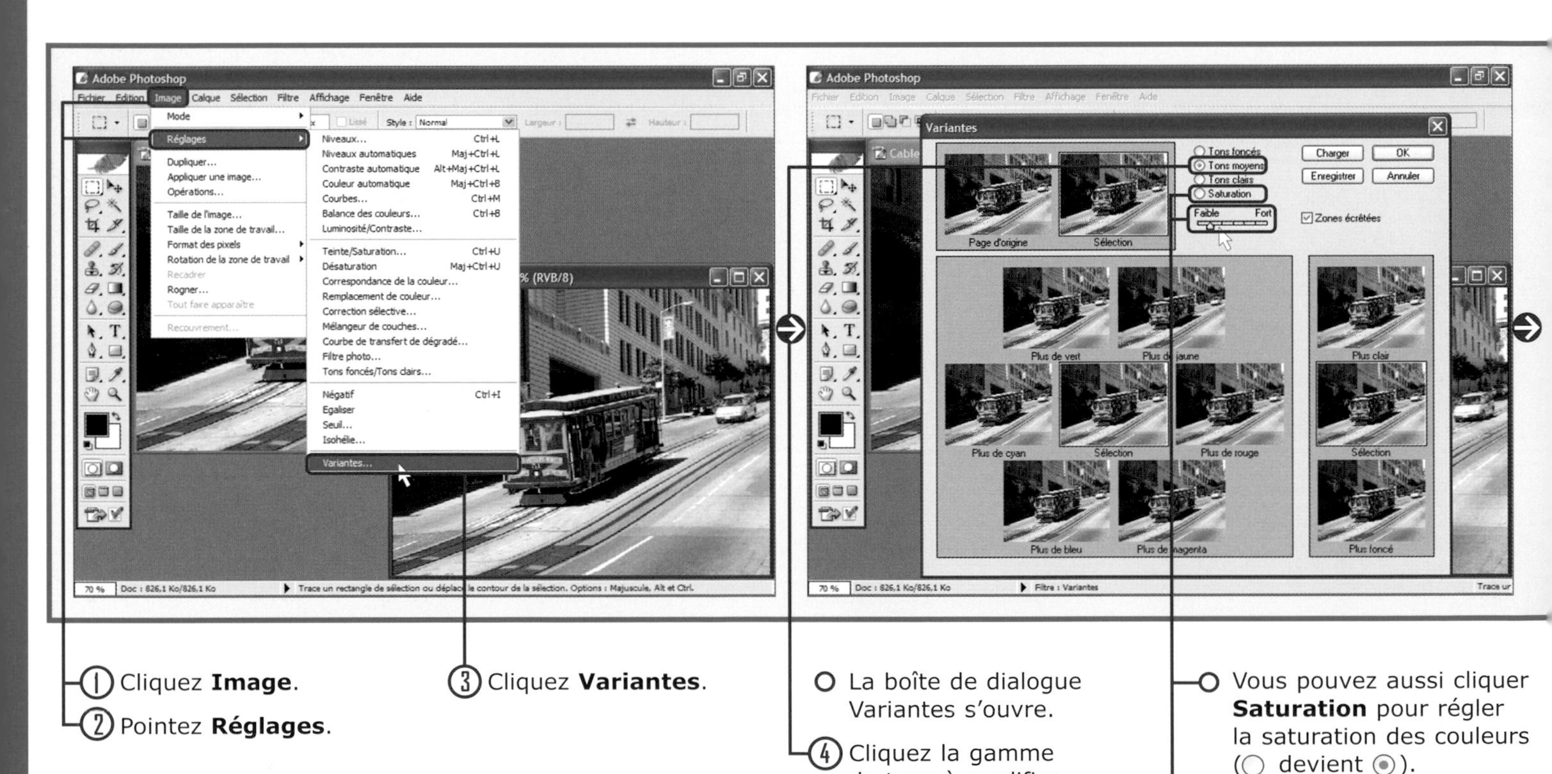

① Cliquez **Image**.

② Pointez **Réglages**.

③ Cliquez **Variantes**.

○ La boîte de dialogue Variantes s'ouvre.

④ Cliquez la gamme de tons à modifier (○ devient ◉).

○ Vous pouvez aussi cliquer **Saturation** pour régler la saturation des couleurs (○ devient ◉).

⑤ Faites glisser le curseur pour ajuster l'intensité des réglages.

54

NIVEAU DE DIFFICULTÉ

Le saviez-vous ?

Chaque vignette de couleur se trouve en face de celle représentant la couleur complémentaire. Pour annuler l'application d'une couleur, cliquez la vignette en vis-à-vis. De même, cliquez **Plus clair** pour annuler une diminution de la luminosité avec la vignette **Plus foncé**, et inversement. Vous pouvez aussi cliquer la vignette **Page d'origine** pour restituer l'état original de l'image.

Le saviez-vous ?

Les effets des réglages sont cumulatifs. Si vous cliquez deux fois sur la vignette **Plus de jaune**, par exemple, vous appliquez le réglage deux fois. Les autres vignettes de la boîte de dialogue sont immédiatement mises à jour. Les vignettes **Sélection** donnent un aperçu de l'image avec les réglages courants. En raison de sa taille, elle peut présenter de légères différences avec l'image finale, obtenue en cliquant OK.

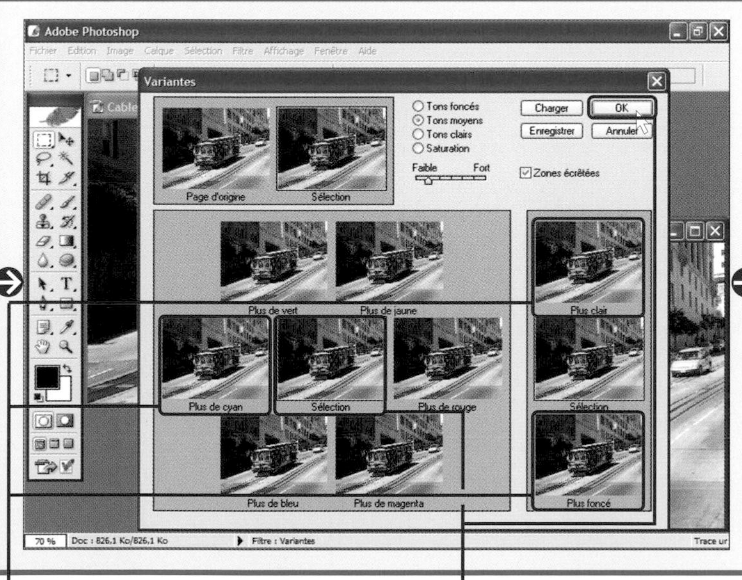

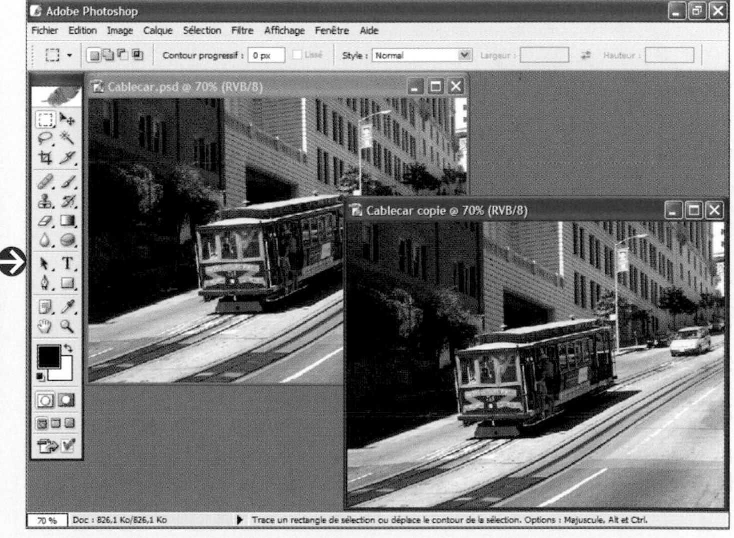

6 Cliquez une vignette de couleur pour ajouter cette couleur à l'image.

7 Cliquez les vignettes **Plus clair** ou **Plus foncé** pour régler la luminosité.

○ Photoshop met à jour la vignette **Sélection**.

8 Cliquez **OK**.

○ Photoshop applique les réglages de couleur à l'image.

○ Vous pouvez comparer ci-dessus l'image avant et après la modification.

Rééquilibrez les couleurs avec la COMMANDE BALANCE DES COULEURS

La commande Balance des couleurs permet d'éliminer d'une photo une dominante colorée indésirable. Les couleurs d'une image peuvent présenter un déséquilibre global, pour différentes raisons. La numérisation mal paramétrée avec un scanneur peut, par exemple, altérer les couleurs d'une image.

Lorsque vous prenez une photo, la lumière, naturelle ou artificielle, peut aussi provoquer une projection de couleur. Un ciel voilé, par exemple, crée un effet bleuâtre. L'éclairage fluorescent fait virer les couleurs au verdâtre.

La commande affecte le calque actif. Vous pouvez aussi limiter ses effets à une partie de l'image, en la sélectionnant. Consultez le chapitre 3 pour plus d'informations sur les sélections.

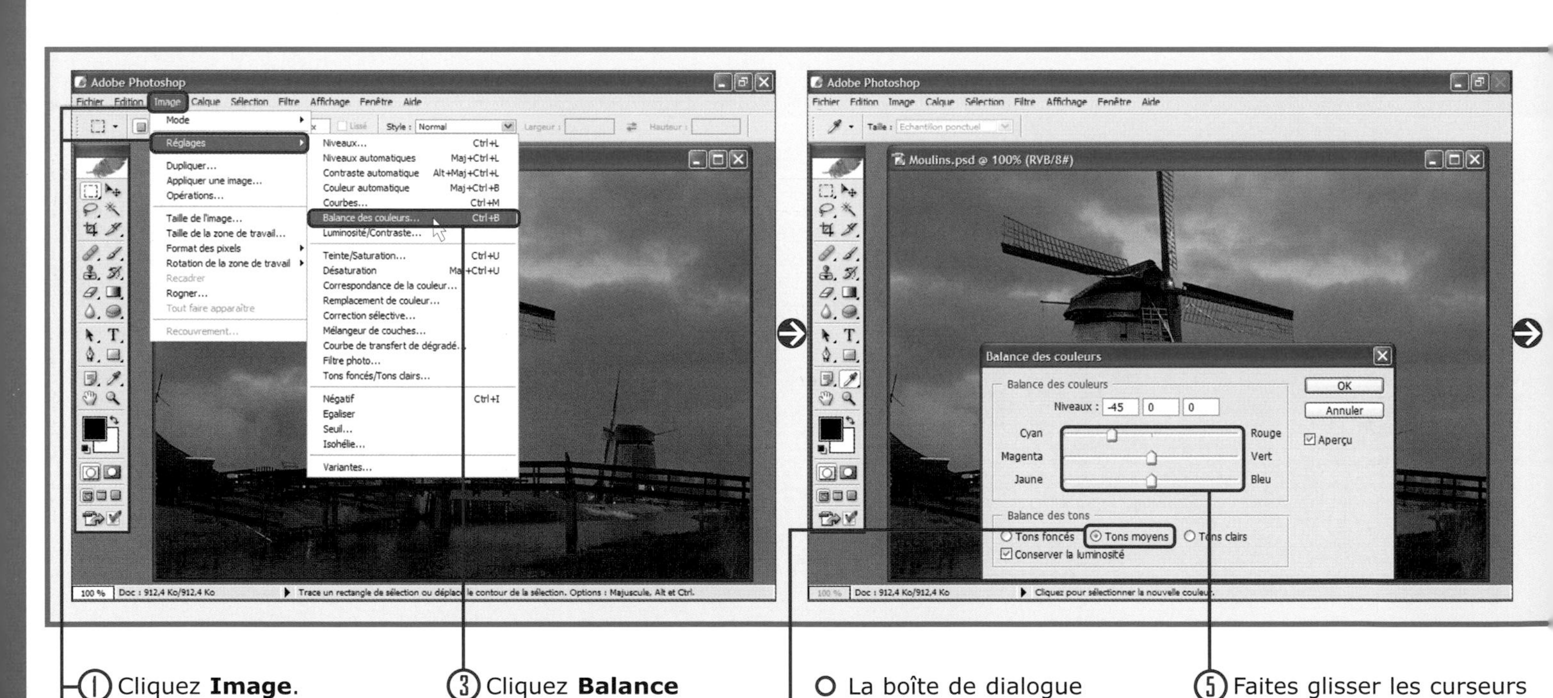

① Cliquez **Image**.

② Pointez **Réglages**.

③ Cliquez **Balance des couleurs**.

- La boîte de dialogue Balance des couleurs s'ouvre.

④ Cliquez la gamme de tons à modifier (○ devient ◉).

⑤ Faites glisser les curseurs vers les couleurs à ajouter.

- Vous pouvez aussi taper directement les valeurs dans les zones de texte correspondantes.

NIVEAU DE DIFFICULTÉ

Le saviez-vous ?

Les curseurs de la boîte de dialogue Balance des couleurs fonctionnent sur le principe des couleurs complémentaires. Le cyan, le magenta et le jaune sont les complémentaires, respectivement, du rouge, du vert et du bleu. Les couleurs complémentaires se neutralisent. Ainsi, pour éliminer une dominante jaune, par exemple, faites glisser le curseur adéquat du jaune vers le bleu.

Ajoutez une touche personnelle !

La commande Balance des couleurs peut servir à modifier l'atmosphère d'une photo ne présentant, par ailleurs, aucun déséquilibre chromatique. Renforcez le rouge et le jaune pour enflammer un coucher de soleil, par exemple. À l'inverse, ajoutez du bleu et du cyan pour accentuer l'ambiance froide d'un petit matin d'hiver.

6 Répétez les étapes **4** et **5** de la page précédente pour chaque gamme de tons à corriger.

- Vous pouvez cliquer **Aperçu** pour voir les effets des réglages sur l'image (☐ devient ☑).

7 Cliquez **OK**.

- Photoshop rééquilibre les couleurs de l'image.

Créez un effet de BICHROMIE

La commande Bichromie crée une image en deux tons à partir d'une image en niveaux de gris, créant un effet de bichromie. La bichromie consiste à imprimer une image à l'aide de deux encres de couleurs différentes. À l'époque où la quadrichromie coûtait cher, ce procédé servait à reproduire plusieurs nuances en utilisant seulement deux encres au lieu de quatre.

Même aujourd'hui, la bichromie présente encore de nombreux avantages. Elle permet d'élargir à peu de frais l'étendue dynamique d'une image en niveaux de gris. Elle peut harmoniser l'apparence d'un groupe d'images. Par exemple, convertissez les images d'une brochure en image deux-tons, avec les mêmes couleurs, pour donner une cohérence visuelle à votre document.

Le mode de couleur Bichromie permet de créer, outre les images en deux tons, des images monochromes (une seule encre), trichromes (trois encres) et quadrichromes (quatre encres). Chaque encre ajoutée enrichit les détails de l'image.

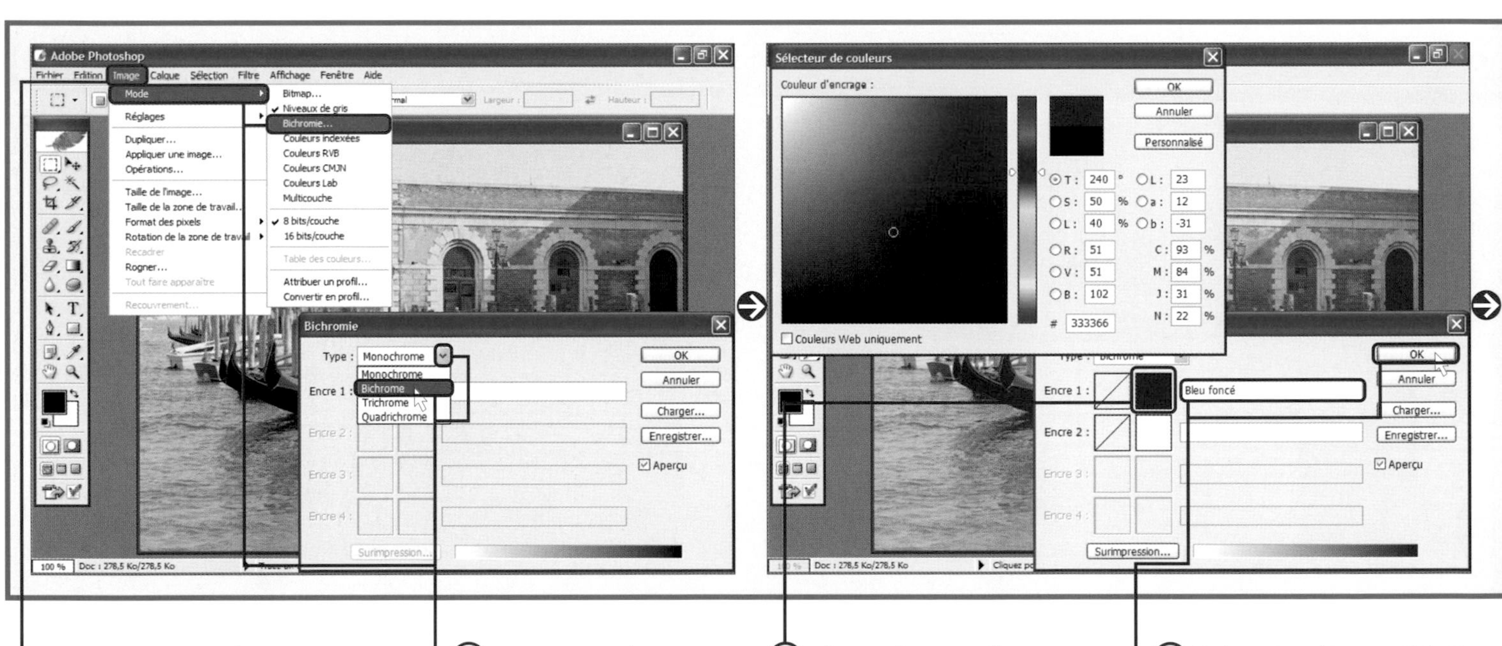

Note. Avant de poursuivre, convertissez l'image en niveaux de gris en cliquant ***Image*** *⇨* ***Mode*** *⇨* ***Niveaux de gris****. Si Photoshop demande confirmation, cliquez* ***OK****.*

1. Cliquez **Image**.
2. Pointez **Mode**.
3. Cliquez **Bichromie**.
   - La boîte de dialogue Bichromie s'ouvre.
4. Cliquez ici, puis **Bichrome**.
5. Cliquez la première case de couleur.
   - La boîte de dialogue Sélecteur de couleur s'ouvre.
6. Suivez les étapes **6** à **8** de la page 35 pour choisir la première couleur.
7. Cliquez **OK**.
8. Tapez le nom de la première encre.

NIVEAU DE DIFFICULTÉ

Le saviez-vous ?

La bichromie convient aussi bien aux documents imprimés qu'aux pages Web. Dans ce dernier cas, une image en deux tons présente l'avantage de générer un fichier de taille plus réduite que l'image RVB ou CMJN équivalente.

Prudence !

L'impression des images en deux tons présente plus de difficultés qu'il n'y paraît de prime abord. Si vous comptez confier l'impression d'images en mode Bichromie à un imprimeur professionnel, convenez avec lui du choix des encres, du format des fichiers et d'autres détails techniques liés aux travaux d'impression.

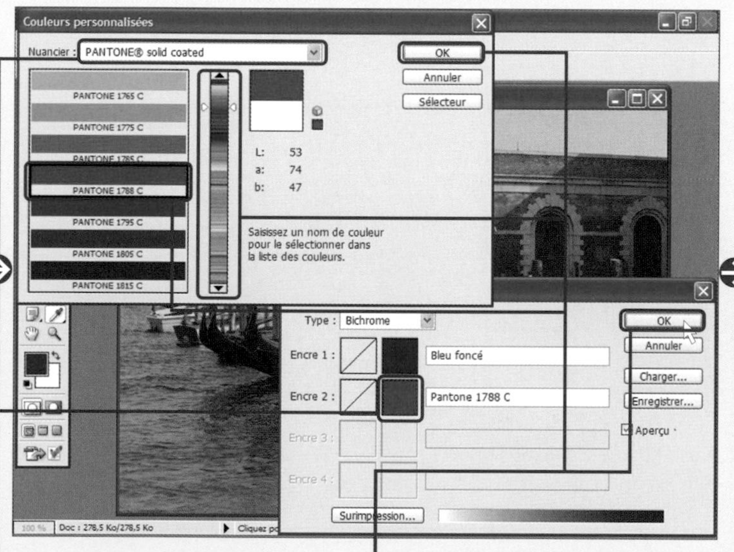

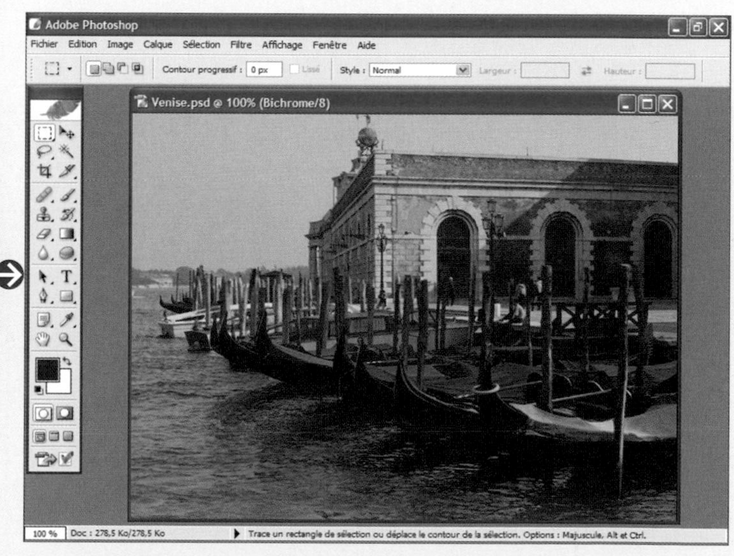

9. Cliquez la deuxième case de couleur.

- La boîte de dialogue Couleurs personnalisées s'ouvre.

10. Cliquez ici pour choisir un système de couleurs personnalisées.

11. Faites glisser le curseur pour rechercher la couleur adéquate.

12. Cliquez la deuxième couleur de la bichromie.

13. Cliquez **OK** dans la boîte de dialogue Couleurs personnalisées.

14. Cliquez **OK**.

- Photoshop crée l'effet de bichromie.

COLORISEZ
une photo en noir et blanc

Les modes de fusion permettent de coloriser facilement une photo en noir et blanc. Convertissez tout d'abord l'image en mode RVB. En effet, vous ne pouvez pas appliquer de couleur sur une image en mode Niveaux de gris. Il existe un moyen simple de distinguer une image en mode Niveaux de gris d'une image en noir et blanc en mode RVB. Le nom de la couche de couleur active s'affiche dans la barre de titre de la fenêtre d'image. Une image en niveaux de gris ne comporte qu'une seule couche nommée Gris.

Créez ensuite un nouveau calque. Appliquez les couleurs sur le nouveau calque avec l'outil Pinceau, ou tout autre outil de peinture. En jouant sur l'opacité de la peinture et le mode de fusion du calque, vous ne perdez pas les détails et la texture de l'image originale. Essayez différents modes de fusion pour trouver le mieux adapté. Consultez la tâche n° 7 pour plus d'informations.

Vous pouvez sélectionner la zone à coloriser pour éviter que les touches de peinture ne débordent sur le reste de l'image.

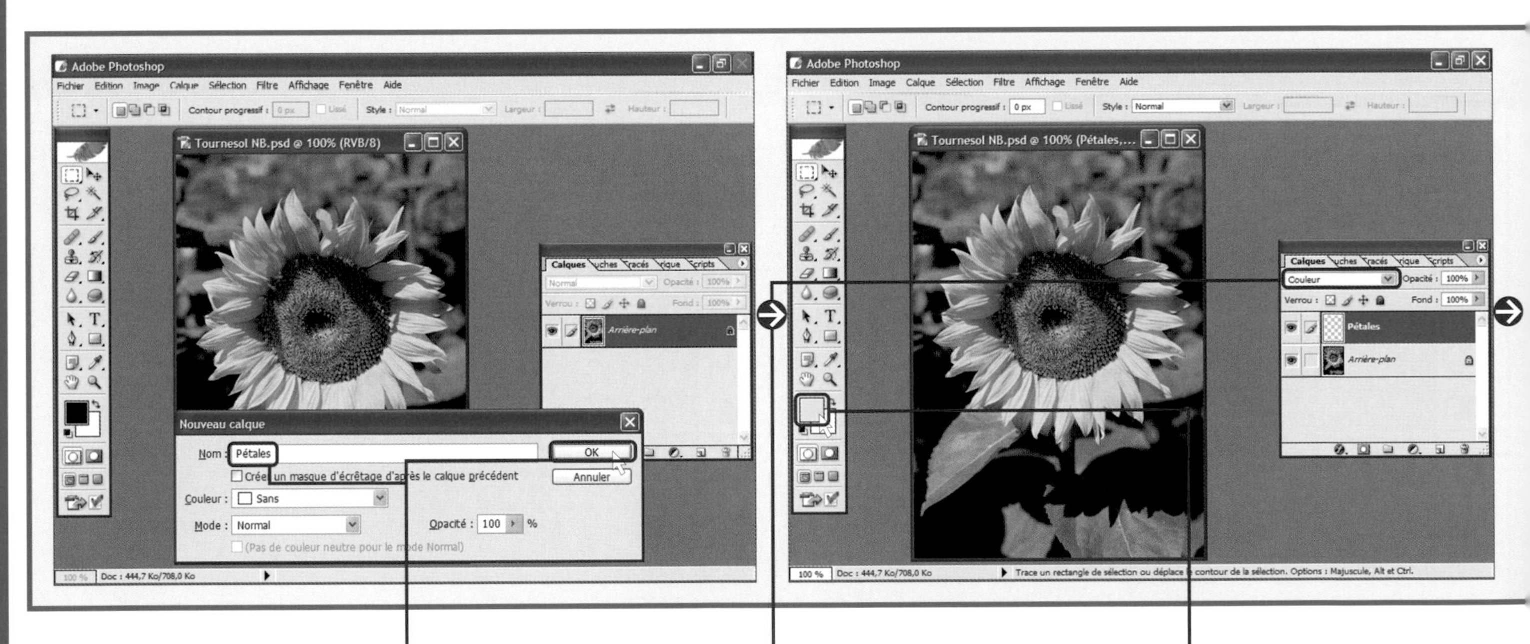

Note. Si nécessaire, convertissez l'image en mode RVB en cliquant ***Image ⇨ Mode ⇨ Couleurs RVB****.*

1. Appuyez sur **Maj+Ctrl+N** pour créer un nouveau calque.

- La boîte de dialogue Nouveau calque s'ouvre.

2. Tapez le nom du nouveau calque.
3. Cliquez **OK**.
4. Cliquez ici, puis le mode de fusion à utiliser.
5. Cliquez la case de couleur de premier plan et suivez les étapes **6** à **8** de la page 35 pour sélectionner la couleur à appliquer.

57

NIVEAU DE DIFFICULTÉ

Ajoutez une touche personnelle !

D'autres outils permettent de modifier l'image colorisée. Les outils Densité – ( ) et Densité + ( ), permettent, par exemple, d'éclaircir ou d'assombrir la couleur appliquée. Modifiez l'option **Exposition**, dans la barre d'options de l'outil, pour moduler l'intensité des retouches. Ceci permet de donner plus de profondeur et de relief à la colorisation.

e saviez-vous ?

En réglant l'opacité de l'outil Pinceau sur une valeur faible, comme 10 %, vous pouvez donner à l'image l'apparence d'une photo ancienne coloriée à l'aquarelle.

6. Cliquez .
7. Cliquez et sélectionnez la forme de pinceau adéquate.
8. Double-cliquez ici et tapez une valeur pour définir l'opacité de la couleur.
9. Cliquez et faites glisser le pointeur dans l'image pour la coloriser.

- Répétez les étapes **1** à **9** autant de fois que de couleurs à appliquer ou de zones à coloriser.

Modifiez les couleurs avec la COMMANDE TEINTE/SATURATION

La commande Teinte/Saturation permet de rééquilibrer rapidement les couleurs d'une image. Elle sert généralement à éliminer une dominante colorée en réduisant la saturation d'une gamme de couleurs spécifique. De manière plus ludique, elle permet aussi de donner un aspect surréaliste à une image en transformant ses couleurs.

Le terme « teinte » fait référence à la roue chromatique. Celle-ci représente graphiquement toutes les couleurs du spectre visible sur un disque. Le réglage Teinte de la boîte de dialogue Teinte/Saturation décale les couleurs sur la roue chromatique, dans le sens des aiguilles d'une montre ou dans le sens inverse. Le réglage Saturation atténue les couleurs de l'image pour les rapprocher du gris ou, au contraire, les intensifie. Le réglage luminosité ajoute du blanc ou du noir aux couleurs.

La commande Teinte/Saturation affecte le calque actif. Vous pouvez aussi délimiter ses effets à une partie de l'image, en la sélectionnant. La liste Modifier permet de choisir la gamme de couleurs à modifier.

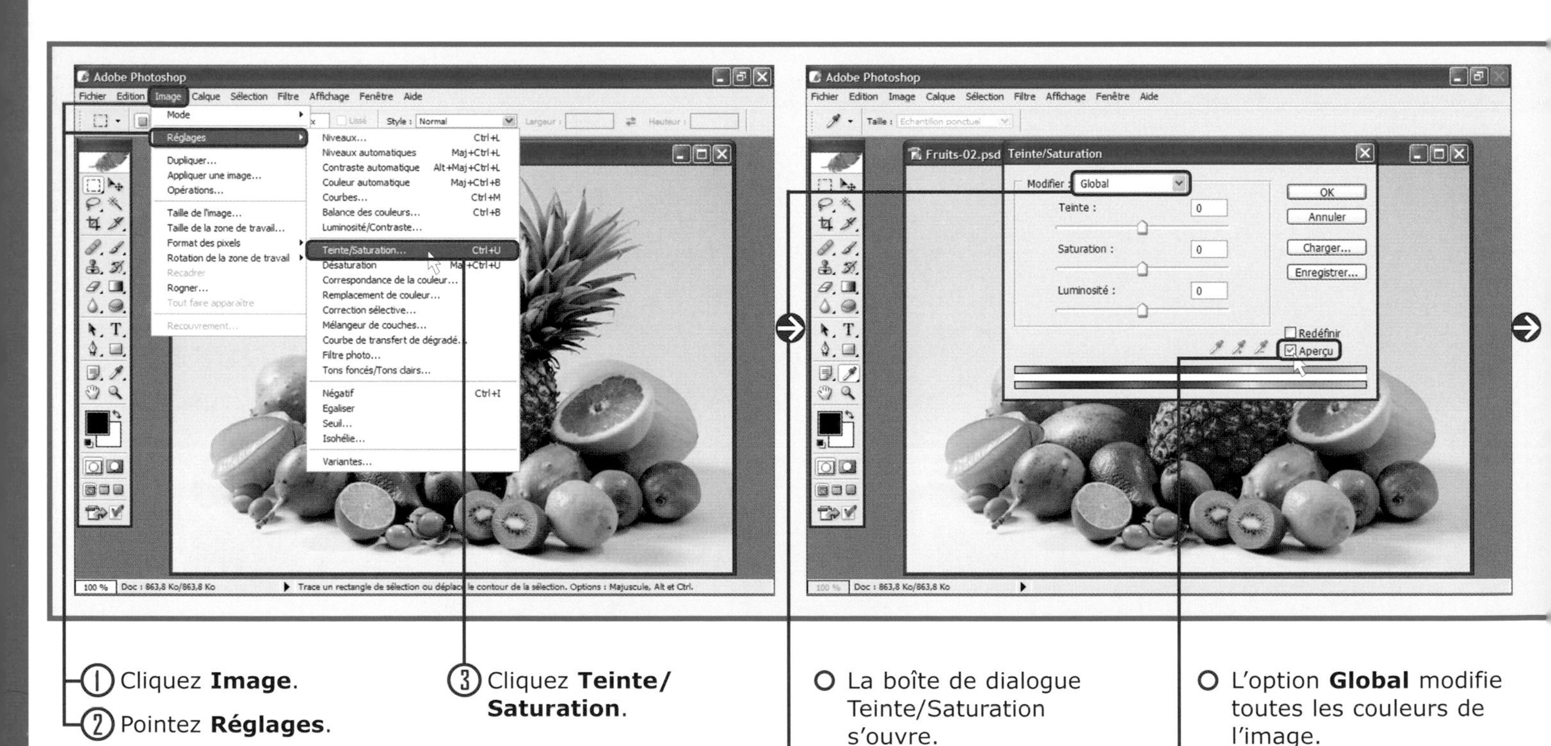

① Cliquez **Image**.

② Pointez **Réglages**.

③ Cliquez **Teinte/ Saturation**.

○ La boîte de dialogue Teinte/Saturation s'ouvre.

④ Cliquez ici pour sélectionner la gamme de couleurs à ajuster.

○ L'option **Global** modifie toutes les couleurs de l'image.

○ Cliquez **Aperçu** pour voir les effets des réglages sur l'image (☐ devient ☑).

Le saviez-vous ?

Le réglage **Teinte**, dans la boîte de dialogue Teinte/Saturation, s'appuie sur la roue chromatique. Celle-ci représente les couleurs du spectre visible sur un disque. Le curseur **Teinte** décale les couleurs jusqu'à 180° dans le sens des aiguilles d'une montre ou dans le sens inverse. Voici la succession des couleurs de la roue chromatique, dans le sens des aiguilles d'une montre : rouge, jaune, vert, cyan, bleu, magenta et à nouveau rouge. Par exemple, lorsque vous faites glisser le pointeur vers la droite, les nuances rouges de l'image virent au jaune, au vert, au bleu, puis au cyan.

Ajoutez une touche personnelle !

Cliquez la case **Redéfinir** (☐ devient ☑) pour obtenir une image monochrome, tout en conservant la luminosité de chaque pixel. Faites glisser le curseur **Teinte** pour changer l'unique couleur de l'image. Vous pouvez aussi régler la saturation et la luminosité de la couleur à l'aide des curseurs correspondants.

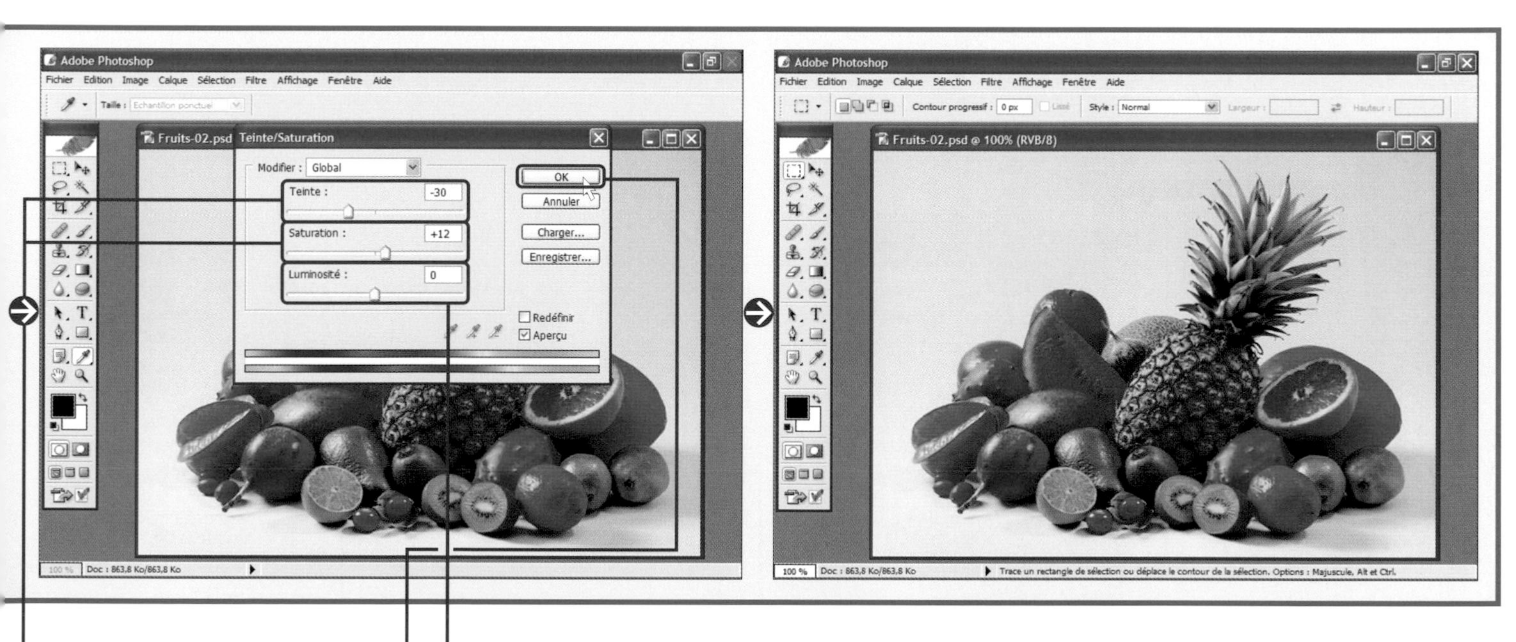

⑤ Faites glisser le curseur pour décaler la teinte.

⑥ Faites glisser le curseur pour régler la saturation.

⑦ Faites glisser le curseur pour ajuster la luminosité.

○ Vous pouvez aussi saisir directement une valeur dans les zones de texte correspondantes.

⑧ Cliquez **OK**.

○ Photoshop ajuste la teinte et la saturation des couleurs de l'image.

Coloriez une image avec un CALQUE DE REMPLISSAGE

Un calque de remplissage applique une couleur, un dégradé ou un motif sur une image, sans la modifier irrémédiablement. Le calque de remplissage fait preuve d'une grande flexibilité. Vous pouvez modifier le remplissage à tout moment. Il suffit pour cela de double-cliquer la vignette du calque dans la palette Calques.

Comme le remplissage est associé à un masque de fusion, vous pouvez changer les parties de l'image auxquelles il s'applique. Consultez les tâches n° 24, 25 et 26 pour plus d'informations sur les masques de fusion.

Il existe trois types de remplissage : couleur unie, dégradé et motif. Vous sélectionnez le type de calque de remplissage à créer dans le sous-menu Calque ⇨ Calque de remplissage. Le bouton [◐.], au bas de la palette Calques, permet aussi d'accéder rapidement aux trois types de calques de remplissage.

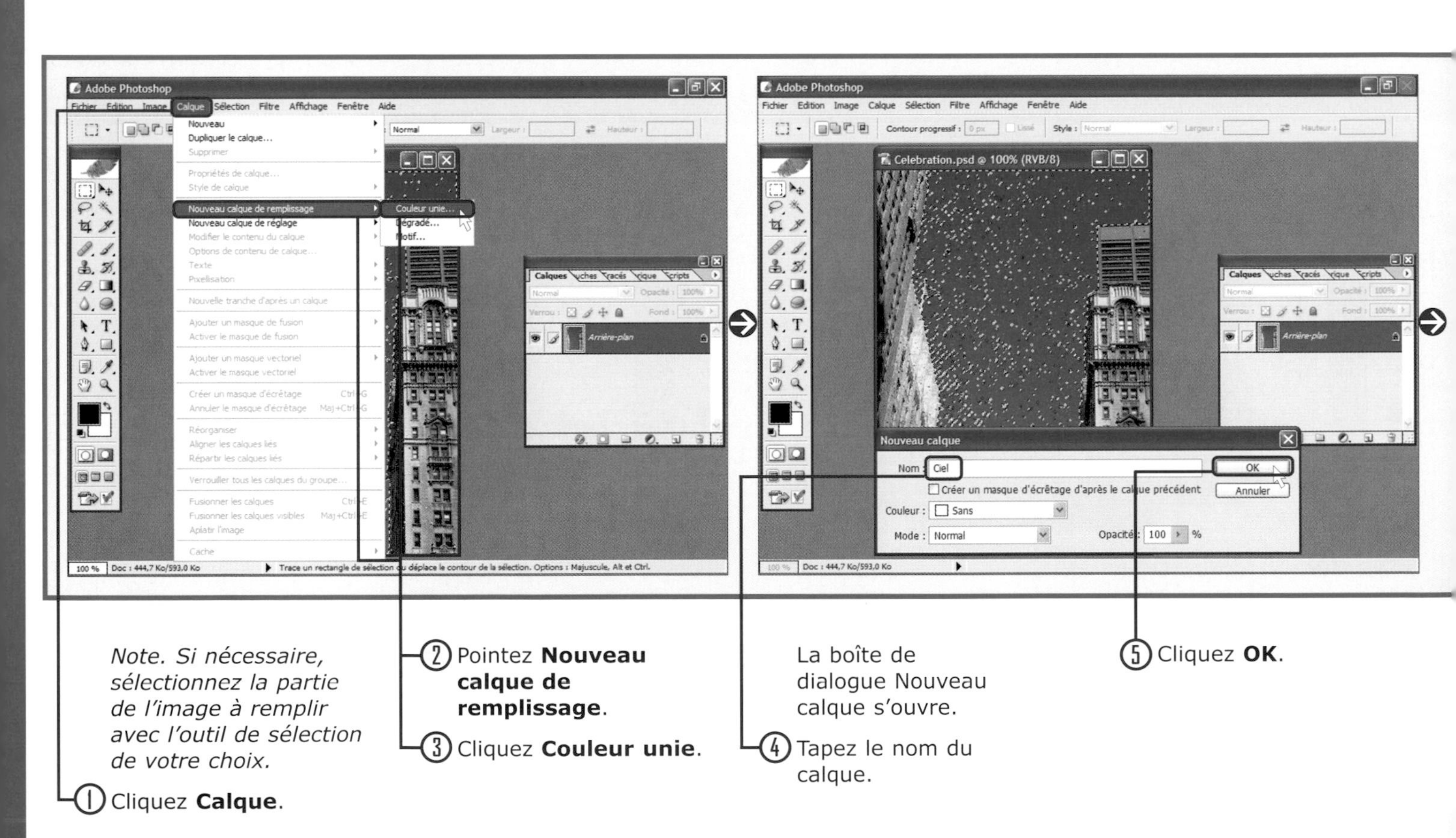

Note. Si nécessaire, sélectionnez la partie de l'image à remplir avec l'outil de sélection de votre choix.

① Cliquez **Calque**.

② Pointez **Nouveau calque de remplissage**.

③ Cliquez **Couleur unie**.

La boîte de dialogue Nouveau calque s'ouvre.

④ Tapez le nom du calque.

⑤ Cliquez **OK**.

59

NIVEAU DE DIFFICULTÉ

Le saviez-vous ?

La plupart des options de calque s'appliquent aux calques de remplissage. Vous pouvez changer le mode de fusion et l'opacité des calques de remplissage, ou leur appliquer un style de calque. Consultez le chapitre 1 pour plus d'informations sur les différentes options de calque.

Ajoutez une touche personnelle !

Le sous-menu **Calque ⇨ Modifier le contenu du calque** permet de changer le type de remplissage, voire de convertir un calque de remplissage en calque de réglage. Cliquez le type de calque voulu. La boîte de dialogue permettant de paramétrer le calque de remplissage ou de réglage s'ouvre. Consultez la tâche n° 60 pour plus d'informations sur les calques de réglage.

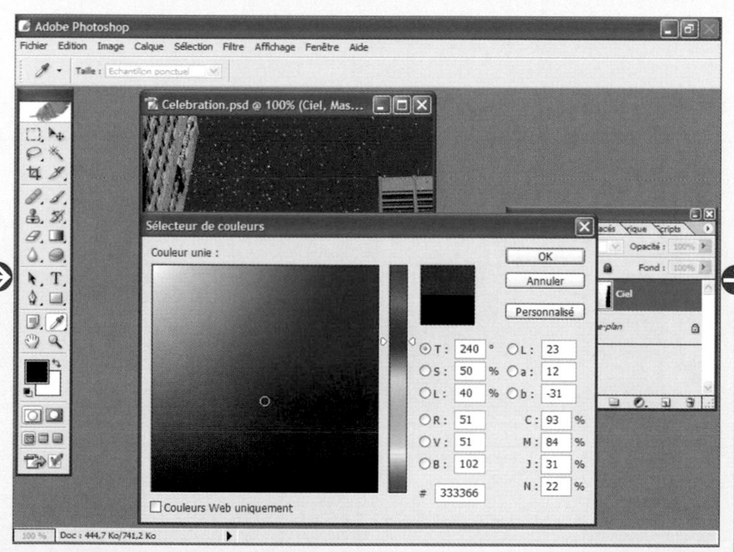

- La boîte de dialogue Sélecteur de couleur s'ouvre.
- La boîte de dialogue diffère selon le type de calque de remplissage choisi.

6 Suivez les étapes **6** à **8**, page 35, pour choisir la couleur de remplissage.

- Photoshop crée le nouveau calque de remplissage.
- Vous pouvez modifier le mode de fusion du calque de remplissage pour conserver la texture ou les détails du calque immédiatement inférieur.

Ajustez les couleurs avec un CALQUE DE RÉGLAGE

Un calque de réglages applique des corrections de tons et de couleurs au calque se trouvant juste en dessous, sans modifier réellement les pixels de l'image. La plupart des outils de correction de tons et de couleurs, comme Niveaux ou Teinte/Saturation, sont disponibles sous forme de calques de réglage.

Ils présentent un avantage majeur sur les commandes du sous-menu Image ⇨ Réglage. Les réglages restent entièrement modifiables une fois appliqués. Vous pouvez, par exemple, créer un calque de réglage Niveaux. Celui-ci affecte l'image comme le ferait la commande Niveaux. Toutefois, si le résultat ne vous satisfait pas, il suffit de double-cliquer la vignette du calque de réglage dans la palette Calques pour le réajuster. La boîte de dialogue Niveaux s'ouvre à nouveau, affichant les réglages tels que vous les avez paramétrés auparavant.

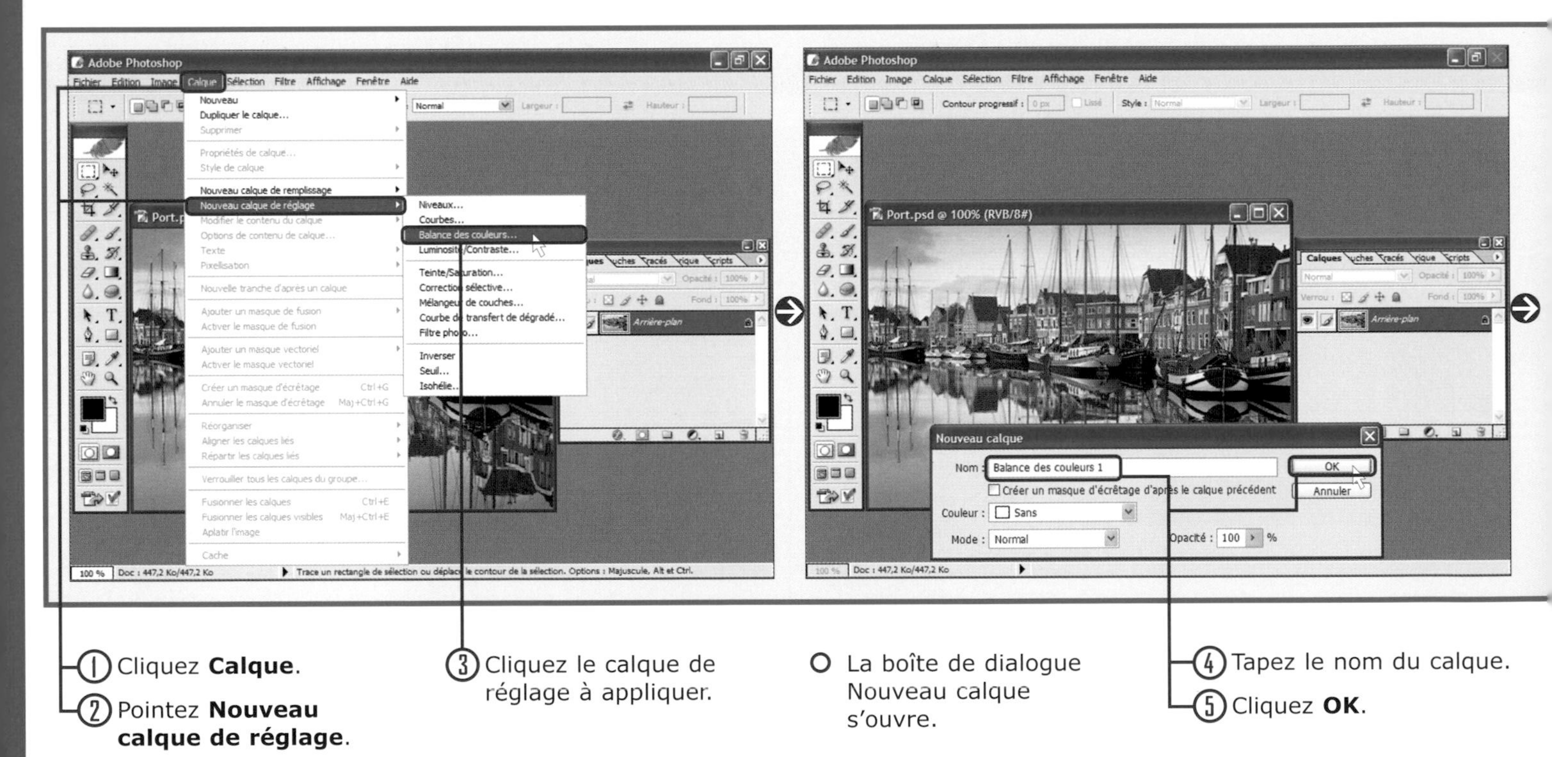

1. Cliquez **Calque**.
2. Pointez **Nouveau calque de réglage**.
3. Cliquez le calque de réglage à appliquer.

○ La boîte de dialogue Nouveau calque s'ouvre.

4. Tapez le nom du calque.
5. Cliquez **OK**.

Le saviez-vous ?

Comme pour tout autre calque, vous pouvez changer l'opacité et le mode de fusion du calque de réglage afin d'en nuancer les effets sur l'image. Vous pouvez même le désactiver temporairement en cliquant l'icône à sa gauche dans la palette Calques.

NIVEAU DE DIFFICULTÉ

Ajoutez une touche personnelle !

Grâce au calque de réglage Teinte/Saturation, vous pouvez obtenir l'apparence d'une image en niveaux de gris sans perdre les informations de couleur. Dans la boîte de dialogue Teinte/Saturation, réduisez la valeur de l'option **Saturation** à –100. Il suffit de masquer ou de supprimer le calque de réglage Teinte/Saturation pour retrouver les couleurs originales de l'image.

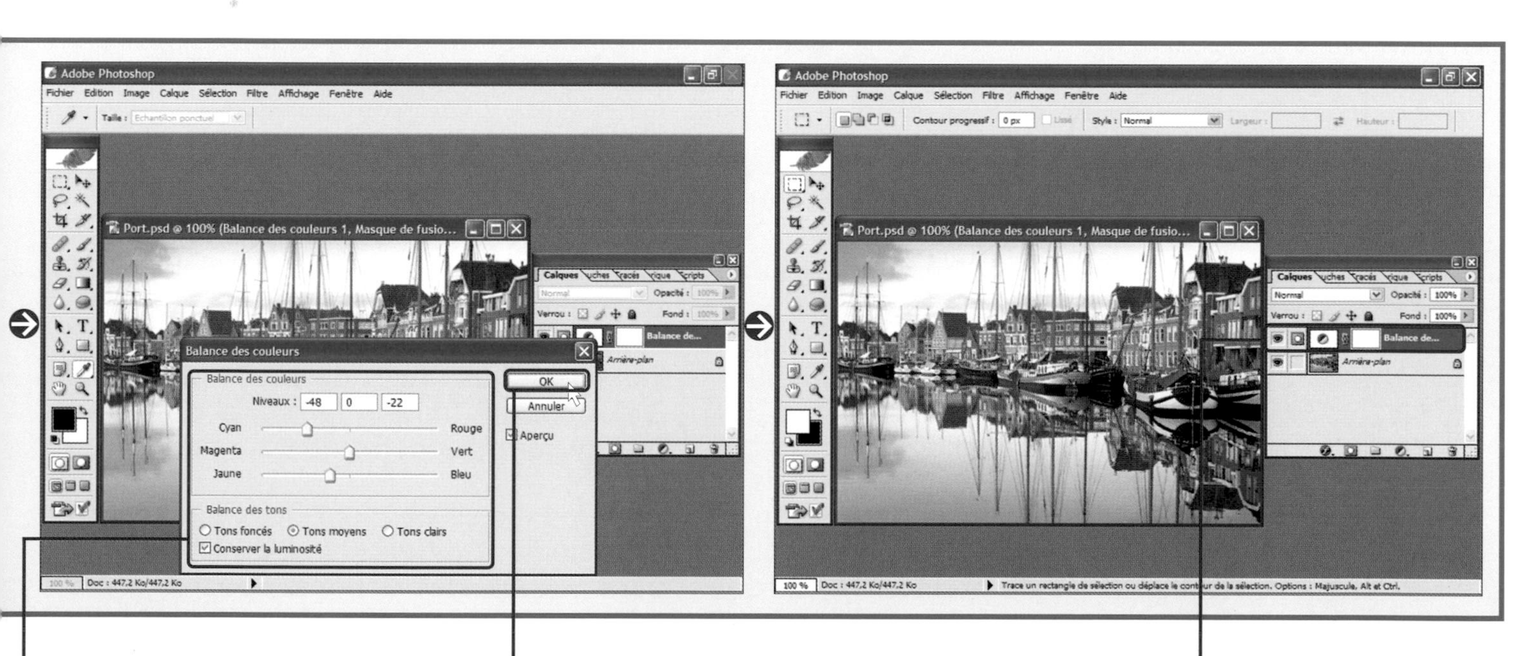

- La boîte de dialogue correspondant au calque de réglage choisi à l'étape **3** s'ouvre.

6 Paramétrez les options à votre convenance.

7 Cliquez **OK**.

- Photoshop applique les réglages selon les options définies.

- Le nouveau calque de réglage apparaît dans la palette Calques.

Créez des effets avec les filtres

Les filtres de Photoshop créent des effets spéciaux allant des plus réalistes aux plus fantastiques. Il faudrait bien plus qu'un chapitre pour faire le tour de toutes les possibilités qu'ils offrent. Ce chapitre traite certaines techniques utiles.

Lorsque vous travaillez avec des filtres, gardez à l'esprit qu'ils affectent les pixels de l'image ou du calque actif de manière irréversible. Appliquez-les de préférence sur une copie de l'image originale.

On peut diviser les filtres en deux grands groupes. Les filtres du premier groupe servent essentiellement à améliorer les photos et les images. Les filtres des sous-menus Atténuation et Renforcement appartiennent, par exemple, à ce groupe. Les filtres du second groupe servent à la création d'images. Certains, comme les filtres des catégories Artistiques ou Esquisse, imitent des techniques traditionnelles de peinture et de dessins. D'autres, comme le filtre Fluidité ou les filtres du sous-menu Déformation, imitent la réalité ou, au contraire, la déforment.

Certains filtres donnent des résultats radicalement différents selon le paramétrage des options. Vous pouvez superposer plusieurs filtres pour créer des effets originaux. La Galerie de filtres facilite, notamment, la combinaison de plusieurs filtres.

Ce chapitre ne peut qu'indiquer quelques pistes d'exploration. Pour maîtriser les filtres d'effets spéciaux de Photoshop, rien ne vaut l'expérimentation.

TOP 100

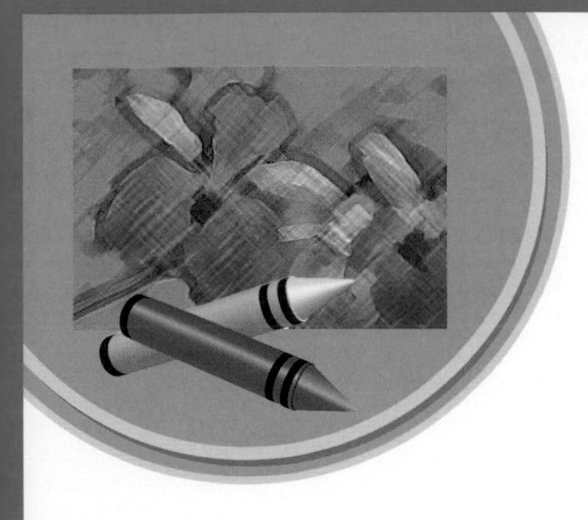

APPLIQUEZ LES FILTRES AVEC LA Galerie de filtres

Photoshop CS regroupe dans une nouvelle boîte de dialogue, la Galerie de filtres, la plupart des filtres d'effets spéciaux. Ces derniers y sont classés par catégories. La Galerie de filtres donne aussi accès aux différentes options de chaque filtre.

La Galerie de filtres affiche, dans un aperçu, les effets de vos choix et de vos réglages sur l'image, dans le volet de gauche. Le volet central affiche les vignettes des filtres accessibles. Le volet de droite présente les différentes options du filtre sélectionné.

Ainsi, vous pouvez passer d'un filtre à l'autre, ou appliquer plusieurs filtres, sans passer à chaque fois par le menu Filtre.

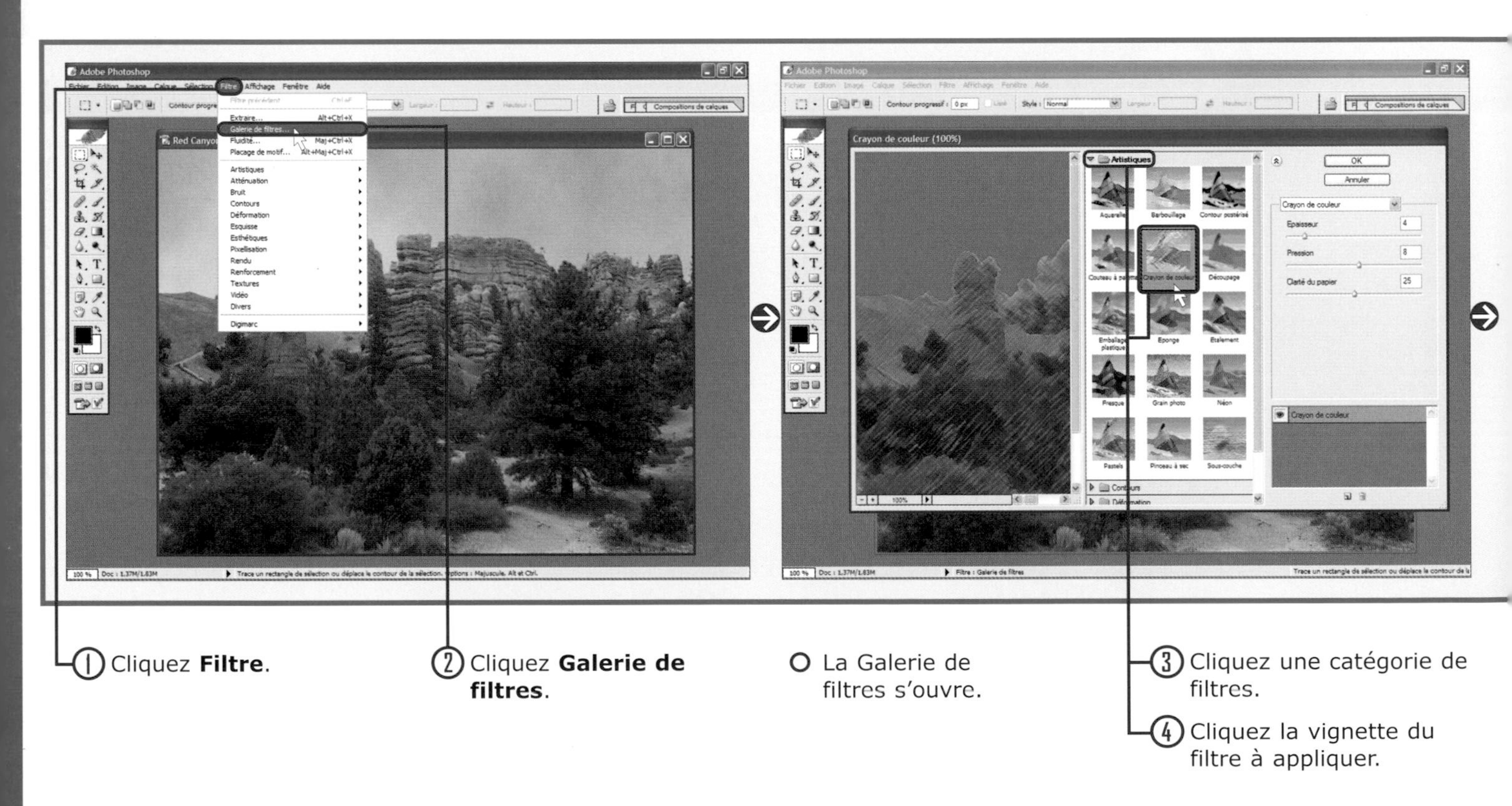

① Cliquez **Filtre**.

② Cliquez **Galerie de filtres**.

○ La Galerie de filtres s'ouvre.

③ Cliquez une catégorie de filtres.

④ Cliquez la vignette du filtre à appliquer.

NIVEAU DE DIFFICULTÉ

Le saviez-vous ?

Le volet central de la Galerie de filtres présente les catégories et les filtres par ordre alphabétique. Ceci facilite la recherche d'un filtre précis. Lorsque vous sélectionnez un filtre, le contenu du volet de droite change pour afficher les options correspondantes. La liste déroulante en haut du volet droit permet aussi de choisir l'un des différents filtres disponibles dans la Galerie de filtres. Cliquez ▾ pour dérouler la liste.

Le saviez-vous ?

Vous pouvez appuyer sur **Alt+Ctrl+Z** pour revenir sur les actions successives effectuées dans la Galerie de filtres. Appuyez sur **Maj+Ctrl+Z** pour avancer dans la série d'actions. Si vous maintenez enfoncée la touche **Ctrl**, le bouton **Annuler** devient **Par défaut**. Cliquez **Par défaut** pour annuler toutes les modifications et retrouver les réglages par défaut des options.

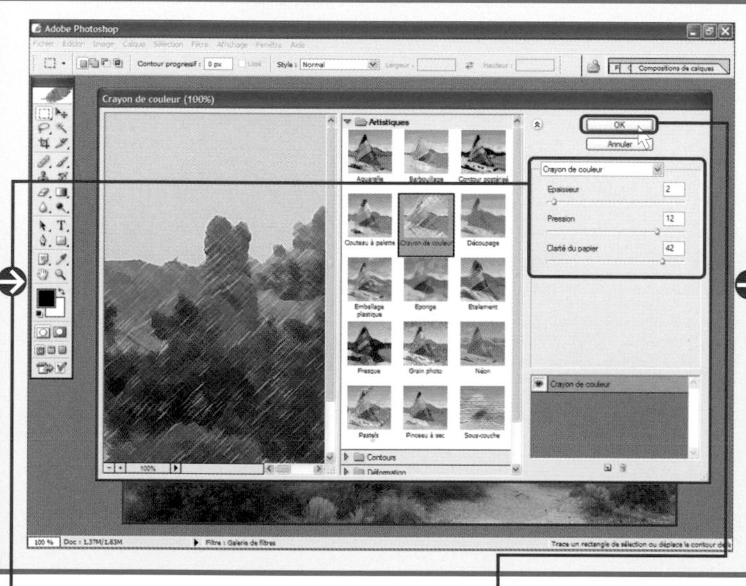

5 Paramétrez les options du filtre à votre convenance.

6 Cliquez **OK**.

○ Photoshop applique le filtre.

Recréez l'effet du verre déformant avec le FILTRE SPHÉRISATION

NIVEAU DE DIFFICULTÉ

Le filtre Sphérisation déforme l'image, donnant l'impression que les objets sont vus à travers une boule de cristal ou une bulle. L'effet fonctionne aussi bien sur les photos que le texte.

Photoshop déforme les pixels de l'image suivant un modèle sphérique. Vous pouvez régler le degré de distorsion. Si le filtre s'applique à toute l'image, il s'appuie sur la circonférence la plus grande que celle-ci puisse contenir. Si vous l'appliquez à une sélection, les limites de cette dernière déterminent la taille de la sphère.

Outre la sphère, vous pouvez aussi choisir une déformation suivant un cylindre vertical ou horizontal.

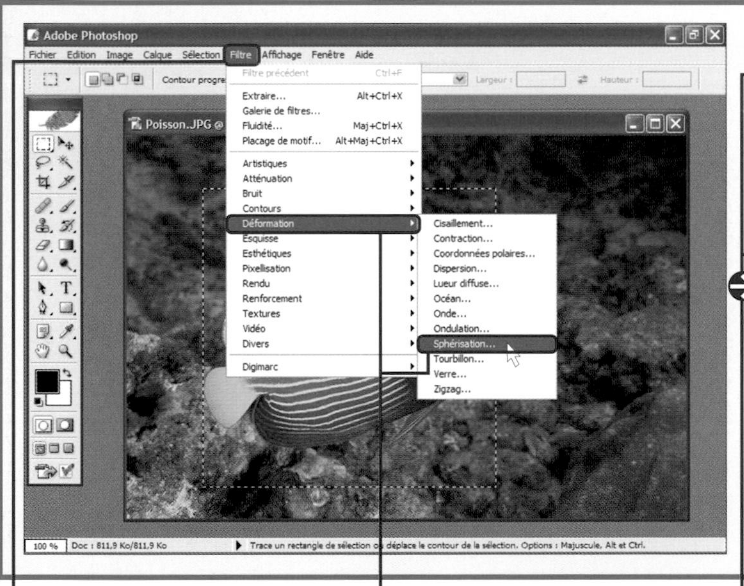

- Vous pouvez sélectionner la zone à déformer.

1. Cliquez **Filtre**.
2. Pointez **Déformation**.
3. Cliquez **Sphérisation**.

- La boîte de dialogue Sphérisation s'ouvre.

4. Paramétrez la déformation selon vos besoins.
5. Cliquez **OK**.

- Photoshop déforme l'image selon les options définies.

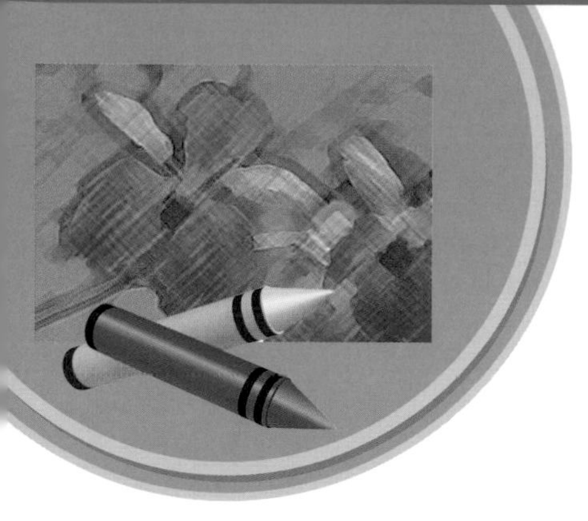

Tissez des textures aléatoires avec le FILTRE FIBRES

NIVEAU DE DIFFICULTÉ

Comme son nom le suggère, le filtre Fibres crée des textures fibreuses. Selon les options choisies, l'effet peut ressembler à des fibres de tissu grossies au microscope ou à une chevelure.

Les options de la boîte de dialogue Fibres affectent la longueur et la densité des fibres. Faites glisser vers la droite le curseur Variance pour générer des fibres courtes et irrégulières, et le curseur Intensité pour séparer nettement les fibres. Si le résultat initial ne vous convient pas, cliquez Phase initiale aléatoire pour changer l'aspect de la texture jusqu'à obtenir celle qui convient.

Le filtre Fibres crée la texture en s'appuyant sur les couleurs de premier plan et d'arrière-plan. Pensez à définir ces dernières, avant de lancer la commande, pour obtenir une texture colorée.

Vous pouvez délimiter la zone d'application du filtre en sélectionnant une partie de l'image. Le filtre Fibres ne fonctionne pas sur un calque ou une sélection ne contenant que des pixels transparents.

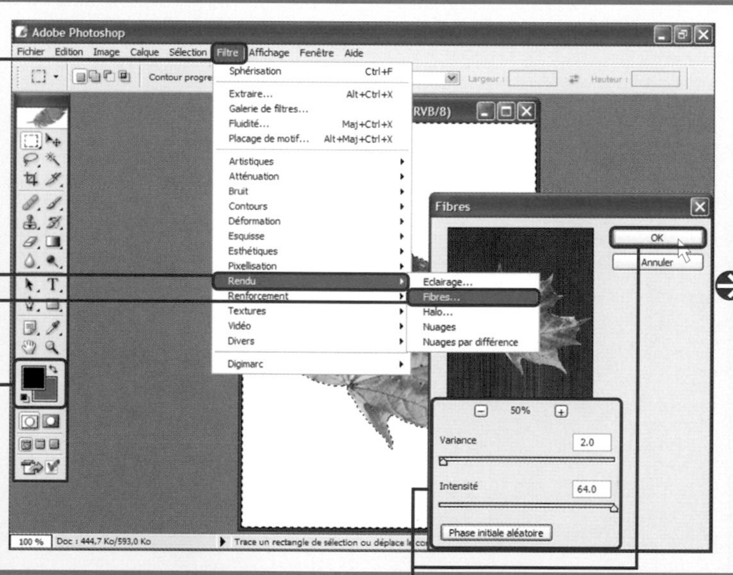

① Cliquez les cases de couleur et suivez les étapes **6** à **8** de la page 35 pour définir les couleurs de premier plan et d'arrière-plan.

② Cliquez **Filtre**.

③ Pointez **Rendu**.

④ Cliquez **Fibres**.

○ La boîte de dialogue Fibres s'ouvre.

⑤ Paramétrez les options à votre convenance.

⑥ Cliquez **OK**.

○ Photoshop crée la texture.

Combinez les filtres AVEC LA GALERIE DE FILTRES

La Galerie de filtres facilite la recherche d'un filtre spécifique. Elle permet aussi d'associer rapidement plusieurs filtres. Grâce à l'aperçu affiché dans la boîte de dialogue, vous pouvez observer les effets de la combinaison de filtres avant des les appliquer simultanément.

Photoshop tient à jour la liste des filtres déjà appliqués, dans le volet droit de la boîte de dialogue.

Le bouton Nouveau calque d'effet, en bas à droite, permet d'ajouter un nouveau filtre à la liste. Vous pouvez sélectionner n'importe quel filtre disponible dans la Galerie de filtres, y compris un filtre déjà appliqué dont vous souhaitez renforcer l'effet.

Consultez la tâche n° 61 pour plus d'informations sur la Galerie de filtres.

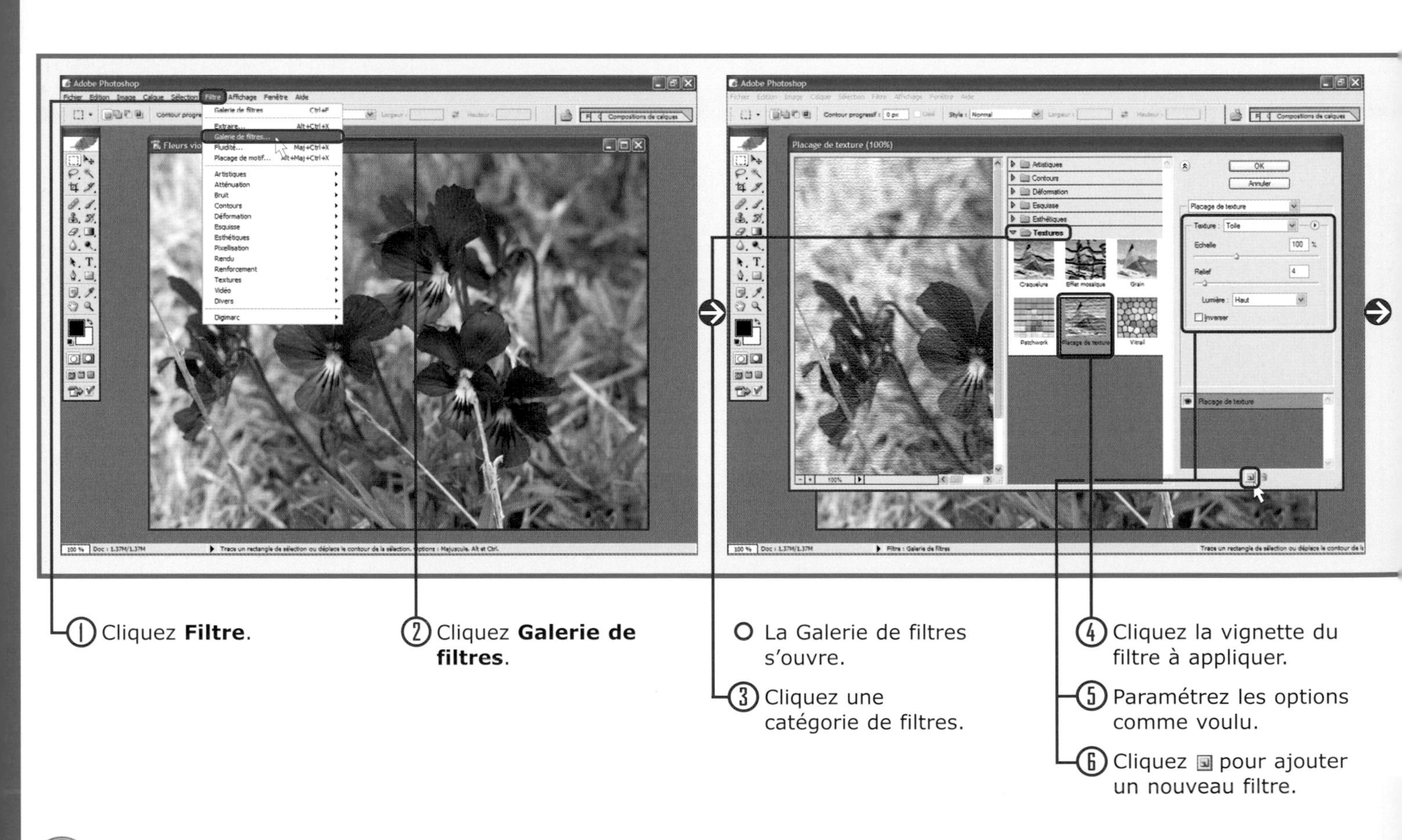

1. Cliquez **Filtre**.
2. Cliquez **Galerie de filtres**.

- La Galerie de filtres s'ouvre.

3. Cliquez une catégorie de filtres.
4. Cliquez la vignette du filtre à appliquer.
5. Paramétrez les options comme voulu.
6. Cliquez ▣ pour ajouter un nouveau filtre.

64

NIVEAU DE DIFFICULTÉ

Le saviez-vous ?

Vous pouvez changer considérablement le résultat obtenu en permutant les filtres, dans la liste affichée à droite de la boîte de dialogue. Cliquez et faites glisser un filtre vers sa nouvelle position. Photoshop applique à nouveau les filtres, dans leur ordre d'apparition dans la liste. Vous pouvez désactiver temporairement un filtre en cliquant à sa gauche. Pour le supprimer définitivement, cliquez le filtre, puis .

Prudence !

L'application de filtres complexes et d'une combinaison de plusieurs filtres requiert beaucoup de ressources. L'opération peut ralentir considérablement votre ordinateur, selon la taille de l'image, la quantité de mémoire vive disponible, la vitesse du processeur, le nombre et le type de filtres appliqués. Si les ressources de votre ordinateur sont limitées, enregistrez l'image avant d'appliquer les filtres. Vous réduisez ainsi les risques de perdre les retouches déjà effectuées.

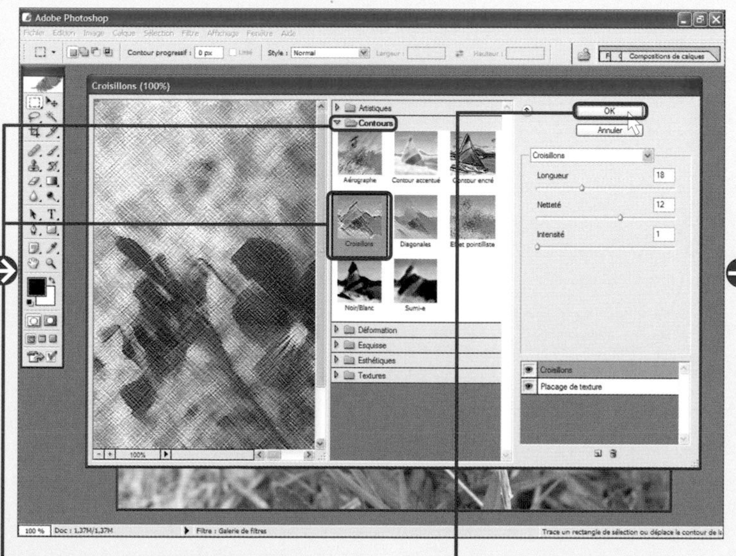

7 Répétez les étapes **3** à **5** de la page précédente pour appliquer le deuxième filtre.

- Vous pouvez ajouter d'autres filtres en répétant les étapes **6** et **7**.

8 Cliquez **OK**.

- Photoshop applique tous les filtres sélectionnés dans la Galerie de filtres.

ADOUCISSEZ LES CONTOURS
d'objets extraits

Lorsque vous importez un élément d'une autre photo, les contours abrupts de l'objet exporté trahissent souvent le montage. Vous pouvez corriger ce défaut à l'aide d'un filtre et d'un outil de Photoshop. Associez le filtre Flou et l'outil Goutte d'eau pour estomper facilement la démarcation entre l'objet étranger et les pixels environnants.

Le filtre Flou et l'outil Goutte d'eau atténuent la différence de couleur et de ton entre les pixels voisins. L'élément importé se fond alors dans l'image. Photoshop offre d'autres moyens pour rendre un montage plus crédible. La technique décrite ci-dessous est, cependant, l'une des plus simples à mettre en œuvre.

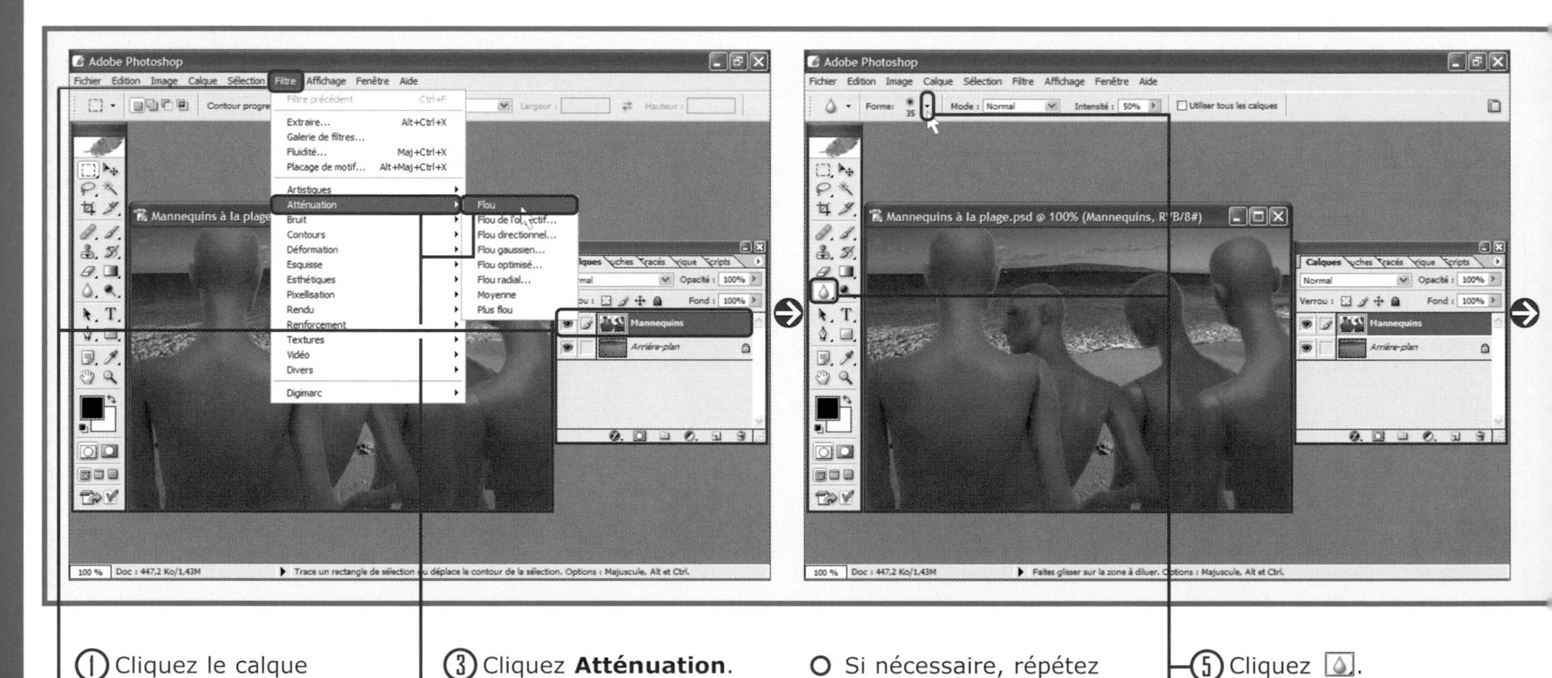

1. Cliquez le calque contenant l'élément importé.
2. Cliquez **Filtre**.
3. Cliquez **Atténuation**.
4. Cliquez **Flou**.

- Si nécessaire, répétez les étapes **2** à **4**, ou appuyez sur **Ctrl+F** jusqu'à obtenir le flou désiré.

5. Cliquez [icône Goutte d'eau].
6. Cliquez [▾] et sélectionnez la forme d'outil adéquate.

65

NIVEAU DE DIFFICULTÉ

Prudence !

L'outil Goutte d'eau (💧), comme d'autres outils de peinture, altère définitivement les pixels. Vous pouvez rapidement perdre les détails d'une image en l'appliquant. Utilisez-le avec précaution. Il ne sert à rien d'essayer de récupérer les détails estompés par l'outil Goutte d'eau en appliquant le filtre Accentuation. Cela ne peut restaurer les informations perdues. Pour plus de sécurité, travaillez sur une copie de l'image ou enregistrez-la sous un nom différent.

Le saviez-vous ?

L'outil Goutte d'eau peut aussi servir à atténuer les petits défauts d'une image, comme les petites éraflures ou les poussières. En diminuant l'intensité des retouches, dans la barre d'options, vous pouvez même estomper les rides ou les points brillants sur un visage. Appliquez l'outil avec parcimonie pour obtenir un résultat naturel. Consultez les tâches n° 31, 32 et 33 pour plus d'informations sur les retouches d'image.

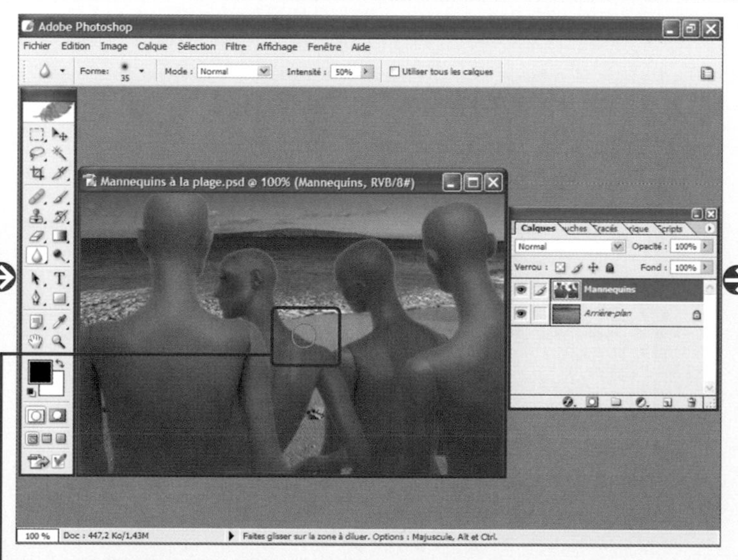

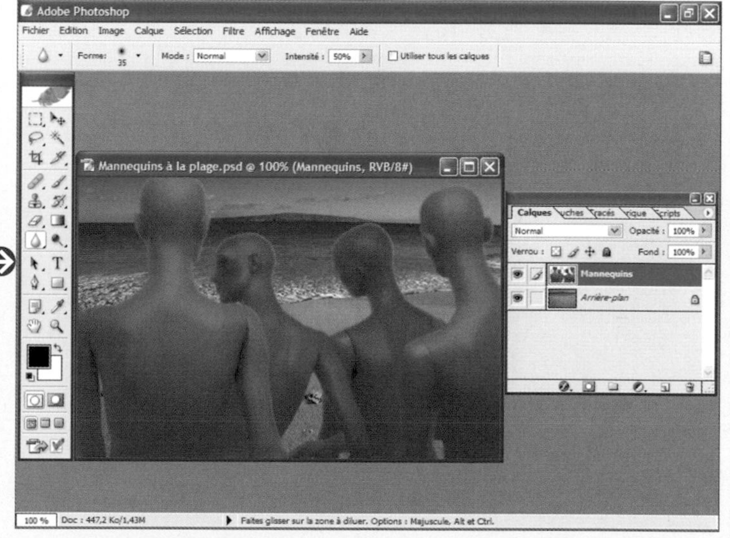

7. Cliquez et faites glisser le pointeur le long des contours de l'objet.

- Vous pouvez cliquer 🔍 puis dans l'image pour mieux distinguer les contours à atténuer.

Photoshop adoucit les contours de l'élément importé.

Transformez une photo en CROQUIS

Donnez un cachet nouveau à une photo en la transformant en croquis artistique. La technique décrite ci-dessous fonctionne sur pratiquement toutes les photos. Les images très contrastées donnent, cependant, des résultats plus probants.

Les différents filtres proposés par Photoshop offrent bien d'autres méthodes pour styliser vos images. N'hésitez pas à expérimenter pour découvrir les possibilités offertes par le menu Filtre et la Galerie des filtres.

Les filtres de la catégorie Esquisse créent des dessins très détaillés. Vous pouvez ajuster les paramètres pour obtenir des résultats plus abstraits.

Pensez à dupliquer l'image avant d'appliquer les filtres et travaillez de préférence sur la copie. Les effets des filtres sont, pour la plupart, irréversibles.

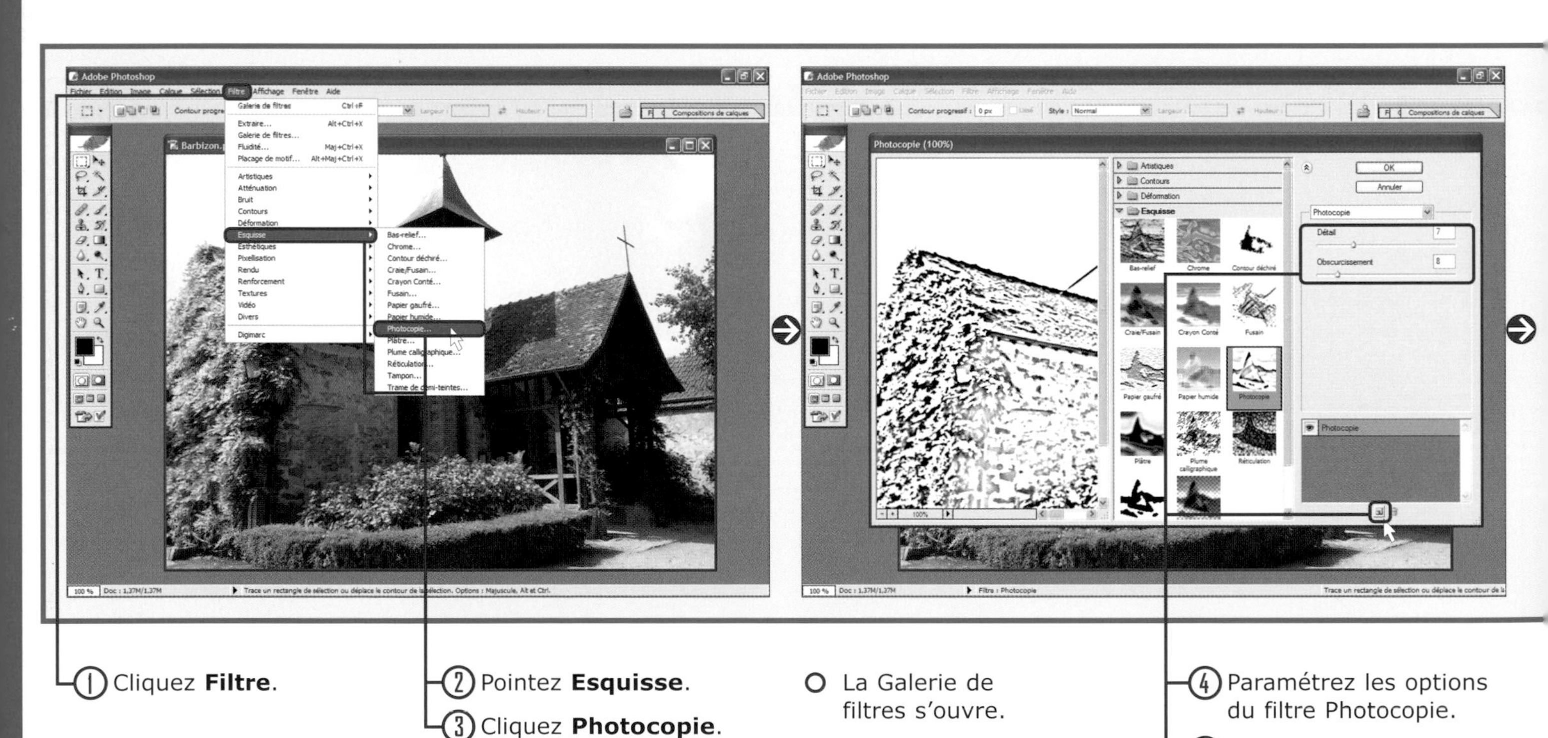

(1) Cliquez **Filtre**.

(2) Pointez **Esquisse**.

(3) Cliquez **Photocopie**.

○ La Galerie de filtres s'ouvre.

(4) Paramétrez les options du filtre Photocopie.

(5) Cliquez ▣.

Ajoutez une touche personnelle !

NIVEAU DE DIFFICULTÉ

Vous pouvez créer un croquis en couleurs en appliquant uniquement le filtre Pastels. Pour cela, ignorez les étapes **1** à **4** de la page 146. Le résultat obtenu diffère radicalement de ce que montre l'exemple ci-dessous.

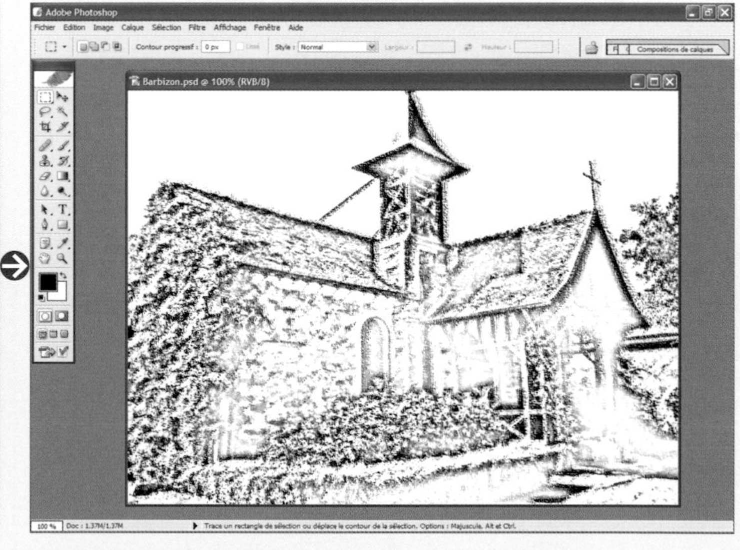

6 Cliquez **Artistiques**.

7 Cliquez **Pastels**.

8 Paramétrez les options à votre convenance.

9 Cliquez **OK**.

- Photoshop applique les filtres et transforme l'image en croquis.

Créez des textures avec le FILTRE ECLAIRAGE

Photoshop propose un nombre important d'outils permettant de créer des textures. Vous pouvez concevoir toutes les textures sortant de votre imagination et leur donner plus de réalisme ou de relief à l'aide des filtres de Photoshop.

Le filtre Eclairage, par exemple, peut trouver plusieurs usages. Associé à des dégradés, il crée des textures en trois dimensions. L'exemple ci-dessous montre une texture rappelant la surface d'un gruyère, créé à l'aide du dégradé radial et du filtre Eclairage. Les reliefs sont obtenus grâce à l'option Texture de ce dernier. Dans la boîte de dialogue Eclairage, choisissez le blanc comme sommet des reliefs. Ceci creuse les trous du gruyère.

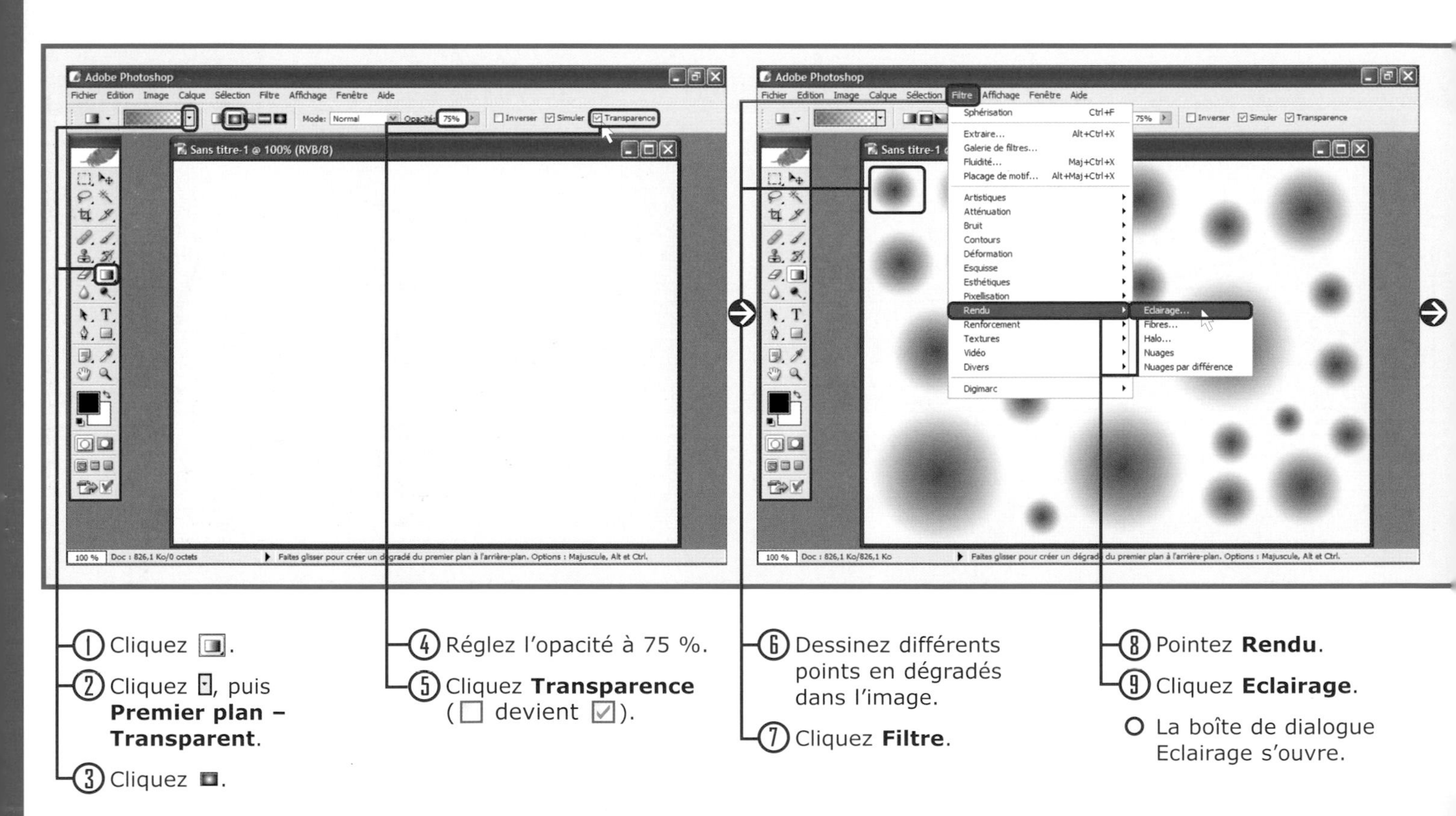

1. Cliquez .
2. Cliquez , puis **Premier plan – Transparent**.
3. Cliquez .
4. Réglez l'opacité à 75 %.
5. Cliquez **Transparence** (☐ devient ☑).
6. Dessinez différents points en dégradés dans l'image.
7. Cliquez **Filtre**.
8. Pointez **Rendu**.
9. Cliquez **Eclairage**.

- La boîte de dialogue Eclairage s'ouvre.

Ajoutez une touche personnelle !

Vous pouvez recréer l'effet montré dans l'exemple sur les caractères d'un texte. Tapez un texte en couleur. Consultez les tâches n° 11, 12 et 13 pour plus d'informations. L'effet ne fonctionne pas avec du texte noir. Pixellisez le calque de texte en cliquant **Calque** ⇨ **Pixellisation** ⇨ **Texte**. Répétez toutes les étapes ci-dessous. Appliquez ensuite un biseautage au calque pour accentuer l'effet tridimensionnel. Consultez les tâches n° 4 et 5 pour plus d'informations.

67

NIVEAU DE DIFFICULTÉ

Tentez l'expérience !

Vous pouvez associer différents filtres pour obtenir des textures surprenantes. Appliquez, par exemple, le filtre Nuages (**Filtre** ⇨ **Rendu** ⇨ **Nuages**) sur une nouvelle image. Définissez les couleurs de premier plan et d'arrière-plan auparavant, si nécessaire. Appliquez ensuite le filtre Eclairage, comme ci-dessous. La texture obtenue varie selon le type d'éclairage choisi. Vous pouvez modifier les nuages avec différents filtres avant d'appliquer Eclairage.

e saviez-vous ?

Les cases de couleurs dans la boîte de dialogue Eclairage teintent l'éclairage de différentes nuances. Cliquez les cases puis suivez les étapes **6** à **8** de la page 35 pour sélectionner les couleurs.

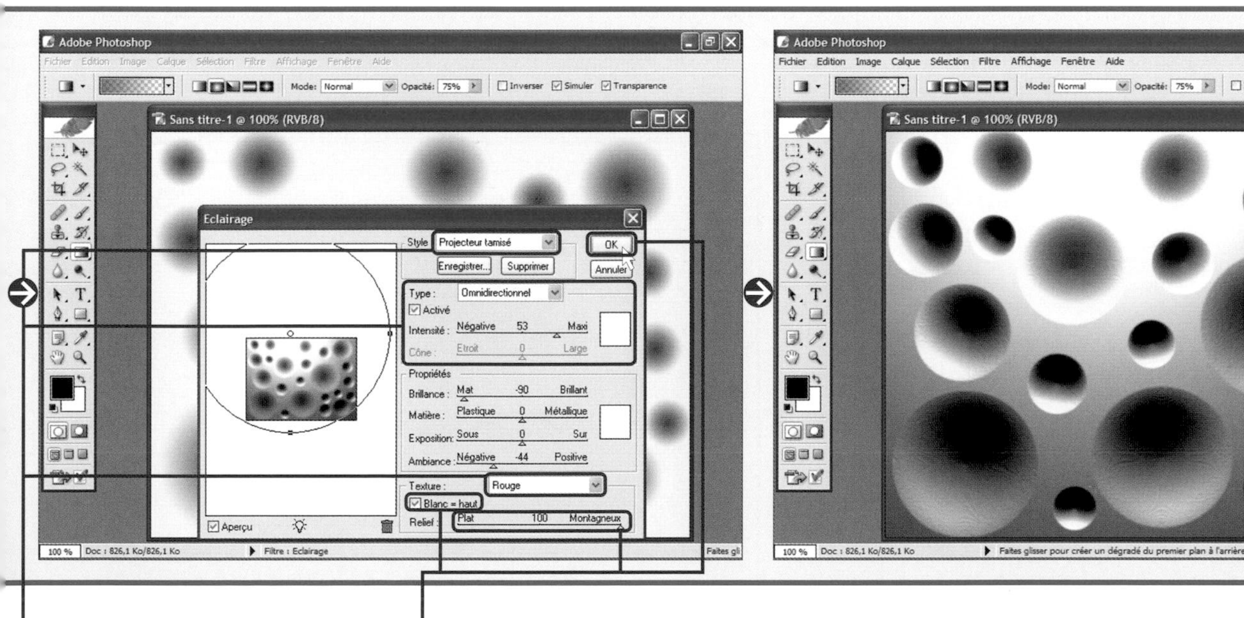

⑩ Cliquez ici pour sélectionner un style d'éclairage prédéfini.

⑪ Choisissez le type d'éclairage et paramétrez les options correspondantes.

⑫ Cliquez ici, puis la couche de couleur à utiliser comme texture.

⑬ Cliquez **Blanc = haut** (☐ devient ☑).

⑭ Faites glisser le curseur pour régler le relief.

⑮ Cliquez **OK**.

○ Photoshop applique l'éclairage et révèle les reliefs de la texture.

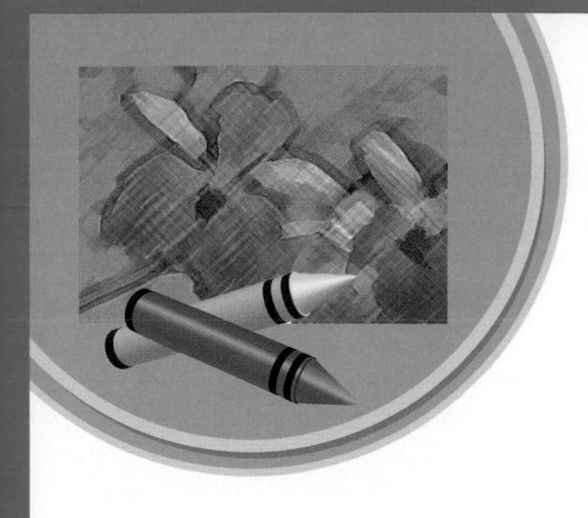

Déformez l'image avec le FILTRE FLUIDITÉ

Grâce au filtre Fluidité, l'image se transforme en pâte malléable que vous pouvez déformer à volonté. Les outils du filtre Fluidité étirent, tordent, dilatent ou contractent les parties de l'image manipulées avec le pointeur. Les effets obtenus peuvent aller du plus bizarre au plus créatif.

Le filtre superpose à l'image une grille, que les outils de la boîte de dialogue Fluidité déforment. Les pixels de l'image épousent les déformations de la grille.

Cliquez Afficher le filet, sous la section Options d'affichage de la boîte de dialogue, pour rendre la grille visible.

La boîte de dialogue propose aussi tous les outils nécessaires pour annuler les modifications une par une ou toutes à la fois. Vous pouvez aussi protéger certaines parties de l'image des distorsions.

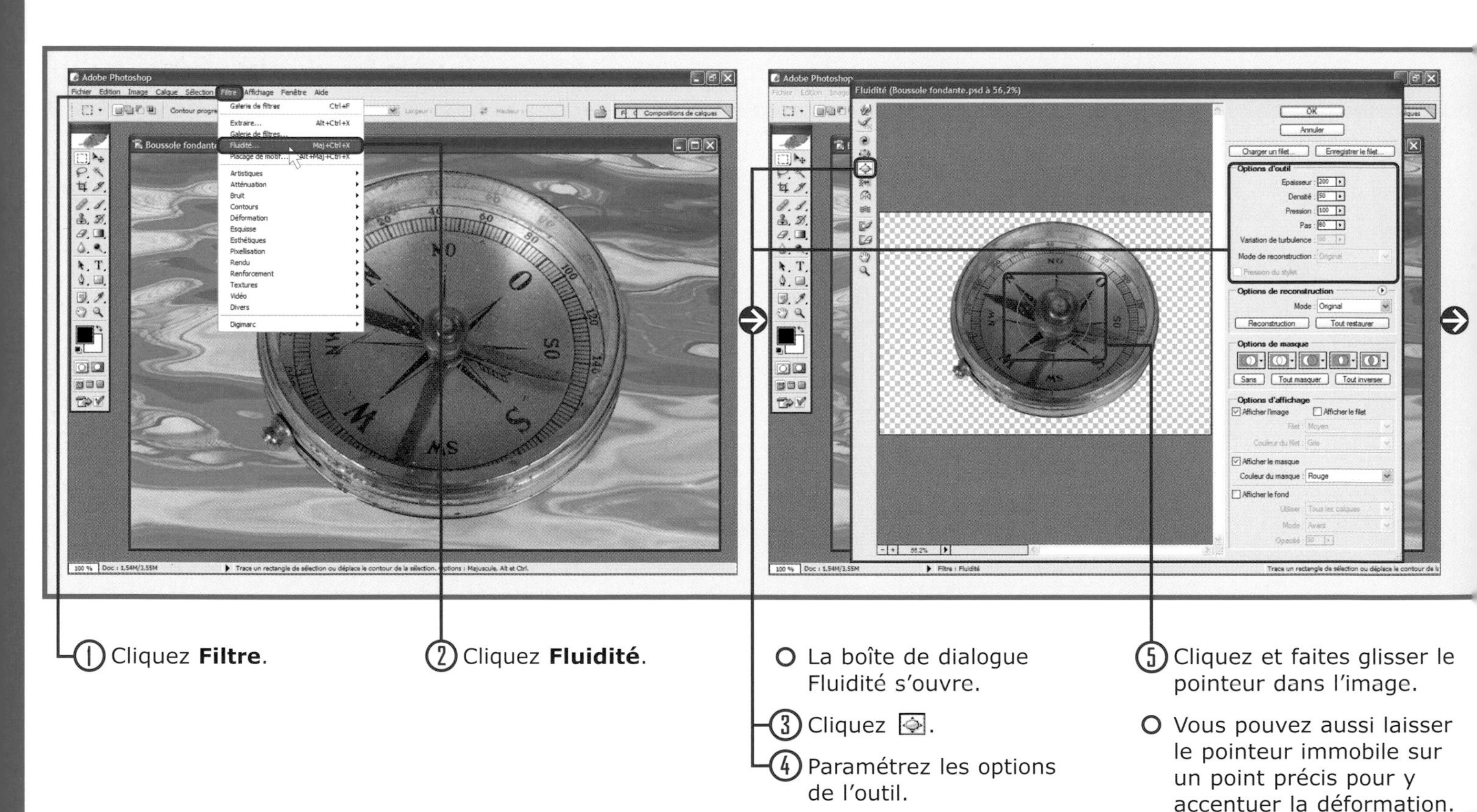

① Cliquez **Filtre**.

② Cliquez **Fluidité**.

- La boîte de dialogue Fluidité s'ouvre.

③ Cliquez [icône].

④ Paramétrez les options de l'outil.

⑤ Cliquez et faites glisser le pointeur dans l'image.

- Vous pouvez aussi laisser le pointeur immobile sur un point précis pour y accentuer la déformation.

68

NIVEAU DE DIFFICULTÉ

Le saviez-vous ?

La boîte de dialogue Fluidité propose différents outils pour annuler les déformations. Cliquez et faites glisser le pointeur dans l'image pour rétablir l'état original des pixels. Vous pouvez aussi cliquer le bouton **Reconstruction** pour revenir sur les modifications successives. Cliquez **Tout restaurer** pour retrouver l'image originale.

Le saviez-vous ?

Vous pouvez protéger certaines parties de l'image des déformations à l'aide d'un masque. Cliquez , puis cliquez et faites glisser le pointeur sur les zones à préserver. Cliquez , puis cliquez et faites glisser le pointeur sur les zones peintes pour retirer le masque.

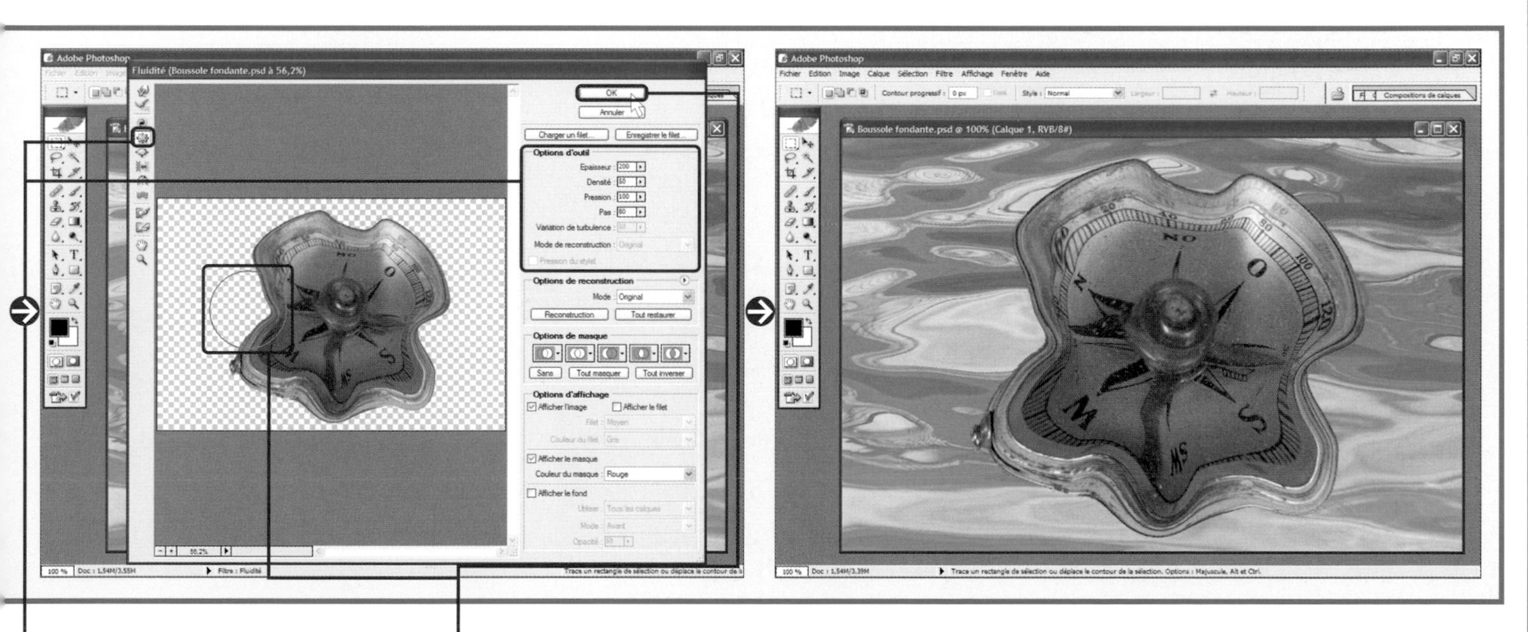

6 Cliquez .

7 Paramétrez les options de l'outil.

8 Cliquez et faites glisser le pointeur dans l'image.

9 Cliquez **OK**.

○ Photoshop déforme l'image.

Créez des volumes AVEC LE FILTRE ECLAIRAGE

Le filtre Eclairage, déjà présenté dans la tâche n° 67, permet de créer une impression de volume grâce à des effets d'ombre et de lumière. Vous pouvez choisir parmi un large éventail d'éclairage allant du simple projecteur à une rampe de cinq projecteurs. Les options de la boîte de dialogue permettent de personnaliser encore plus chaque style d'éclairage.

L'option Texture permet créer le relief d'après une couche de couleur, une couche alpha, ou les pixels opaques d'un calque. Le curseur Relief accentue ou d'aplatit les volumes.

L'exemple ci-dessous applique un flou gaussien au calque du dessus pour obtenir un dégradé sur les bords des caractères. Vous pouvez obtenir un effet plus précis et plus personnalisable en créant ce dégradé avec une superposition de plusieurs calques.

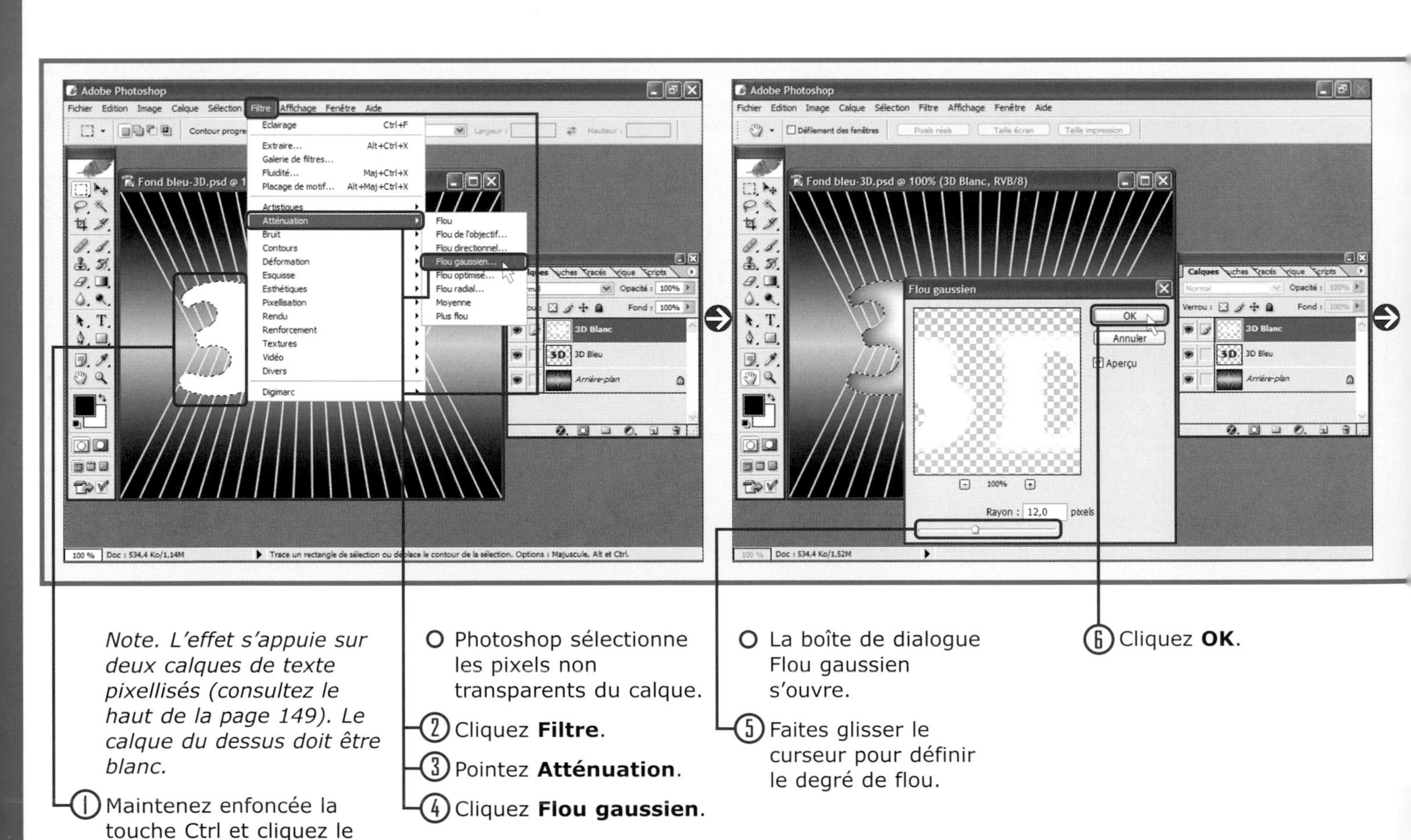

Note. L'effet s'appuie sur deux calques de texte pixellisés (consultez le haut de la page 149). Le calque du dessus doit être blanc.

1. Maintenez enfoncée la touche Ctrl et cliquez le calque de texte blanc.

- Photoshop sélectionne les pixels non transparents du calque.

2. Cliquez **Filtre**.
3. Pointez **Atténuation**.
4. Cliquez **Flou gaussien**.

- La boîte de dialogue Flou gaussien s'ouvre.

5. Faites glisser le curseur pour définir le degré de flou.
6. Cliquez **OK**.

Mise en pratique !

Vous pouvez créer des effets tridimensionnels de meilleure qualité en superposant plusieurs calques. Cette technique fonctionne aussi sur les formes personnalisées et les touches de peinture. Dans ce dernier cas, appliquez la peinture avec une forme de pinceau personnalisée pour un effet créatif. Les filtres Flou gaussien et Eclairage ne fonctionnent que sur les calques de forme pixellisés. Pour cela, cliquez le calque de forme avec le bouton droit et cliquez **Pixelliser le calque**. Consultez la tâche n° 14 sur les pinceaux personnalisés, et les tâches n° 17, 18 et 19 sur les formes personnalisées.

NIVEAU DE DIFFICULTÉ

Ajoutez une touche personnelle !

Le flou gaussien appliqué au calque du dessus laisse transparaître la couleur du calque de texte inférieur. Celle-ci colore les volumes obtenus dans le résultat final. L'effet diffère de celui obtenu avec un éclairage coloré.

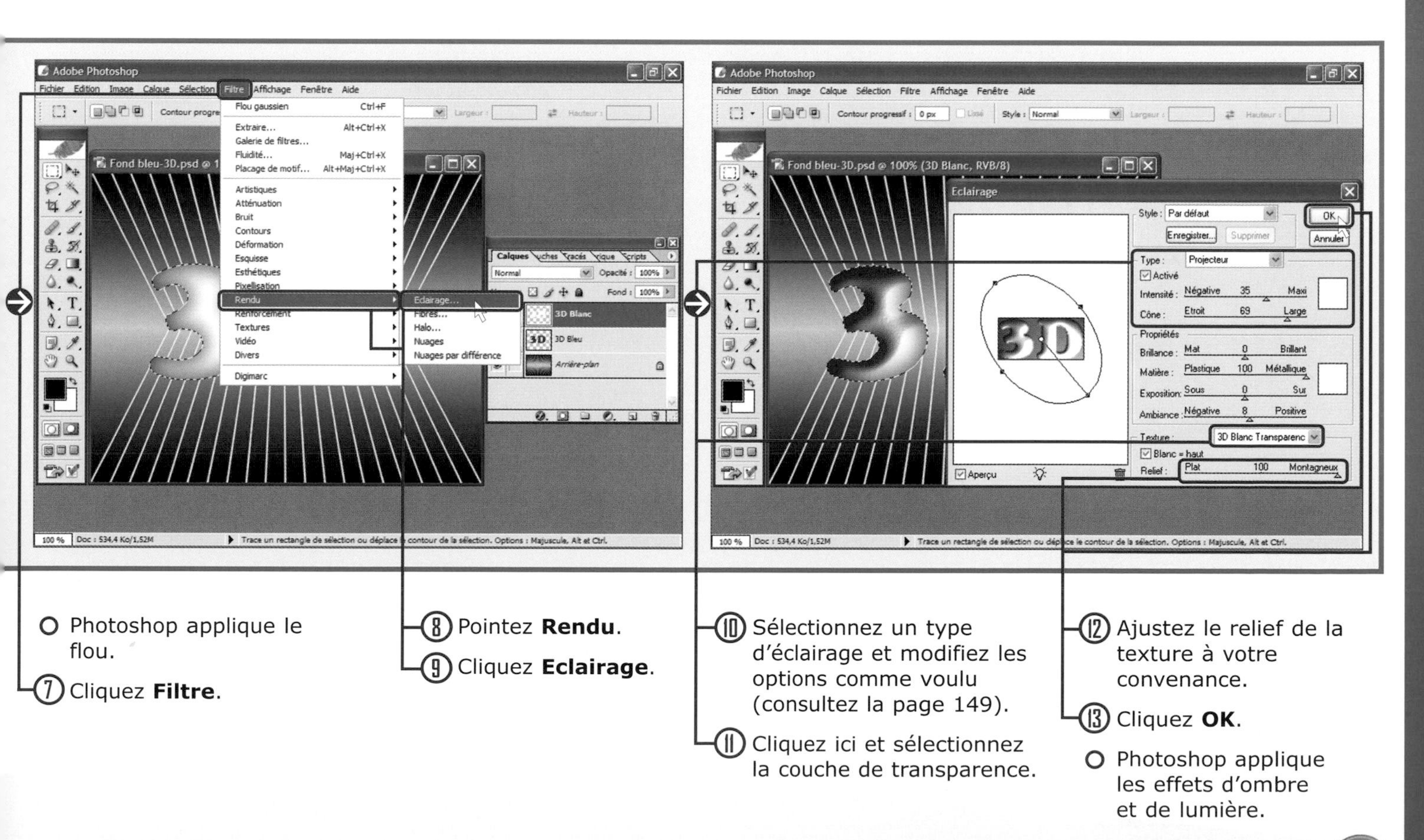

- Photoshop applique le flou.

7. Cliquez **Filtre**.
8. Pointez **Rendu**.
9. Cliquez **Eclairage**.
10. Sélectionnez un type d'éclairage et modifiez les options comme voulu (consultez la page 149).
11. Cliquez ici et sélectionnez la couche de transparence.
12. Ajustez le relief de la texture à votre convenance.
13. Cliquez **OK**.

- Photoshop applique les effets d'ombre et de lumière.

Modifiez la profondeur de champ avec le FILTRE FLOU DE L'OBJECTIF

Le filtre Flou de l'objectif permet de créer un effet de profondeur de champ. Il donne l'impression que la mise au point est effectuée sur un plan ou un objet précis de la photo. Seul celui-ci reste net, alors que le reste de l'image devient flou.

Vous pouvez définir l'élément sur lequel se fait la mise au point en l'excluant d'une sélection qui englobe tout le reste de l'image. Une deuxième technique s'appuie sur une couche alpha. Le filtre Flou de l'objectif détermine les zones nettes et floues selon les niveaux de gris de la couche alpha. Les zones noires restent nettes, les zones blanches deviennent floues.

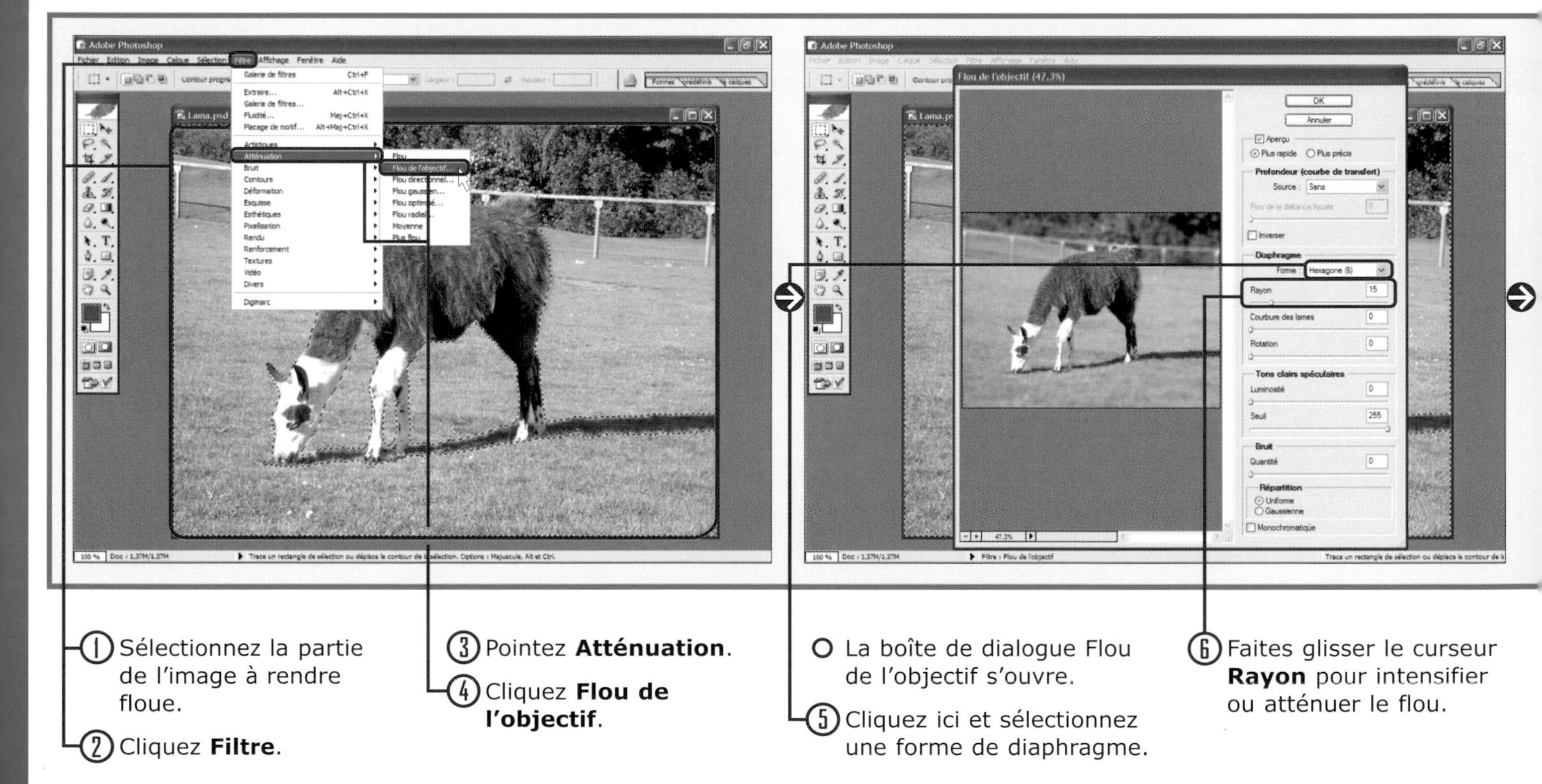

1. Sélectionnez la partie de l'image à rendre floue.
2. Cliquez **Filtre**.
3. Pointez **Atténuation**.
4. Cliquez **Flou de l'objectif**.

- La boîte de dialogue Flou de l'objectif s'ouvre.

5. Cliquez ici et sélectionnez une forme de diaphragme.
6. Faites glisser le curseur **Rayon** pour intensifier ou atténuer le flou.

NIVEAU DE DIFFICULTÉ

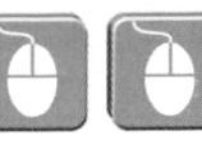

Mise en pratique !

Vous pouvez créer une couche alpha en dégradé et vous en servir pour définir les zones floues et nettes de l'image. Ouvre la palette Couches. Cliquez , puis Nouvelle couche. Dans la boîte de dialogue Nouvelle couche, donnez un nom à la couche, puis cliquez **OK**. Cliquez . Cliquez et faites glisser le pointeur dans l'image pour créer un dégradé dans la couche alpha. Cliquez la couche RVB. Répétez les étapes **2** à **4** ci-dessous pour ouvrir la boîte de dialogue Flou de l'objectif. Déroulez la liste **Source** et sélectionnez la couche alpha.

Le saviez-vous ?

L'option **Forme** simule la forme du diaphragme, ou de l'iris, de l'appareil photo. Déroulez la liste pour sélectionner la forme adéquate. Les options sous la section **Tons clairs spéculaires** font scintiller les points brillants de l'image selon les paramètres spécifiés. Les options de la section **Bruit** ajoute du bruit au flou. Ces deux derniers groupes d'options contribuent à rendre les effets du filtre Flou de l'objectif moins artificiels.

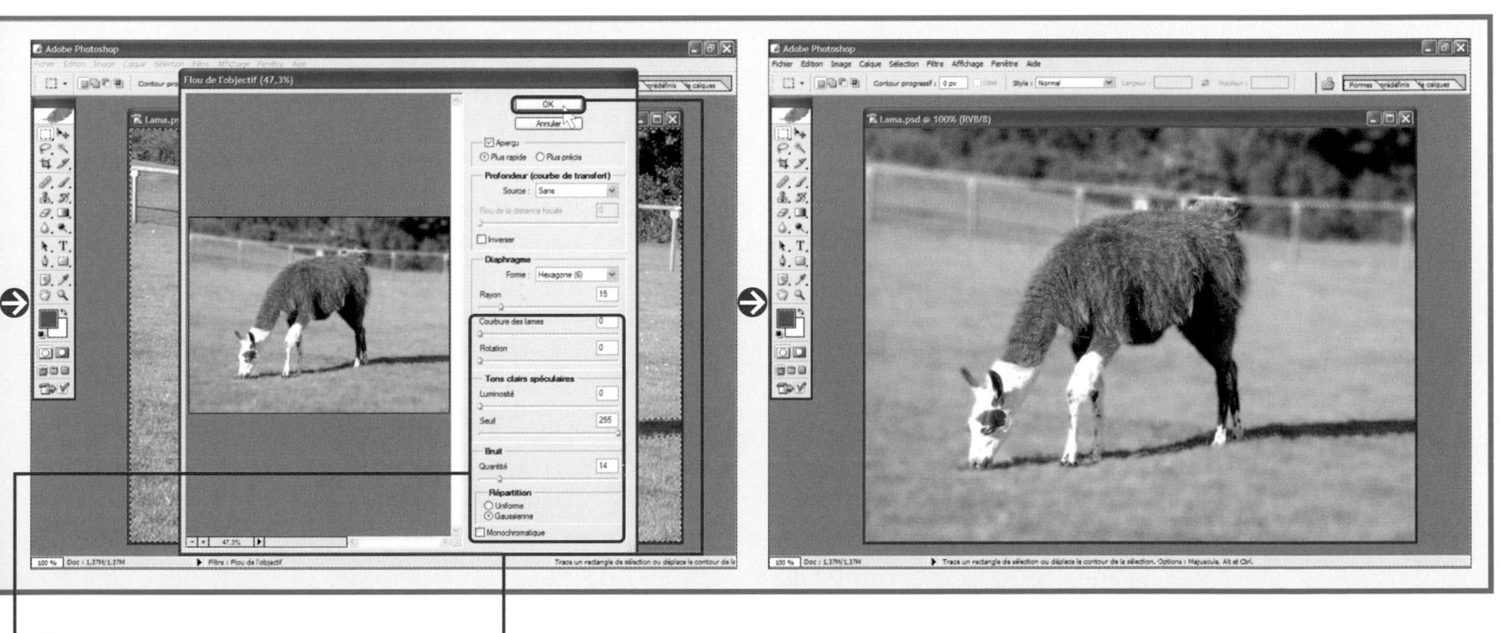

7 Modifiez d'autres options du flou, si nécessaire.

8 Cliquez **OK**.

- Photoshop applique le flou à l'image.

Préparez les images pour l'impression et le Web

Les images créées ou retouchées dans Photoshop peuvent servir diverses fins. Elles peuvent, par exemple, illustrer des documents imprimés ou des pages Web. Photoshop facilite la préparation des images pour ces supports.

Lorsque vous créez des graphismes pour le Web, vous devez tenir compte de la disparité des vitesses de connexion dont bénéficient les internautes. Rééchantillonner les images, c'est à dire modifier leurs dimensions en pixels, permet de limiter la taille des fichiers graphiques. Ceci accélère leur téléchargement, notamment pour les connexions bas débit. Grâce à l'optimisation des images pour le Web, vous pouvez aussi trouver le meilleur compromis entre une taille de fichier réduite et une qualité d'image satisfaisante.

L'imprimé obéit à d'autres impératifs. Une image imprimée de qualité requiert une résolution et un nombre de pixels (définition) suffisants. Vous pouvez ensuite adapter l'image au format du support d'impression, sans en altérer la qualité.

Photoshop automatise la création de documents, imprimés ou en ligne, regroupant plusieurs images.
Il génère, en quelques étapes, des planches contact, des collections d'images ou des galeries photo pour le Web.

Ce chapitre présente également l'Explorateur de fichiers. Ce dernier facilite la recherche et l'organisation de vos fichiers d'images. Il permet aussi d'ajouter aux images des informations, sur les droits d'auteur, par exemple.

TOP 100

Créez une PLANCHE CONTACT

La commande Planche Contact II crée, comme son nom l'indique, une planche contact. Comme celle utilisée par les photographes, la planche contact de Photoshop se compose de versions miniatures d'images. Elle remplit aussi des fonctions équivalentes. Elle permet de voir en un coup d'œil le contenu de plusieurs images sans avoir à les imprimer à la taille réelle. Elle peut répertorier les images numériques archivées sur votre ordinateur.

Ceci se révèle particulièrement intéressant si votre ordinateur contient un nombre important d'images.

La boîte de dialogue Planche Contact II affiche les différentes options de la planche contact. Vous y spécifiez le nombre de colonne et de rangées d'images. Vous pouvez aussi définir la légende s'imprimant sous chaque miniature. La planche contact servant essentiellement de référence, il ne sert à rien de l'imprimer à une résolution élevée.

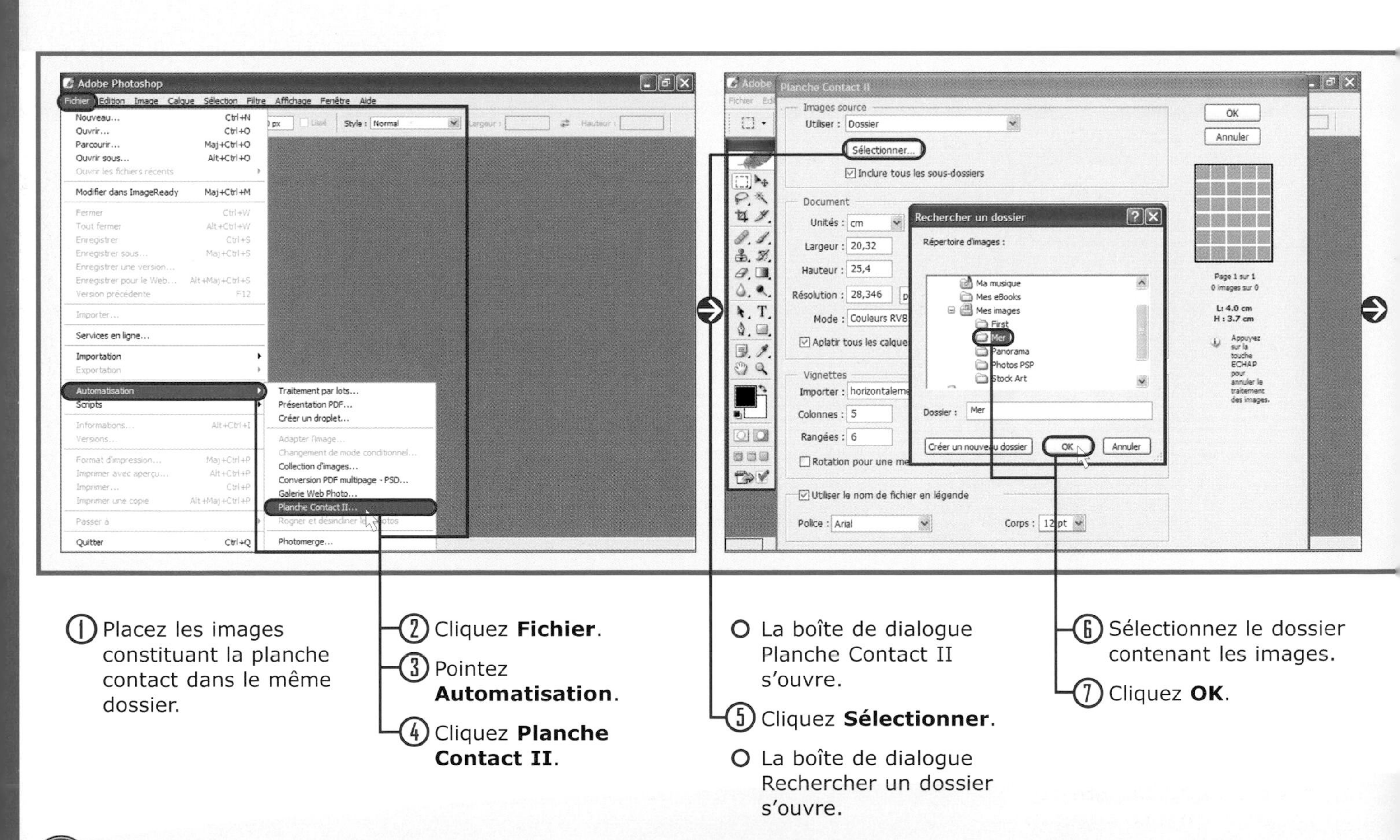

① Placez les images constituant la planche contact dans le même dossier.

② Cliquez **Fichier**.

③ Pointez **Automatisation**.

④ Cliquez **Planche Contact II**.

○ La boîte de dialogue Planche Contact II s'ouvre.

⑤ Cliquez **Sélectionner**.

○ La boîte de dialogue Rechercher un dossier s'ouvre.

⑥ Sélectionnez le dossier contenant les images.

⑦ Cliquez **OK**.

NIVEAU DE DIFFICULTÉ

Le saviez-vous ?

Photoshop définit automatiquement les dimensions des vignettes d'après la taille de la planche contact, et le nombre de colonnes et de rangées. En changeant ces paramètres, vous pouvez modifier la taille des images miniatures.

Le saviez-vous ?

Pour que la planche contact reste modifiable après sa création, cliquez l'option **Aplatir tous les calques** (☑ devient ☐). Ainsi, chaque vignette de la planche contact se trouve sur son propre calque. Vous pouvez les modifier individuellement, et personnaliser la légende de chaque image.

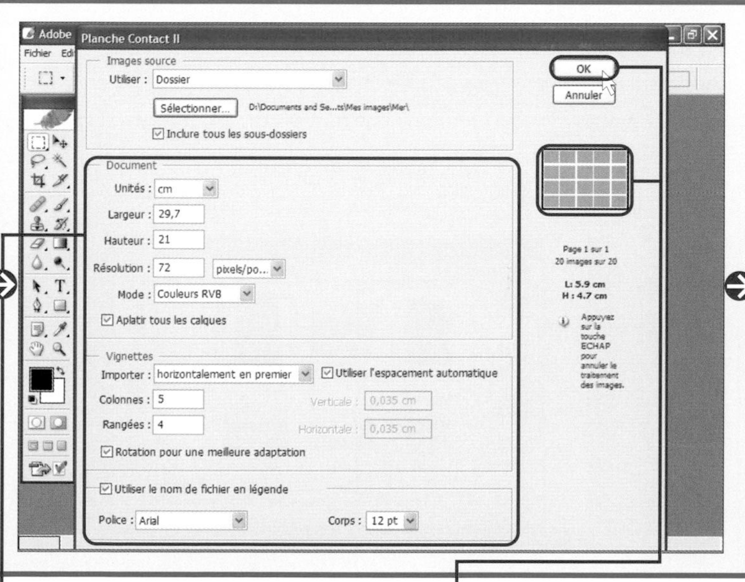

8 Mettez en forme la planche contact selon les options désirées.

- Vous pouvez paramétrer les dimensions de la planche contact, sa résolution, l'ordre des vignettes, le nombre de colonnes et de rangées, et les légendes.

- La boîte de dialogue affiche un aperçu de la mise en page.

9 Cliquez **OK**.

- Photoshop crée la planche contact et l'affiche dans une fenêtre d'image.

- Si les images ne tiennent pas toutes sur une planche contact, Photoshop en crée autant que nécessaire.

Concevez une COLLECTION D'IMAGES

La commande Collection d'images crée une mise en page regroupant plusieurs versions de différentes tailles d'une même image. Les formats vont d'un agrandissement de 25 sur 33 cm environ (10 x 13 pouces) à une miniature d'environ 4 sur 5 cm (1,5 x 2 pouces). Vous disposez aussi de différents formats de papier.

La boîte de dialogue Collection d'images donne un aperçu de la mise en page. Vous y choisissez aussi la résolution de la collection d'images et son mode de couleur (Niveaux de gris, Couleurs RVB, Couleurs CMJN, Couleurs Lab).

La qualité de la collection d'images imprimée dépend de celle de l'image originale. Pour obtenir la meilleure définition possible, choisissez une image de grande taille et augmentez la résolution de la collection d'images. Ce réglage s'effectue directement dans la boîte de dialogue Collection d'images.

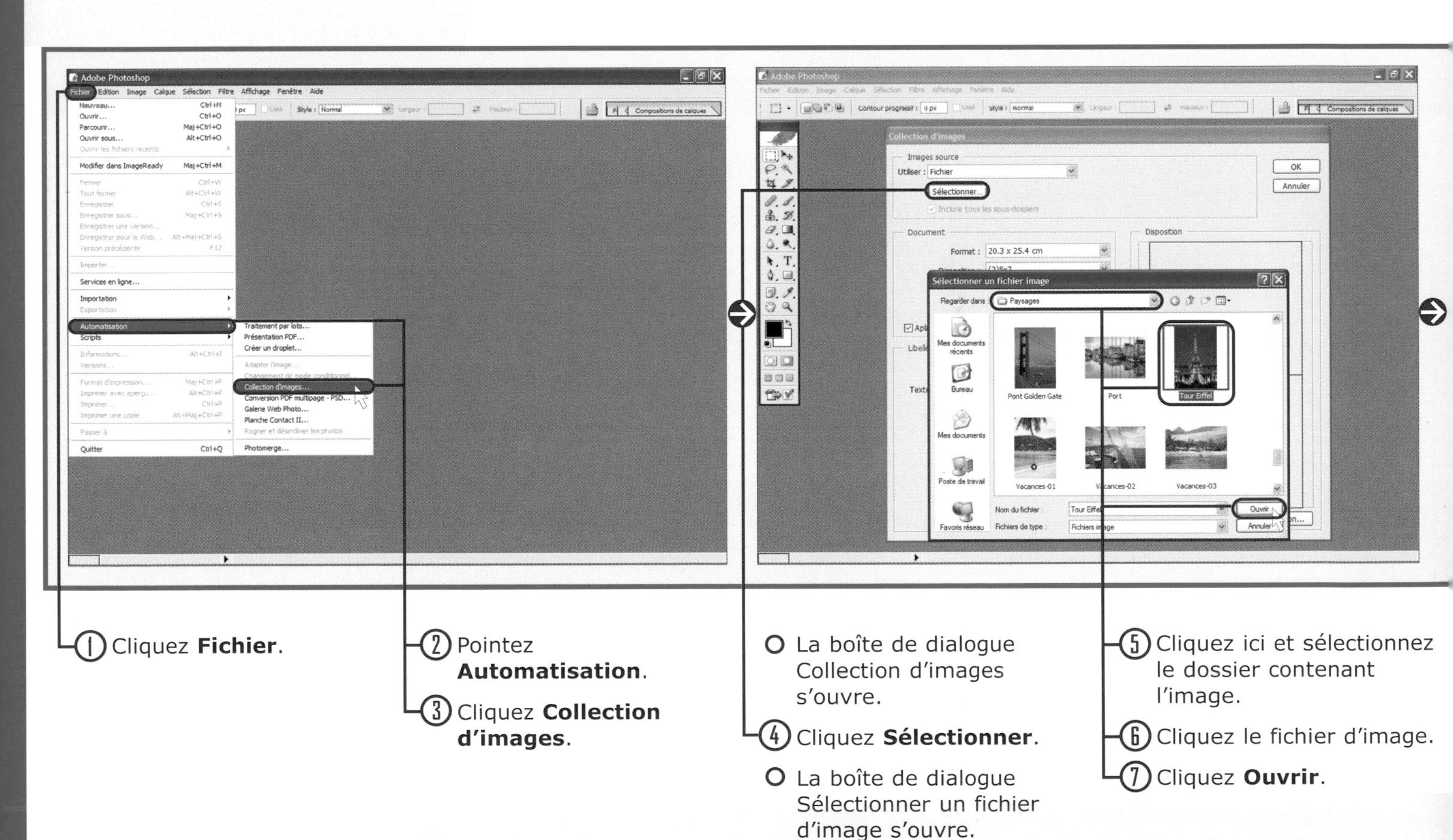

1 Cliquez **Fichier**.

2 Pointez **Automatisation**.

3 Cliquez **Collection d'images**.

- La boîte de dialogue Collection d'images s'ouvre.

4 Cliquez **Sélectionner**.

- La boîte de dialogue Sélectionner un fichier d'image s'ouvre.

5 Cliquez ici et sélectionnez le dossier contenant l'image.

6 Cliquez le fichier d'image.

7 Cliquez **Ouvrir**.

72

NIVEAU DE DIFFICULTÉ

Le saviez-vous ?

La collection d'images peut contenir des images différentes. Cliquez l'emplacement réservé d'un fichier d'image, dans l'aperçu de la mise en page. La boîte de dialogue Sélectionner un fichier d'image s'ouvre. Vous pouvez y choisir l'image à afficher à cet emplacement.

Le saviez-vous ?

Vous pouvez créer plusieurs collections d'images en une fois. Cliquez **Dossier** dans la liste déroulante **Utiliser**, en haut de la boîte de dialogue Collection d'images. Cliquez **Parcourir** et sélectionnez le dossier contenant les images. Photoshop crée une collection d'images pour chaque fichier se trouvant dans le dossier désigné.

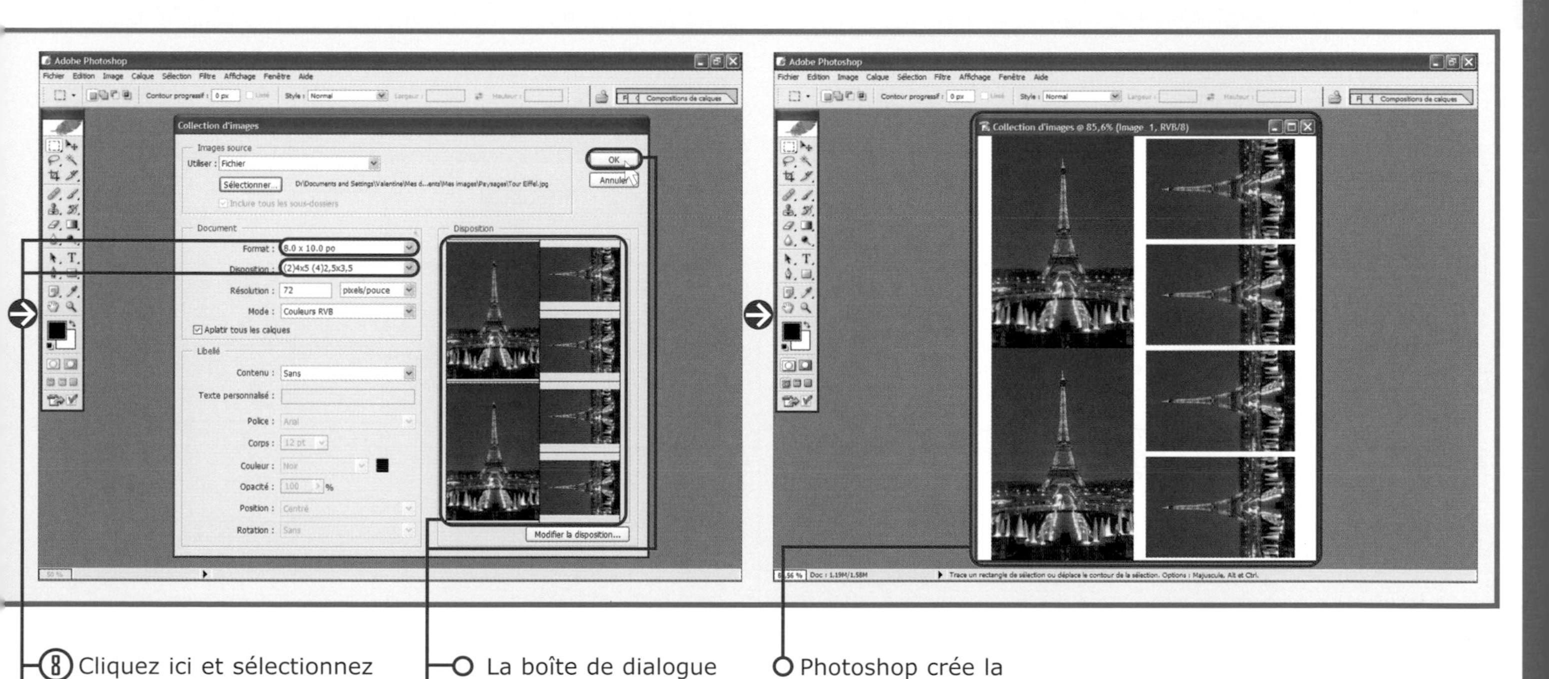

8 Cliquez ici et sélectionnez un format de papier.

9 Cliquez ici et sélectionnez une mise en page.

○ La boîte de dialogue affiche un aperçu de la mise en page.

10 Cliquez **OK**.

○ Photoshop crée la collection d'images et l'affiche dans une nouvelle fenêtre.

Personnalisez une COLLECTION D'IMAGES

La boîte de dialogue Collection d'images propose des formats de papier et des mises en page prédéfinis. Vous pouvez aussi créer votre propre mise en page et l'enregistrer pour un usager ultérieur. Consultez la tâche n °72 pour plus d'informations sur la création d'une collection d'images.

La boîte de dialogue Modifier la disposition de la collection d'images donne accès à différents paramètres de la mise en page. Vous pouvez modifier les emplacements d'images et définir les dimensions du papier. Cliquez Enregistrer pour sauvegarder la mise en page. Celle-ci apparaît alors dans la liste des dispositions de la boîte de dialogue Collection d'images.

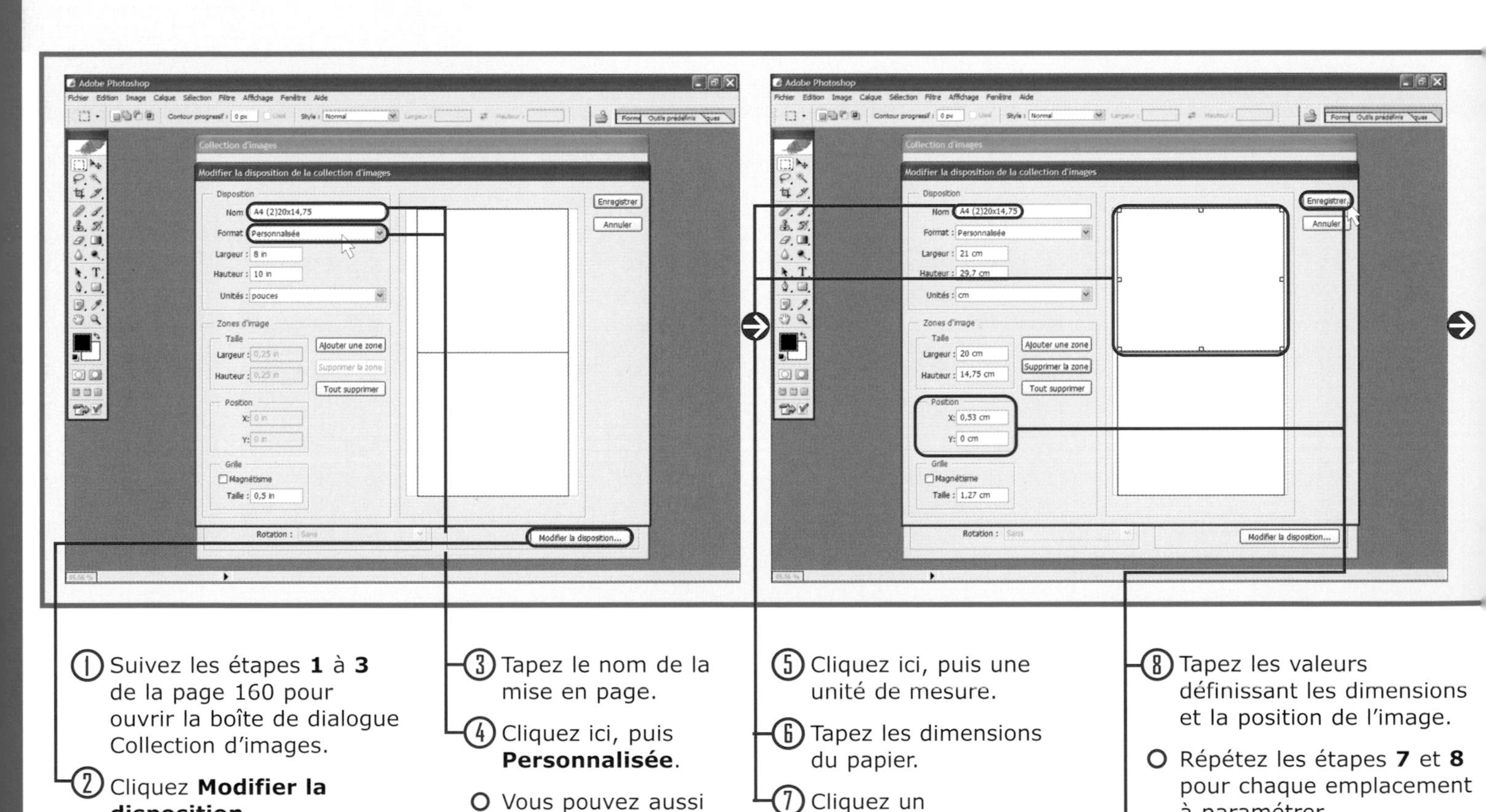

1. Suivez les étapes **1** à **3** de la page 160 pour ouvrir la boîte de dialogue Collection d'images.
2. Cliquez **Modifier la disposition**.

- La boîte de dialogue Modifier la disposition de la collection d'images s'ouvre.

3. Tapez le nom de la mise en page.
4. Cliquez ici, puis **Personnalisée**.

- Vous pouvez aussi cliquer un format prédéfini.

5. Cliquez ici, puis une unité de mesure.
6. Tapez les dimensions du papier.
7. Cliquez un emplacement d'image.
8. Tapez les valeurs définissant les dimensions et la position de l'image.

- Répétez les étapes **7** et **8** pour chaque emplacement à paramétrer.

9. Cliquez **Enregistrer**.

Ajoutez une touche personnelle !

La section **Libellé** de la boîte de dialogue Collection d'images permet de légender les images de la collection. Ceci peut s'avérer utile pour ajouter, par exemple, une mention de copyright dans chaque image. Vous pouvez choisir la police, la taille et la couleur des caractères, l'opacité du texte, ainsi que sa position dans l'image. Pour saisir un texte personnalisé, déroulez la liste **Contenu** et cliquez **Texte personnalisé**. Saisissez le texte à afficher dans la zone **Texte personnalisé**.

NIVEAU DE DIFFICULTÉ

e saviez-vous ?

Dans la boîte de dialogue Modifier la disposition de la collection d'images, vous pouvez cliquer à l'intérieur d'un emplacement d'image, puis le faire glisser, pour changer sa position. Faites glisser les poignées de sélection pour redimensionner l'emplacement. Les boutons **Ajouter une zone** et **Supprimer une zone** permettent, respectivement, d'ajouter un emplacement ou de supprimer celui sélectionné. Cliquez **Tout supprimer** pour effacer toutes les zones d'image.

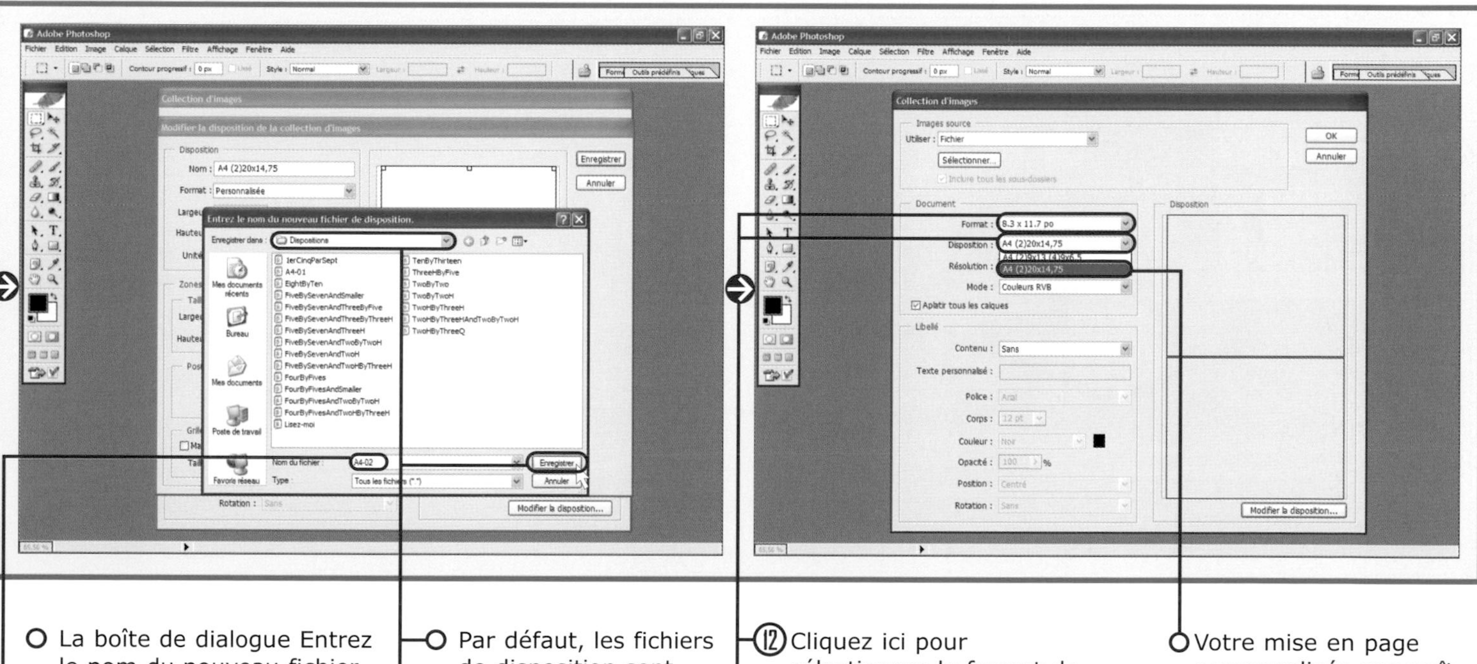

- La boîte de dialogue Entrez le nom du nouveau fichier de disposition s'ouvre.

10 Tapez le nom de la nouvelle mise en page.

- Par défaut, les fichiers de disposition sont enregistrés dans Adobe\Photoshop CS\Paramètres prédéfinis\Dispositions.

11 Cliquez **Enregistrer**.

12 Cliquez ici pour sélectionner le format de papier correspondant à la nouvelle mise en page.

13 Cliquez ici pour dérouler la liste des mises en page.

- Votre mise en page personnalisée apparaît dans la liste.

RÉÉCHANTILLONNEZ
une image destinée au Web

Lors de la création d'images pour le Web, la définition de l'écran et la vitesse de connexion des internautes imposent leurs limites. Les images de grandes dimensions ne servent à rien. Au contraire, en générant des fichiers volumineux, elles augmentent inutilement le temps de chargement des pages Web.

Le terme « rééchantillonnage » désigne la modification des dimensions en pixels de l'image.

Cette opération permet de limiter le poids du fichier graphique. Vous l'exécutez dans la boîte de dialogue Taille de l'image.

Une résolution d'image de 72 pixels/pouce suffit généralement pour le Web. Si votre image dépasse cette résolution, vous pouvez aussi en réduire les dimensions en pixels en diminuant la résolution.

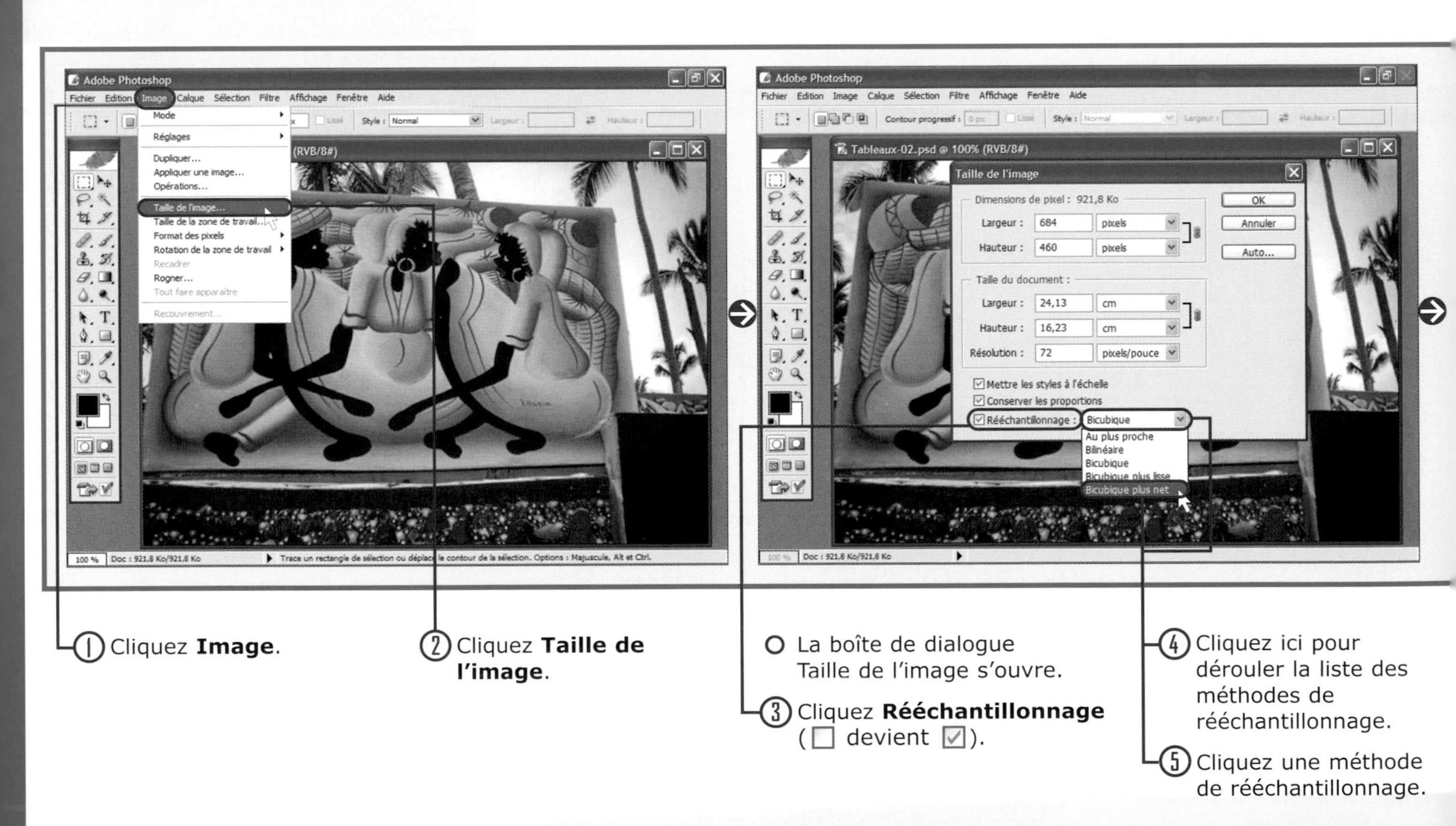

① Cliquez **Image**.

② Cliquez **Taille de l'image**.

○ La boîte de dialogue Taille de l'image s'ouvre.

③ Cliquez **Rééchantillonnage** (☐ devient ☑).

④ Cliquez ici pour dérouler la liste des méthodes de rééchantillonnage.

⑤ Cliquez une méthode de rééchantillonnage.

NIVEAU DE DIFFICULTÉ

Le saviez-vous ?

Le choix d'une méthode de rééchantillonnage, ou d'interpolation, importe plus lorsque vous augmentez les dimensions en pixels de l'image, moins quand vous les réduisez. La méthode de rééchantillonnage détermine, en effet, comment Photoshop interpole la couleur de chaque pixel ajouté. Cependant, la méthode **Bicubique plus net** s'avère particulièrement pertinente lors d'un rééchantillonnage à la baisse, ou sous-échantillonnage. Elle préserve mieux que les autres options les détails et la netteté des images. Concernant les autres options, **Au plus proche** se montre plus rapide mais moins performante. **Bilinéaire** représente un bon compromis entre rapidité de traitement et qualité d'image. **Bicubique** donne la meilleure qualité d'image mais demande un traitement plus long. **Bicubique plus lisse** est recommandée lorsque vous rééchantillonnez une image à la hausse.

Le saviez-vous ?

À l'étape **6** ci-dessous, vous pouvez saisir des valeurs représentant un pourcentage des dimensions d'origine. Déroulez la liste à droite de la zone de texte **Largeur** ou **Hauteur** et cliquez **%**. Tapez ensuite le pourcentage adéquat dans l'une des zones de texte.

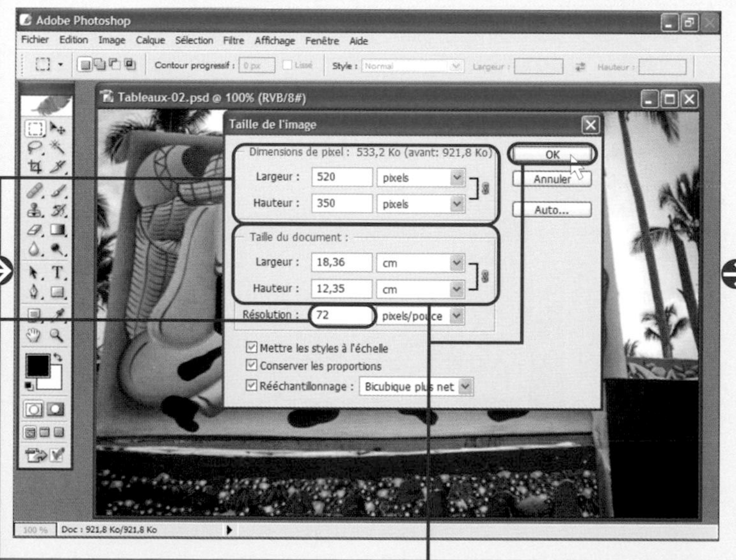

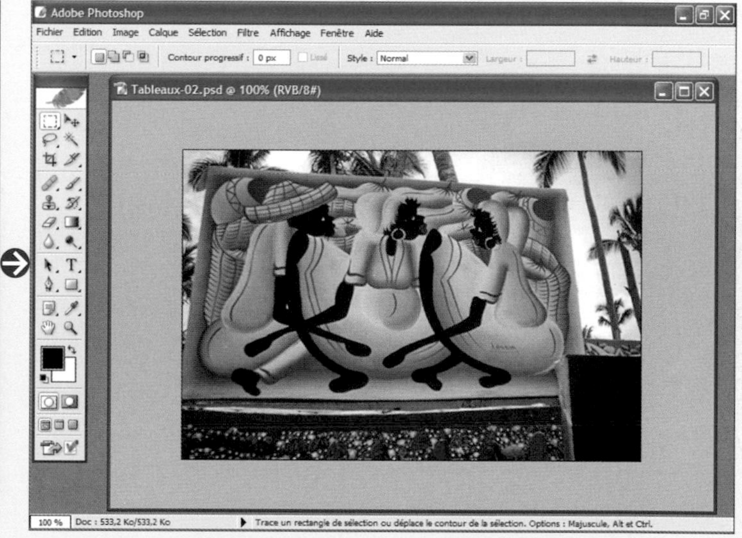

6. Tapez les nouvelles dimensions en pixels de l'image.

- Comme alternative, vous pouvez aussi définir une nouvelle résolution d'image.

- La nouvelle taille du fichier s'affiche ici. L'ancienne taille apparaît entre parenthèses.

7. Cliquez **OK**.

- Photoshop rééchantillonne l'image. Sa taille d'affichage à l'écran change.

- Si cela entraîne une perte de netteté, appliquez le filtre **Accentuation** (**Filtre** ⇨ **Renforcement** ⇨ **Accentuation**).

REDIMENSIONNEZ UNE IMAGE
à imprimer

Une image destinée à l'impression doit tenir compte de deux facteurs essentiels : le nombre total de pixels composant l'image, ou définition, et la densité des pixels sur la page imprimée, ou résolution. Une image diffusée en ligne peut se contenter d'une résolution de 72 pixels/pouce. L'impression sur une imprimante de bureau requiert, par contre, une résolution de 240 à 300 pixels/pouce. Une résolution insuffisante donne une image crénelée et des pixels grossiers, visibles à l'œil nu.

Désactivez le rééchantillonnage lorsque vous modifiez la taille d'impression du document. Les dimensions en pixels de l'image restent alors inchangées, garantissant une image imprimée nette et riche en détails. Si l'image de départ ne comporte pas suffisamment de pixels, le rééchantillonnage devient inévitable. Ceci détériore la qualité de l'image imprimée. Consultez la tâche n° 74 pour plus d'informations sur le rééchantillonnage.

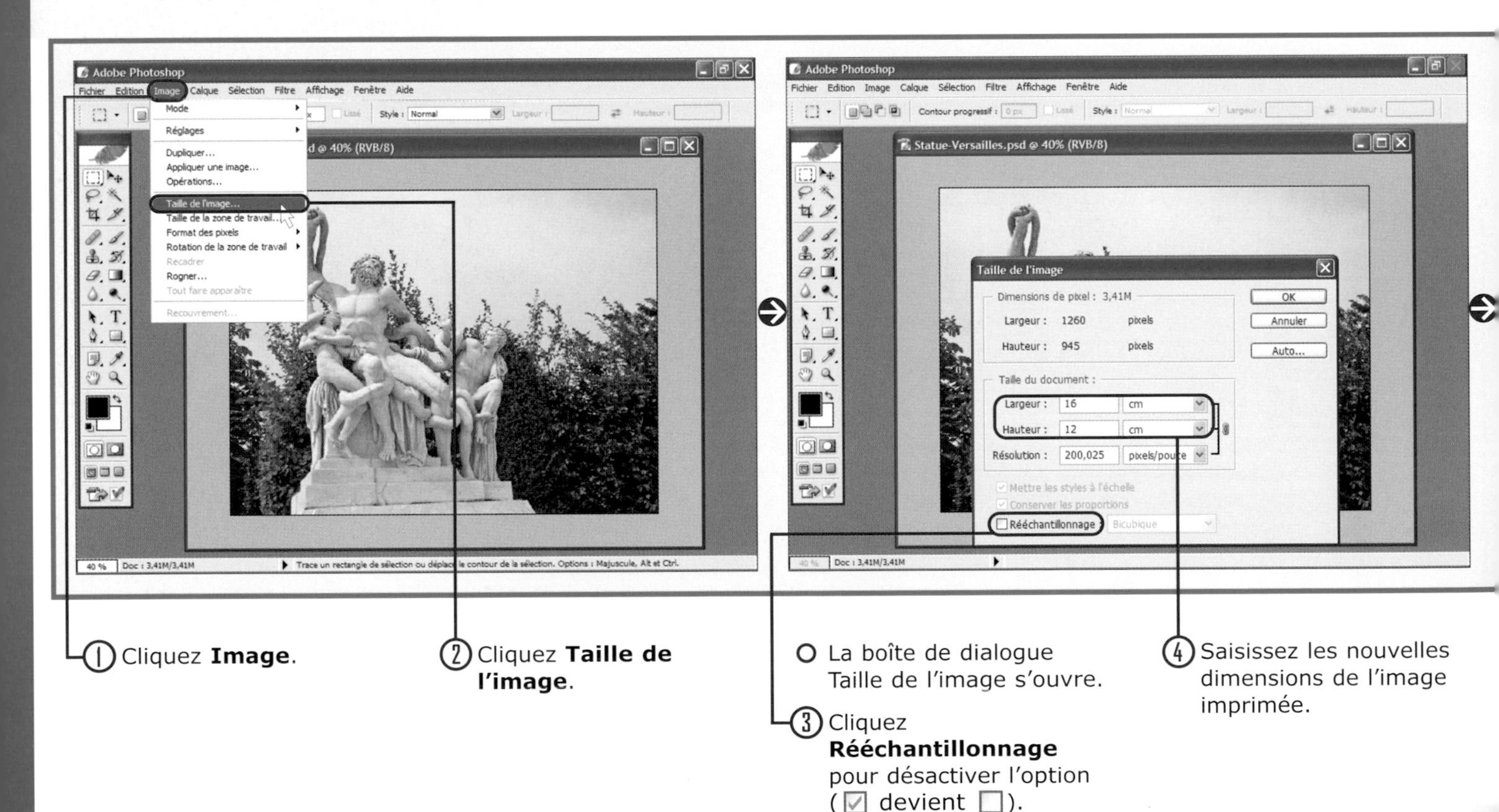

① Cliquez **Image**.

② Cliquez **Taille de l'image**.

○ La boîte de dialogue Taille de l'image s'ouvre.

③ Cliquez **Rééchantillonnage** pour désactiver l'option (☑ devient ☐).

④ Saisissez les nouvelles dimensions de l'image imprimée.

Le saviez-vous ?

Photoshop offre différents moyens d'obtenir un aperçu du document imprimé. Cliquez la partie gauche de la barre d'état, où s'affichent des informations sur l'image, et maintenez enfoncé le bouton de la souris. Un diagramme apparaît, indiquant les dimensions approximatives de l'image imprimée par rapport à la page. Ce diagramme s'appuie sur les options définies dans la boîte de dialogue Mise en page (**Fichier ⇨ Format d'impression**). Vous pouvez aussi cliquer **Fichier ⇨ Imprimer avec aperçu**. La boîte de dialogue Imprimer affiche un aperçu de l'image imprimée. Elle permet aussi de paramétrer certaines options du document imprimé. Ces options n'affectent pas le fichier d'image original.

NIVEAU DE DIFFICULTÉ

Prudence !

Il ne faut pas confondre la résolution d'image et la résolution du périphérique de sortie. La première s'exprime en pixels par pouce et fait référence au plus petit constituant d'une image numérique, le pixel (*picture element,* élément d'image). La seconde s'exprime en points par pouce et s'appuie sur le point d'encre ou de toner des imprimantes. Elles affectent, cependant, toutes les deux la qualité du document imprimé.

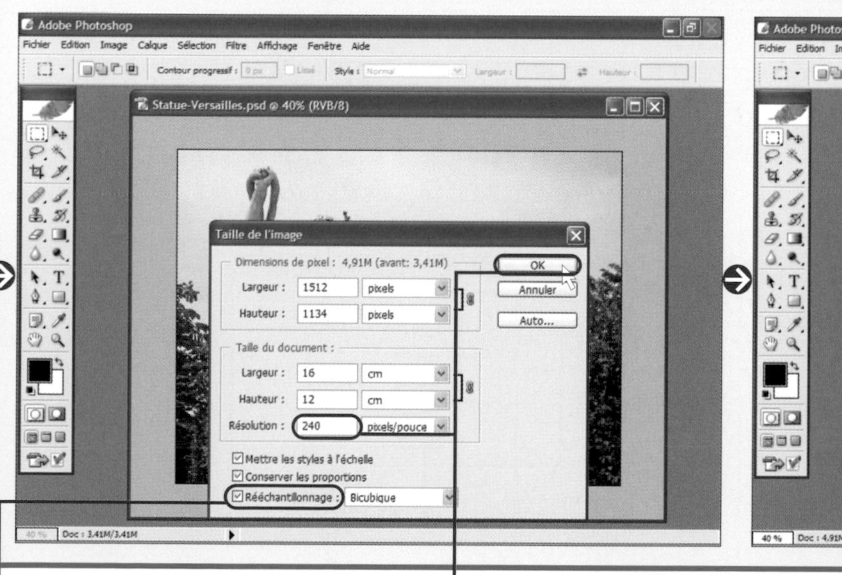

5. Si la résolution obtenue ne suffit pas pour l'impression, cliquez à nouveau **Rééchantillonnage** (☐ devient ☑).

6. Tapez la résolution adéquate.

7. Cliquez **OK**.

- Photoshop redimensionne le document imprimé.
- Si vous ne rééchantillonnez pas l'image aux étapes **5** et **6**, sa taille d'affichage à l'écran ne change pas.
- En cas de rééchantillonnage, appliquez **Filtre ⇨ Renforcement ⇨ Accentuation** pour compenser la perte de netteté.

Créez une GALERIE PHOTO POUR LE WEB

Photoshop facilite la création d'une galerie photo en ligne. Désignez les images à y inclure. Photoshop se charge de créer automatiquement un site Web, les mettant en valeur et à la disposition des internautes. Photoshop propose plusieurs styles de galeries. Certaines présentent uniquement les images. D'autres affichent, en plus, des informations concernant les photos et permettent même de recueillir l'opinion des visiteurs du site.

Photoshop optimise vos images et génère le code HTML nécessaire à la mise en place du site Web selon les options définies dans la boîte de dialogue Galerie Web Photo. Il crée aussi les éléments de navigation, comme les vignettes, les boutons et les liens hypertextes. Le site Web créé, votre navigateur par défaut s'ouvre pour afficher un aperçu de la galerie photo.

Les fichiers du site sont enregistrés dans un dossier. Il ne vous reste plus qu'à télécharger ce dernier, sur le serveur Web de votre hébergeur ou de votre fournisseur d'accès à l'Internet, pour mettre en ligne votre galerie photo.

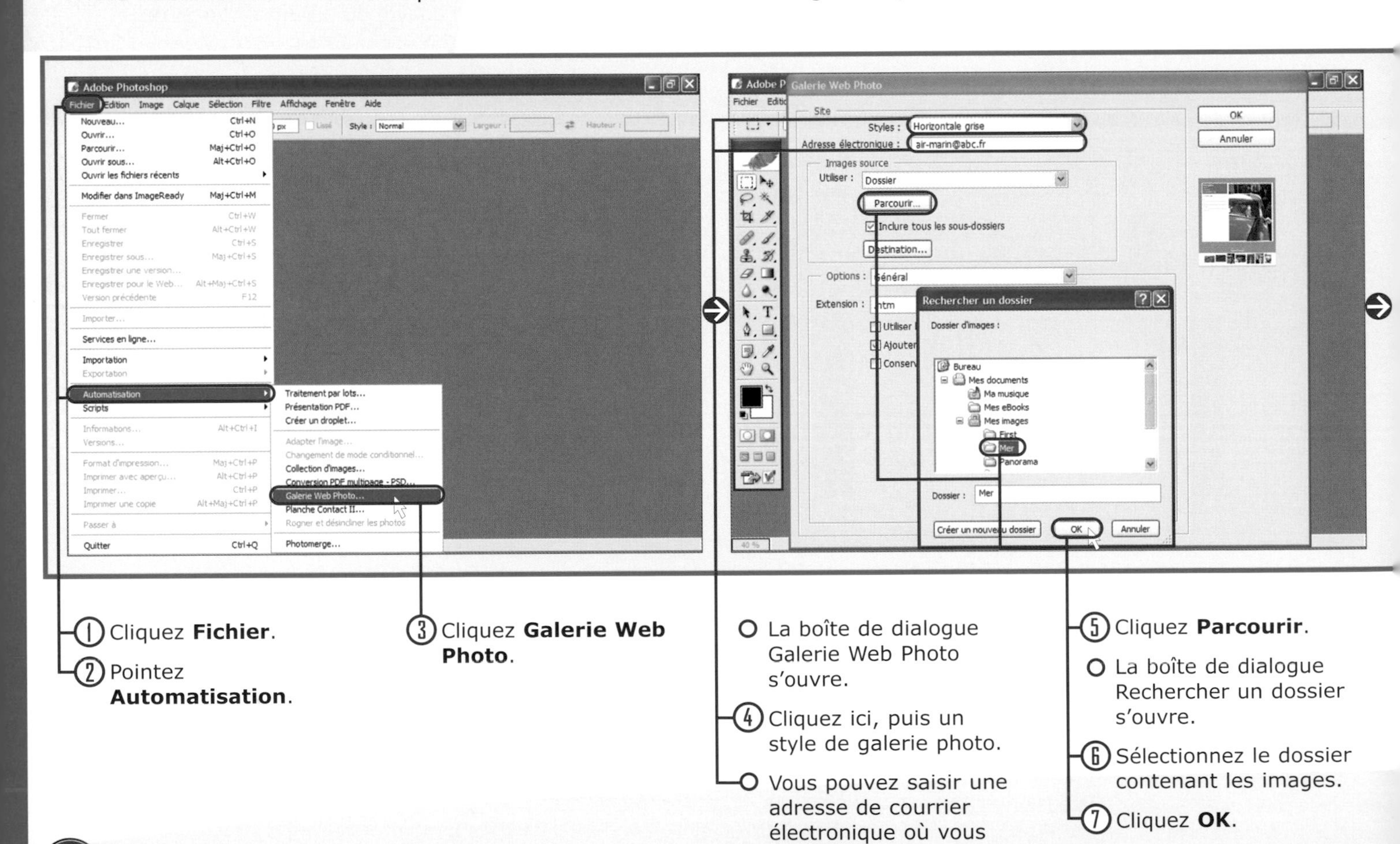

① Cliquez **Fichier**.

② Pointez **Automatisation**.

③ Cliquez **Galerie Web Photo**.

○ La boîte de dialogue Galerie Web Photo s'ouvre.

④ Cliquez ici, puis un style de galerie photo.

○ Vous pouvez saisir une adresse de courrier électronique où vous contacter.

⑤ Cliquez **Parcourir**.

○ La boîte de dialogue Rechercher un dossier s'ouvre.

⑥ Sélectionnez le dossier contenant les images.

⑦ Cliquez **OK**.

Ajoutez une touche personnelle !

Les styles prédéfinis de galeries Web se trouvent dans le dossier \Adobe\Photoshop CS\Paramètres prédéfinis\Galerie Web Photo. Si vous vous y connaissez suffisamment en HTML et en conception de pages Web, vous pouvez copier un modèle prédéfini et le personnaliser à l'aide d'un éditeur HTML ou d'un logiciel de conception Web. Vous pouvez ensuite enregistrer le modèle personnalisé afin de le réutiliser.

Le saviez-vous ?

Avant de lancer la commande **Galerie Web Photo**, vous pouvez aussi sélectionner les images à inclure dans la galerie à l'aide de l'Explorateur de fichiers. À l'étape 5 ci-dessous, cliquez l'option **Images sélectionnées dans l'Explorateur de fichiers** dans la liste **Utiliser**. Consultez les tâches n° 79 et 80 pour plus d'informations sur l'Explorateur de fichiers.

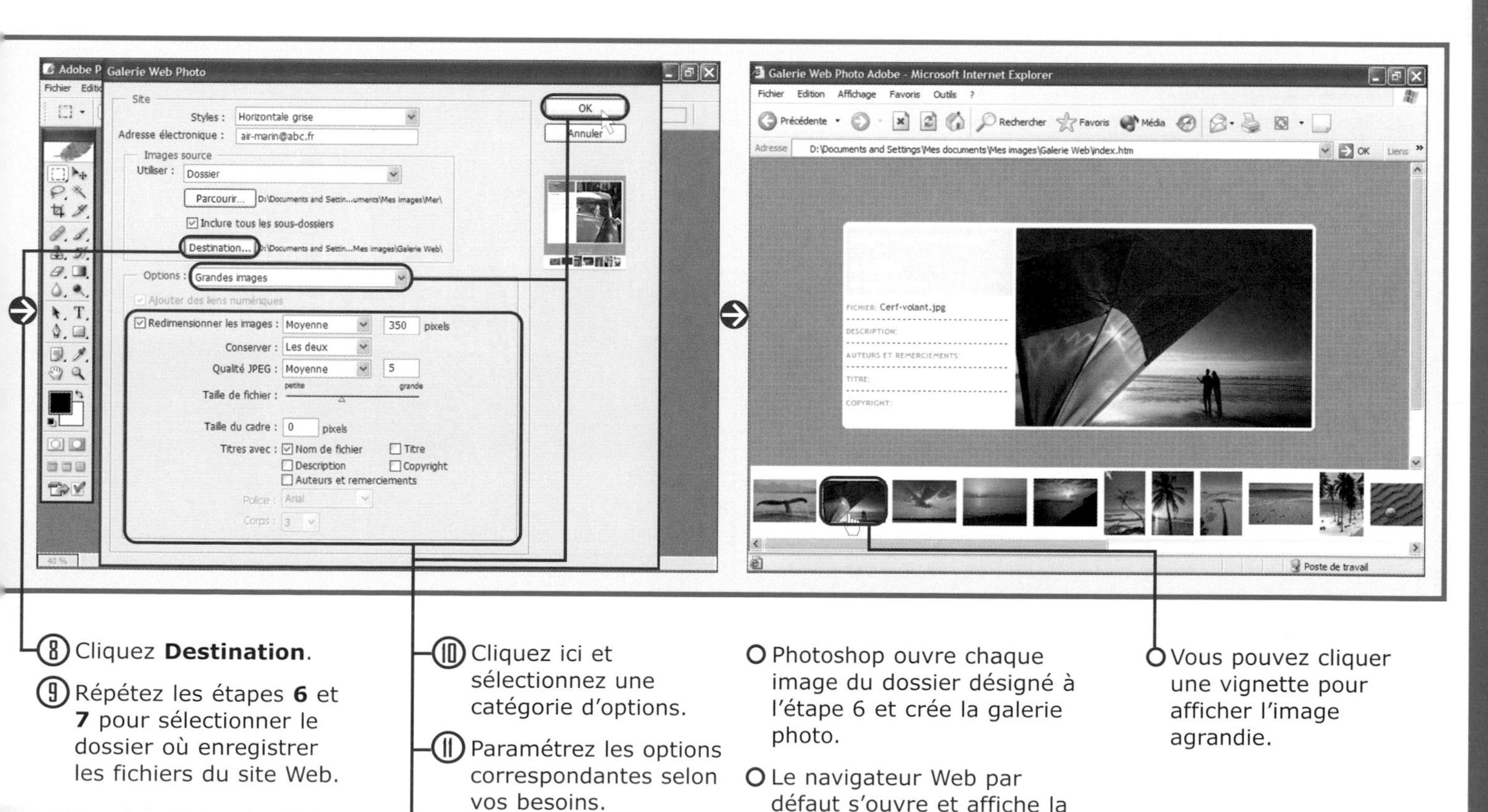

8. Cliquez **Destination**.
9. Répétez les étapes **6** et **7** pour sélectionner le dossier où enregistrer les fichiers du site Web.
10. Cliquez ici et sélectionnez une catégorie d'options.
11. Paramétrez les options correspondantes selon vos besoins.
12. Cliquez **OK**.

- Photoshop ouvre chaque image du dossier désigné à l'étape 6 et crée la galerie photo.
- Le navigateur Web par défaut s'ouvre et affiche la galerie photo.
- Vous pouvez cliquer une vignette pour afficher l'image agrandie.

OPTIMISEZ POUR LE WEB

vos images

Lorsque vous enregistrez des images, il est important de les adapter au mieux au support destiné à les recevoir. Vous n'enregistrez pas de la même manière une image pour le Web et une image à imprimer. Dans Photoshop, l'optimisation des images destinées au Web se fait via la boîte de dialogue Enregistrer pour le Web.

Un fichier d'image trop volumineux ralentit le chargement d'une page Web. Hors, la vitesse est un facteur critique pour l'Internet. La boîte de dialogue Enregistrer pour le Web présente plusieurs versions de la même image, à différents niveaux de qualité et de compression. À vous de choisir le compromis idéal entre la taille du fichier et la qualité d'image.

GIF et JPEG restent encore aujourd'hui les deux formats d'image les plus courants sur le Web. Ils utilisent des systèmes de compression différents pour réduire la taille des fichiers graphiques, tout en préservant au mieux la qualité d'image.

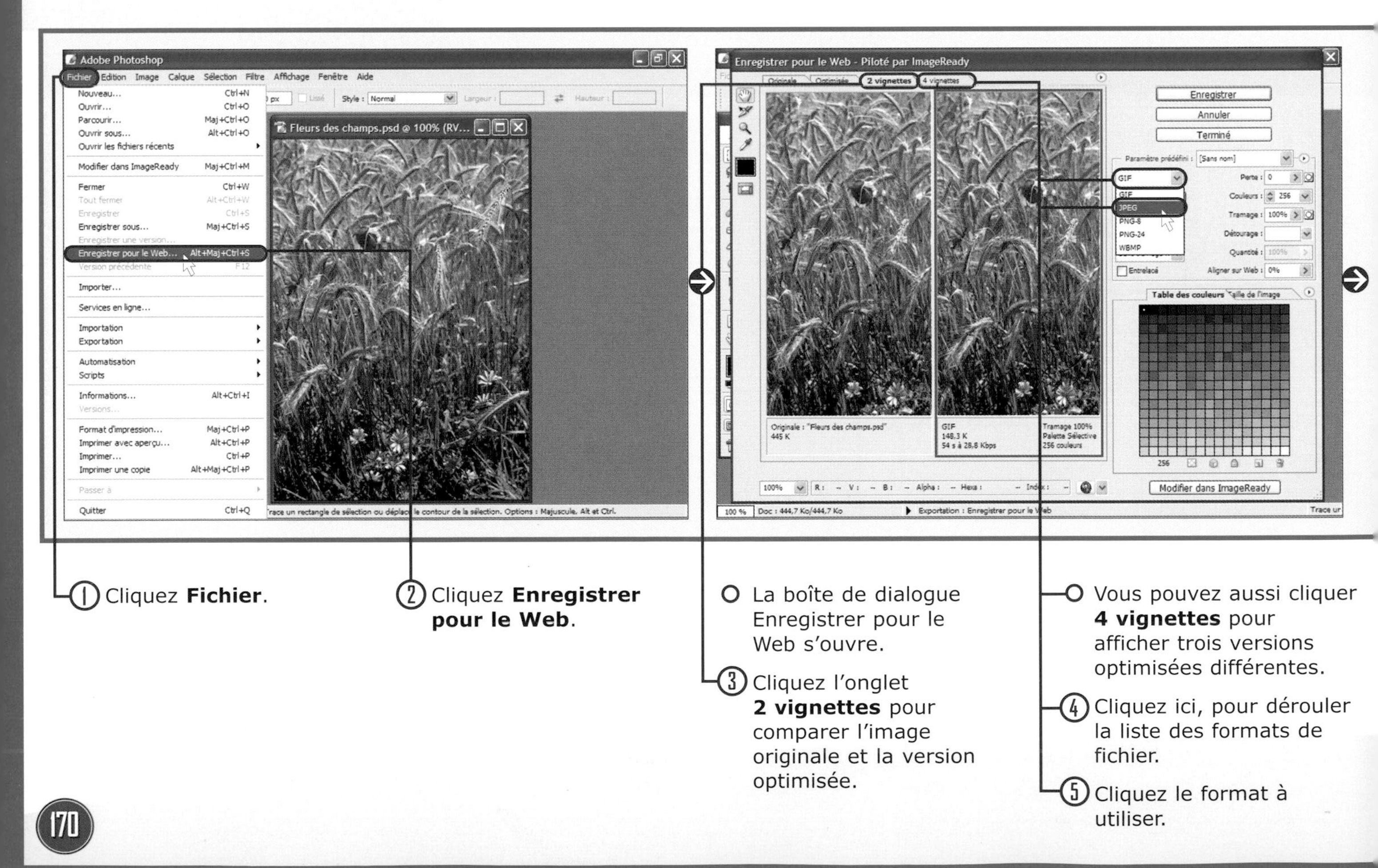

① Cliquez **Fichier**.

② Cliquez **Enregistrer pour le Web**.

○ La boîte de dialogue Enregistrer pour le Web s'ouvre.

③ Cliquez l'onglet **2 vignettes** pour comparer l'image originale et la version optimisée.

○ Vous pouvez aussi cliquer **4 vignettes** pour afficher trois versions optimisées différentes.

④ Cliquez ici, pour dérouler la liste des formats de fichier.

⑤ Cliquez le format à utiliser.

Le saviez-vous ?

Vous pouvez aussi optimiser les images destinées à l'impression. L'optimisation s'effectue, cette fois-ci, grâce à la commande **Enregistrer** ou **Enregistrer sous**. Une boîte de dialogue d'options apparaît lorsque vous cliquez **Enregistrer** dans la boîte de dialogue Enregistrer sous. Selon le format de fichier choisi, ces options concernent bien plus que la simple compression d'image. Les formats les plus courants pour l'impression sont TIFF et EPS. Vous pouvez aussi réduire la taille de l'image avant de l'imprimer. Consultez la tâche n° 75 pour plus d'informations.

Le saviez-vous ?

Le choix d'un format de fichier pour le Web se fonde, généralement, sur le contenu de l'image à enregistrer. Préférez le format JPEG pour les images présentant de subtiles gradations de nuances, comme les photos et les images en ton continu. Le format GIF convient mieux aux images contenant de grands aplats de couleur unie, comme les illustrations et les icônes. Il prend aussi en charge la transparence et préserve la netteté des caractères.

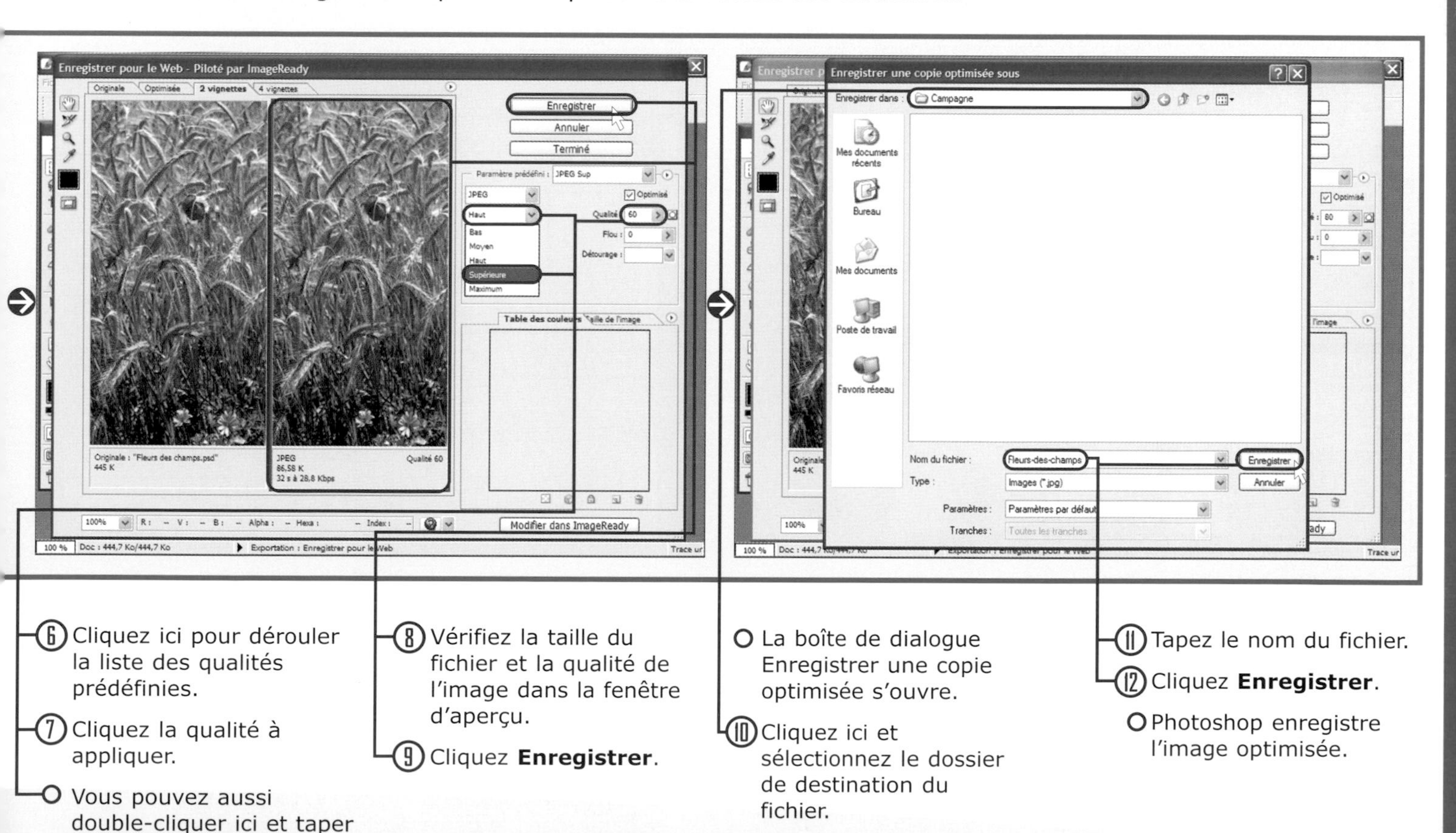

6 Cliquez ici pour dérouler la liste des qualités prédéfinies.

7 Cliquez la qualité à appliquer.

- Vous pouvez aussi double-cliquer ici et taper directement une valeur pour définir la qualité d'image.

8 Vérifiez la taille du fichier et la qualité de l'image dans la fenêtre d'aperçu.

9 Cliquez **Enregistrer**.

- La boîte de dialogue Enregistrer une copie optimisée s'ouvre.

10 Cliquez ici et sélectionnez le dossier de destination du fichier.

11 Tapez le nom du fichier.

12 Cliquez **Enregistrer**.

- Photoshop enregistre l'image optimisée.

INTÉGREZ DES INFORMATIONS
à vos images

Les métadonnées permettent d'intégrer des informations à vos images. Vous pouvez ajouter, par exemple, des informations concernant les droits d'auteur, l'appareil photo ayant servi à la prise de vue, ou le profil colorimétrique employé. Ces informations se révèlent particulièrement utiles si vous comptez diffuser vos images.

Plusieurs fonctionnalités de Photoshop utilisent les informations ajoutées à une image. La boîte de dialogue Imprimer, ouverte par la commande Imprimer avec aperçu, permet, par exemple, d'imprimer la description de l'image.

Photoshop offre deux méthodes pour ajouter des informations aux images. La première utilise la commande Fichier ⇨ Informations. La seconde se sert de l'Explorateur de fichiers. Cette dernière option évite d'ouvrir l'image pour mettre à jour les informations la concernant.

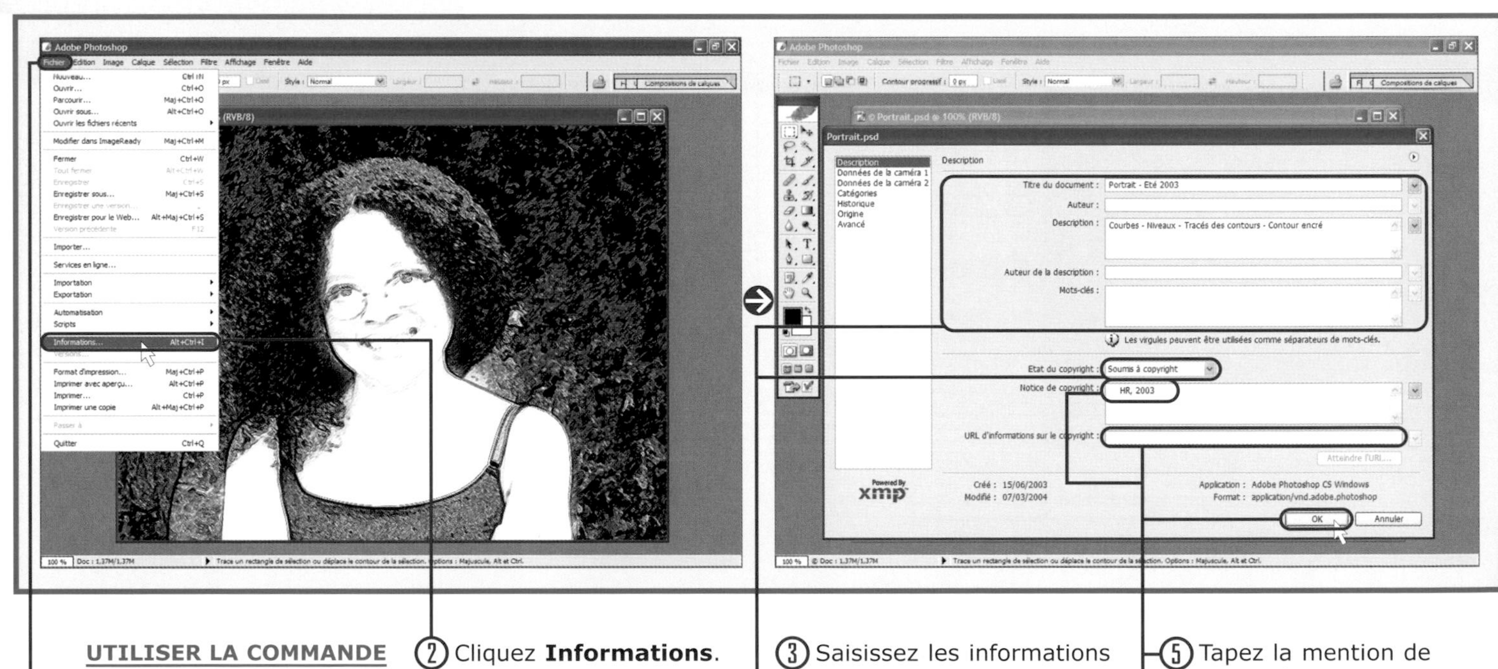

UTILISER LA COMMANDE INFORMATIONS

① Cliquez **Fichier**.

② Cliquez **Informations**.

○ Les informations concernant l'image s'affichent dans une boîte de dialogue.

③ Saisissez les informations concernant l'image.

④ Cliquez ici, puis l'état adéquat des droits d'auteur.

○ Un symbole copyright apparaît dans la barre de titre de la fenêtre d'image.

⑤ Tapez la mention de copyright.

○ Vous pouvez indiquer une adresse Web associée à l'image.

⑥ Cliquez **OK**.

○ Les informations saisies so[nt] sauvegardées avec l'image, lors de son enregistrement

78

NIVEAU DE DIFFICULTÉ

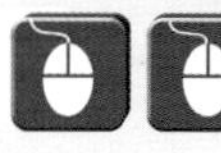

Le saviez-vous ?

Vous pouvez personnaliser la manière dont les métadonnées s'affichent dans l'Explorateur de fichiers. Dans le volet **Métadonnées**, cliquez puis **Options d'affichage des métadonnées**. Dans la boîte de dialogue Options d'affichage des métadonnées, cochez les informations à afficher. Cliquez **Masquer les champs vides** pour masquer les champs ne contenant aucune information (☐ devient ☑).

Le saviez-vous ?

La majorité des appareils photos numériques ajoutent automatiquement des métadonnées aux images lors de la prise de vue. Ces informations s'affichent sous la catégorie **Données de l'appareil photo (Exif)**, dans le volet **Métadonnées** de l'Explorateur de fichiers. Vous les trouvez aussi dans les sections **Données de la caméra 1 et 2** de la boîte de dialogue d'informations sur le fichier. Elles indiquent, entre autres, la marque et le modèle de l'appareil, la date et l'heure de la prise de vue, ainsi que des informations plus techniques.

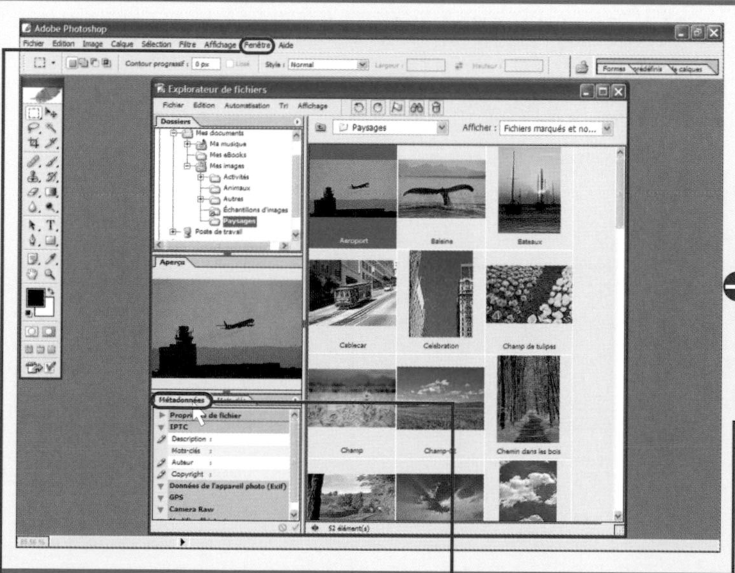

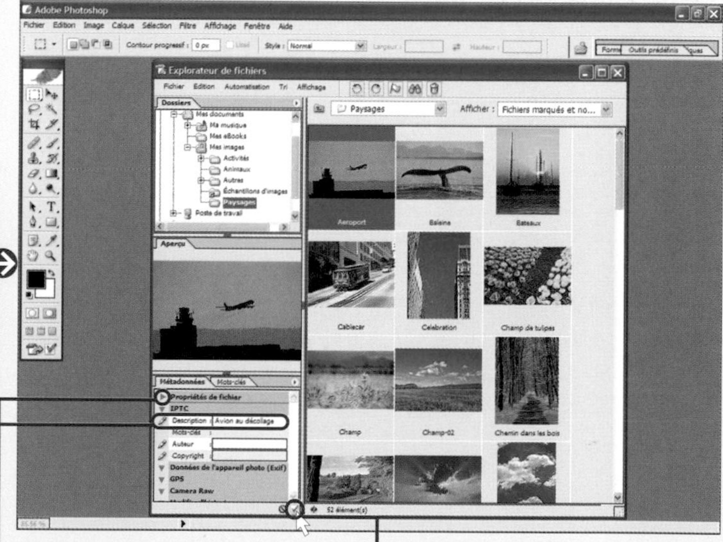

UTILISER L'EXPLORATEUR DE FICHIERS

1. Cliquez **Fenêtre**.
2. Cliquez **Explorateur de fichiers**.

- Vous pouvez aussi cliquer dans la barre d'options.

- L'Explorateur de fichiers s'ouvre.

3. Cliquez l'onglet **Métadonnées**.
4. Cliquez ▶ pour développer une catégorie de métadonnées (▶ devient ▼).
5. Cliquez devant un champ modifiable et tapez le texte voulu.
6. Appuyez sur **Tab** pour passer au champ modifiable suivant.
7. Cliquez ☑ pour appliquer les métadonnées.

- Photoshop intègre les métadonnées à l'image.

Utilisez L'EXPLORATEUR DE FICHIERS

L'Explorateur de fichiers de Photoshop facilite la recherche de fichiers graphiques sur votre ordinateur. Il se présente sous la forme d'une boîte de dialogue constituée de plusieurs volets et riche en informations.

Le volet Dossiers affiche une arborescence de votre système. Vous pouvez y localiser facilement n'importe quel dossier sur votre ordinateur. Cliquez un dossier pour afficher les vignettes des images qu'il contient dans le volet principal, à droite. Cliquez une vignette. Un aperçu de l'image apparaît, dans le volet Aperçu, ainsi que des informations la concernant, dans le volet Métadonnées. Consultez la tâche n° 78 pour plus d'informations sur les métadonnées.

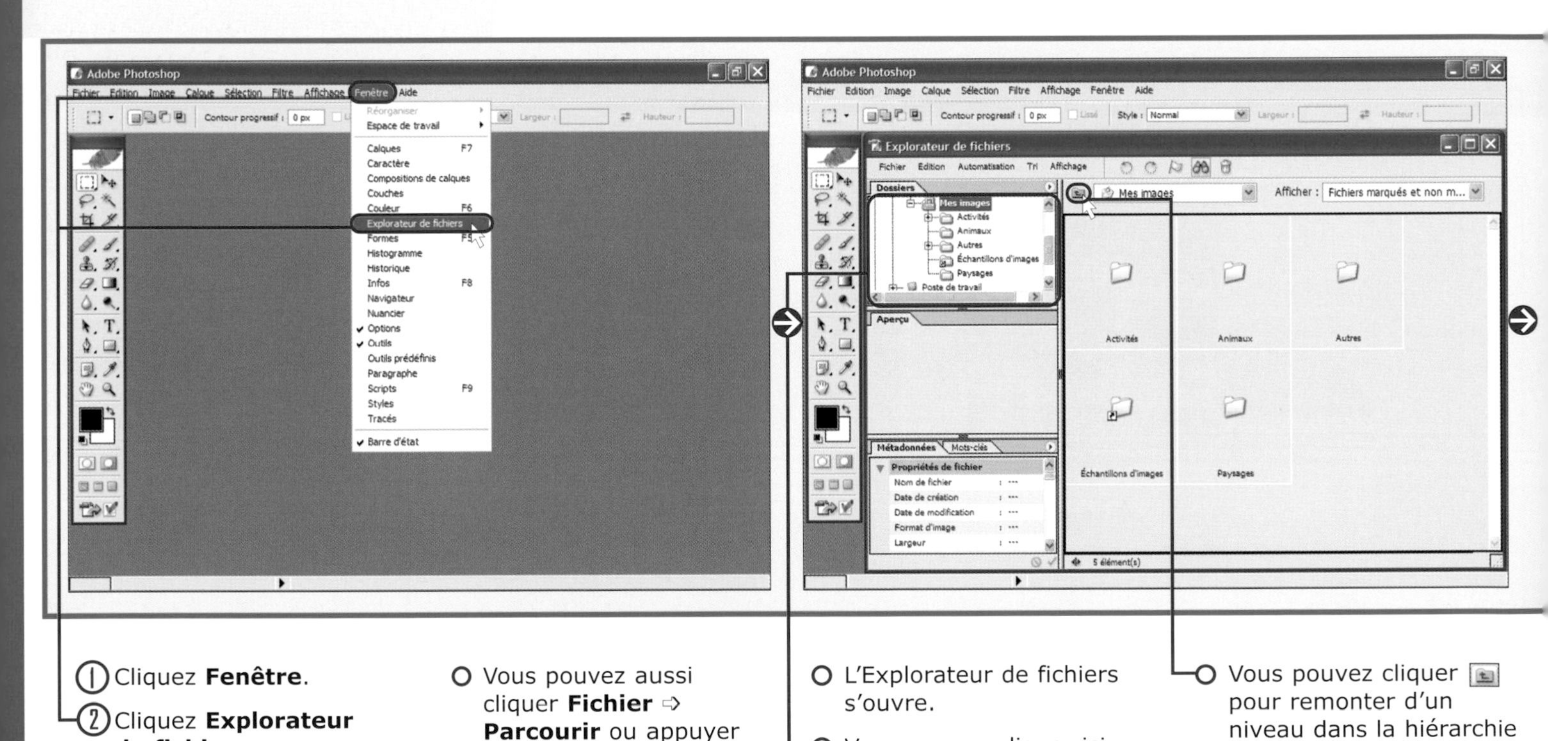

① Cliquez **Fenêtre**.

② Cliquez **Explorateur de fichiers**.

○ Vous pouvez aussi cliquer **Fichier** ⇨ **Parcourir** ou appuyer sur **Maj+Ctrl+O**.

○ L'Explorateur de fichiers s'ouvre.

○ Vous pouvez cliquer ici pour accéder rapidement aux dossiers récemment consultés dans l'Explorateur de fichiers.

○ Vous pouvez cliquer [icône] pour remonter d'un niveau dans la hiérarchie des dossiers.

79

NIVEAU DE DIFFICULTÉ

Le saviez-vous ?

Ouvrez une image depuis l'Explorateur de fichiers. Il suffit, pour cela, de double-cliquer sa vignette. Vous pouvez aussi ouvrir plusieurs images simultanément. Cliquez la première image à ouvrir. Maintenez enfoncée la touche **Maj** et cliquez la dernière image. Pour sélectionner des images non consécutives, cliquez-les en maintenant enfoncée **Ctrl**. Cliquez l'une des images sélectionnées avec le bouton droit. Cliquez **Ouvrir** dans le menu contextuel qui apparaît.

Le saviez-vous ?

Lorsque vous cliquez avec le bouton droit la vignette d'une image dans l'Explorateur de fichiers, un menu contextuel s'ouvre. Il donne accès à la commande **Ouvrir**, comme indiqué ci-dessus. Il permet aussi de renommer l'image sélectionnée, de lui appliquer une rotation, ou de la classer. Vous pouvez aussi sélectionner, ou désélectionner, toutes les images du dossier. Consultez la tâche n° 80 pour plus d'informations sur le classement des fichiers.

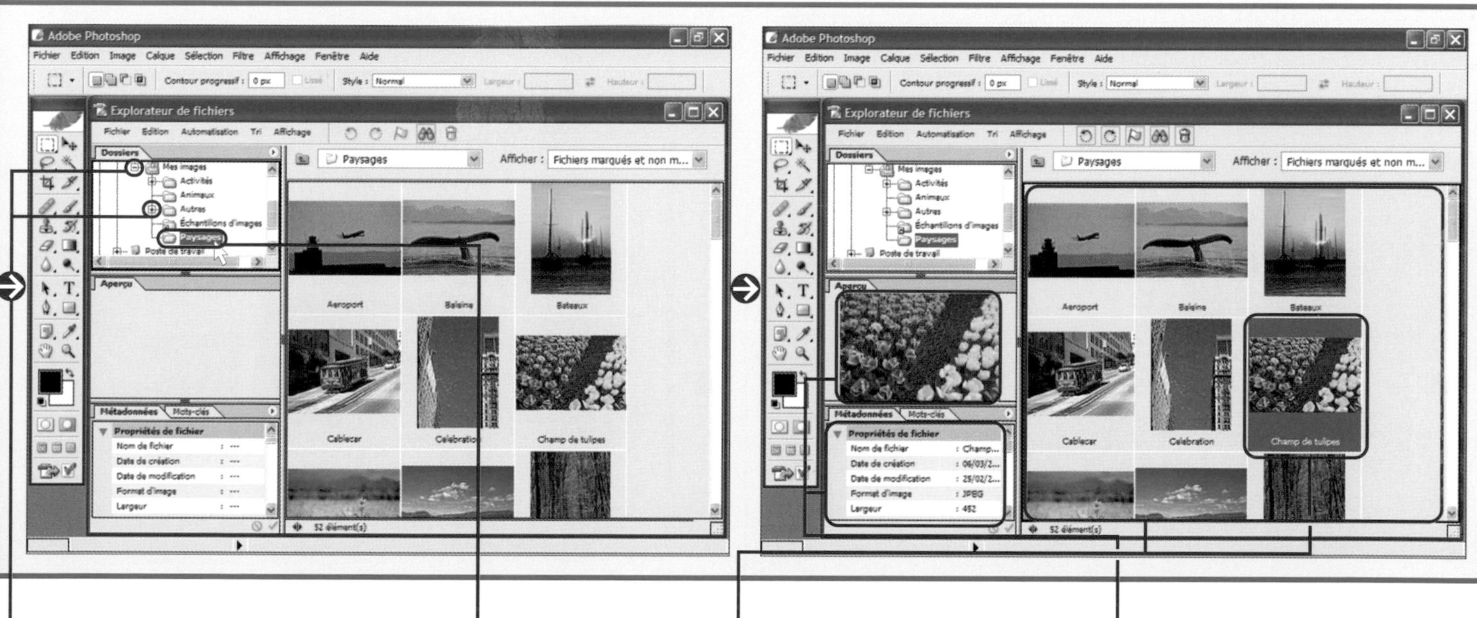

3. Cliquez ⊞ pour afficher les sous-dossiers d'un dossier.

- Vous pouvez cliquer ⊟ pour masquer à nouveau les sous-dossiers.

4. Cliquez un dossier pour en afficher le contenu.

- Les images s'affichent sous forme de vignettes.

5. Cliquez une vignette.

- Un aperçu plus grand s'affiche.
- Des informations concernant l'image apparaissent dans le volet **Métadonnées**. Consultez la tâche n° 78 pour plus d'informations.

Classez les images AVEC L'EXPLORATEUR DE FICHIERS

Avec le temps, vous pouvez accumuler un nombre important d'images. Même en les répartissant dans différents dossiers, vous risquez encore de vous retrouver avec trop d'images dans le même emplacement. En affectant un rang aux images dans l'Explorateur de fichiers, vous en facilitez le classement. Ceci permet aussi de retrouver plus rapidement les images qui vous intéressent.

Le rang peut signaler l'importance d'une image ou la classer tout simplement dans une catégorie spécifique. Vous pouvez trier les images par rang, dans l'Explorateur de fichiers. Le rang des images n'apparaît dans l'Explorateur que si ce dernier utilise l'affichage détaillé ou en grandes vignettes. Les options d'affichage se trouvent dans le menu Affichage.

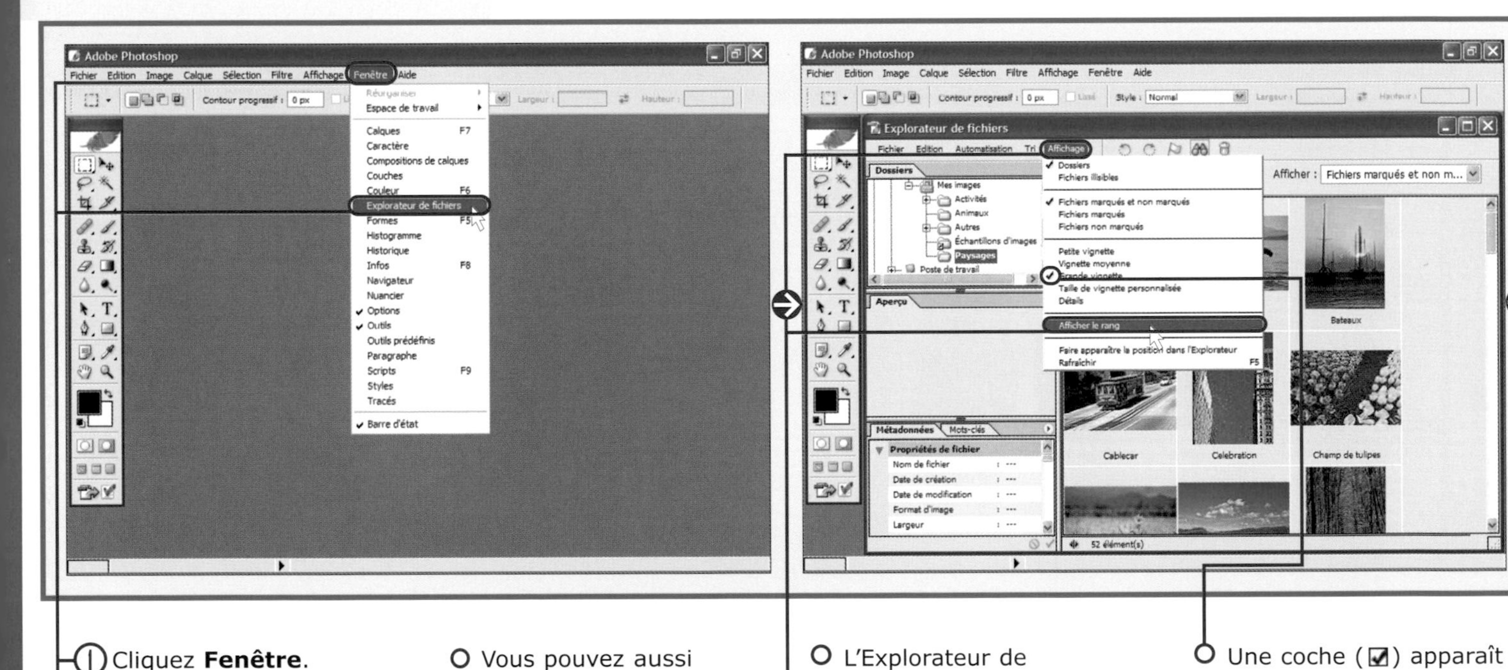

① Cliquez **Fenêtre**.

② Cliquez **Explorateur de fichiers**.

○ Vous pouvez aussi cliquer **Fichier ⇨ Parcourir** ou appuyer sur **Maj+Ctrl+O**.

○ L'Explorateur de fichiers s'ouvre.

③ Cliquez **Affichage**.

③ Cliquez **Afficher le rang**.

○ Une coche (☑) apparaît devant l'option, indiquant son activation.

NIVEAU DE DIFFICULTÉ

Le saviez-vous ?

La barre des menus présente des commandes utiles au sein de l'Explorateur de fichiers. Le menu **Automatisation**, par exemple, permet de créer une galerie photo Web ou un diaporama PDF d'après les images sélectionnées dans l'Explorateur de fichiers. Il permet aussi de renommer tous les fichiers du dossier en une fois. À droite de la barre de menus se trouve la barre d'outils. Cliquez sur les boutons adéquats pour appliquer une rotation aux images sélectionnées, les marquer ou les supprimer. Cliquez pour rechercher une image spécifique.

Ajoutez une touche personnelle !

Vous pouvez définir le rang de plusieurs images à la fois. Sélectionnez-les dans l'Explorateur de fichiers (consultez le haut de la page 175). Cliquez avec le bouton droit l'une des vignettes sélectionnées, puis cliquez **Classer**.

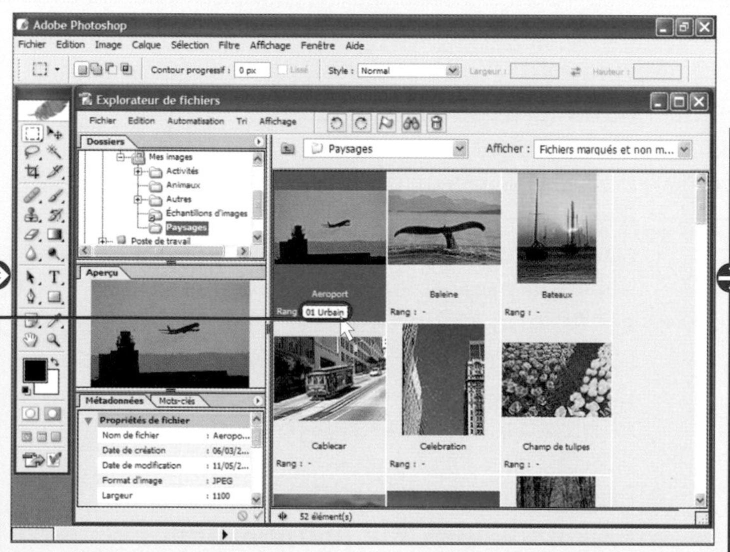

- La mention **Rang** apparaît sous les vignettes d'images.

5 Cliquez un champ et saisissez le rang.

6 Appuyez sur **Entrée**.

Note. Le rang peut combiner jusqu'à 15 chiffres et lettres. Il apparaît uniquement sous les grandes vignettes et dans l'affichage détaillé. Une coche (☑) précède le mode d'affichage choisi dans le menu Affichage.

7 Cliquez **Tri**.

8 Cliquez **Rang**.

- L'Explorateur de fichiers trie les images par rang.

Optimisez votre session de travail

Photoshop fournit souvent un travail admirable, mais ses performances peuvent coûter cher. Le logiciel exige beaucoup de ressources. Il met le processeur, la mémoire vive et le disque dur de votre ordinateur à rude épreuve. Si vous ne disposez pas des ressources suffisantes, Photoshop peut se montrer particulièrement lent. Ce chapitre indique certaines astuces pour améliorer les performances de Photoshop. Vous pouvez, par exemple, attribuer plus de mémoire à Photoshop et définir des disques de travail.

À force d'utiliser Photoshop, vous pouvez aussi finir par surcharger l'espace de travail avec diverses palettes. Ces dernières peuvent, en outre, accumuler les outils prédéfinis dans le désordre. Il suffit d'un peu de ménage pour retrouver un espace de travail favorisant la productivité. Réorganisez les palettes à votre convenance, fermez celles qui servent peu et affichez uniquement celles que vous utilisez régulièrement. Enregistrez ensuite votre espace de travail personnalisé afin de le retrouver à tout moment.

Photoshop possède plusieurs fonctionnalités qui automatisent les tâches ou les simplifient. Découvrez dans ce chapitre les scripts, les droplets et les commandes d'automatisation. Ces fonctions permettent de travailler plus rapidement et de tirer le maximum de chaque session de travail avec Photoshop.

TOP 100

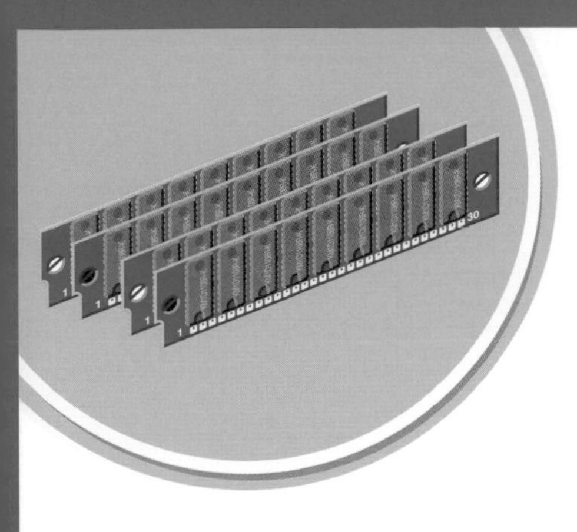

ENREGISTREZ UN
espace de travail personnalisé

Avec l'expérience, vous vous apercevez que vous utilisez certaines palettes plus fréquemment que d'autres. Selon la tâche à réaliser, une disposition spécifique des palettes peut s'avérer plus commode qu'une autre. Il se peut aussi que vous partagiez votre ordinateur avec d'autres utilisateurs, ayant chacun leurs préférences quant à la manière d'arranger l'espace de travail. Quelles qu'en soient les raisons, vous pouvez souhaiter retrouver l'espace de travail de Photoshop tel que vous l'avez agencé lors d'une session précédente.

Photoshop permet d'enregistrer un espace de travail personnalisé. Celui-ci tient compte de la position et de la taille des palettes, de l'emplacement de la boîte à outils et de l'affichage ou non de la barre d'options. Vous pouvez aussi inclure l'Explorateur de fichiers dans un espace de travail personnalisé.

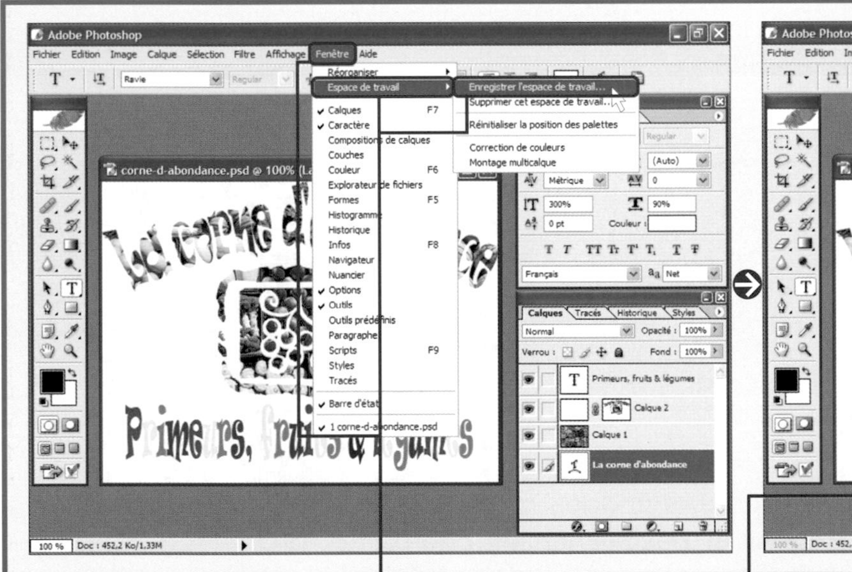

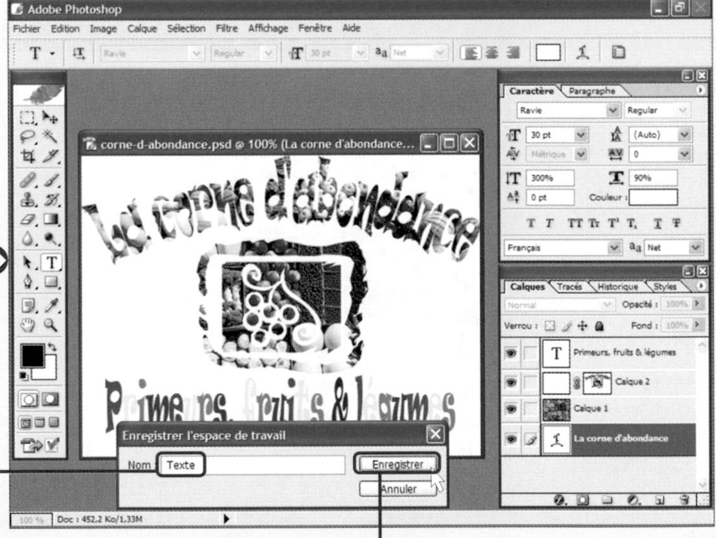

ENREGISTRER UN ESPACE DE TRAVAIL PERSONNALISÉ

1. Fermez les palettes superflues, ouvrez celles à utiliser, et disposez-les à votre convenance.
2. Cliquez **Fenêtre**.
3. Pointez **Espace de travail**.
4. Cliquez **Enregistrer l'espace de travail**.

- La boîte de dialogue Enregistrer l'espace de travail s'ouvre.

5. Tapez le nom de l'espace de travail.

Note. Évitez d'utiliser des signes de ponctuation dans le nom de l'espace de travail.

6. Cliquez **Enregistrer**.

- Photoshop enregistre l'espace de travail personnalisé.

NIVEAU DE DIFFICULTÉ

Mise en pratique !

Cliquez le nom d'une palette dans le menu **Fenêtre**, pour l'ouvrir ou la fermer. Une coche (☑) précède le nom des palettes ouvertes. Cliquer ☒ permet aussi de fermer une palette. Vous pouvez redimensionner les palettes dont le coin inférieur droit comporte une zone ⋰. Cliquez et faites glisser le coin inférieur droit jusqu'à obtenir la dimension voulue. Vous pouvez aussi regrouper les palettes. Cliquez et faites glisser l'onglet d'une palette à côté de l'onglet d'une autre pour les regrouper.

Ajoutez une touche personnelle !

Il existe d'autres manières de personnaliser l'espace de travail de Photoshop. Appuyez sur la touche **F** pour basculer entre les différents modes d'affichage. Appuyez sur **Tab** pour masquer toutes les palettes, la boîte outils et la barre d'options. Appuyez sur **Maj+Tab** pour masquer uniquement les palettes.

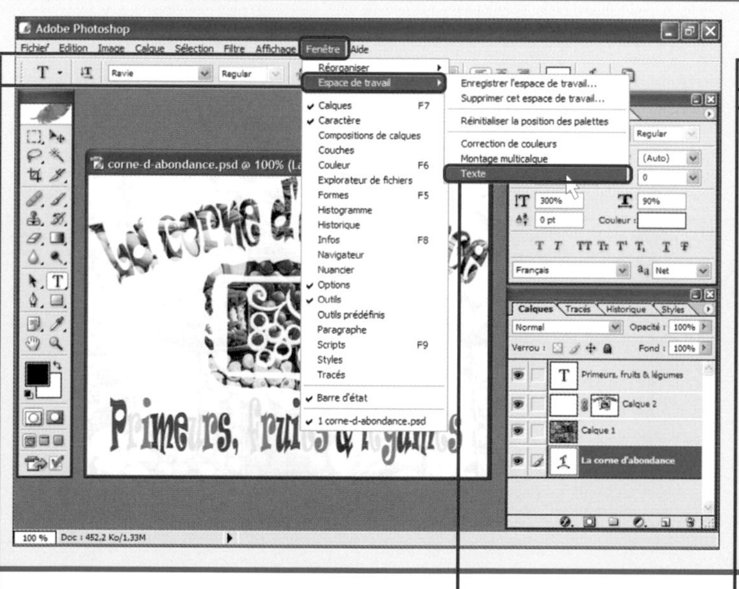

APPLIQUER UN ESPACE DE TRAVAIL PERSONNALISÉ

1. Cliquez **Fenêtre**.
2. Pointez **Espace de travail**.
3. Cliquez le nom de l'espace de travail à appliquer.

- Photoshop dispose les palettes selon les paramètres de l'espace de travail personnalisé.

SUPPRIMER UN ESPACE DE TRAVAIL PERSONNALISÉ

1. Cliquez **Fenêtre**.
2. Pointez **Espace de travail**.
3. Cliquez **Supprimer cet espace de travail**.

- La boîte de dialogue Supprimer l'espace de travail s'ouvre.

4. Cliquez ici, puis le nom de l'espace de travail à supprimer.
5. Cliquez **Supprimer**.

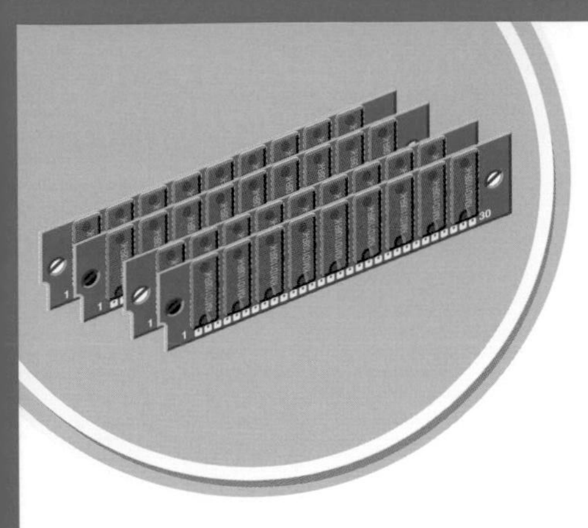

ATTRIBUEZ À PHOTOSHOP PLUS DE

mémoire vive

Allouer plus de mémoire vive à Photoshop permet d'améliorer ses performances. Par défaut, Photoshop se réserve 50 % de la mémoire vive encore disponible sur votre système. Vous pouvez augmenter ce pourcentage, sans dépasser toutefois 80 %. La modification du paramètre ne prend effet qu'au redémarrage suivant de Photoshop.

Malgré un pourcentage important de la mémoire attribuée à Photoshop, celui-ci peut parfois se montrer lent. La mémoire peut être occupée par les états de la palette Historique, la commande Annuler et le Presse-papiers. Vous pouvez libérer la mémoire grâce à la commande Purger. Utilisez cette commande avec précaution : une fois purgé, le contenu de la mémoire n'est plus récupérable.

Pour accélérer le chargement et le traitement des images et des vignettes, vous pouvez aussi augmenter le nombre de niveaux de cache. La valeur par défaut de 4 niveaux convient à la plupart des usages. Définissez le nombre de niveaux de cache selon la quantité de mémoire vive et l'espace disque dont vous disposez.

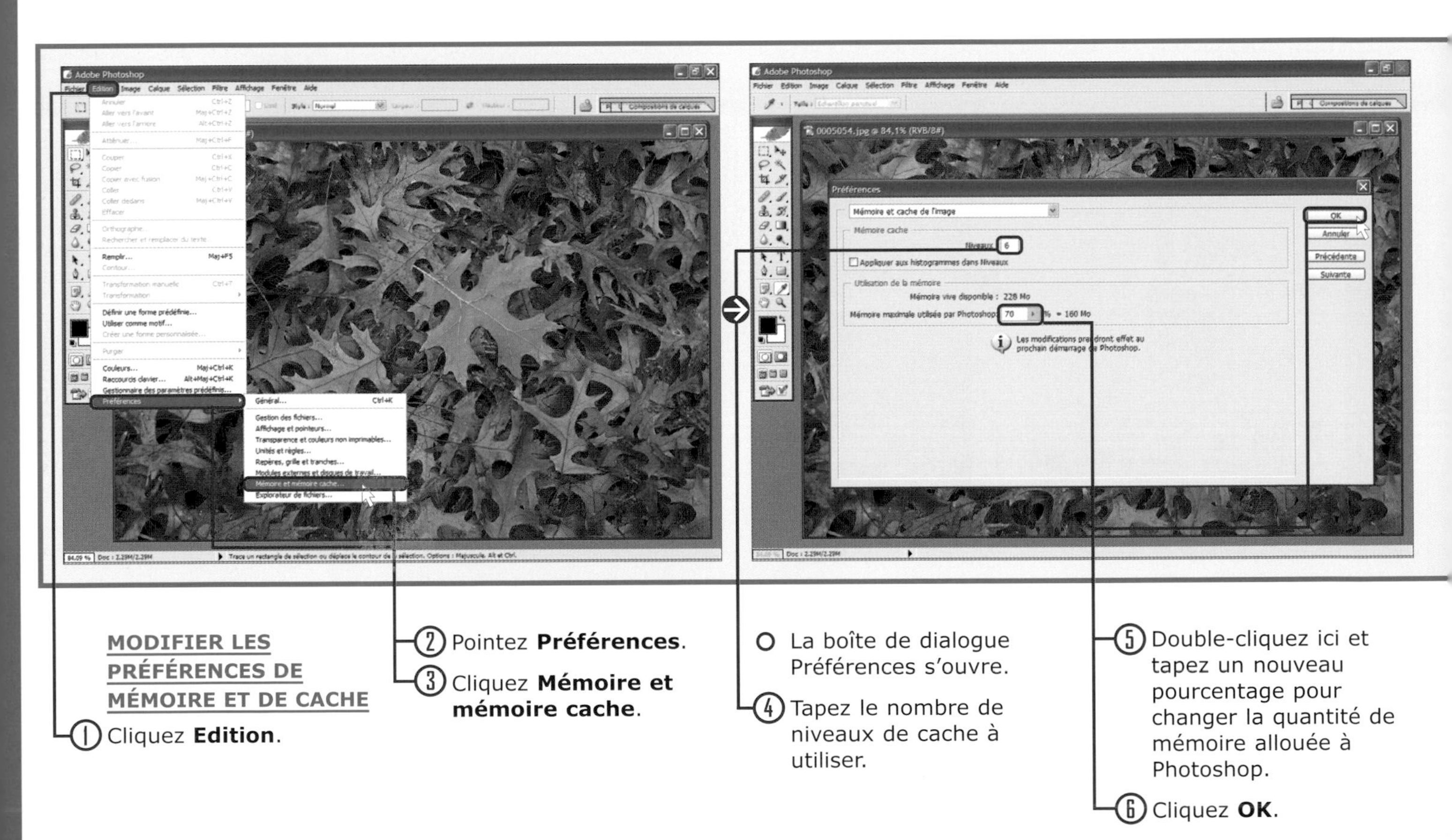

MODIFIER LES PRÉFÉRENCES DE MÉMOIRE ET DE CACHE

1. Cliquez **Edition**.
2. Pointez **Préférences**.
3. Cliquez **Mémoire et mémoire cache**.

○ La boîte de dialogue Préférences s'ouvre.

4. Tapez le nombre de niveaux de cache à utiliser.
5. Double-cliquez ici et tapez un nouveau pourcentage pour changer la quantité de mémoire allouée à Photoshop.
6. Cliquez **OK**.

Le saviez-vous ?

Photoshop exige beaucoup de mémoire vive pour fonctionner de manière optimale. 128 Mo constituent un strict minimum. Adobe recommande 256 Mo, pour un meilleur confort d'utilisation. Si vous ne disposez pas de suffisamment de mémoire vive, consultez le manuel de votre ordinateur pour en ajouter. La majorité des ordinateurs récents acceptent jusqu'à 2 Go ou 4 Go de mémoire vive.

Prudence !

Tous les programmes ouverts sur votre ordinateur, le système d'exploitation compris, utilisent la mémoire vive. Si vous disposez d'une quantité limitée de mémoire, faire tourner d'autres programmes en même temps que Photoshop peut provoquer un ralentissement général, voire un blocage, du système.

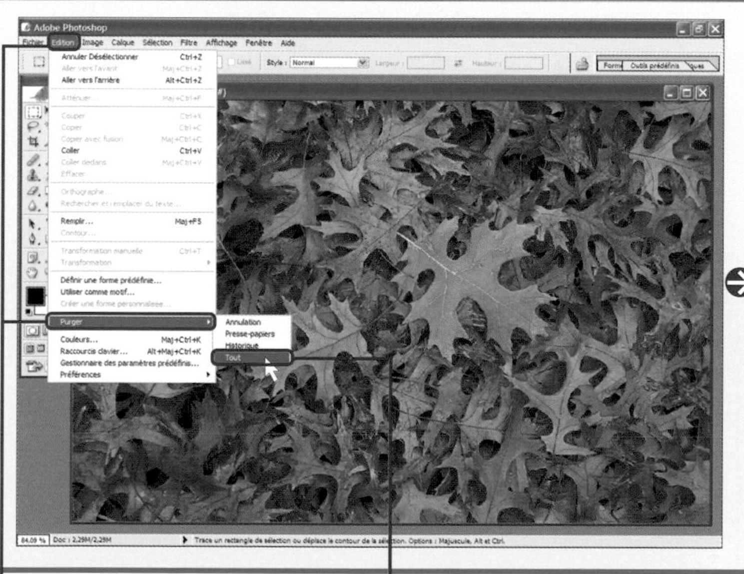

LIBÉRER LA MÉMOIRE

1. Cliquez **Edition**.
2. Pointez **Purger**.
3. Cliquez la catégorie d'informations à effacer de la mémoire.

*Note. L'effet de la commande **Purger** est irréversible.*

- Un message d'alerte apparaît, demandant confirmation.

4. Cliquez **OK**.

- Photoshop libère la mémoire.

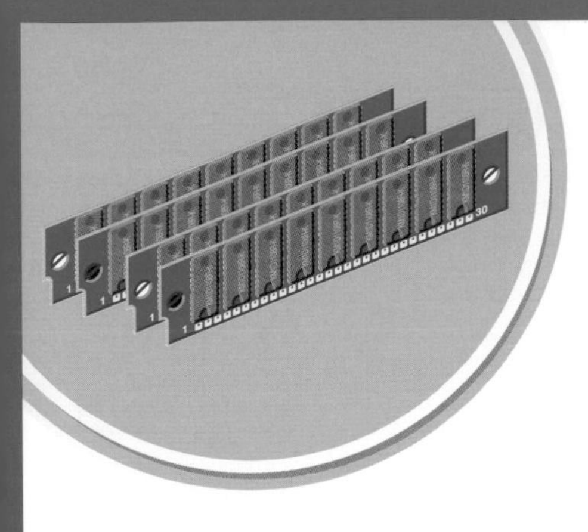

Améliorez les performances avec les DISQUES DE TRAVAIL

Lorsque Photoshop ne dispose plus de mémoire pour effectuer une opération, il utilise une technologie de mémoire virtuelle, ou disque de travail. Ce procédé lui permet de traiter des images volumineuses ou d'appliquer des filtres complexes que la mémoire vive seule ne pourrait gérer. Bien définir le disque de travail contribue à améliorer les performances de Photoshop.

Par défaut, Photoshop utilise comme disque de travail le disque de démarrage du système d'exploitation. Sous Windows, il s'agit généralement du disque C. Vous pouvez désigner un autre disque ou une autre partition. Choisissez de préférence un disque différent de celui utilisé par la mémoire virtuelle du système. Préférez également un autre disque que celui où vous modifiez les fichiers volumineux.

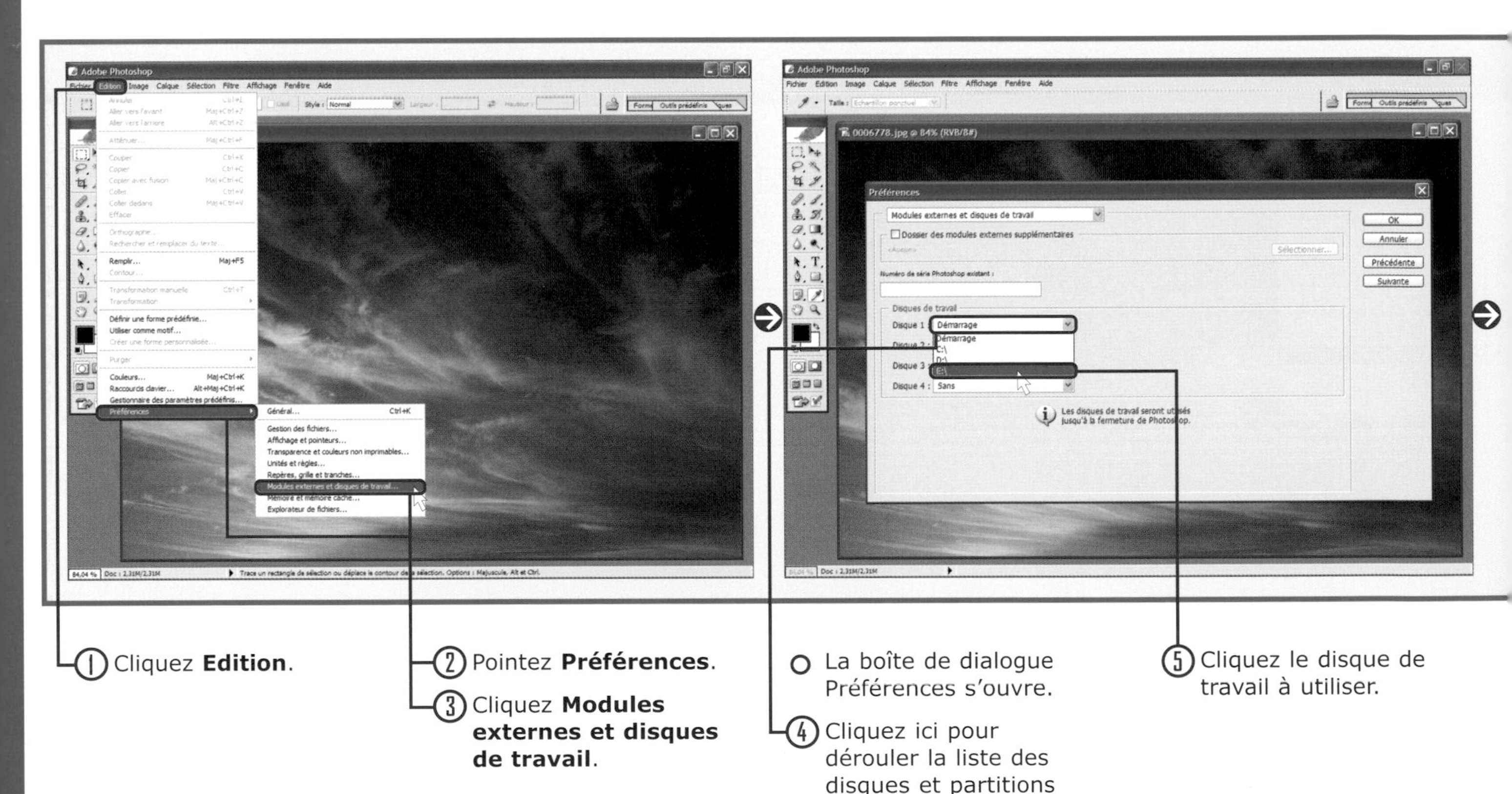

① Cliquez **Edition**.

② Pointez **Préférences**.

③ Cliquez **Modules externes et disques de travail**.

○ La boîte de dialogue Préférences s'ouvre.

④ Cliquez ici pour dérouler la liste des disques et partitions disponibles.

⑤ Cliquez le disque de travail à utiliser.

Ajoutez une touche personnelle

Même si vous n'avez installé qu'un seul disque dur sur votre ordinateur, vous pouvez disposer de plusieurs choix de disque de travail. Pour Photoshop, un lecteur logique peut aussi bien faire office de disque de travail qu'un lecteur physique. Vous pouvez tout à fait sélectionner une partition étendue du disque dur comme disque de travail.

Prudence !

À moins d'utiliser un logiciel dédié à la gestion et au partitionnement des disques durs, la création d'une nouvelle partition entraîne l'effacement des données contenues dans votre disque dur. Consultez le manuel de votre ordinateur pour plus d'informations sur le partitionnement du disque dur.

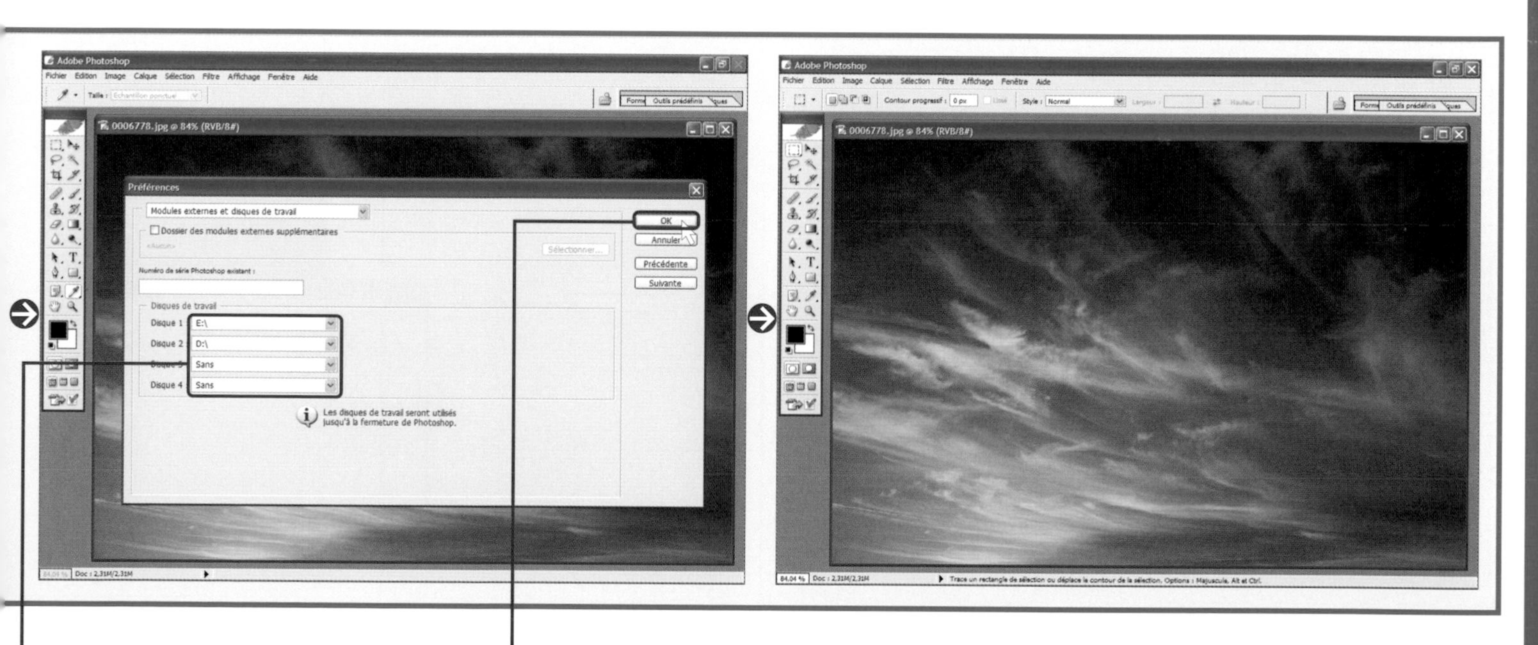

- Vous pouvez répéter les étapes **4** et **5** pour définir d'autres disques de travail.
- Vous pouvez définir jusqu'à quatre disques de travail différents.

6 Cliquez **OK**.

- Les modifications sont prises en compte au prochain redémarrage de Photoshop.

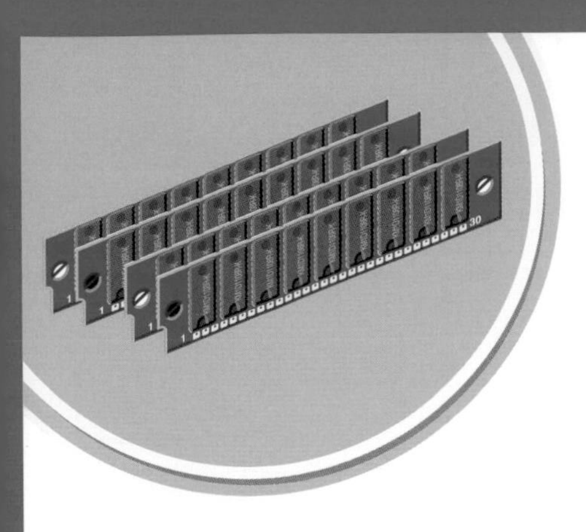

AUTOMATISEZ LE TRAITEMENT D'IMAGES AVEC UN droplet

Photoshop dispose de plusieurs fonctions d'automatisation des tâches. Les droplets représentent sans doute les plus simples à utiliser. Un droplet est une application s'appuyant sur un script. Il permet d'appliquer ce dernier à une ou plusieurs images par un simple glisser-déposer.

Après sa création, le droplet apparaît sous la forme d'une icône. Il suffit alors de faire glisser l'icône du fichier d'image à traiter, ou du dossier d'images, sur celle du droplet. Si Photoshop n'est pas ouvert, le droplet se charge de le démarrer.

Vous pouvez enregistrer les droplets sur le Bureau, pour en faciliter l'accès. Vous pouvez aussi les regrouper dans un dossier et constituer ainsi une bibliothèque de droplets.

Consultez les tâches n° 87 et 88 pour d'autres moyens d'automatiser le traitement d'images.

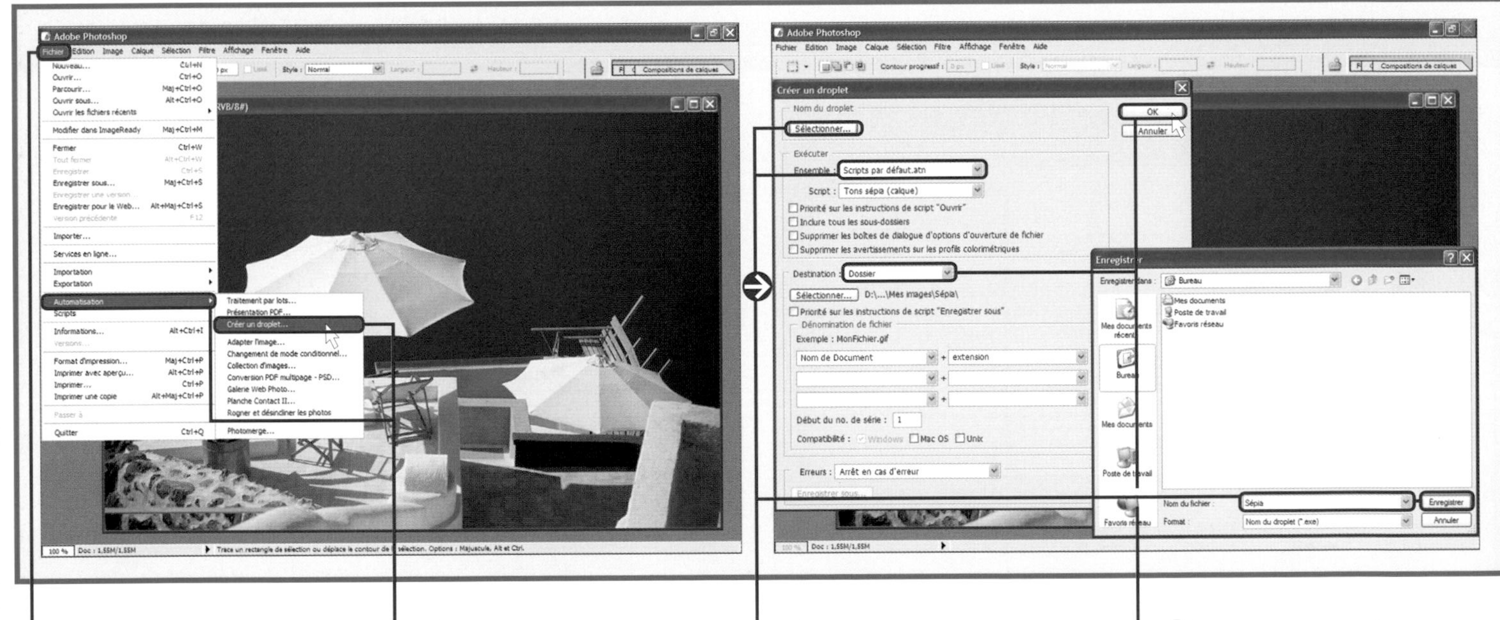

CRÉER UN DROPLET

1. Cliquez **Fichier**.
2. Pointez **Automatisation**.
3. Cliquez **Créer un droplet**.

- La boîte de dialogue Créer un droplet s'ouvre.

4. Cliquez **Sélectionner**.
5. Donnez un nom au droplet, sélectionnez le dossier où l'enregistrer, puis cliquez **Enregistrer**.
6. Sélectionnez l'ensemble de script à utiliser et le script à appliquer.
7. Cliquez ici et sélectionnez la destination des images traitées.

- Si vous sélectionnez Dossier, cliquez **Sélectionner** pour choisir le dossier de destination.

8. Cliquez **OK**.

Le saviez-vous ?

Vous pouvez traiter en même temps plusieurs images en les regroupant dans un dossier. Faites glisser le dossier sur l'icône du droplet pour appliquer le script aux images qui s'y trouvent. Si le dossier contient d'autres types de fichiers, le droplet n'affecte que les images.

Ajoutez une touche personnelle !

Les options de la boîte de dialogue Créer un droplet permettent de personnaliser le fonctionnement du droplet. Cochez l'option **Priorité sur les instructions de script « Ouvrir »**. Si le script inclut une commande Ouvrir, appelant une image spécifique, Photoshop l'ignore au profit des images que vous faites glisser sur l'icône du droplet. Si vous traitez un dossier d'image, activez l'option **Inclure tous les sous-dossiers** pour tenir compte des sous-dossiers qu'il renferme. Les options **Supprimer les boîtes de dialogue d'options d'ouverture de fichier** et **Supprimer les avertissements sur les profils colorimétriques** évitent l'apparition de boîtes de dialogue et de messages à l'ouverture des fichiers. Ainsi, l'exécution du droplet ne nécessite aucune intervention de votre part.

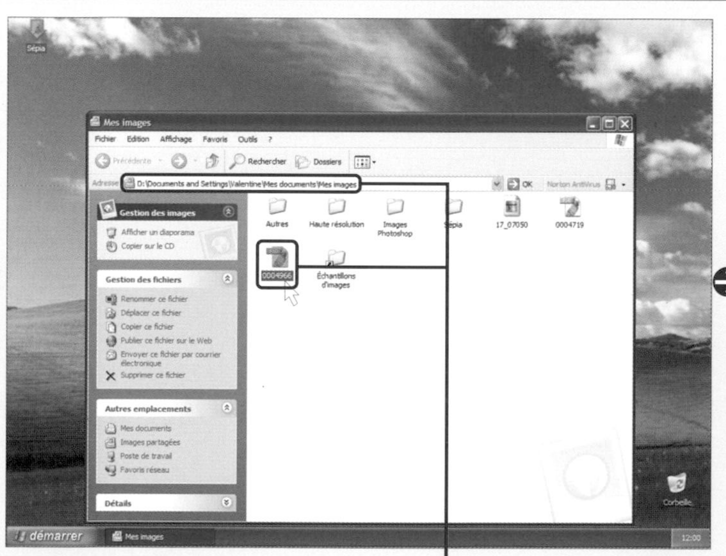

APPLIQUER UN DROPLET

1. Ouvrez le dossier contenant le droplet.
2. Ouvrez le dossier contenant l'image à traiter.
3. Cliquez et faites glisser l'icône de l'image sur l'icône du droplet.

- Photoshop s'ouvre et applique le script du droplet à l'image.

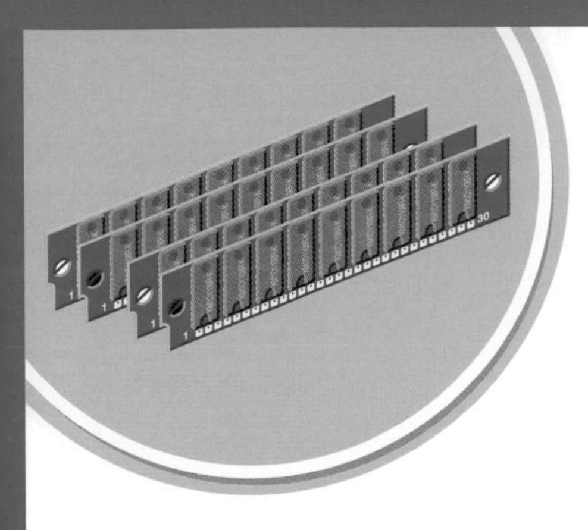

Organisez les outils avec le GESTIONNAIRE DES PARAMÈTRES PRÉDÉFINIS

Photoshop regroupe une grande majorité de ses outils au sein de bibliothèques prédéfinies. Il existe, par exemple, des bibliothèques de styles de calque, de formes de pinceaux, de formes personnalisées et de dégradés. Consultez les tâches n° 6, 14, 17, 18, 19 et 37 pour plus d'informations. Vous pouvez personnaliser, créer, et importer les bibliothèques prédéfinies par l'intermédiaire des différents menus et palettes présentant ces outils.

Le Gestionnaire des paramètres prédéfinis facilite la gestion des bibliothèques prédéfinies en les centralisant dans une seule boîte de dialogue. Vous pouvez y personnaliser tous les paramètres prédéfinis utilisés dans Photoshop ou, au contraire, revenir aux paramètres par défaut, sans passer par les palettes et menus concernés. Vous pouvez aussi créer, importer et enregistrer les bibliothèques de paramètres prédéfinis via la boîte de dialogue Gestionnaire de paramètres prédéfinis.

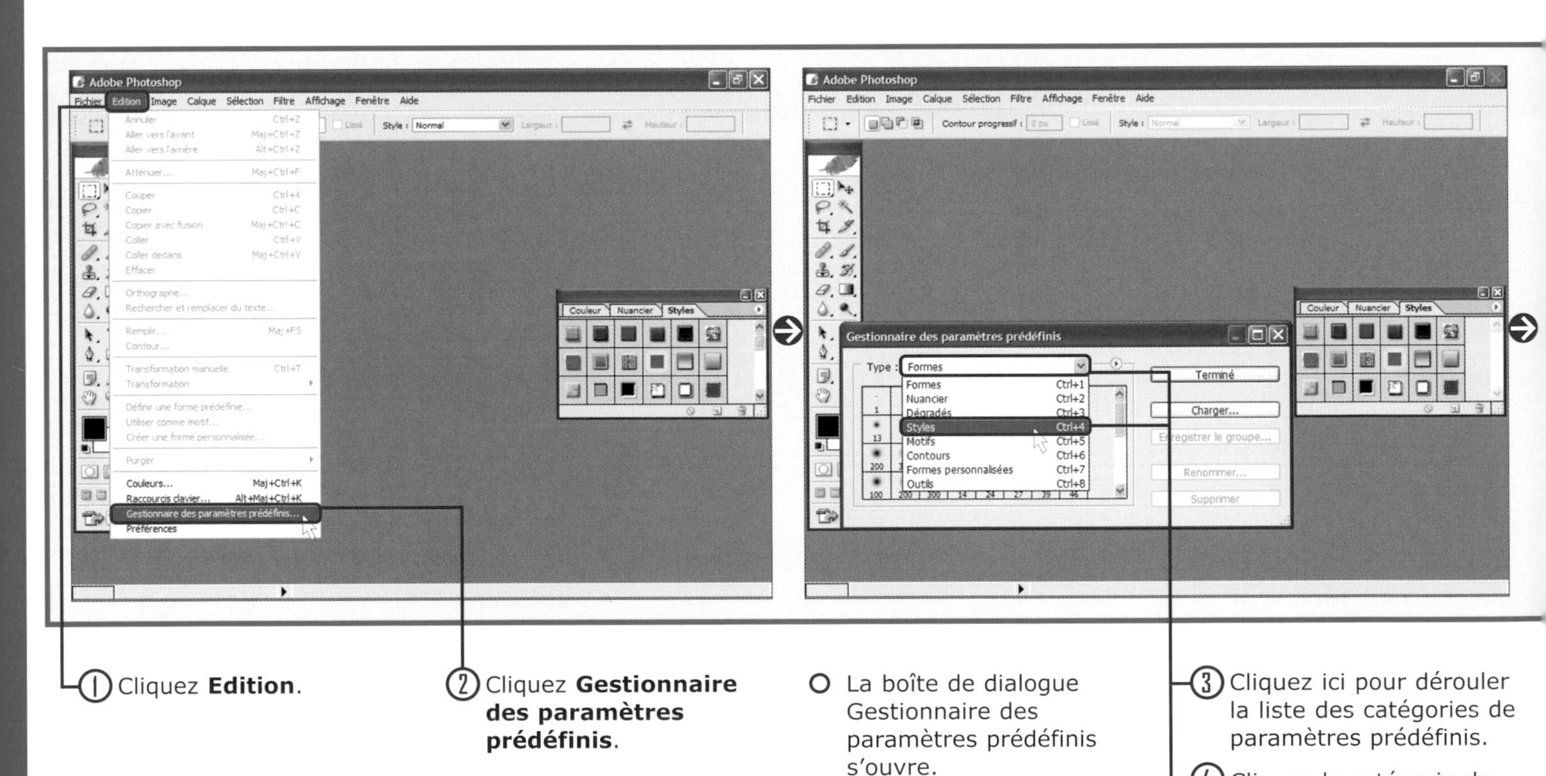

1. Cliquez **Edition**.
2. Cliquez **Gestionnaire des paramètres prédéfinis**.

- La boîte de dialogue Gestionnaire des paramètres prédéfinis s'ouvre.

3. Cliquez ici pour dérouler la liste des catégories de paramètres prédéfinis.
4. Cliquez la catégorie de paramètres prédéfinis à ouvrir.

Ajoutez une touche personnelle !

NIVEAU DE DIFFICULTÉ

Le Gestionnaire des paramètres prédéfinis permet de supprimer et renommer les éléments d'une bibliothèque. Cliquez l'élément à renommer ou à supprimer, puis **Renommer** ou **Supprimer**. Pour sélectionner plusieurs éléments, maintenez enfoncée la touche **Maj**, puis cliquez le premier élément et le dernier. Pour sélectionner plusieurs éléments non consécutifs, maintenez enfoncée **Ctrl** et cliquez chaque élément. Vous pouvez enregistrer la bibliothèque modifiée sous un autre nom. Pour cela, cliquez **Enregistrer le groupe**. Veillez à ne sélectionner aucun élément, sinon Photoshop n'inclut dans la nouvelle bibliothèque que les éléments sélectionnés. La bibliothèque enregistrée apparaît alors dans le menu contextuel ouvert à l'étape **6** ci-dessous.

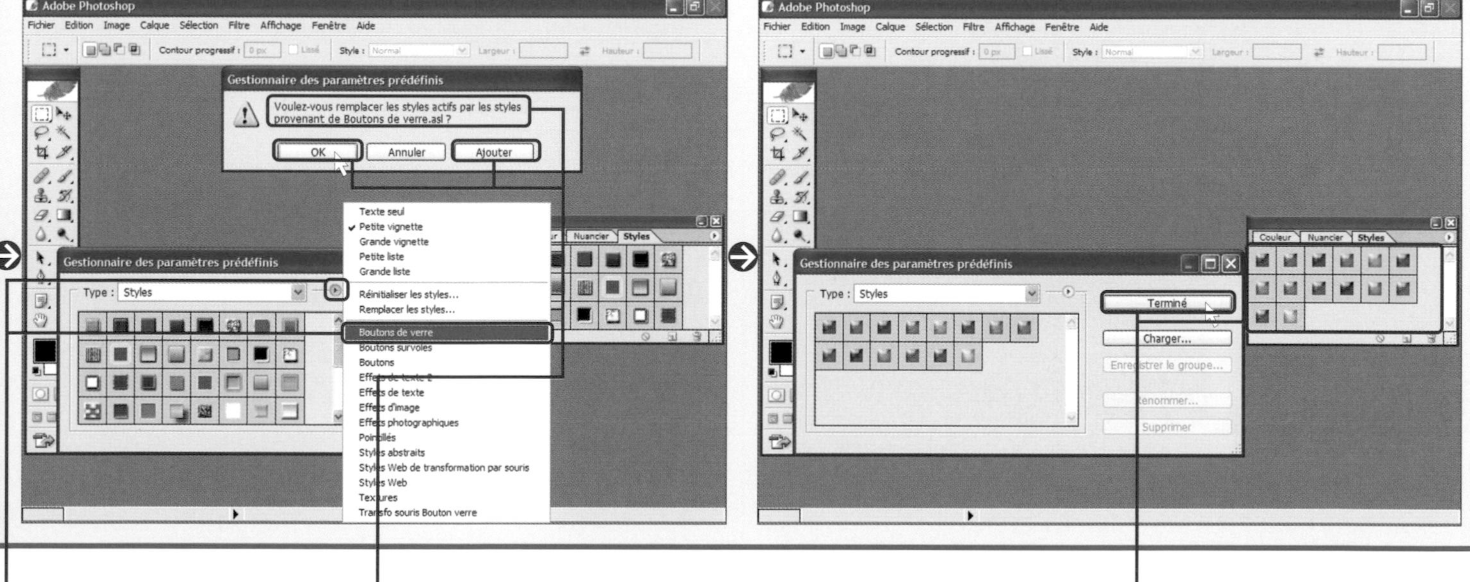

⑤ Cliquez ⊙.

⑥ Cliquez la bibliothèque de paramètres prédéfinis à charger.

- Vous pouvez cliquer **Réinitialiser** pour charger les paramètres par défaut.

- Un message apparaît, demandant si vous souhaitez remplacer les paramètres actifs.

⑦ Cliquez **OK**.

- Vous pouvez cliquer **Ajouter** pour ajouter la nouvelle bibliothèque à la suite des paramètres actifs.

- Les paramètres prédéfinis s'affichent dans la boîte de dialogue Gestionnaire des paramètres prédéfinis.

⑧ Cliquez **Terminé**.

- Les paramètres prédéfinis apparaissent également dans leur palette ou menu spécifique.

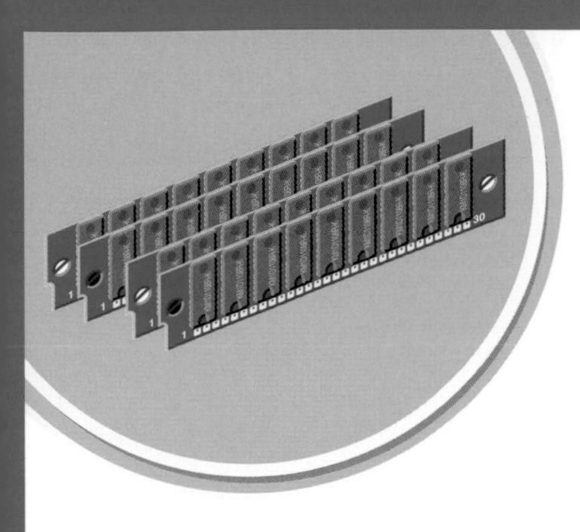

Personnalisez les RACCOURCIS CLAVIER

Les raccourcis clavier Photoshop font gagner un temps considérable en permettant d'exécuter des opérations sans passer par les menus et les palettes. Photoshop associe pratiquement tous les outils de la boîte à outils et toutes les commandes des menus à des raccourcis clavier. Dans la boîte à outils, la touche de raccourci apparaît entre parenthèses, après le nom de l'outil. Dans les menus, le raccourci clavier suit le nom de la commande. La rubrique d'aide Raccourcis clavier récapitule les touches de raccourci associées aux outils, commandes et autres fonctions de Photoshop.

Il arrive que Photoshop n'associe aucune touche de raccourci à une fonctionnalité fréquemment utilisée. Dans ce cas, vous pouvez créer vos propres raccourcis clavier, en utilisant des combinaisons de touches non attribuées. La boîte de dialogue Raccourcis clavier permet de modifier et de créer les raccourcis clavier associés, aux outils, ainsi qu'aux commandes de la barre des menus et des menus contextuels des palettes. Les modifications affectent les commandes équivalentes dans l'Explorateur de fichiers.

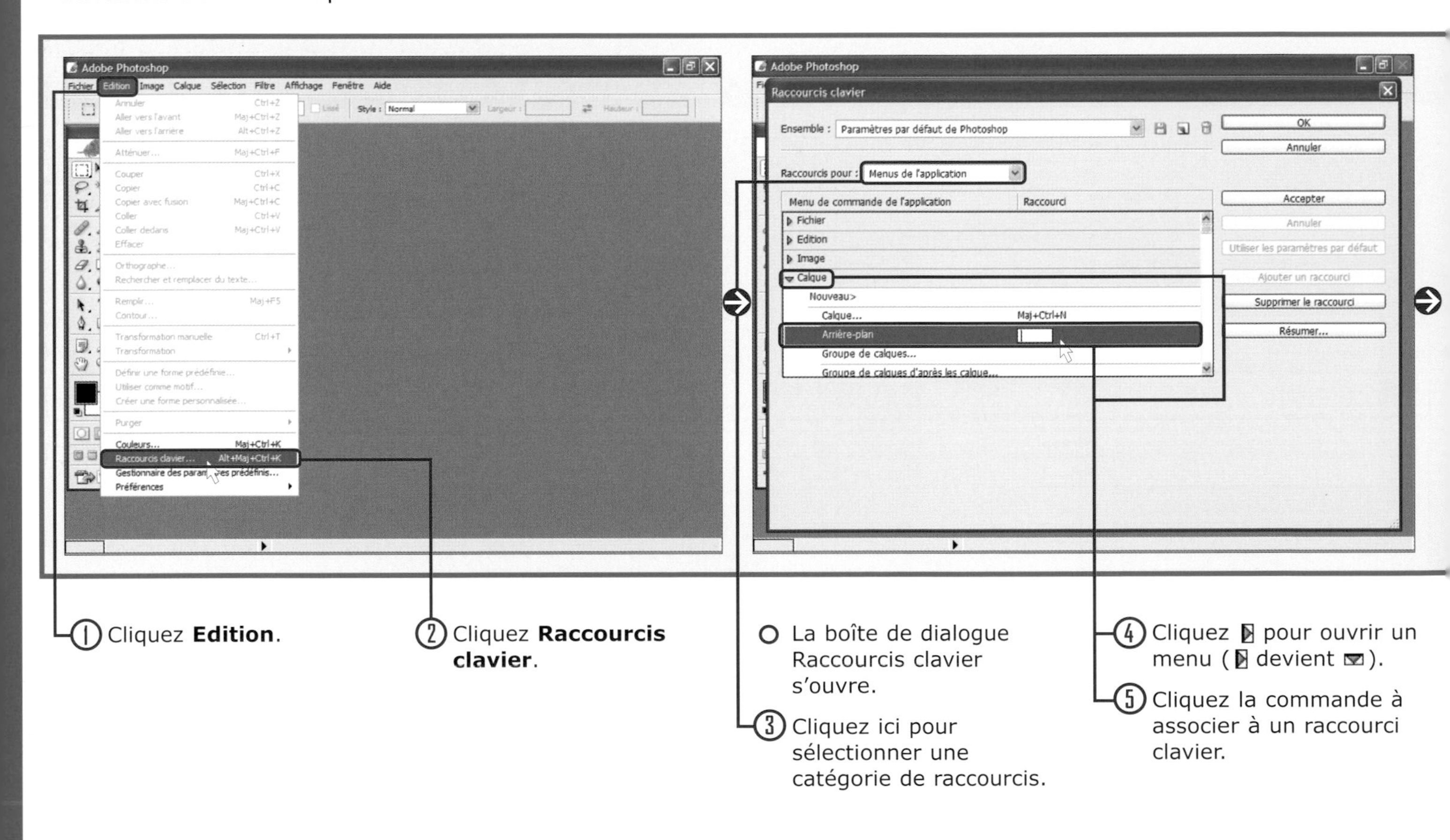

① Cliquez **Edition**.

② Cliquez **Raccourcis clavier**.

○ La boîte de dialogue Raccourcis clavier s'ouvre.

③ Cliquez ici pour sélectionner une catégorie de raccourcis.

④ Cliquez ▶ pour ouvrir un menu (▶ devient ▼).

⑤ Cliquez la commande à associer à un raccourci clavier.

NIVEAU DE DIFFICULTÉ

Le saviez-vous ?

Une fois les raccourcis clavier modifiés, vous pouvez les enregistrer dans un nouvel ensemble. Cliquez 💾. Dans la boîte de dialogue Enregistrer, donnez un nom à l'ensemble de raccourcis puis cliquez **Enregistrer**. Par défaut, Photoshop stocke les raccourcis claviers dans le dossier \Adobe\Photoshop CS\Paramètres prédéfinis\ Raccourcis clavier. Pour supprimer l'ensemble de raccourcis clavier sélectionné, cliquez 🗑.

Ajoutez une touche personnelle !

Vous pouvez imprimer la liste des raccourcis clavier de l'ensemble sélectionné. Cliquez **Résumer**, dans la boîte de dialogue Raccourcis clavier. Ceci exporte la liste des raccourcis sous la forme d'un fichier HTML. Dans la boîte de dialogue Enregistrer, donnez un nom au fichier et sélectionnez le dossier où le stocker. Vous pouvez alors l'ouvrir dans un navigateur Web et l'imprimer.

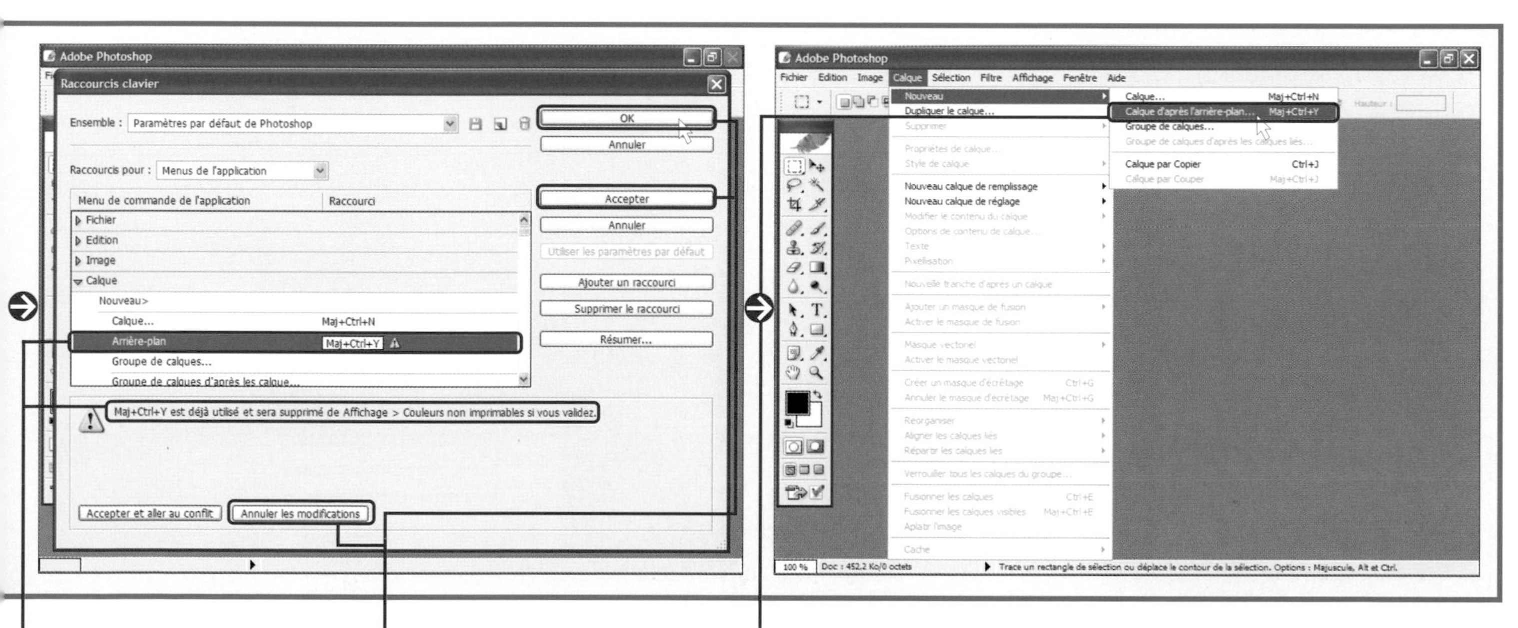

6 Appuyez sur les touches de la combinaison.

○ Si Photoshop a déjà assigné la combinaison de touches à une commande ou à un outil, un message d'alerte apparaît.

7 Cliquez **Accepter** et aller au conflit pour assigner la combinaison de touches à la nouvelle commande et la dissocier de l'ancienne.

○ Vous pouvez cliquer **Annuler les modifications** pour conserver les paramètres courants.

8 Cliquez **OK**.

○ Photoshop attribue le raccourci clavier à la commande ou à l'outil.

○ Vous pouvez cliquer **Utiliser les paramètres par défaut** pour rétablir les raccourcis clavier par défaut de Photoshop.

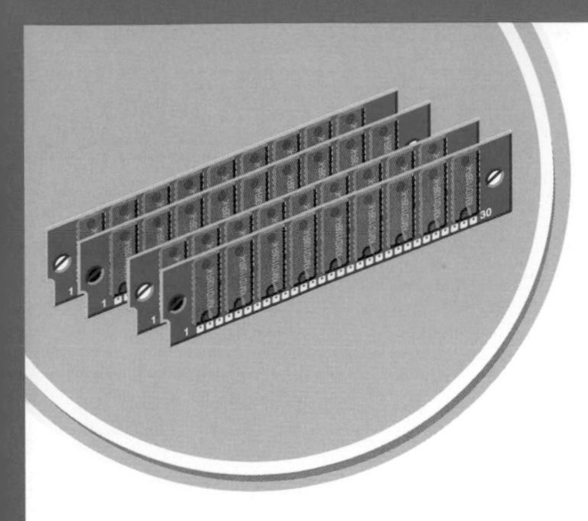

Enregistrez un script POUR GAGNER DU TEMPS

Si vous appliquez souvent la même succession d'actions aux images, vous pouvez gagner du temps en l'enregistrant dans un script. Le script désigne une série de commandes et d'opérations. Une fois le script enregistré, vous pouvez l'exécuter sur une autre image. Photoshop répète alors la même suite d'actions, telle que vous l'avez enregistrée.

Vous pouvez personnaliser l'exécution d'un script. Vous pouvez, par exemple, désactiver certaines étapes. Les scripts peuvent inclure la majorité des commandes et des outils. Ceci en fait une des fonctionnalités les plus puissantes de Photoshop. Le menu contextuel de la palette Scripts permet d'enregistrer et de charger les ensembles de scripts. Vous pouvez ainsi importer les scripts créés par d'autres utilisateurs et partager les vôtres.

Consultez les tâches n° 84 et 88 pour d'autres moyens d'automatiser le traitement d'images.

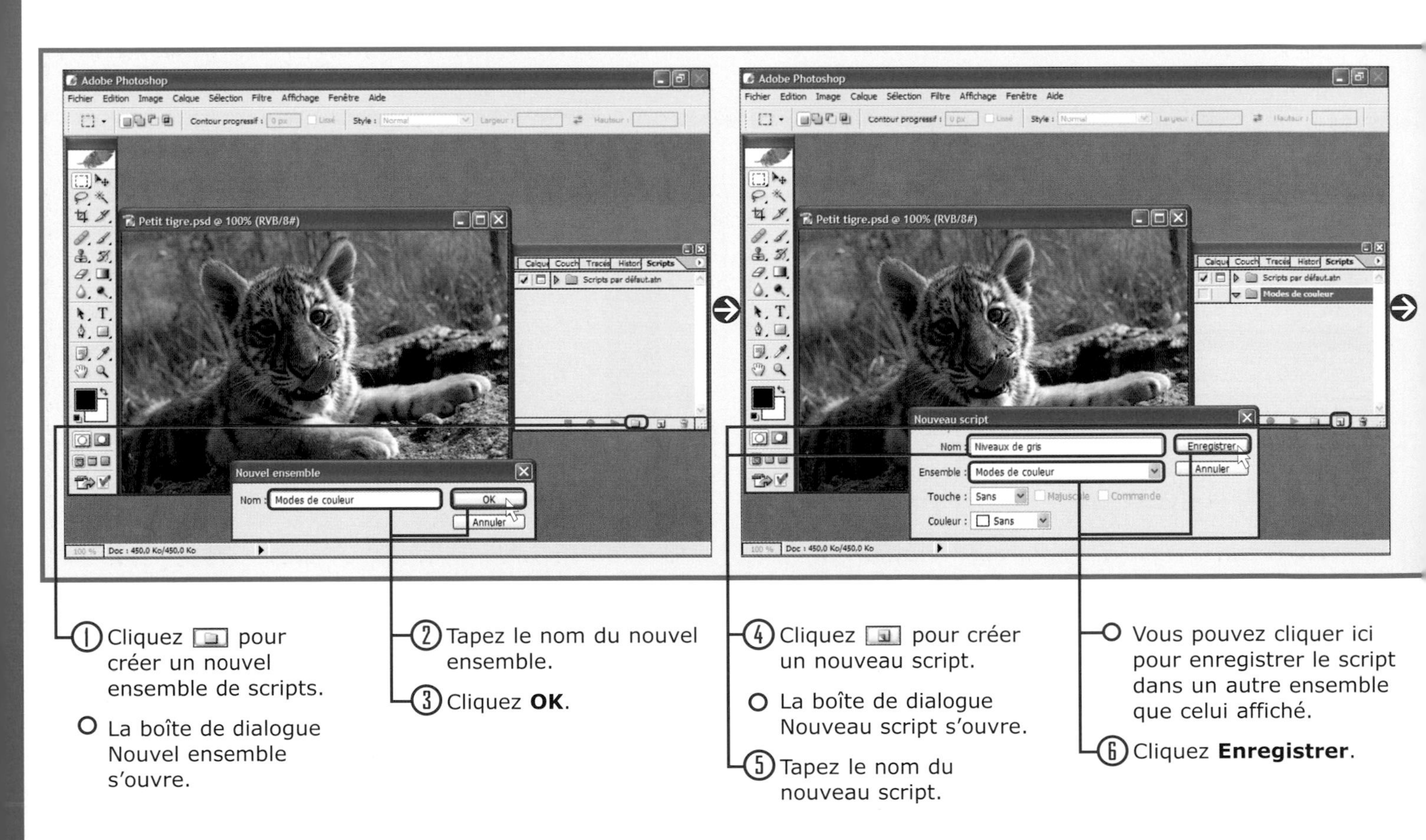

① Cliquez [icône] pour créer un nouvel ensemble de scripts.

○ La boîte de dialogue Nouvel ensemble s'ouvre.

② Tapez le nom du nouvel ensemble.

③ Cliquez **OK**.

④ Cliquez [icône] pour créer un nouveau script.

○ La boîte de dialogue Nouveau script s'ouvre.

⑤ Tapez le nom du nouveau script.

○ Vous pouvez cliquer ici pour enregistrer le script dans un autre ensemble que celui affiché.

⑥ Cliquez **Enregistrer**.

Profitez du Web !

Le Web regorge de scripts Photoshop à télécharger. Visitez le forum Adobe Studio Exchange (http://share.studio.adobe.com), où vous pouvez échanger vos scripts (*actions*, en anglais) avec d'autres utilisateurs. Les sites Action FX.com (www.actionfx.com) et WebTekNique (www.webteknique.com) proposent des scripts à télécharger. En français, Dezign-Box (www.dezign-box.net), offre aussi des scripts au téléchargement. Une simple recherche dans un moteur ou un annuaire de recherche Internet, avec les mots-clés « scripts Photoshop » peut fournir des centaines d'autres adresses.

NIVEAU DE DIFFICULTÉ

Le saviez-vous ?

Cliquez ⊙, puis **Enregistrer les scripts** pour enregistrer l'ensemble de scripts sélectionné dans un fichier ATN. Il apparaît alors dans la liste des scripts, au bas du menu contextuel. Maintenez enfoncées **Alt+Ctrl** en cliquant **Enregistrer les scripts** pour enregistrer le contenu de la palette Scripts dans un fichier texte. Ce dernier détaille, étape par étape, tous les scripts dans la palette.

- [●] reste enfoncé durant l'enregistrement des étapes du script.

7. Exécutez les commandes et les actions à enregistrer dans le script.

- Dans l'exemple, le script convertit l'image en niveaux de gris.

8. Cliquez [■] pour conclure l'enregistrement.

- Le nouveau script apparaît dans la palette Scripts.

- Pour exécuter le script, cliquez-le dans la Palette Scripts, puis cliquez [▶].

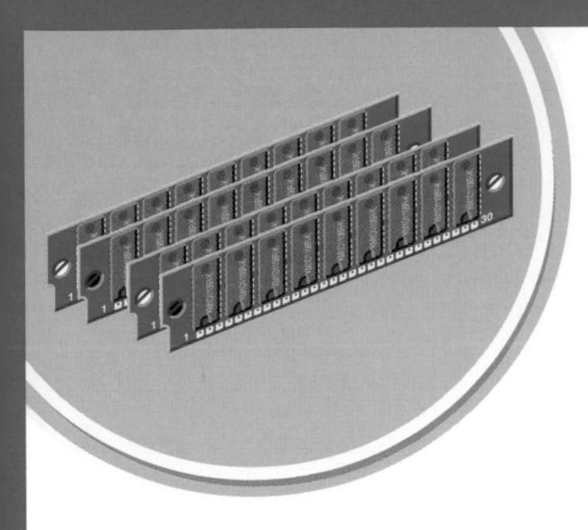

TRAITEZ LES IMAGES PAR LOTS

pour accélérer votre travail

Certains projets nécessitent la répétition des mêmes actions sur plusieurs douzaines d'images. Dans ce cas, modifier individuellement chaque image devient vite fastidieux, sans mentionner la perte de temps. La commande Traitement par lots permet d'économiser un temps précieux.

Le traitement par lots applique un script à un groupe d'images. Consultez la tâche n° 87 pour plus d'informations sur les scripts. Vous pouvez indiquer le dossier où enregistrer les images traitées. Photoshop propose aussi de renommer les fichiers par la même occasion. Ceci permet, par exemple, de remplacer rapidement les noms par défaut attribués par un appareil photo numérique.

Consultez la tâche n° 84 pour une autre manière d'automatiser le traitement d'images.

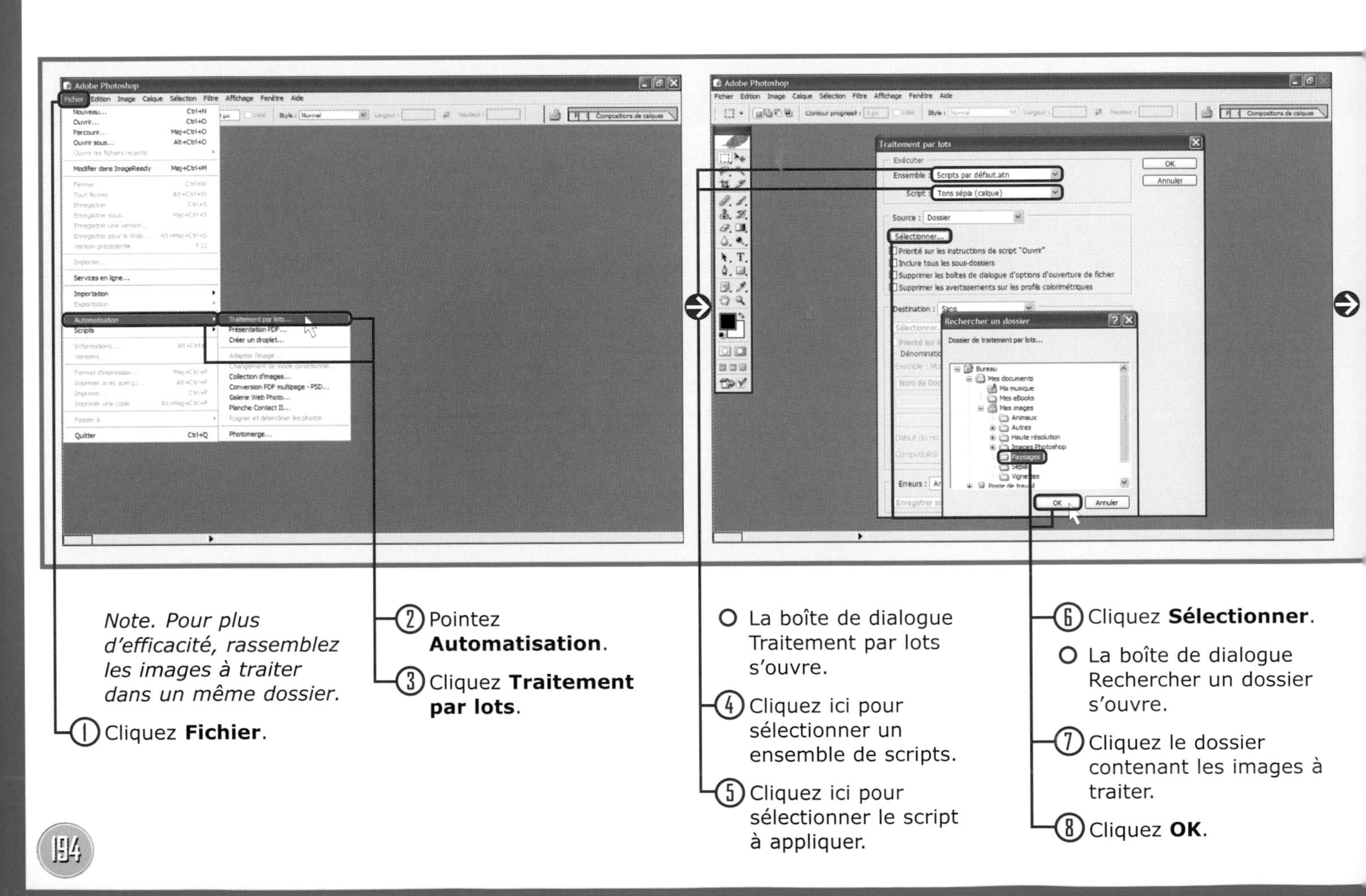

Note. Pour plus d'efficacité, rassemblez les images à traiter dans un même dossier.

1. Cliquez **Fichier**.
2. Pointez **Automatisation**.
3. Cliquez **Traitement par lots**.

- La boîte de dialogue Traitement par lots s'ouvre.

4. Cliquez ici pour sélectionner un ensemble de scripts.
5. Cliquez ici pour sélectionner le script à appliquer.
6. Cliquez **Sélectionner**.

- La boîte de dialogue Rechercher un dossier s'ouvre.

7. Cliquez le dossier contenant les images à traiter.
8. Cliquez **OK**.

Le saviez-vous ?

Vous pouvez lancer un traitement par lots depuis l'Explorateur de fichiers. Lorsque la boîte de dialogue Traitement par lots s'ouvre, l'option **Explorateur de fichiers** est automatiquement sélectionnée dans la liste **Source**. Le traitement s'applique aux images sélectionnées. Consultez la tâche n° 79 pour plus d'informations.

Le saviez-vous ?

Vous pouvez aussi renommer rapidement un groupe d'images grâce à l'Explorateur de fichiers. Ne cliquez aucune vignette pour renommer toutes les images du dossier. Sinon, cliquez les images à renommer. Cliquez **Automatisation** ⇨ **Changement de nom global**. Cliquez une option pour laisser les images dans le même dossier ou les déplacer (○ devient ◉). Dans ce dernier cas, cliquez **Parcourir** pour désigner le dossier de destination. Déroulez les listes de la section **Dénomination de fichier** et cliquez les options adéquates pour définir les noms à attribuer aux fichiers. Vous pouvez aussi saisir directement du texte dans les zones prévues à cet effet. Cliquez **OK**.

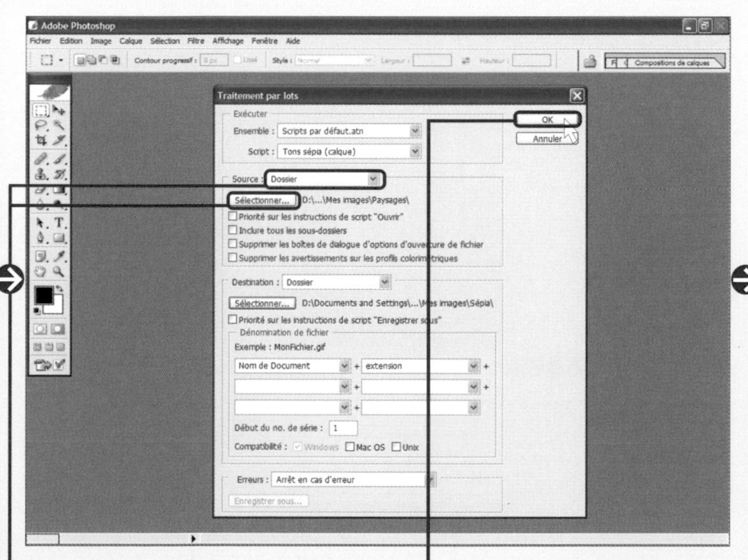

9. Cliquez ici, puis **Dossier**.
10. Cliquez **Sélectionner**.
11. Répétez les étapes **7** et **8** pour définir le dossier de destination des images traitées.

- Vous pouvez paramétrer ces options pour renommer les images traitées.

12. Cliquez **OK**.

- Photoshop applique le script à toutes les images du dossier source et enregistre les images traitées dans le dossier de destination.

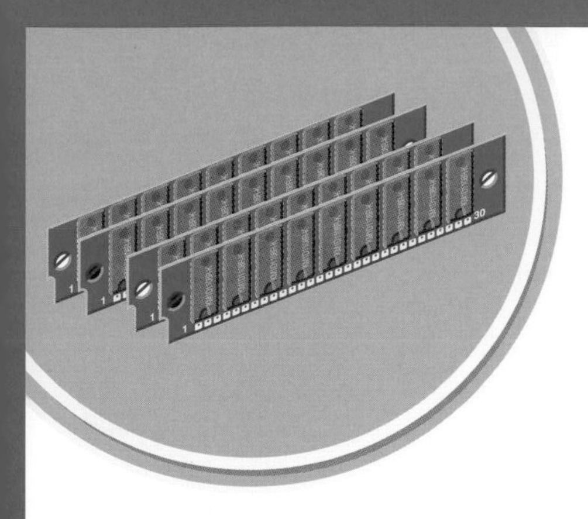

NUMÉRISEZ PLUSIEURS IMAGES AVEC

Rogner et désincliner les photos

Photoshop peut importer directement les images numérisées depuis votre scanneur. Vous pouvez numériser plusieurs images en même temps afin de gagner du temps. Laissez ensuite à Photoshop le soin de les séparer, puis de les ouvrir dans des fenêtres d'images distinctes. Photoshop peut même redresser les photos si elles ne sont pas parfaitement droites.

Le déroulement de la numérisation proprement dite dépend du modèle de votre scanneur et des logiciels qui le pilotent. Consultez la documentation de votre périphérique pour plus d'informations. L'importation des images se fait via le sous-menu Fichier ⇨ Importation. Cliquez le nom de votre périphérique dans le sous-menu, s'il y apparaît. Sinon, cliquez TWAIN.

Une fois l'image numérisée, Photoshop l'ouvre dans une nouvelle fenêtre d'image.

1. Cliquez **Fichier** ⇨ **Importation** puis le nom de votre scanneur.
2. Suivez les instructions données par le manuel de votre périphérique pour numériser les photos.

- Photoshop importe les photos numérisées et les ouvre dans une nouvelle fenêtre d'image.

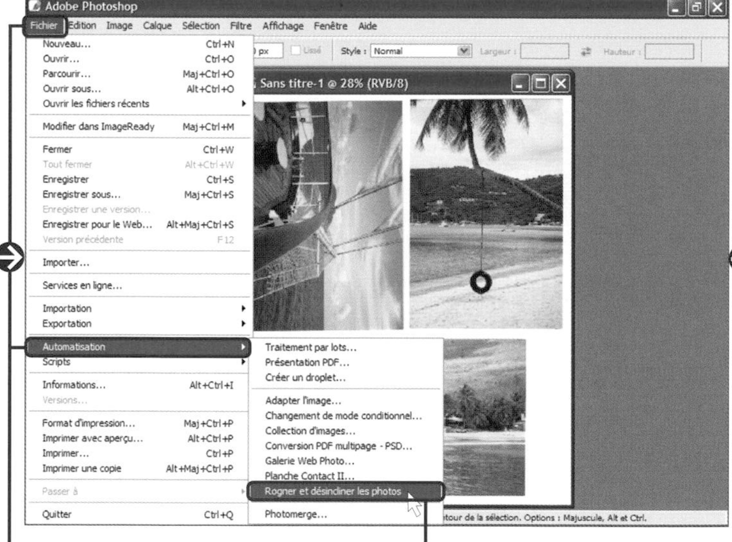

3. Cliquez **Fichier**.
4. Pointez **Automatisation**.
5. Cliquez **Rogner et désincliner les photos**.

Ajoutez une touche personnelle !

Malgré son efficacité, la commande Rogner et désincliner les photos peut se trouver en difficulté face à une image spécifique. Dans ce cas, sélectionnez celle-ci avec l'outil Rectangle de sélection, en laissant une petite marge. Lancez ensuite la commande **Rogner et désincliner les photos** en maintenant enfoncée la touche **Alt**. Si cela ne suffit pas, vous pouvez peaufiner le recadrage de l'image avec l'outil Recadrage. Consultez la tâche n° 41 pour plus d'informations.

NIVEAU DE DIFFICULTÉ

e saviez-vous ?

Lorsque vous numérisez plusieurs photos en même temps, veillez à les espacer suffisamment. Photoshop les distingue ainsi plus facilement les unes des autres. Vérifiez également que l'arrière-plan, c'est à dire la vitre du scanneur et l'intérieur du couvercle, ne présente aucun parasite gênant (poussière, tache, éraflure, *etc.*).

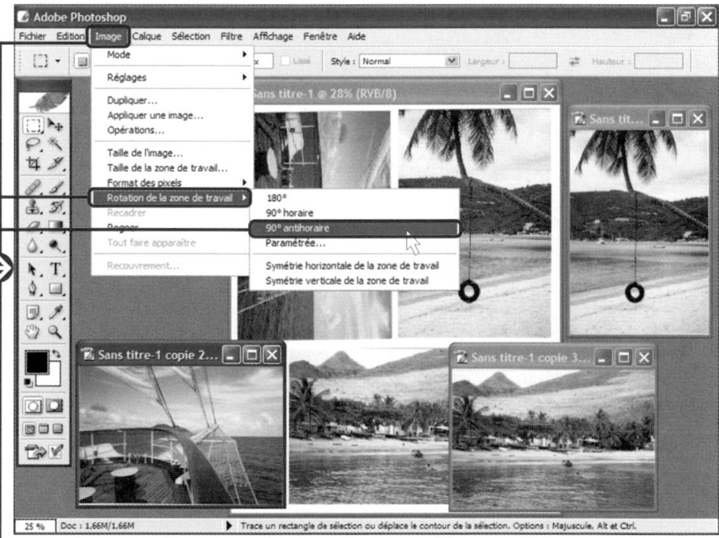

- Photoshop sépare les images, les recadre, les redresse et les ouvre dans des fenêtres distinctes.

- Vous pouvez rectifier l'orientation de certaines images en cliquant **Image ⇨ Rotation de la zone de travail ⇨ 90° horaire** ou **90° antihoraire**.

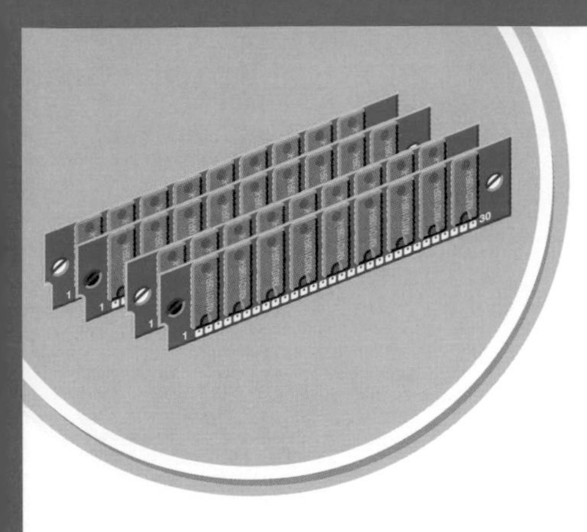

Organisez les MODULES EXTERNES TIERS

Photoshop est livré d'origine avec un large éventail de modules externes. Des développeurs tiers en proposent également. Ces modules tiers enrichissent des fonctionnalités déjà existantes de Photoshop ou en ajoutent de nouvelles. Il existe un grand choix de modules externes tiers. Si vous êtes un adepte de l'expérimentation, vous risquez d'encombrer rapidement le dossier \Adobe\Photoshop CS\Modules externes. Photoshop y stocke par défaut les modules externes, quelle que soit leur provenance.

Pour retrouver facilement vos modules externes, vous pouvez désigner un dossier de stockage complémentaire. Choisissez de préférence un emplacement en dehors du dossier Modules externes. Ceci permet de séparer les modules externes tiers des modules externes d'origine. La sauvegarde des différents modules glanés sur l'Internet s'en trouve, en outre, facilitée.

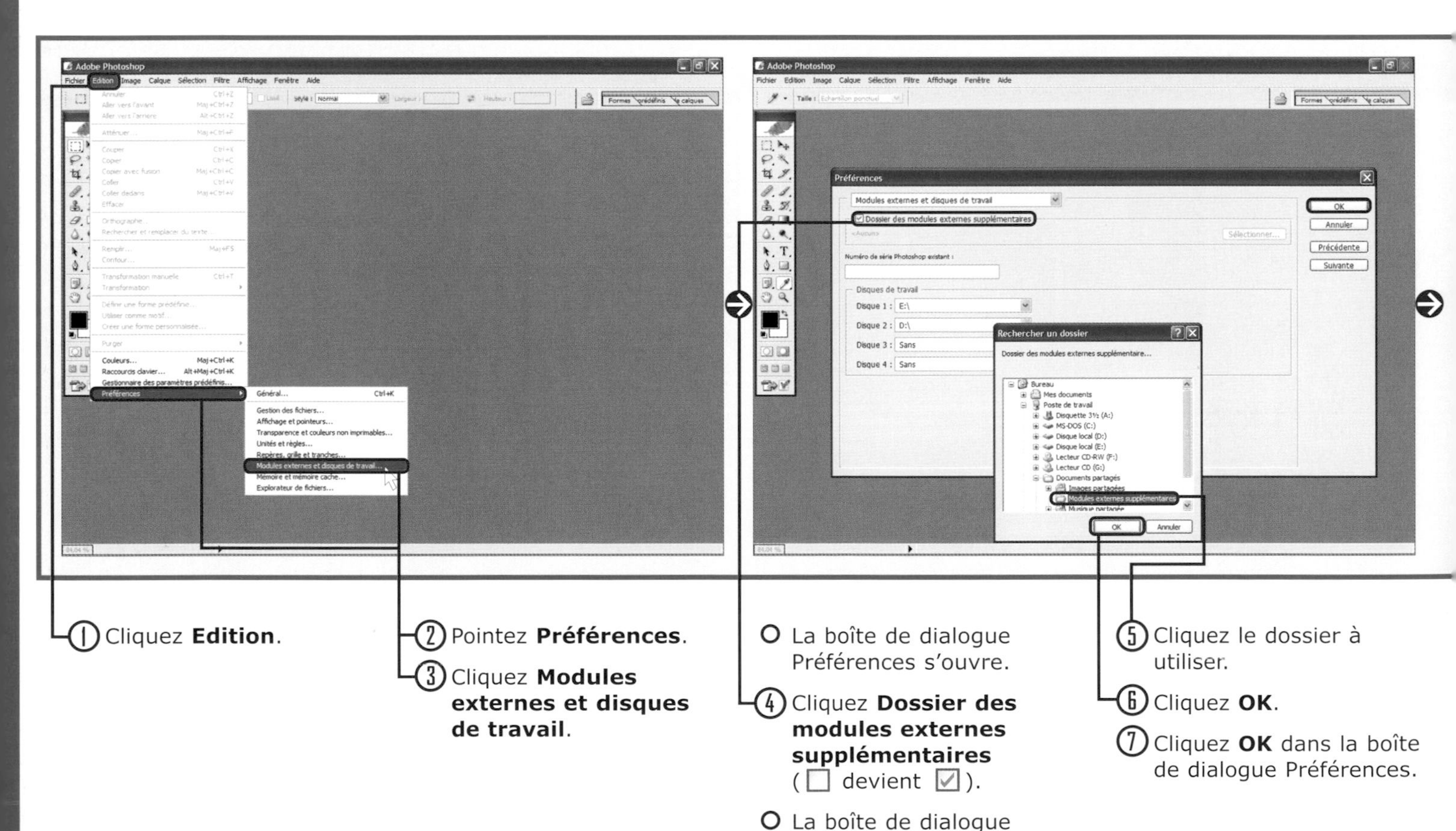

1. Cliquez **Edition**.
2. Pointez **Préférences**.
3. Cliquez **Modules externes et disques de travail**.

- La boîte de dialogue Préférences s'ouvre.

4. Cliquez **Dossier des modules externes supplémentaires** (☐ devient ☑).

- La boîte de dialogue Rechercher un dossier s'ouvre.

5. Cliquez le dossier à utiliser.
6. Cliquez **OK**.
7. Cliquez **OK** dans la boîte de dialogue Préférences.

NIVEAU DE DIFFICULTÉ

Le saviez-vous ?

Lorsque vous définissez un dossier supplémentaire pour les modules externes, choisissez de préférence un dossier extérieur à \Adobe\Photoshop CS. Ainsi, si jamais vous devez réinstaller Photoshop, le dossier des modules externes tiers ne risque pas d'être supprimé par mégarde.

Le saviez-vous ?

Vous devez redémarrer Photoshop pour accéder aux modules externes stockés dans le nouveau dossier supplémentaire. Photoshop les charge alors dans les menus adéquats, selon leurs fonctions. Certains s'affichent dans les sous-menus **Fichiers ⇨ Importation et Exportation**. D'autres apparaissent comme formats de fichiers dans les boîtes de dialogue **Ouvrir** et **Enregistrer sous**. D'autres encore s'ajoutent aux catégories de filtres du menu **Filtre**. Si le nombre de modules externes devient trop important, Photoshop affiche les modules externes en surnombre dans le sous-menu **Filtre ⇨ Divers**.

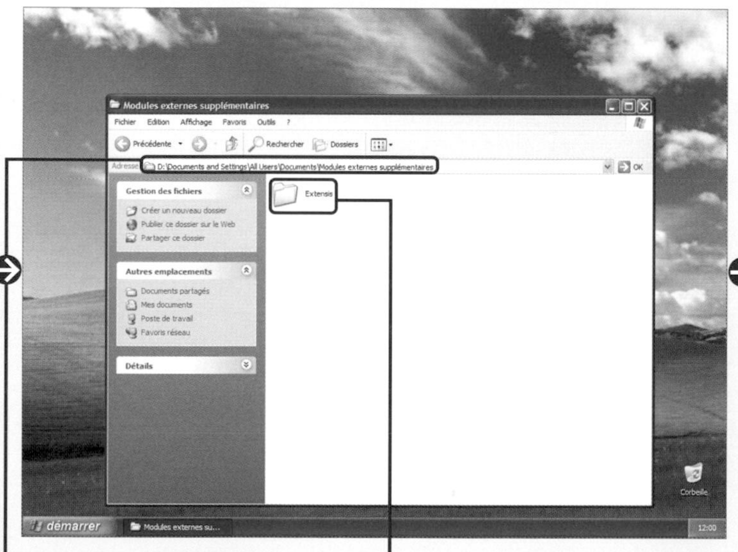

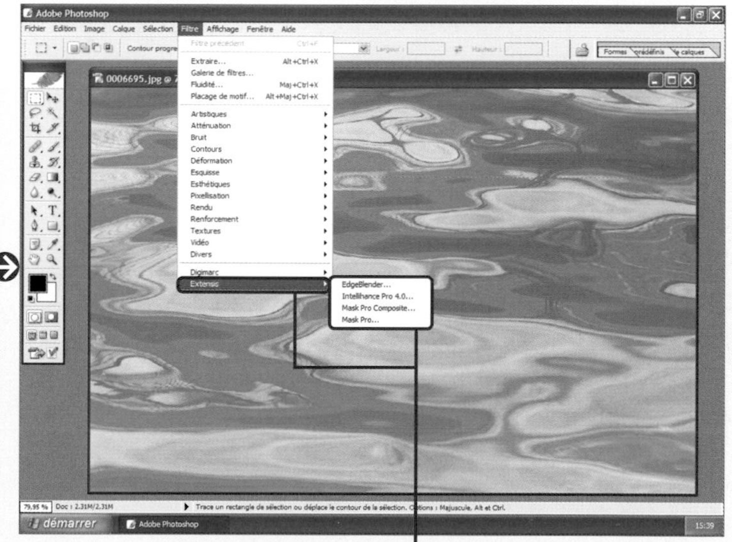

- Vous devez quitter puis redémarrer Photoshop pour accéder aux modules externes stockés dans le nouveau dossier.

8. Ouvrez le dossier défini à l'étape **5**.

9. Créez des sous-dossiers pour une meilleure organisation des modules externes.

- Vous pouvez, par exemple, créer un sous-dossier pour chaque développeur de modules externes.

10. Redémarrez Photoshop.

- Photoshop affiche les modules externes dans les menus adéquats.

Créez pour le Web avec ImageReady

Livré avec Photoshop depuis la version 5.5 de ce dernier, ImageReady complète ses fonctions de création graphique pour le Web. Si Photoshop permet de créer des graphismes spectaculaires, ImageReady les transforme en pages Web interactives, dotées d'éléments dynamiques comme les liens hypertextes, les effets de survol et les animations.

ImageReady propose pratiquement les mêmes outils que Photoshop. Il offre, en outre, des fonctionnalités spécifiques à la création d'images pour le Web. Ce chapitre en présente les principales : le découpage en tranches des images, la création de transformations par souris, ou effets de survol, la définition de zones cliquables, l'exportation de pages Web complètes et la conception d'animations.

ImageReady constitue une application distincte de Photoshop. Cependant, la parfaite intégration des deux programmes estompe cette distinction. Vous pouvez tout à fait travailler sur la même image dans Photoshop et ImageReady. Une simple combinaison de touches (Ctrl+Maj+M) permet de basculer d'une application à l'autre, pour profiter pleinement de leurs fonctions complémentaires.

TOP 100

DÉCOUPEZ UNE IMAGE en tranches

Les tranches représentent sans doute l'une des fonctionnalités les plus utiles de ImageReady. Elles divisent l'image en zones fonctionnelles rectangulaires et en facilitent l'optimisation. Elles servent aussi de base à la création d'effets dynamiques comme les zones cliquables, les liens hypertextes et les animations. Elles peuvent même constituer les cellules d'un tableau au sein d'une page Web.

Le contenu et la méthode de création d'une tranche déterminent son type. Selon la méthode de création, les tranches utilisateur se distinguent des tranches auto et de celles créées d'après un calque. Selon le type de contenu, les tranches se subdivisent en tranches Image, Pas d'image et Tableau. Une tranche Image contient toutes sortes d'images, y compris les états de transformations par souris et les animations. Une tranche Pas d'image définit une cellule de tableau vide, pouvant recevoir, par exemple, du texte. Une tranche Tableau peut contenir un sous-ensemble de tranches imbriquées constituant un tableau.

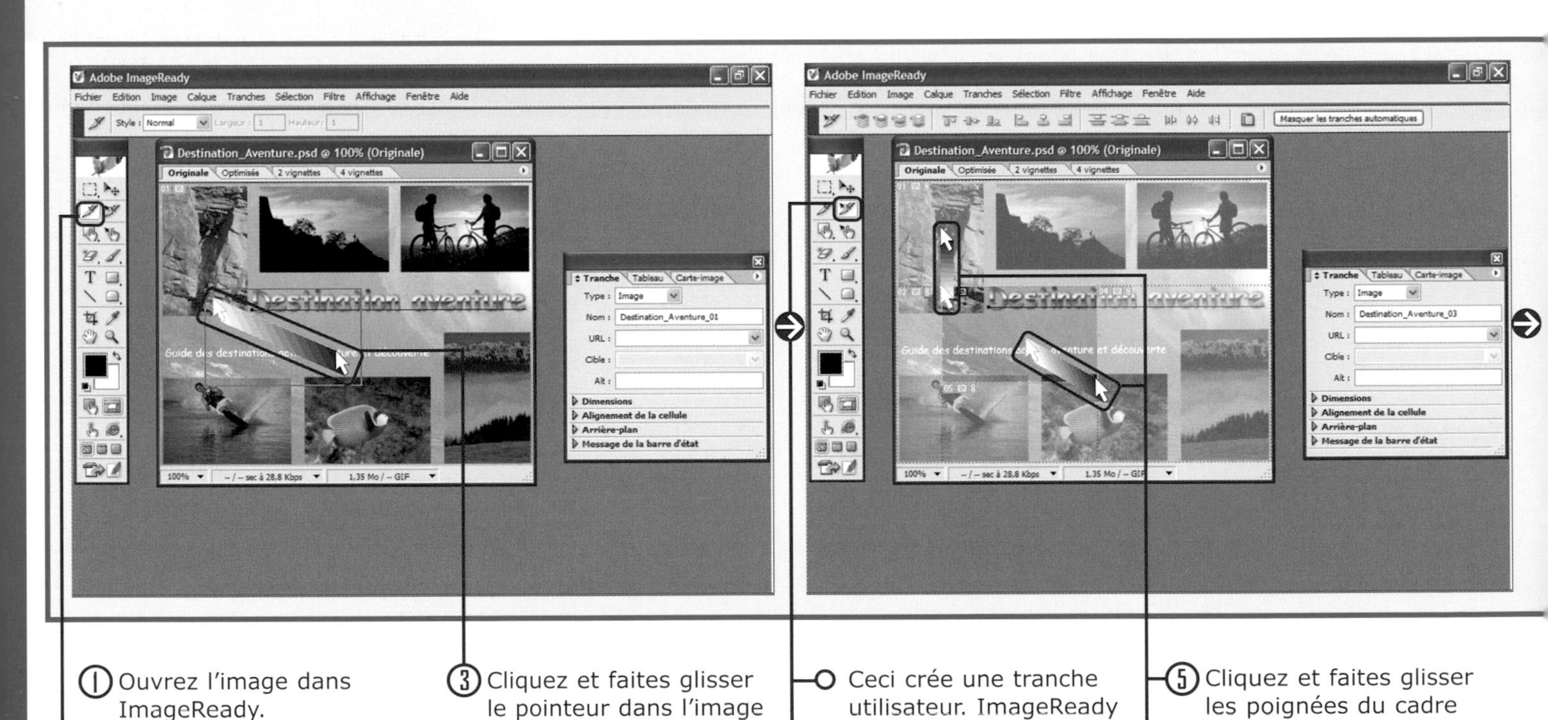

1. Ouvrez l'image dans ImageReady.
2. Cliquez [icône].
3. Cliquez et faites glisser le pointeur dans l'image pour créer une tranche.

- Ceci crée une tranche utilisateur. ImageReady crée des tranches auto prenant en charge le reste de l'image.

4. Cliquez [icône], puis la tranche utilisateur.
5. Cliquez et faites glisser les poignées du cadre de sélection pour redimensionner la tranche.
6. Cliquez à l'intérieur du cadre et faites glisser la tranche pour la repositionner.

NIVEAU DE DIFFICULTÉ

Prudence !

Faites preuve de prudence lorsque vous déplacez ou redimensionnez une tranche. L'opération peut affecter d'autres tranches contenant des liens ou des transformations par souris, et désactiver ces éléments interactifs. Au pire, effacez les différentes fonctions attribuées aux tranches de l'image avant de les déplacer. Une fois les modifications effectuées, redéfinissez les fonctions de chaque tranche.

Le saviez-vous ?

La zone de texte **Alt**, dans la palette Tranche, permet de saisir le texte apparaissant en lieu et place de l'image contenue dans la tranche. Ceci s'avère utile si l'image prend du temps à se charger ou si elle n'est pas disponible. Vous pouvez aussi cliquer ▷ devant **Message de la barre d'état**. Saisissez dans la zone correspondante le texte devant apparaître dans la barre d'état du navigateur Web, lorsque le pointeur survole la tranche active. Cette dernière peut ne contenir aucun lien hypertexte.

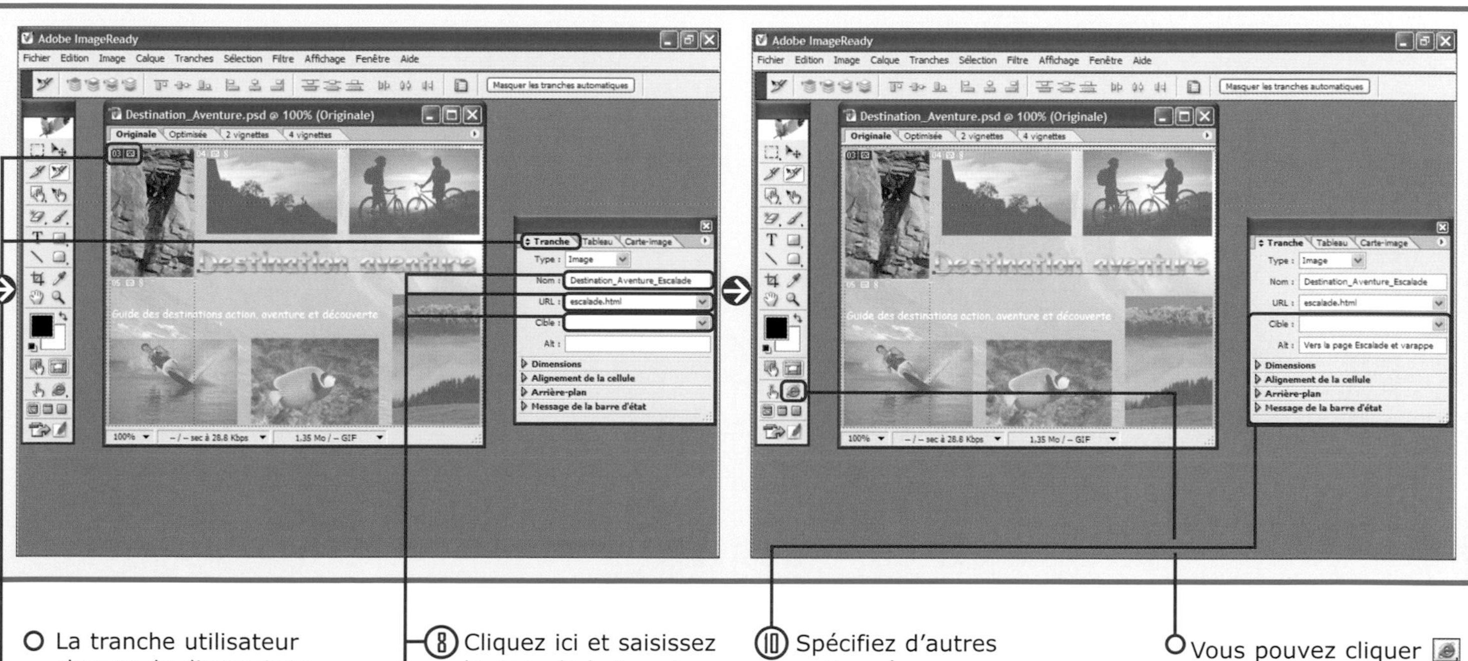

- La tranche utilisateur change de dimensions et de position.
- ImageReady adapte les tranches auto à la tranche utilisateur.

7. Cliquez l'onglet de la palette **Tranche**.
8. Cliquez ici et saisissez le nom de la tranche.
9. Cliquez ici et tapez l'adresse Web du lien hypertexte.

- Vous pouvez cliquer ici et saisir un le nom d'un cadre cible.

10. Spécifiez d'autres options à votre convenance.

- Vous pouvez cliquer 🌐 pour afficher l'image dans le navigateur Web par défaut. Ceci permet de vérifier les liens et d'autres éléments.

Regroupez les tranches dans un ENSEMBLE DE TRANCHES

Un ensemble de tranches regroupe plusieurs tranches. Il conserve la taille, la position et les fonctions des tranches qu'il contient, transformations par souris et liens hypertextes compris. Associés aux compositions de calques (consultez la tâche n° 10), les ensembles de tranches permettent d'enregistrer plusieurs versions d'une même page Web dans une seule image.

Vous créez un nouvel ensemble de tranches avec la commande Tranches ⇨ Nouvel ensemble de tranches ou en cliquant le bouton Nouvel ensemble de tranches dans la palette Contenu Web. Cette dernière permet ensuite d'ajouter les tranches au nouvel ensemble. Consultez la tâche n° 91 pour plus d'informations sur la création des tranches.

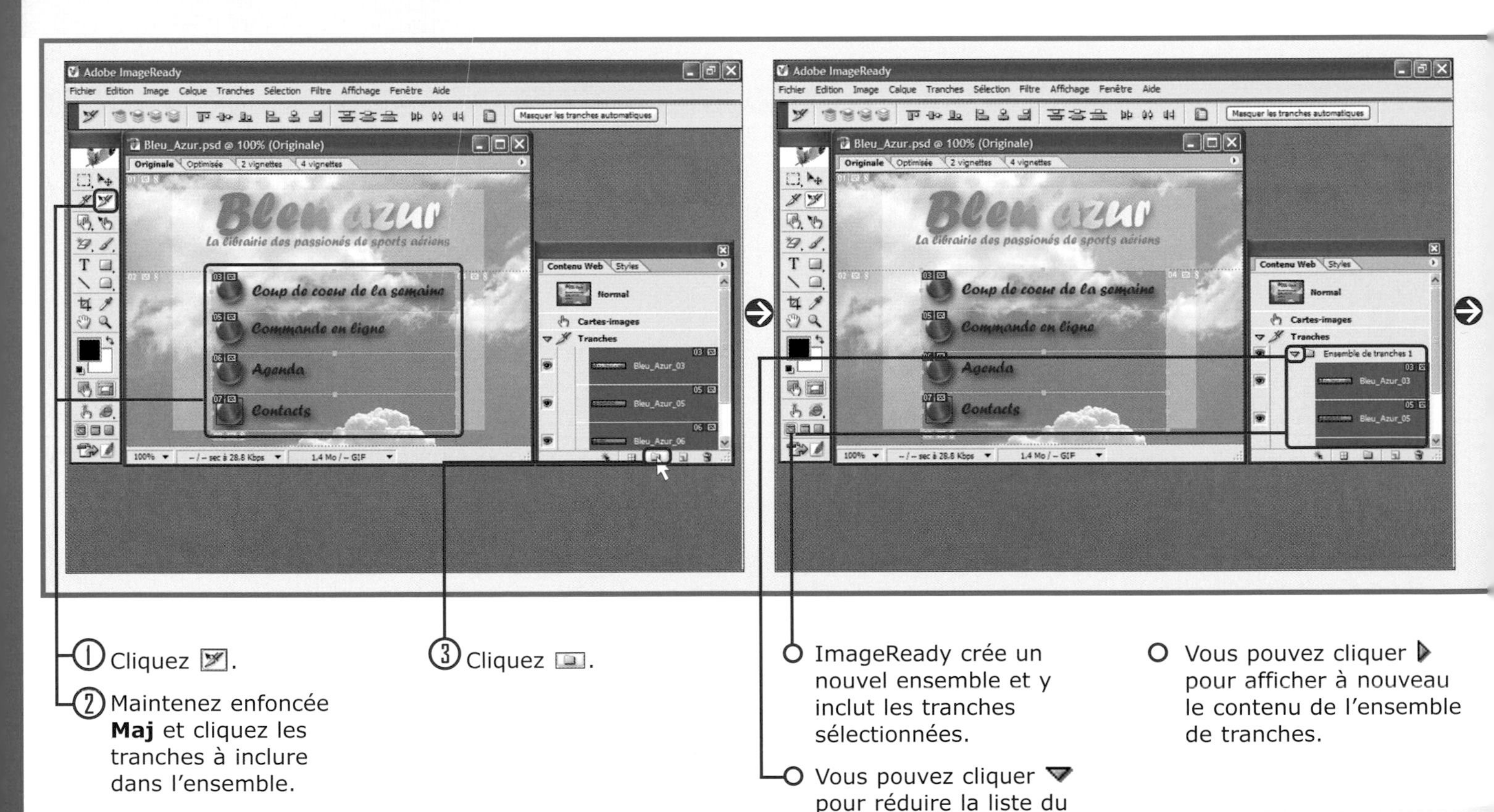

1. Cliquez .
2. Maintenez enfoncée **Maj** et cliquez les tranches à inclure dans l'ensemble.
3. Cliquez .

- ImageReady crée un nouvel ensemble et y inclut les tranches sélectionnées.
- Vous pouvez cliquer ▽ pour réduire la liste du contenu d'un ensemble de tranches (▽ devient ▷).
- Vous pouvez cliquer ▷ pour afficher à nouveau le contenu de l'ensemble de tranches.

NIVEAU DE DIFFICULTÉ

Prudence !

En enregistrant les tranches, vous sauvegardez également les transformations par souris, les liens hypertextes et autres propriétés qu'ils renferment. Lorsque vous exportez l'image en tant que page Web, veillez à n'afficher que les tranches et les ensembles de tranches adéquats. En effet, si vous créez différentes versions d'une page Web à l'aide des ensembles de tranches, ces derniers peuvent entrer en conflit et provoquer un disfonctionnement des éléments interactifs.

Ajoutez une touche personnelle !

Donnez aux ensembles de tranches des noms descriptifs, évoquant clairement leur fonction. Si vous associez les ensembles de tranches et les compositions de calques, vous pouvez leur donner des noms identiques ou assortis. Pour renommer un ensemble de tranches, double-cliquez son nom dans la palette Contenu Web.

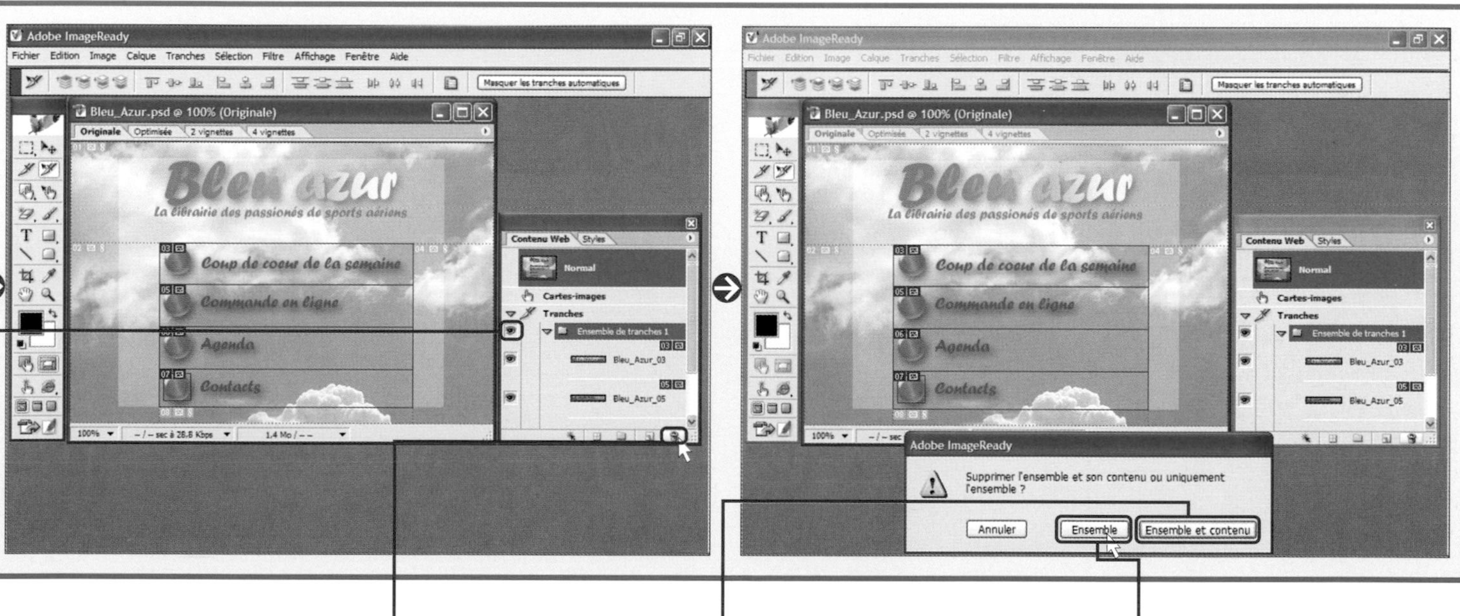

- Vous pouvez cliquer ▣ pour masquer un ensemble de tranches.
- Vous pouvez cliquer ▣ pour supprimer l'ensemble de tranches sélectionné.
- Dans la boîte de dialogue qui apparaît, cliquez l'option adéquate.
- Cliquez **Ensemble et contenu** pour supprimer l'ensemble de tranches et les tranches qu'il renferme.
- Cliquez **Ensemble** pour conserver les tranches mais supprimer l'ensemble de tranches.

CRÉEZ DES BOUTONS AVEC
les styles de calque

ImageReady permet de créer des boutons de différents types avec les outils de forme et les styles de calque. Vous pouvez choisir le style de calque à appliquer dans la barre d'options des outils de forme. Toutes les formes dessinées par la suite adoptent le même style, tant que vous n'en choisissez pas un autre.

Une fois le style appliqué, vous pouvez le modifier facilement. Dans la palette Calques, double-cliquez [icône].

La boîte de dialogue Style de calque s'ouvre. Modifiez les options du style selon vos besoins.

ImageReady propose un grand nombre de styles prédéfinis, regroupés dans des bibliothèques. Vous pouvez aussi créer vos propres bibliothèques de styles et les charger dans la palette Styles. Consultez la tâche n° 6 pour plus d'informations.

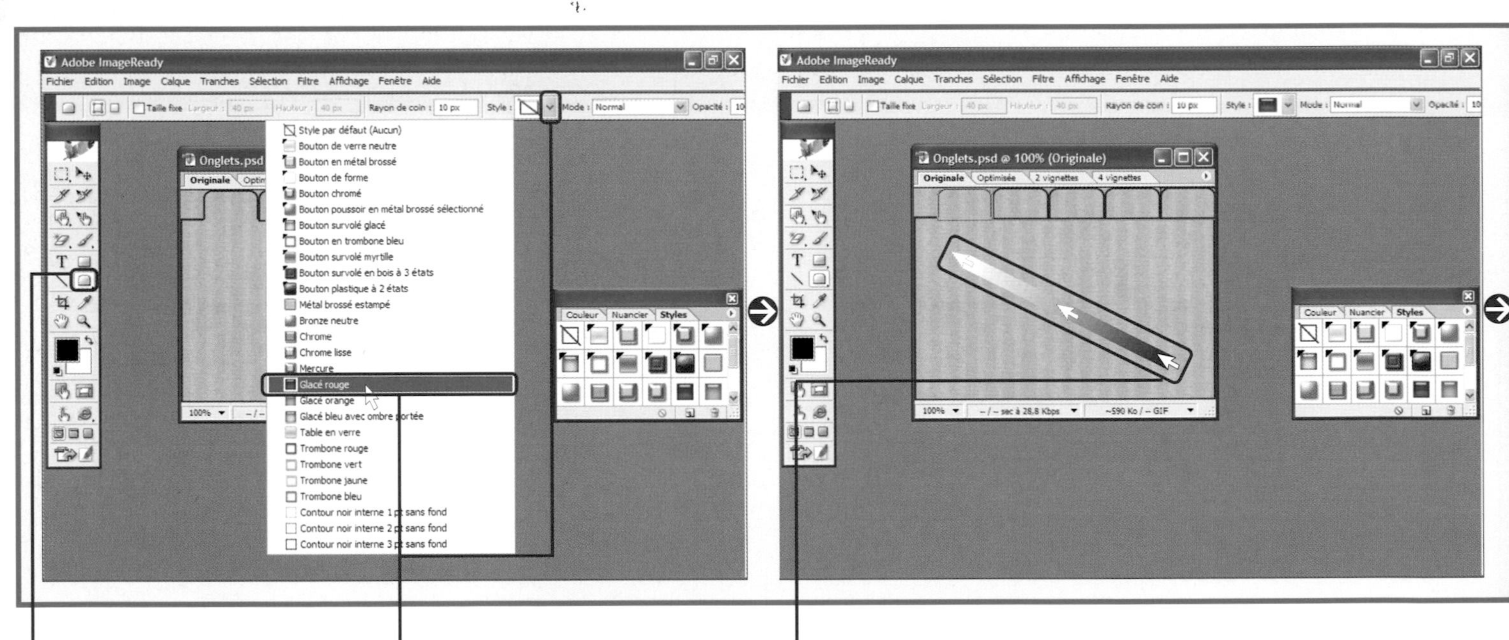

① Cliquez un outil de forme.

*Note. L'exemple utilise l'outil **Onglet** ([icône]).*

② Cliquez ici pour sélectionner un style de calque.

③ Cliquez le style à appliquer.

④ Cliquez et faites glisser le pointeur dans l'image pour dessiner la forme.

NIVEAU DE DIFFICULTÉ

Le saviez-vous ?

Certains échantillons, dans la liste des styles de calque, comportent un petit triangle noir dans le coin supérieur gauche (). Ils correspondent aux effets de transformations par souris. Lorsque vous dessinez une forme avec ces styles, ImageReady crée automatiquement les différents états de la transformation par souris. Consultez la tâche n° 94 pour plus d'informations sur les transformations par souris, et la tâche n° 95 sur la création d'un style de transformation par souris.

Ajoutez une touche personnelle !

Les formes s'appuient sur des tracés vectoriels. Vous pouvez redimensionner une forme sans altérer la netteté de ses contours. Les styles de calque appliqués à la forme s'adaptent aussi aux nouvelles dimensions de celle-ci. Si la forme a servi à la création d'une tranche basée sur un calque, les dimensions de la tranche changent en même temps que celles de la forme.

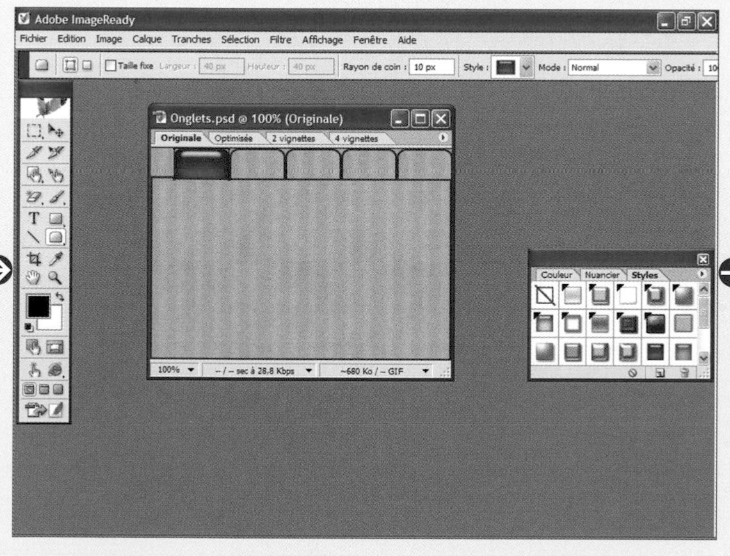

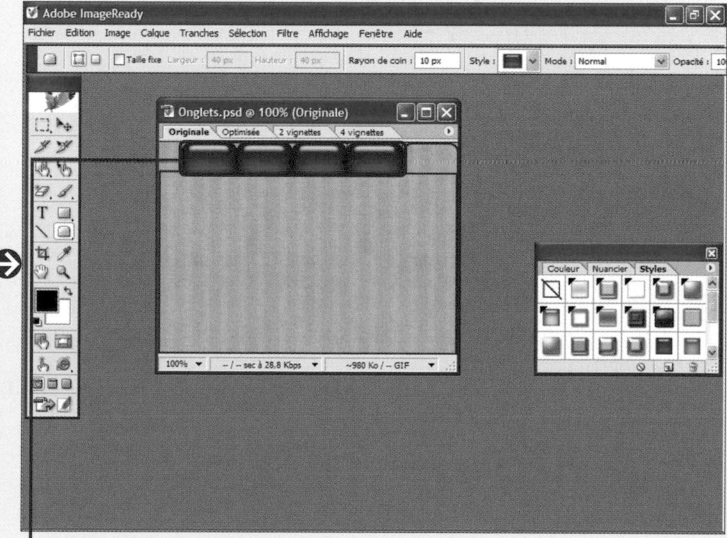

- ImageReady crée la forme avec le style choisi.

- Vous pouvez continuer à dessiner d'autres formes. Elles adoptent toutes le même style que la première.

Créez des effets de survol avec les TRANSFORMATIONS PAR SOURIS

ImageReady permet de créer facilement une transformation par souris. Il s'agit d'un effet très populaire dans les pages Web, modifiant l'apparence d'une image ou d'un bouton selon les opérations effectuées avec la souris.

Vous pouvez créer une transformation par souris à partir d'une tranche ou d'une carte-image. Définissez les différents états de la transformation en modifiant l'apparence, la position ou d'autres propriétés du contenu de la tranche ou de la carte-image.

L'état Par-dessus correspond à l'état de la transformation par souris lorsque le pointeur la survole. L'état Bas correspond à l'état de la transformation lorsque le bouton de la souris est maintenu enfoncé. L'état Clic correspond à l'état de la transformation lorsque l'utilisateur la clique. Il existe d'autres états remplissant d'autres fonctions. Consultez l'aide de ImageReady pour plus d'informations.

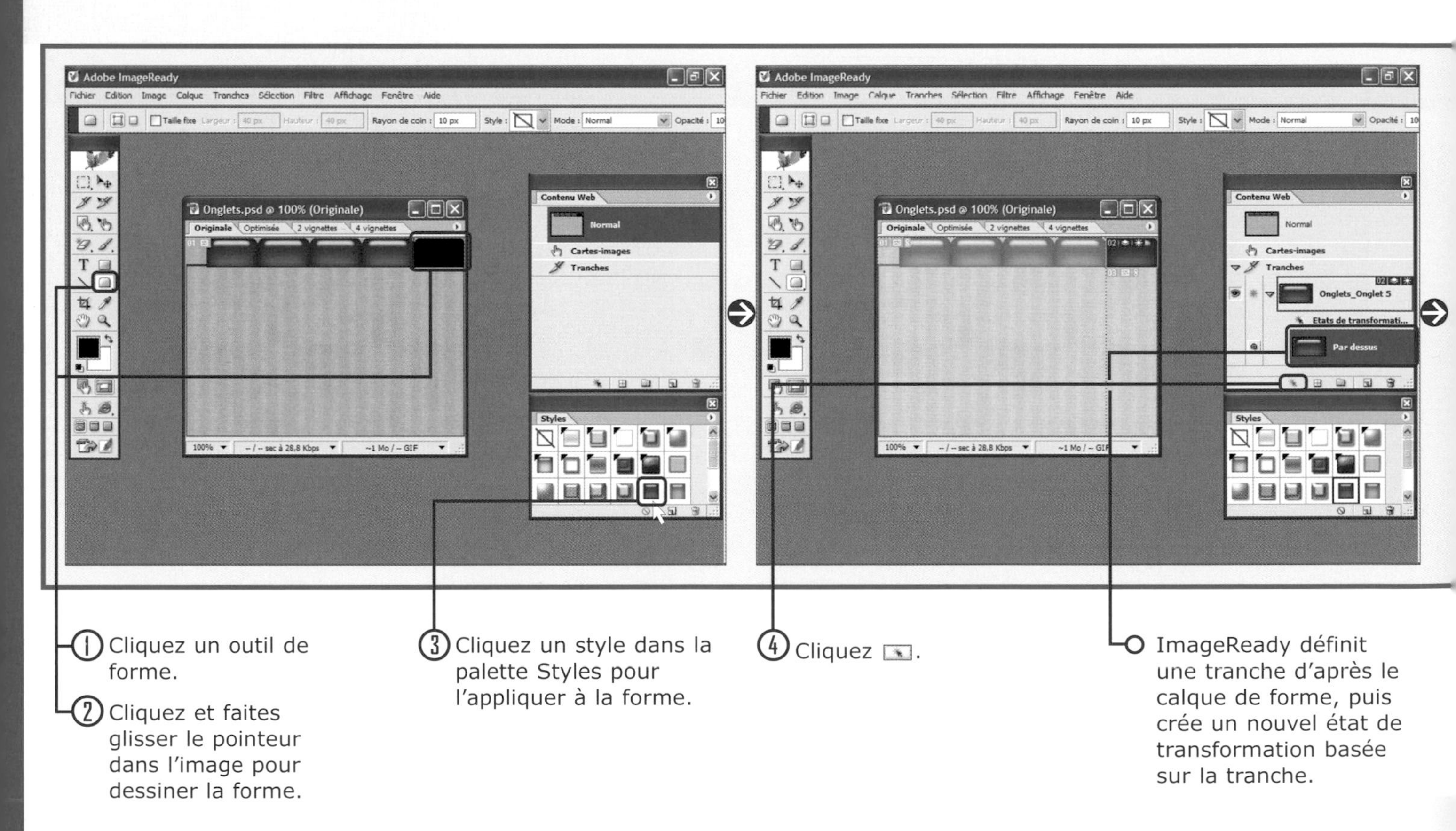

① Cliquez un outil de forme.

② Cliquez et faites glisser le pointeur dans l'image pour dessiner la forme.

③ Cliquez un style dans la palette Styles pour l'appliquer à la forme.

④ Cliquez ▢.

○ ImageReady définit une tranche d'après le calque de forme, puis crée un nouvel état de transformation basée sur la tranche.

94

NIVEAU DE DIFFICULTÉ

Prudence !

Lorsque vous modifiez une image, assurez-vous qu'aucun état de transformation par souris n'est sélectionné dans la palette Contenu Web. Sinon, ImageReady considère toutes les modifications comme faisant partie de l'état de transformation. Ouvrez l'image dans votre navigateur Web pour vérifier que les transformations par souris fonctionnent comme prévu. Cliquez à cette fin.

Le saviez-vous ?

Lorsque vous exportez la page Web, ImageReady génère automatiquement le code HTML et JavaScript nécessaire au fonctionnement des transformations par souris, des animations et autres éléments interactifs. Ceci permet de créer des effets complexes même si vous ne maîtrisez pas les langages HTML et JavaScript.

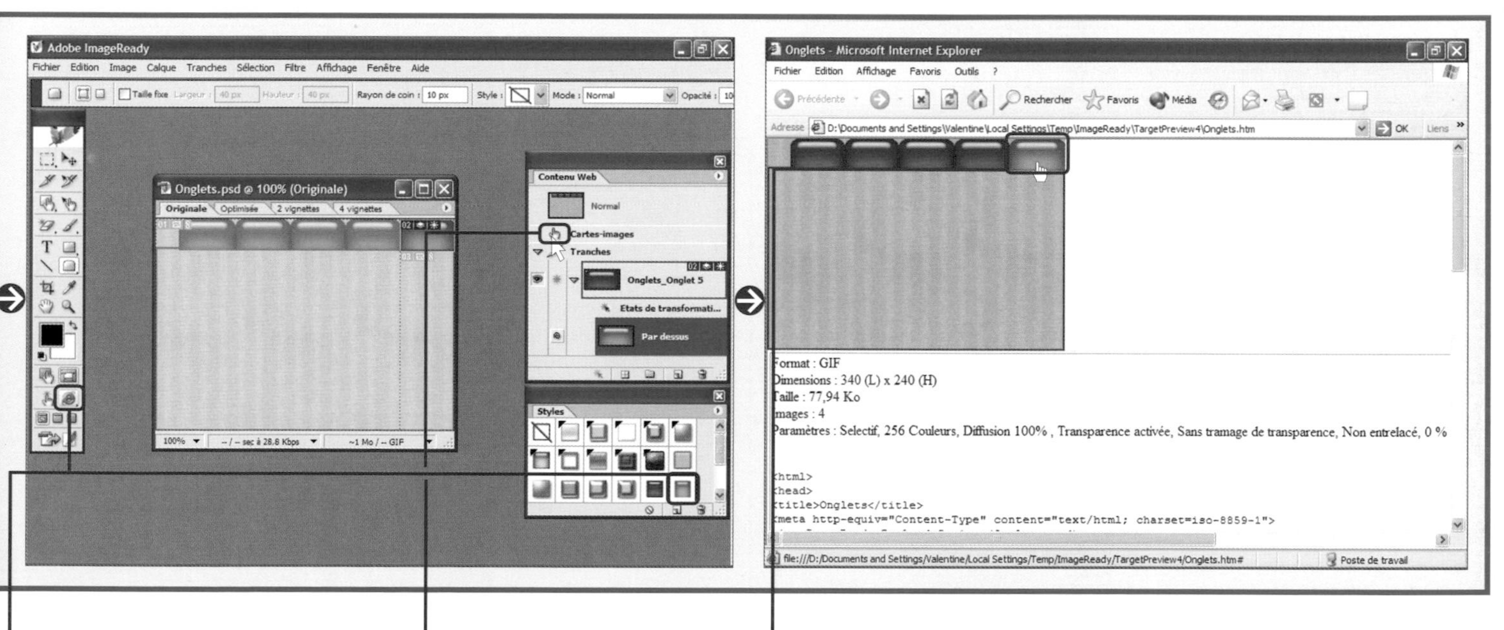

5. Appliquez un style différent au nouvel état de transformation.

6. Cliquez pour afficher l'image dans le navigateur par défaut.

- Vous pouvez aussi cliquer pour afficher un aperçu de l'effet directement dans ImageReady.

- ImageReady génère le code HTML nécessaire au fonctionnement de la transformation par souris.

Créez un style de TRANSFORMATION PAR SOURIS

Vous pouvez créer un style de calque spécifique correspondant à une transformation par souris. Lorsque vous appliquez ce genre de style, ImageReady crée automatiquement un état normal et un état activé d'une transformation par souris. Vous créez le style à partir d'une transformation par souris existante. Une fois créé, le style apparaît dans la palette Styles. Vous pouvez alors l'enregistrer dans une bibliothèque de styles.

Définir un style s'avère particulièrement utile lorsque vous devez créer plusieurs éléments interactifs à l'apparence uniforme, par exemple, les boutons d'un menu de navigation.

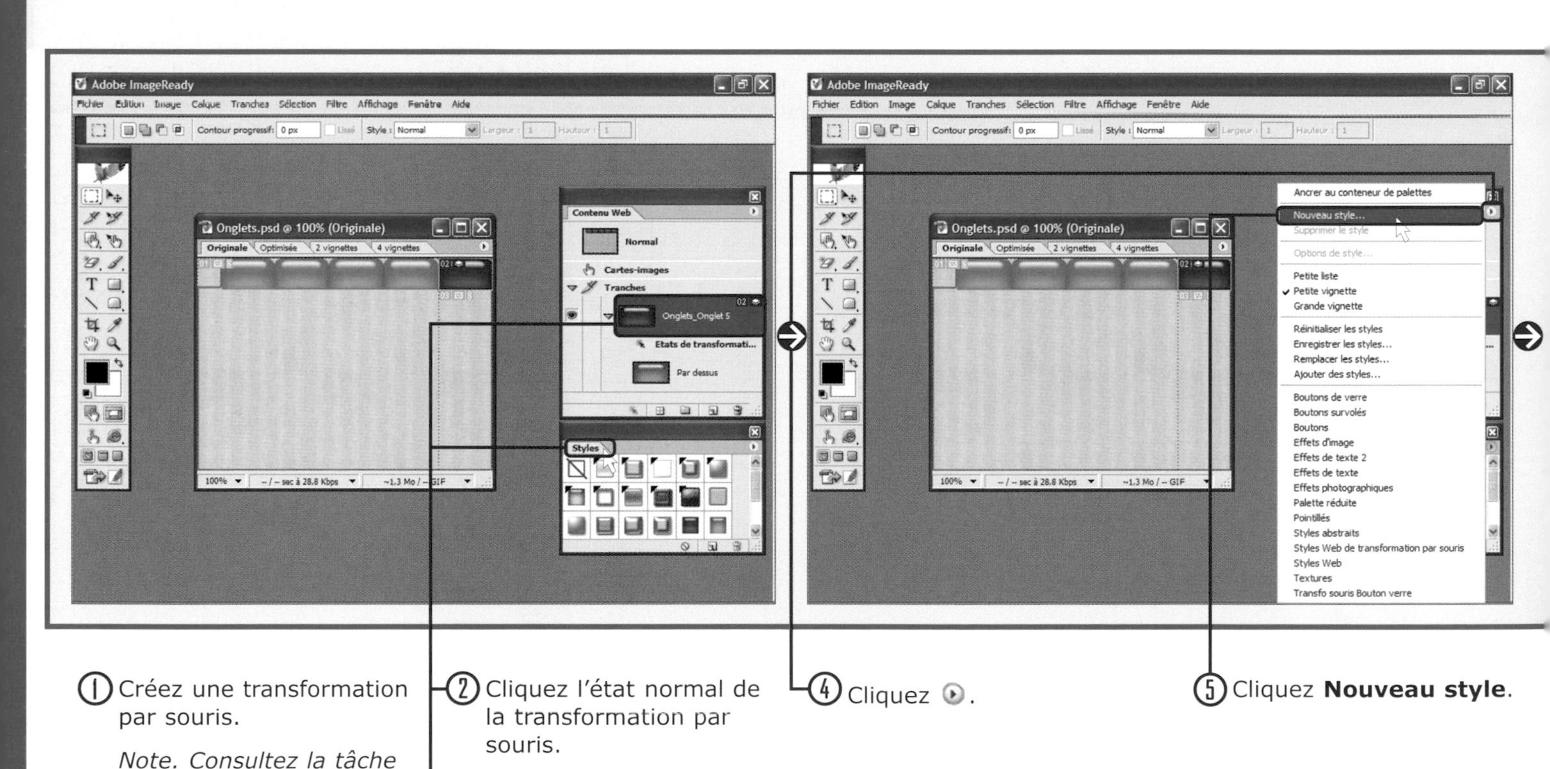

1. Créez une transformation par souris.

   Note. Consultez la tâche n° 94 pour plus d'informations.

2. Cliquez l'état normal de la transformation par souris.

3. Cliquez l'onglet de la palette **Styles**.

4. Cliquez ⊙.

5. Cliquez **Nouveau style**.

NIVEAU DE DIFFICULTÉ

Le saviez-vous ?

Vous pouvez archiver les styles que vous créez dans une bibliothèque de styles. Dans la palette Styles, cliquez ⊙, puis **Enregistrer les styles**. Cette commande crée un fichier ASL, incluant tous les styles affichés dans la palette. Par défaut, ImageReady enregistre les styles de calque dans le dossier \Adobe\Photoshop CS\Paramètres prédéfinis\Styles. Pour charger une bibliothèque de styles dans la palette, cliquez son nom dans le menu contextuel. Si vous avez enregistré la bibliothèque ailleurs que dans le dossier par défaut, cliquez **Remplacer les styles** ou **Ajouter les styles**. Sélectionnez le dossier adéquat dans la boîte de dialogue qui apparaît.

Le saviez-vous ?

Vous pouvez modifier un style de transformation par souris aussi facilement que n'import quel autre style de calque. Cliquez l'état de transformation par souris dans la palette Contenu Web. Double-cliquez ensuite ☐ à droite du calque correspondant, dans la palette Calques. Modifiez les options du style dans la boîte de dialogue Style de calque qui s'ouvre alors.

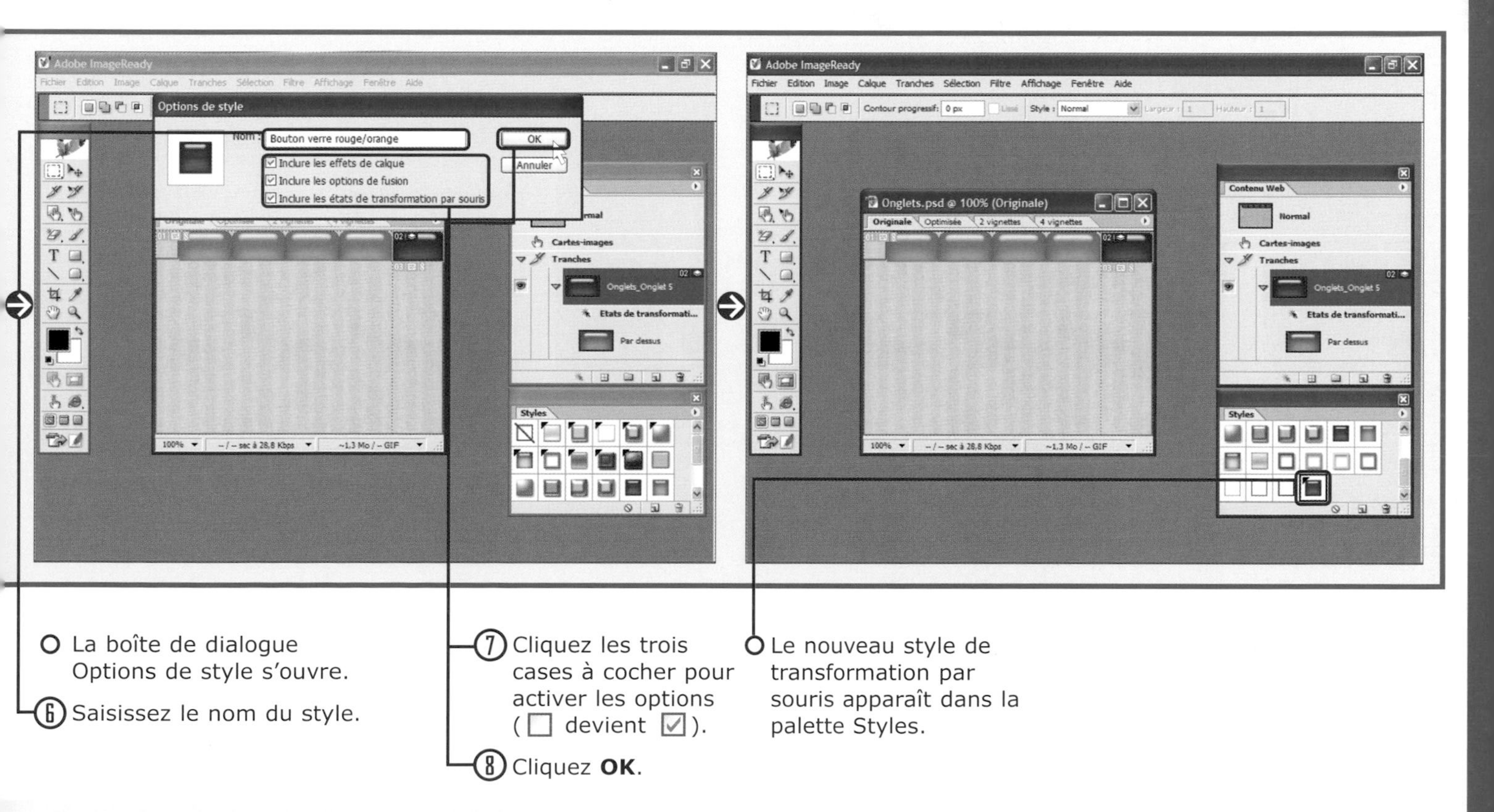

○ La boîte de dialogue Options de style s'ouvre.

⑥ Saisissez le nom du style.

⑦ Cliquez les trois cases à cocher pour activer les options (☐ devient ☑).

⑧ Cliquez **OK**.

○ Le nouveau style de transformation par souris apparaît dans la palette Styles.

Créez un GIF ANIMÉ

La majorité des animations rencontrées sur le Web sont des GIF animés. Il s'agit d'une série de plusieurs images au format GIF, superposées les unes aux autres. Chaque image présente une légère variation par rapport à la précédente. Ainsi, leur succession rapide donne une impression de mouvement.

Grâce à la palette Animation, vous pouvez définir facilement les différentes étapes d'une animation. ImageReady peut même créer automatiquement les étapes intermédiaires entre deux images afin de générer une animation fluide. La palette Animation permet de paramétrer d'autres options de l'animation, comme l'exécution en boucle.

L'exemple ci-dessous présente une animation très simple à réaliser, créée à partir d'une image Photoshop. Cette dernière se compose d'un arrière-plan et d'un calque de forme. Vous pouvez créer des animations plus complexes en dessinant vous-même les différentes étapes ou à partir d'une image multicalque.

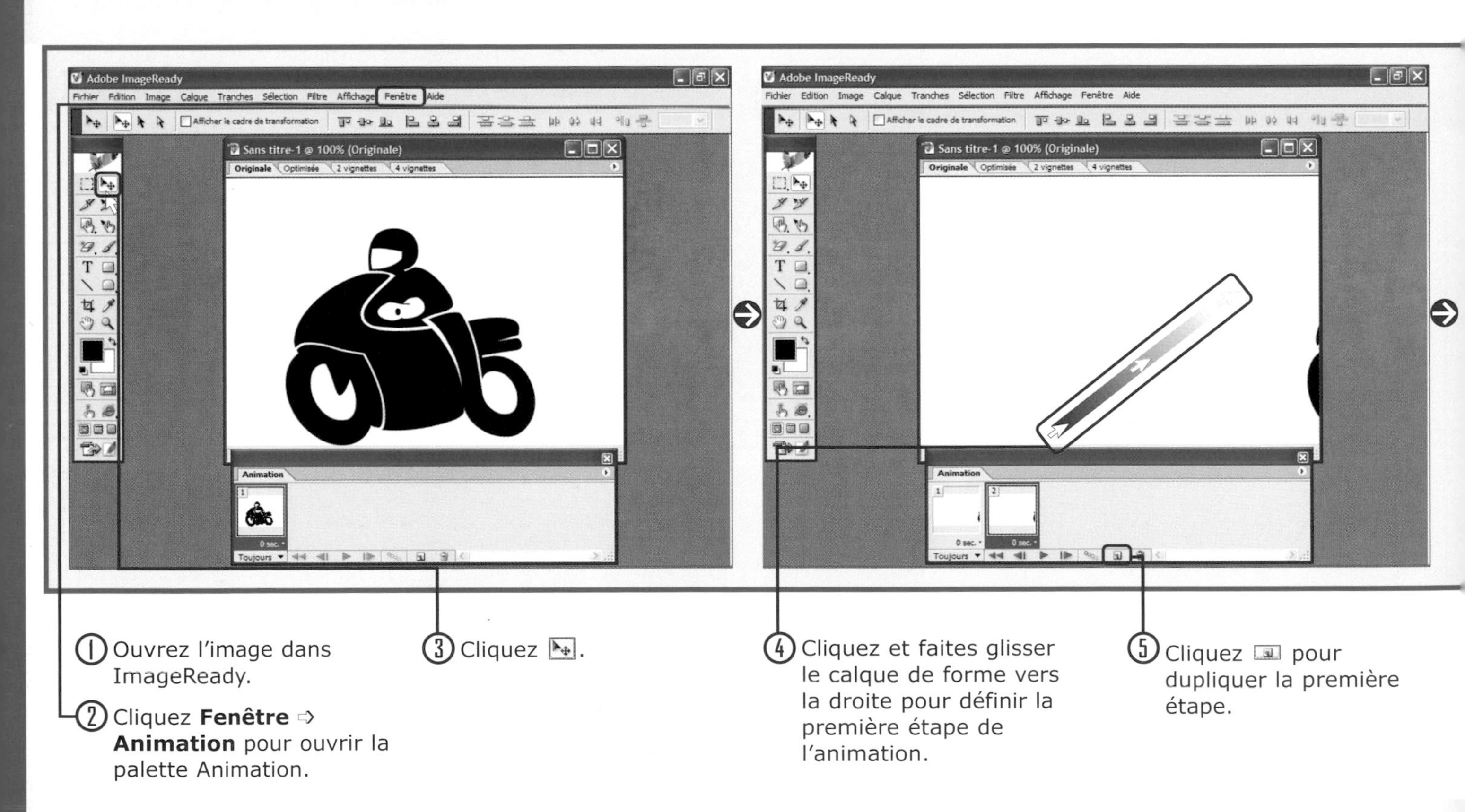

① Ouvrez l'image dans ImageReady.

② Cliquez **Fenêtre ⇨ Animation** pour ouvrir la palette Animation.

③ Cliquez .

④ Cliquez et faites glisser le calque de forme vers la droite pour définir la première étape de l'animation.

⑤ Cliquez pour dupliquer la première étape.

96

NIVEAU DE DIFFICULTÉ

Le saviez-vous ?

Vous pouvez créer une animation d'après une image Photoshop multicalque. Dans Photoshop, créez l'image de manière à représenter chaque étape de l'animation dans un calque différent. Ouvrez l'image dans ImageReady. Dans la palette Animation, cliquez ▸ puis **Créer des images à partir de calques**. ImageReady crée les étapes de l'animation d'après les calques de l'image, dans leur ordre d'apparition dans la palette Calques.

Ajoutez une touche personnelle !

Lorsque vous venez de créer l'animation, l'indicateur de temps sous chaque image, dans la palette Animation, affiche **0 sec**. Cliquez cette valeur pour modifier la durée d'affichage des images. Dans la liste qui apparaît, cliquez le délai approprié. Sélectionnez plusieurs images, avant de cliquer sur l'indicateur de temps, pour leur attribuer le même délai.

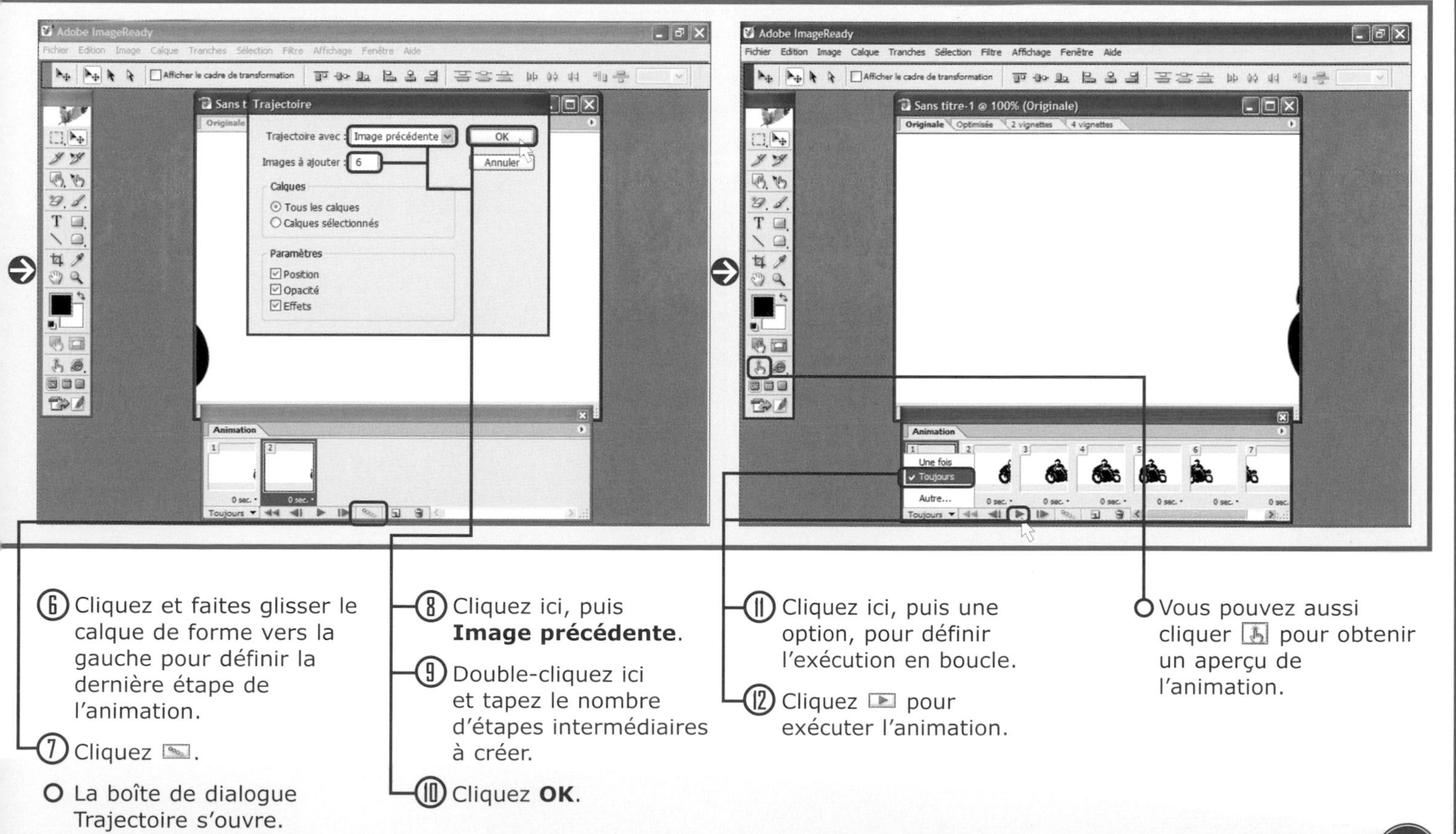

6 Cliquez et faites glisser le calque de forme vers la gauche pour définir la dernière étape de l'animation.

7 Cliquez [icône].

○ La boîte de dialogue Trajectoire s'ouvre.

8 Cliquez ici, puis **Image précédente**.

9 Double-cliquez ici et tapez le nombre d'étapes intermédiaires à créer.

10 Cliquez **OK**.

11 Cliquez ici, puis une option, pour définir l'exécution en boucle.

12 Cliquez [icône] pour exécuter l'animation.

○ Vous pouvez aussi cliquer [icône] pour obtenir un aperçu de l'animation.

Transformez une zone de l'image en CARTE-IMAGE

Une carte-image permet de définir, dans ImageReady, une zone active, ou zone cliquable. Il s'agit d'une zone de l'image permettant d'activer un lien hypertexte ou un effet de survol. Contrairement à une tranche, une carte-image peut adopter des formes variées. Dessinez une carte-image rectangulaire, circulaire ou polygonale grâce à l'outil Carte-image appropriée. ImageReady génère automatiquement le code HTML décrivant la forme de la zone cliquable.

Vous pouvez aussi créer une carte-image à partir d'une sélection. Sélectionnez une partie de l'image à l'aide de l'outil de sélection de votre choix. Cliquez Sélection ⇨ Créer une carte-image d'après la sélection. Dans la boîte de dialogue Créer une carte-image, sélectionnez l'option adéquate. L'option Rectangle crée la zone rectangulaire la plus réduite pouvant englober toute la sélection. Cercle fait de même, mais avec une zone en forme d'ellipse. L'option Polygone crée une zone polygonale, selon le paramètre de qualité spécifié.

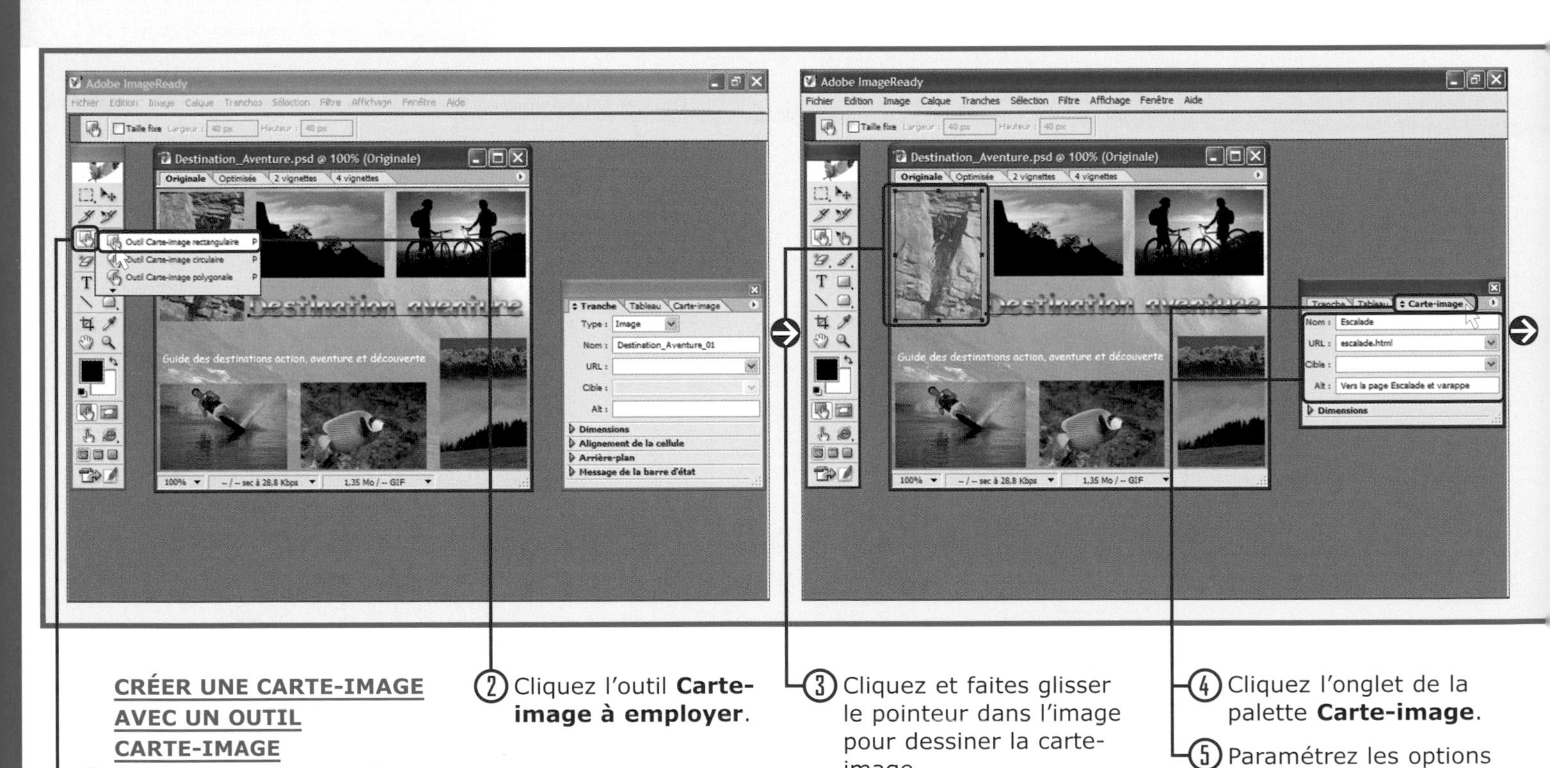

CRÉER UNE CARTE-IMAGE AVEC UN OUTIL CARTE-IMAGE

1. Cliquez et maintenez .
2. Cliquez l'outil **Carte-image à employer**.
3. Cliquez et faites glisser le pointeur dans l'image pour dessiner la carte-image.

- ImageReady définit la zone cliquable.

4. Cliquez l'onglet de la palette **Carte-image**.
5. Paramétrez les options de la carte-image à votre convenance.

97

NIVEAU DE DIFFICULTÉ

Le saviez-vous ?

La valeur de qualité de l'option **Polygone**, dans la boîte de dialogue Créer une carte-image, détermine la fidélité de la carte-image aux contours de la sélection. Plus la valeur est grande, plus le dessin de la carte-image respecte précisément les contours de la sélection. Une valeur faible simplifie les contours de la sélection et donne un polygone aux côtés plus rectilignes.

Ajoutez une touche personnelle !

Vous pouvez créer une transformation par souris d'après une carte-image. Cliquez la carte-image dans la palette Contenu Web. Cliquez ▸ puis **Nouvel état de transformation par souris**. Sélectionnez le nouvel état de transformation. Modifiez l'image pour définir l'apparence de l'état de transformation.

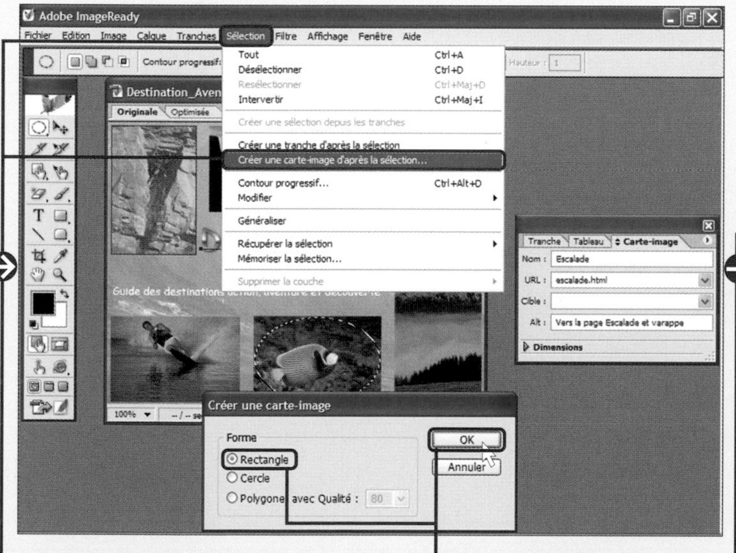

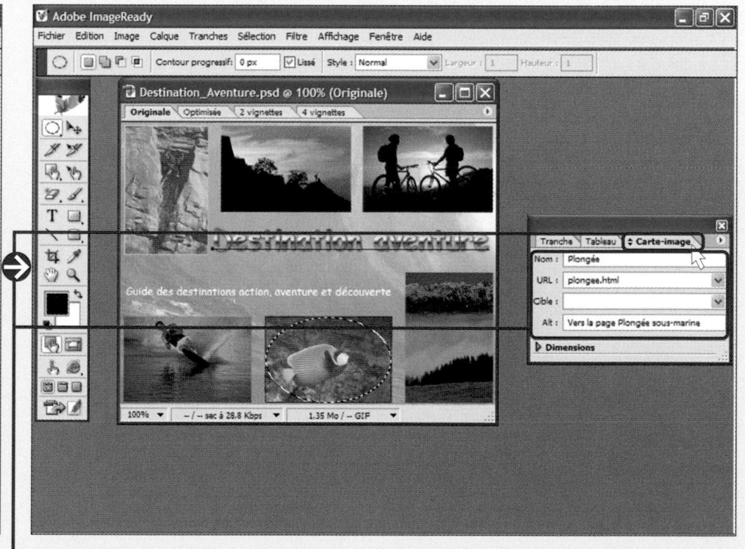

CRÉER UNE CARTE-IMAGE D'APRÈS UNE SÉLECTION

① Sélectionnez une partie de l'image avec l'outil de sélection de votre choix.

② Cliquez **Sélection**.

③ Cliquez **Créer une carte-image d'après la sélection**.

○ La boîte de dialogue Créer une carte-image s'ouvre.

④ Cliquez l'option adéquate (○ devient ◉).

⑤ Cliquez **OK**.

⑥ Cliquez l'onglet de la palette **Carte-image**.

⑦ Paramétrez les options de la carte-image à votre convenance.

Note. Les options d'une carte-image sont similaires à celles d'une tranche. Consultez la page 203 pour plus d'informations.

DÉPLACEZ PLUSIEURS OBJETS simultanément

Dans Photoshop, vous ne pouvez déplacer simultanément plusieurs objets, répartis sur des calques différents, qu'en liant les calques concernés. ImageReady permet de sélectionner plusieurs calques à la fois dans la palette Calques. Ceci facilite considérablement la modification et la manipulation de plusieurs calques en même temps.

Vous pouvez sélectionner les objets dans la palette Calques ou directement dans l'image.

Dans la palette Calques, maintenez enfoncée la touche **Maj**, puis cliquez le premier calque à sélectionner et le dernier. Pour sélectionner des calques non consécutifs, maintenez enfoncée **Ctrl** et cliquez chaque calque à inclure dans la sélection. Pour sélectionner les calques directement dans l'image, consultez les étapes ci-dessous.

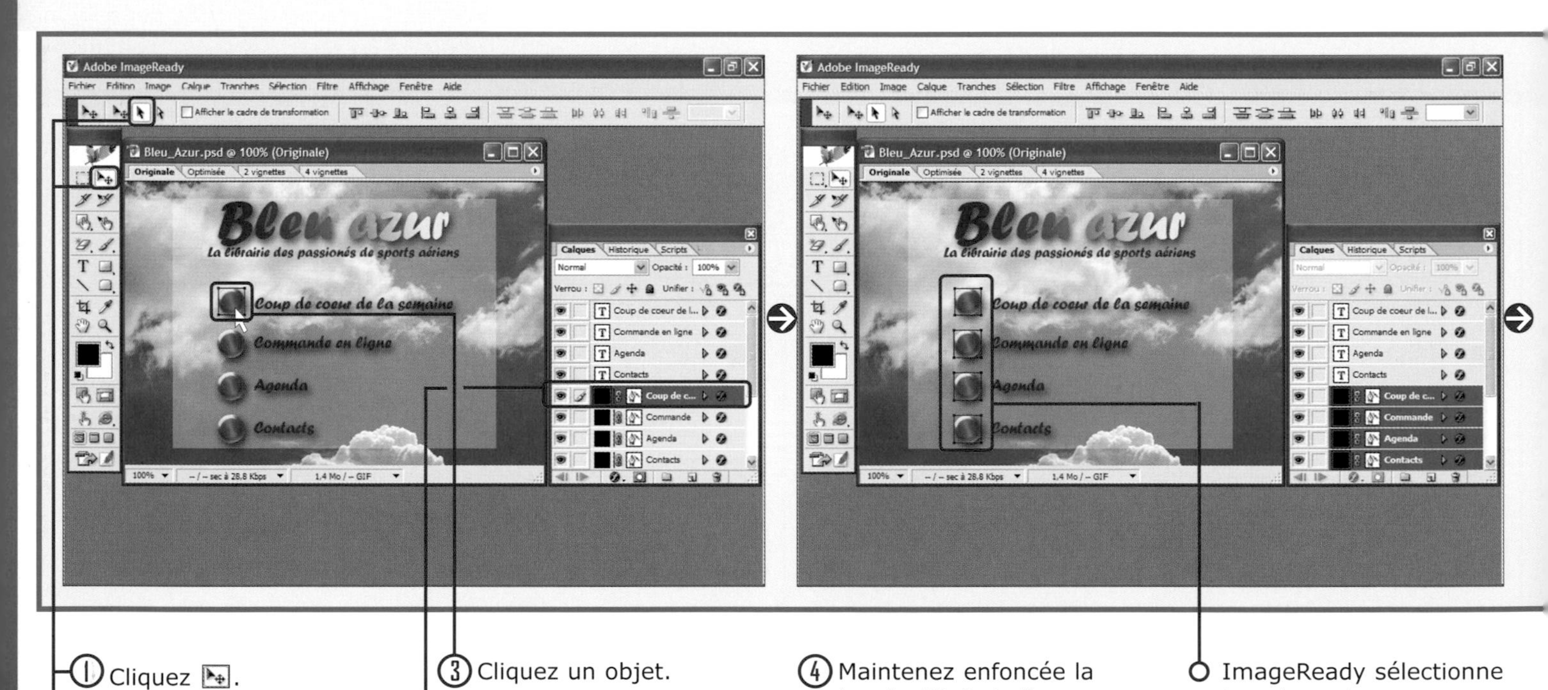

① Cliquez .

② Cliquez dans la barre d'options.

③ Cliquez un objet.

○ ImageReady sélectionne le calque correspondant dans la palette Calques.

④ Maintenez enfoncée la touche **Maj** et cliquez d'autres objets dans l'image.

○ ImageReady sélectionne tous les calques correspondants.

NIVEAU DE DIFFICULTÉ

Le saviez-vous ?

Vous pouvez modifier d'autres aspects des calques sélectionnés, outre leur position ou leur alignement. Vous pouvez par exemple leur appliquer le même style de calque en cliquant ce dernier dans la palette Styles. Vous pouvez aussi définir plusieurs transformations par souris en une seule opération. Pour cela, cliquez dans la palette Contenu Web, alors que plusieurs calques sont sélectionnés.

Le saviez-vous ?

La sélection multiple de calques crée un lien temporaire entre les calques sélectionnés. Seule la liaison de calques permet de créer un lien permanent. Consultez la tâche n° 8 pour plus d'informations. Vous pouvez aussi appliquer le même style de calque aux calques liés. Cliquez avec le bouton droit le calque déjà doté du style. Dans le menu contextuel qui apparaît, cliquez **Copier le style de calque**. Cliquez de nouveau le même calque avec le bouton droit, puis cliquez **Coller le style de calque** sur les calques liés.

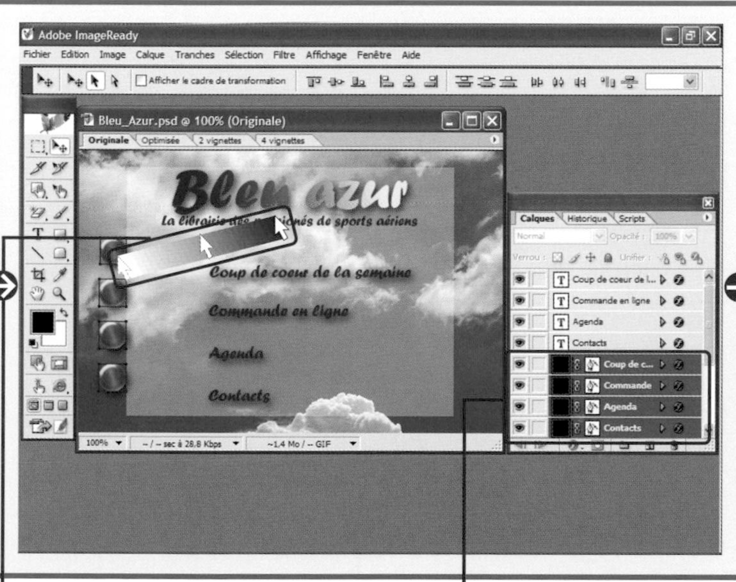

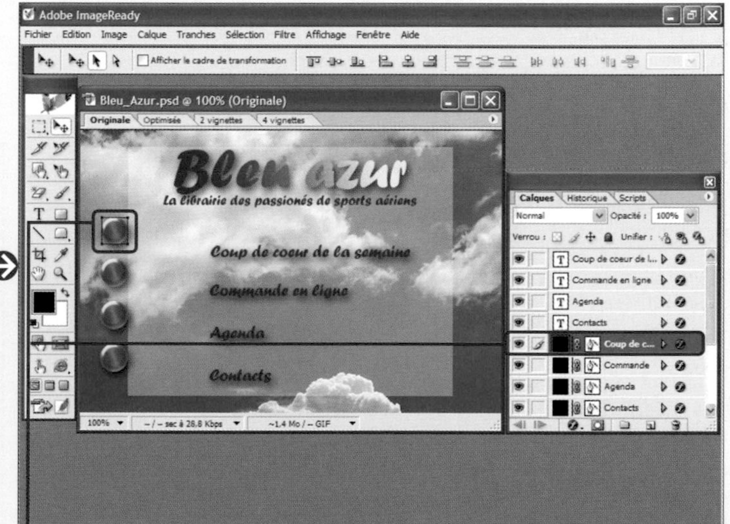

5. Cliquez un des objets sélectionnés et faites glisser le pointeur de la souris dans l'image.

- Tous les objets sélectionnés se déplacent simultanément.

- Vous pouvez aussi cliquer une option pour aligner et répartir les calques sélectionnés les uns par rapport aux autres. Consultez la page 19 pour plus d'informations.

- Cliquez n'importe quel autre calque ou objet pour désélectionner.

CONCEVEZ UNE PAGE WEB

dans ImageReady

En associant Photoshop et ImageReady, vous pouvez facilement créer des pages Web dotées de graphismes et d'éléments interactifs sophistiqués. Créez les images proprement dites dans Photoshop. Ouvrez-les ensuite dans ImageReady pour les optimiser. Créez également dans ImageReady les éléments actifs comme les animations, les transformations par souris et les zones cliquables. Toujours depuis ImageReady, générez la page Web complète, incluant le code HTML et JavaScript.

Lorsque vous enregistrez l'image en tant que page Web, ImageReady crée les différents éléments de celle-ci en s'appuyant sur les tranches. Les fichiers HTML et graphiques créés sont enregistrés dans le dossier que vous désignez. Vous pouvez définir plus précisément les options d'exportation de la page Web avec les options du sous-menu Fichier ⇨ Paramètres de sortie.

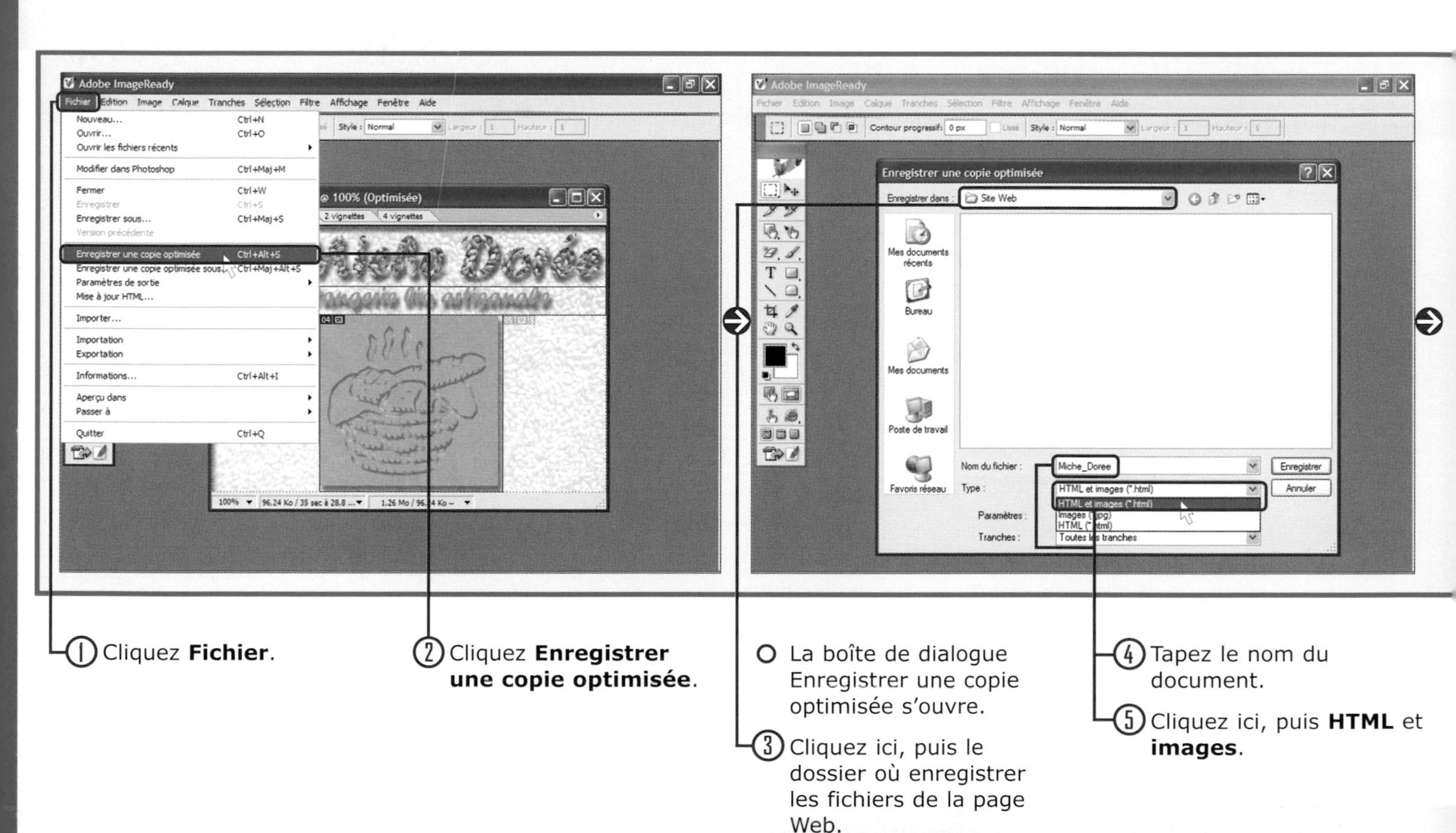

① Cliquez **Fichier**.

② Cliquez **Enregistrer une copie optimisée**.

○ La boîte de dialogue Enregistrer une copie optimisée s'ouvre.

③ Cliquez ici, puis le dossier où enregistrer les fichiers de la page Web.

④ Tapez le nom du document.

⑤ Cliquez ici, puis **HTML** et **images**.

NIVEAU DE DIFFICULTÉ

Le saviez-vous ?

Après le premier enregistrement de la page Web, la commande **Fichier ⇨ Enregistrer une copie optimisée** n'ouvre plus la boîte de dialogue correspondante. Chaque lancement de la commande applique les options définies la première fois. Ceci vous évite de redéfinir les options à chaque enregistrement des modifications apportées à la page Web. Pour définir de nouvelles options, utilisez la commande **Fichier ⇨ Enregistrer une copie optimisée sous**. Vous pouvez donner un autre nom au document, dans la boîte de dialogue qui apparaît, afin de conserver la première version de la page Web.

Ajoutez une touche personnelle !

Lorsque vous créez des ensembles de tranches dans l'image PSD, leurs noms apparaissent dans la liste déroulante **Tranches** de la boîte de dialogue Enregistrer une copie optimisée. Vous pouvez ainsi enregistrer différentes versions de la même page Web, en exportant les ensembles de tranches spécifiques à chaque version. Cliquez le nom de l'ensemble adéquat dans la boîte de dialogue Enregistrer une copie optimisée. Consultez la tâche n° 92 pour plus d'informations sur les ensembles de tranches.

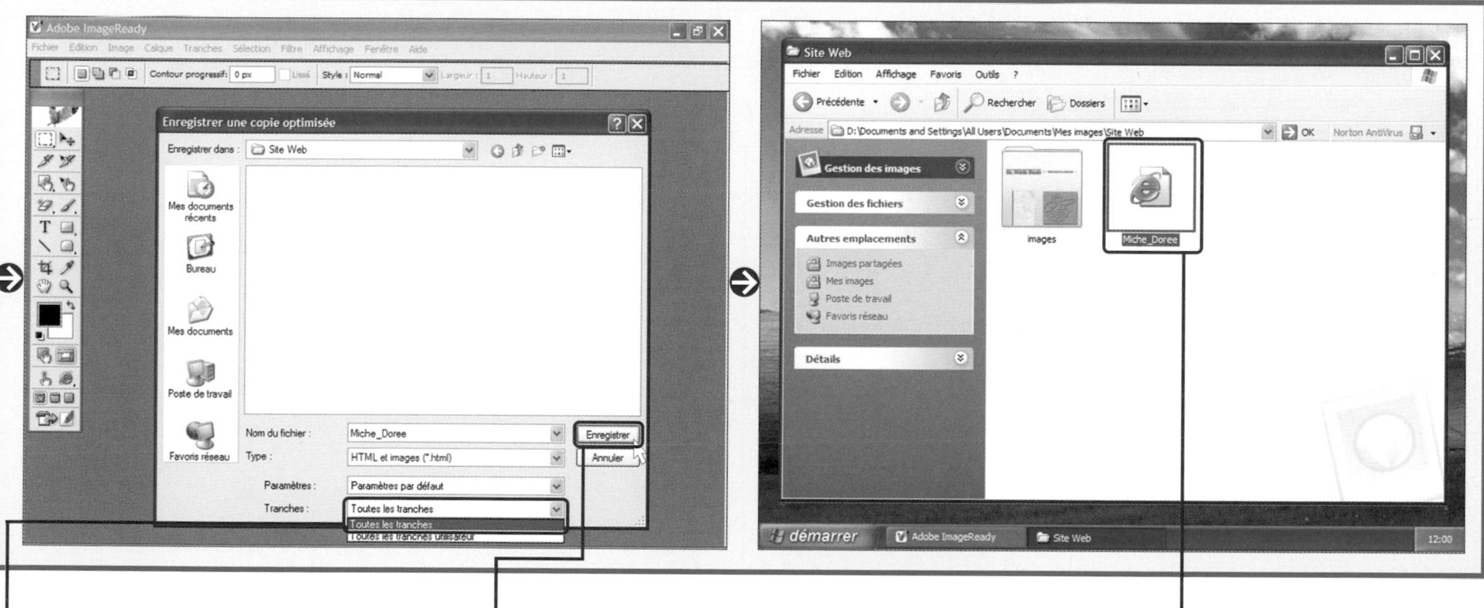

⑥ Cliquez ici, puis l'option adéquate pour l'exportation des tranches.

- Si vous avez découpé la page Web en tranches, ImageReady exporte chacune d'elles en tant qu'image.

⑦ Cliquez **Enregistrer**.

- ImageReady enregistre le document HTML et les images créés lors de l'exportation.

- Vous pouvez double-cliquer le document HTML pour ouvrir la page Web dans votre navigateur habituel.

Exportez les animations au format MACROMEDIA FLASH SWF

Outre le GIF animé, le format SWF constitue le format de fichier le plus courant sur le Web pour les animations. Ce format présente l'avantage de générer un fichier de taille plus réduite que le GIF animé équivalent. Il convient tout particulièrement aux animations constituées d'images vectorielles et de texte.

L'exportation au format SWF ouvre une boîte de dialogue. Vous y définissez les options de l'animation. Ces dernières permettent de préserver au mieux l'apparence de l'image PSD originale, de générer un fichier HTML en plus de l'animation, et d'intégrer les polices de caractère dans le fichier SWF.

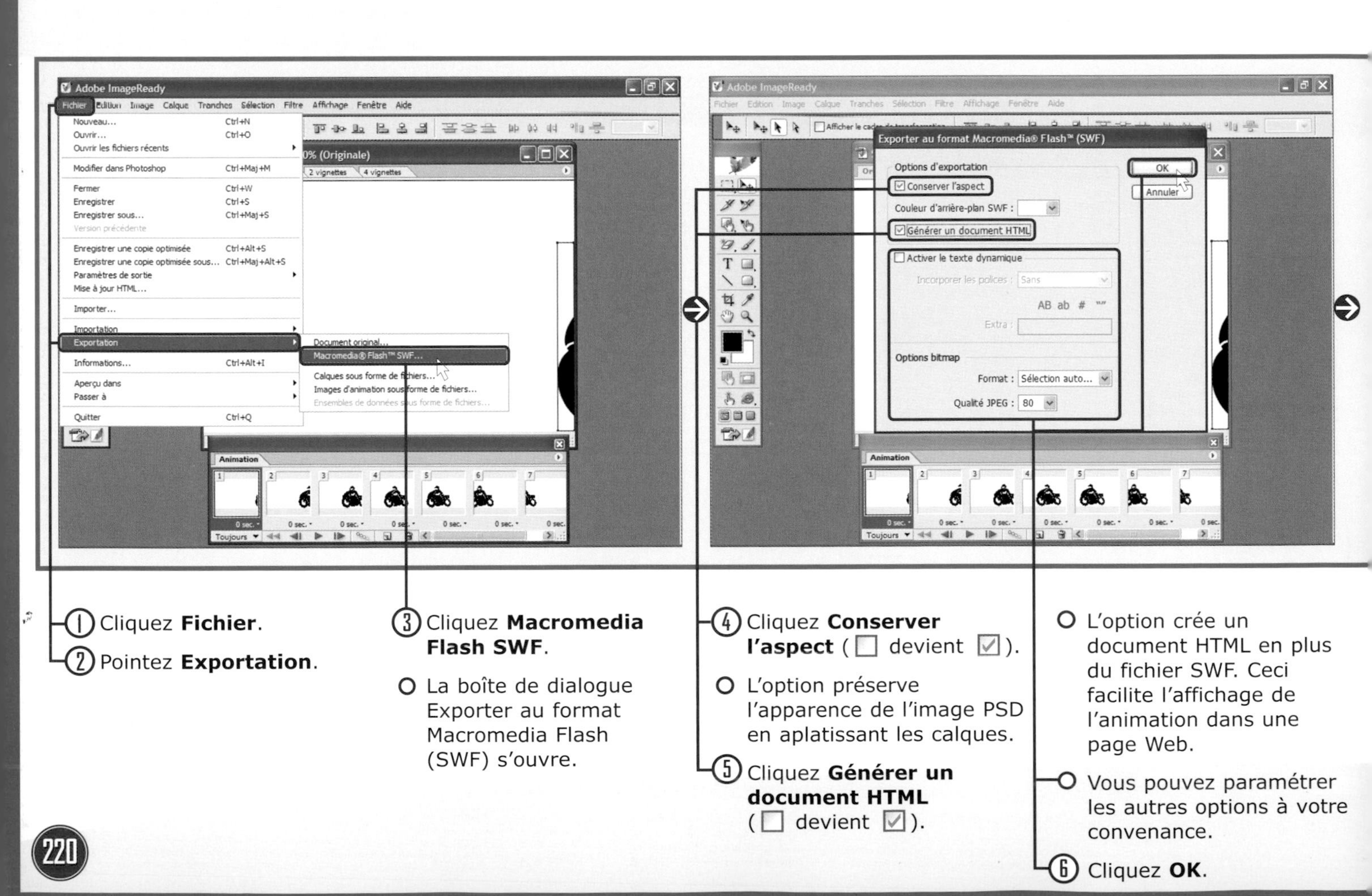

1. Cliquez **Fichier**.
2. Pointez **Exportation**.
3. Cliquez **Macromedia Flash SWF**.

- La boîte de dialogue Exporter au format Macromedia Flash (SWF) s'ouvre.

4. Cliquez **Conserver l'aspect** (☐ devient ☑).

- L'option préserve l'apparence de l'image PSD en aplatissant les calques.

5. Cliquez **Générer un document HTML** (☐ devient ☑).

- L'option crée un document HTML en plus du fichier SWF. Ceci facilite l'affichage de l'animation dans une page Web.
- Vous pouvez paramétrer les autres options à votre convenance.

6. Cliquez **OK**.

NIVEAU DE DIFFICULTÉ

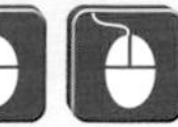

Le saviez-vous ?

Vous pouvez exporter une image Photoshop multicalque au format SWF sans l'aplatir. Pour cela, cliquez **Fichier** ⇨ **Exportation** ⇨ **Calques sous forme de fichiers**. Dans la boîte de dialogue Exporter les calques sous forme de fichiers, sélectionnez le format SWF. Sous la section **Options d'enregistrement**, dans la liste déroulante **Appliquer**, vous pouvez même sélectionner l'option **Format distinct pour chaque calque**. Ceci permet d'enregistrer certains calques au format SWF et de choisir d'autres formats pour le reste des calques. Vous pouvez cliquer **Définir**, sous la section **Options de format** pour ouvrir la boîte de dialogue Exporter au format Macromedia Flash (SWF) décrite aux étapes **4** à **6** ci-dessous.

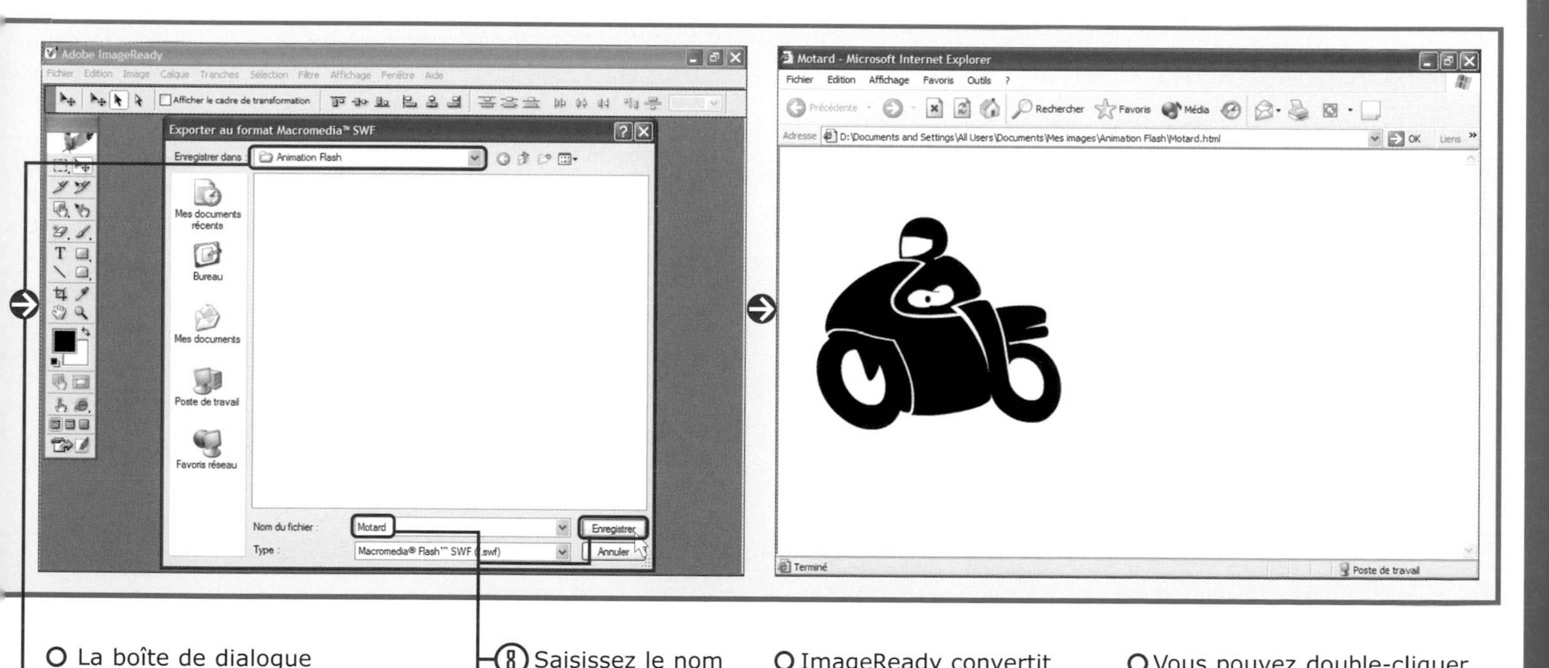

- La boîte de dialogue Exporter au format Macromedia SWF s'ouvre.

7. Cliquez ici pour sélectionner le dossier de destination.

8. Saisissez le nom du fichier SWF.

9. Cliquez **Enregistrer**.

- ImageReady convertit l'animation au format SWF et l'enregistre selon les options spécifiées.

- Vous pouvez double-cliquer le fichier HTML créé en même temps que l'animation Flash afin d'afficher cette dernière dans votre navigateur Web.

INDEX

INDEX

L

M

N

P

R

S

T

INDEX

Photoshop CS

C'est simple

À MON AVIS, « PHOTOSHOP CS C'EST SIMPLE TOP 100 TRUCS & ASTUCES » EST

❑ Excellent ❑ Moyen
❑ Satisfaisant ❑ Insuffisant

CE QUE JE PRÉFÈRE DANS CE LIVRE

____
____
____
____

MES SUGGESTIONS POUR L'AMÉLIORER

____
____
____
____

EN INFORMATIQUE, JE ME CONSIDÈRE COMME

❑ Débutant ❑ Expérimenté
❑ Initié ❑ Professionnel

J'UTILISE L'ORDINATEUR

❑ Au bureau ❑ À l'école
❑ À la maison ❑ Autre : ______________

MES LOGICIELS FAVORIS

❑ Traitement de texte
❑ Tableur
❑ Base de données
❑ Création graphique
❑ Internet et Web
❑ Communications et réseaux
❑ Langages de programmation
❑ Autre : ______________

Nom ______________

Prénom ______________

Adresse ______________

____

Code postal ______________

Ville ______________

Pays ______________

Fiche Lecteur à découper ou à photocopier.
Adresse au verso.

AFFRANCHIR
AU TARIF
LETTRE

Éditions First Interactive
27, rue Cassette
75006 PARIS
France